JULIETTE BENZONI

Juliette Benzoni est née à Paris. Fervente lectrice d'Alexandre Dumas, elle nourrit dès l'enfance une passion pour l'Histoire. Elle commence en 1964 une carrière de romancière avec la série des *Catherine*, traduite en 22 langues, qui la lance sur la voie d'un succès jamais démenti à ce jour. Depuis, elle a écrit une soixantaine de romans, recueillis notamment dans les séries *La Florentine* (1988-1989), *Les Treize Vents* (1992), *Le boiteux de Varsovie* (1994-1996) et *Secret d'État* (1997-1998). Outre la série des *Catherine* et *La Florentine*, *Le Gerfaut* et *Marianne* ont fait l'objet d'une adaptation télévisuelle.

Du Moyen Âge aux années trente, les reconstitutions historiques de Juliette Benzoni s'appuient sur une ample documentation. Vue à travers les yeux de ses héroïnes, l'Histoire, ressuscitée par leurs palpitantes aventures, bat au rythme de la passion. Figurant au palmarès des écrivains les plus lus des Français, Juliette Benzoni a su conquérir 50 millions de lecteurs dans 22 pays du monde.

MARIANNE

***

JASON DES QUATRE MERS

DU MÊME AUTEUR
CHEZ POCKET

Marianne

Le jeu de l'amour et de la mort

Secret d'État

Le boiteux de Varsovie

Les Treize Vents

Les loups de Lauzargues

(suite en fin du volume)

JULIETTE BENZONI

MARIANNE

***

JASON
DES QUATRE MERS

ÉDITIONS JC LATTÈS

LE COURRIER DU TZAR

1

LA BARRIÈRE DE FONTAINEBLEAU

La voiture franchit en trombe la porte d'Aix et s'engouffra dans les ruelles étroites et sombres du vieil Avignon. Le soleil encore haut dorait les remparts, ciselant leurs créneaux bien dessinés, leurs tours carrées, et arrachait des éclairs au fleuve nonchalant dont les eaux jaunes coulaient sans hâte sous les arches épargnées du vieux pont Saint-Bénezet à demi écroulé. Sur la plus haute tour du formidable palais des papes, la statue de la Vierge brillait comme une étoile. Pour mieux voir, Marianne avait baissé la vitre poussiéreuse et respirait avec délices l'air tiède chargé de toutes les senteurs de la Provence, où se mêlaient l'olivier, le thym et le romarin.

Il y avait maintenant quinze jours qu'elle avait quitté Lucques. On avait pris la route de la Côte, puis celle de la vallée du Rhône et voyagé à petites journées, tant pour ménager Marianne elle-même qui approchait de son quatrième mois de grossesse et dont l'état réclamait quelque prudence, que pour ne pas trop fatiguer les chevaux. Ce n'étaient plus, en effet, de vulgaires postiers qui étaient attelés à la berline, mais bien quatre superbes coureurs des écuries Sant'Anna. On faisait environ dix lieues

9

dans la journée et, chaque soir, l'on s'arrêtait dans quelque auberge.

Ce voyage avait été pour Marianne l'occasion de s'apercevoir combien sa condition avait changé. La beauté des chevaux, les armoiries peintes sur les portières de sa berline et la couronne fermée qui les surmontait lui assuraient partout un accueil, non seulement empressé, mais encore tout plein de déférence. Et elle avait découvert qu'il y avait quelque charme à être une très grande dame. Quant à Gracchus et Agathe, ils éclataient visiblement d'orgueil d'être au service d'une princesse et ne le laissaient ignorer à personne. Il fallait voir Gracchus entrer chaque matin dans la salle de l'auberge où l'on avait fait halte et annoncer pompeusement que « la voiture de Son Altesse Sérénissime attendait... ». L'ancien commissionnaire de la rue Montorgueil n'était manifestement pas loin de se prendre pour un cocher impérial.

Pour sa part, Marianne trouvait un certain plaisir à ce lent voyage. Le retour à Paris ne lui causait qu'une joie très limitée car, si la perspective de revoir le cher Arcadius lui était agréable, elle n'en craignait pas moins de retrouver dans la capitale toutes sortes d'ennuis, dont l'ombre menaçante de Francis Cranmere n'était évidemment pas le moindre, mais où l'accueil que lui réservait l'Empereur avait aussi son importance. Tant qu'elle était sur les routes, les risques se limitaient à d'éventuelles rencontres avec des brigands, mais jusqu'à présent aucune silhouette inquiétante ne s'était dressée sur le passage de la voiture. Enfin, la route buissonnière avait eu l'avantage de laver son esprit des fantômes et des brumes de la *villa* Sant'Anna car, de toutes ses forces, la jeune femme s'était refusée à évoquer, même un instant, le visage inquiétant de

Matteo Damiani et la silhouette fantastique du cavalier au masque blanc, qui était à jamais son époux. Plus tard, elle y penserait, plus tard... quand elle aurait tracé la nouvelle ligne de vie qui allait être sienne et dont, pour le moment, elle n'avait pas la moindre idée, car elle dépendait entièrement de Napoléon. Il avait, naguère, préparé le chemin d'une chanteuse nommée Maria-Stella, mais qu'allait-il faire de la princesse Sant'Anna? A vrai dire, ladite princesse ne savait trop, elle-même, ce qu'elle ferait de sa noble personne. A nouveau elle se retrouvait mariée... et mariée sans époux !

L'aspect d'Avignon séduisit Marianne. C'était peut-être le soleil ou le gros fleuve paresseux, la couleur chaude des vieilles pierres ou les géraniums accrochés à tous les balcons de fer, à moins que ce ne soit la chanson soyeuse des oliviers argentés, ou encore l'accent chantant des commères en cotillons bariolés qui s'interpellaient sur le passage de sa voiture, mais elle eut envie d'y demeurer quelques jours avant de se diriger enfin vers Paris. Elle se pencha à la portière :

— Vois s'il y a ici une bonne hostellerie, Gracchus. J'aimerais rester deux ou trois jours. Ce pays est si charmant !

— On peut toujours voir. J'aperçois là-bas une grosse auberge et une belle enseigne et comme, de toute façon, nous devions y faire étape...

En effet, près de la porte de l'Oulle, l'auberge du Palais, l'une des plus anciennes et des plus confortables de la région, dressait ses gros murs ocre couverts de rondes tuiles romaines et ses tonnelles de vignes. C'était aussi un relais de diligence comme l'attestait l'énorme machine poussiéreuse qui venait de s'y arrêter et qui déversait ses passagers ankylosés dans un vacarme de sonnailles, de cris des postillons, d'appels, de joyeuses exclamations, de retrouvailles pour les voyageurs que l'on était venu attendre et d'accent méridional où semblaient rouler tous les cailloux du fleuve.

Debout sur le toit de la diligence, un postillon avait enlevé la grande bâche de toile cirée et était occupé à passer les valises, les sacs de tapisserie et les colis des voyageurs à l'un des palefreniers de l'auberge. Quand il en eut fini avec les bagages, il prit plusieurs paquets de journaux et les lança. C'étaient des exemplaires du *Moniteur* qui avaient traversé tout le pays pour apporter aux Provençaux les dernières nouvelles de Paris. Mais l'un des paquets, mal attaché, échappa au palefrenier. Les liens qui le serraient se rompirent et les journaux s'éparpillèrent sur le sol.

L'un des valets d'écurie se précipita pour les ramasser mais, ce faisant, ses yeux tombèrent sur les nouvelles de la première page et, soudain, il poussa un cri :

— Bonne Vierge ! Le Napoléon, il a renvoyé son Fouché ! Ça, pour une nouvelle, c'est une nouvelle !

Aussitôt, ce fut un beau vacarme. Les gens de l'auberge et les clients se précipitaient sur les journaux répandus pour s'en emparer et commenter l'événement, parlant tous à la fois.

— Fouché renvoyé ! Mais ce n'est pas possible !

— Bah ! L'Empereur a dû finir par en avoir assez.

— Vous n'y êtes pas ! L'Empereur a voulu faire plaisir à la jeune Impératrice ! Ce n'était pas possible pour elle de rencontrer journellement un ancien régicide, un homme de la Révolution qui a voté la mort de son oncle, le roi Louis XVI !

— Est-ce que cela veut dire que ça va commencer à « chauffer » pour tous ces sans-culottes déguisés en grands personnages ? Ça serait trop beau.

Chacun donnait son opinion et tout le monde parlait en même temps, les uns pour s'étonner, les autres pour se réjouir. La Provence ne s'était jamais sincèrement ralliée au nouveau régime. Elle était demeurée profondément royaliste et la fin de Fouché réjouissait plus qu'elle n'inquiétait.

Marianne, cependant, avait de nouveau appelé Gracchus qui, debout sur son siège, avait suivi toute cette petite scène.

— Va me chercher l'un de ces journaux ! ordonna-t-elle, et fais vite !

— Tout de suite, Madame... dès que j'aurai retenu votre appartement.

— Non. Tout de suite ! Si ces gens ne se trompent pas, il se peut que nous ne restions pas ici.

La nouvelle, en effet, était d'importance pour elle. Fouché, son vieux persécuteur, l'homme qui avait osé, sous la menace, l'introduire chez Talleyrand pour espionner, l'homme qui avait été incapable de l'empêcher de tomber aux mains de Fanchon-Fleur-de-Lys, ou qui ne l'avait pas voulu, l'homme enfin grâce auquel Francis Cranmere avait pu, impunément, se promener dans Paris, l'y faire chanter, enlever Adélaïde d'Asselnat, sa cousine, pour, finalement, s'enfuir du château de Vincennes et regagner l'Angleterre où il pourrait tout à loisir reprendre sa détestable activité, cet homme-là perdait enfin sa dangereuse puissance qui en faisait le maître occulte du pays ! C'était trop beau ! C'était à n'y pas croire...

Pourtant, quand elle eut entre les mains la feuille déjà jaunie par le voyage et salie par la poussière, elle fut bien obligée d'en croire ses yeux. Non seulement *Le Moniteur* annonçait le remplacement, à la tête du ministère de la Police, du duc d'Otrante par le duc de Rovigo, Savary, mais encore il publiait le texte de la lettre officielle que l'Empereur avait adressée à Fouché :

« *Les services que vous m'avez rendus dans les différentes circonstances,* écrivait l'Empereur, *nous portent à vous confier le gouvernement de Rome jusqu'à ce que nous ayons pourvu à l'exécution de l'article 8 de l'acte des constitutions du 17 février 1810. Nous attendons que vous continuerez dans ce nouveau poste à nous donner des preuves de votre zèle pour notre service et de votre attachement à notre personne...* »

D'un geste plein de nervosité, Marianne froissa le journal entre ses mains et laissa la joie l'envahir. C'était encore plus beau qu'elle ne l'avait espéré ! Exilé ! Fouché était exilé ! Car il n'y avait pas à se tromper sur la valeur réelle de ce poste de gouverneur de Rome, beaucoup plus honorifique qu'autre chose. Napoléon voulait voir Fouché loin de Paris. Quant à la raison de cette décision, bien sûr, le journal ne la donnait pas, mais une voix secrète chuchotait à Marianne que les fameux pourparlers sous le manteau avec l'Angleterre n'y étaient pas étrangers...

Une autre nouvelle, d'ailleurs, complètement détachée de celle du renvoi de Fouché et placée assez loin pour que le public n'eût pas l'idée de rapprocher les deux événements, vint renforcer sa conviction. Le jour même où Fouché avait été « remercié », le banquier Ouvrard avait été arrêté, pour malversations et atteinte à la sûreté de l'État, dans le salon d'une brillante Parisienne, bien connue pour son dévouement à la cause impériale. Immédiatement, Marianne songea à Fortunée, aux menaces qu'elle avait proférées contre son amant à la suite de l'indécente proposition qu'il avait osé faire à Marianne. Était-ce elle qui avait fait arrêter Ouvrard ? En ce cas, était-ce par elle que Napoléon avait appris toute l'affaire anglaise ? Le belle créole, aussi dévouée dans ses amitiés que vindicative dans ses vengeances, en était bien capable...

— Qu'est-ce que Madame la princesse a décidé ?

La voix anxieuse de Gracchus tira Marianne de sa méditation. Après une pareille nouvelle, il ne pouvait plus être question de musarder le long du chemin. Il fallait rentrer et vite ! Privé de son soutien, Francis cessait d'être dangereux. Elle adressa au jeune cocher un sourire rayonnant, le premier aussi joyeux depuis que l'on avait quitté Lucques.

— En avant, Gracchus ! Et le plus vite possible ! Il s'agit de rentrer à Paris dans les plus brefs délais.

— Est-ce que Madame se souvient qu'elle n'a plus de chevaux de poste à sa voiture ? Si nous allons au train que nous menions en partant, ceux-ci crèveront avant que nous ne soyons à Lyon et, si Madame permet, ce serait bien dommage !

— Je n'ai pas l'intention de tuer mes chevaux, mais je désire que nous fassions des étapes aussi longues que possible. Ainsi, pour ce soir, nous irons plus loin ! En avant !

Avec un soupir résigné, Gracchus-Hannibal Pioche se hissa sur son siège, fit tourner sa berline sous l'œil déçu de l'aubergiste qui accourait déjà vers cette élégante voiture si bien attelée et, touchant ses bêtes du bout de son fouet, lança la voiture sur la route d'Orange.

Les chevaux de Marianne ayant fait la preuve de leurs qualités exceptionnelles et Gracchus celle de son habileté, la berline de voyage, tellement crottée et poussiéreuse que l'on n'en distinguait plus la couleur et encore moins les armes, se présentait, à la nuit tombante, à la barrière de Fontainebleau[1]. Et la

_____
1. Actuelle place d'Italie.

jeune femme ne put retenir un soupir de soulagement en voyant s'allumer aux portiques des nobles pavillons dus au génie de Ledoux les lanternes de l'octroi. Enfin, elle était arrivée !

La joie qui l'avait envahie à Avignon et lancée à fond de train sur la route de Paris s'était, à vrai dire, un peu tempérée comme elle avait aussi paru se refroidir chez les Français à mesure qu'elle avançait vers la capitale. En traversant les villes et dans les auberges, Marianne avait rapidement découvert qu'un peu partout on considérait le renvoi de Fouché comme une catastrophe, moins d'ailleurs par sympathie pour le personnage que par solide antipathie envers son successeur. Les bruits les plus divers couraient mais, le plus généralement, on pensait que Napoléon avait renvoyé son ministre pour complaire à sa femme et, du coup, tous ceux qui, de près ou de loin, avaient trempé dans la grande Révolution s'étaient mis à trembler, tant pour leur situation de fortune que pour leur sécurité. Napoléon semblait vouloir donner le pas au « neveu de Louis XVI » sur le général Bonaparte. Et, en outre, on craignait en Savary l'homme aveuglément dévoué à son maître, l'homme sans largeur de vues, sans pitié et sans noblesse, le gendarme impérial, l'homme capable d'exécuter inexorablement n'importe quel ordre, fût-il monstrueux. Les royalistes surtout se souvenaient avec horreur de ce que Savary avait pratiquement été le bourreau du duc d'Enghien. Bref, Marianne avait découvert avec stupeur que les Français, désorientés et apeurés, n'étaient pas loin de décerner à l'inquiétant Fouché un brevet de sainteté et que, en tout cas, ils étaient à peu près unanimes à le regretter.

« Moi, en tout cas, je ne le regretterai jamais ! s'était-elle promis, se souvenant avec rancune de

16

tout ce qu'elle avait eu à endurer par lui. D'ailleurs, ce Savary ne m'a jamais rien fait à moi, nous ne nous connaissons même pas ! En conséquence, je ne vois vraiment pas ce que je pourrais avoir à craindre de sa nomination. »

Mais, malgré ces pensées réconfortantes, elle ne put retenir un mouvement d'humeur en voyant les hommes de l'octroi visiter sa voiture avec un soin parfaitement inusité jusque-là.

— Puis-je vous demander ce que vous cherchez ? lança-t-elle avec impatience. Vous ne supposez tout de même pas que je tienne un tonneau d'eau-de-vie caché sous mes coussins ?

— Les ordres sont les ordres, Madame ! répondit un gendarme qui sortait juste à ce moment de la maison de l'octroi. Toutes les voitures arrivant à Paris doivent être visitées, surtout si elles viennent de loin. D'où venez-vous, Madame ?

— D'Italie ! répondit Marianne. Et je vous jure que je ne transporte ni marchandise de contrebande ni conspirateur dans ma voiture. Je rentre chez moi, voilà tout !

— Vous devez avoir un passeport, fit le gendarme avec un sourire narquois qui montra d'impressionnantes dents blanches sous une grosse moustache aussi velue qu'une brosse... et peut-être un passeport de M. le duc d'Otrante ?

Apparemment, ces passeports-là étaient mal vus et elle bénit le sort qui faisait désormais d'elle une fidèle sujette de la grande duchesse de Toscane. Elle montra fièrement le passeport que lui avait fait tenir galamment, trois jours après son mariage, le comte Gherardesca.

— Celui-ci porte la signature de Son Altesse Impériale la princesse Élisa, grande duchesse de Toscane, princesse de Lucques et de Piombino... et sœur de Sa Majesté l'Empereur et Roi... comme vous le savez peut-être ? ajouta-t-elle ironiquement en prenant un plaisir narquois à détailler tous ces titres pompeux.

Mais le gendarme était apparemment imperméable à toute ironie. Il était très occupé à épeler avec difficulté, sous la lumière de la lanterne, le nom inscrit sur le papier officiel.

— Marianne-Élisabeth d'Assel... nat, de Villeneuve... princesse... Sarta... non, Santa Anna...

— Sant'Anna ! rectifia Marianne impatientée. Puis-je remonter dans ma voiture et reprendre ma route ? Je suis très lasse... et de plus il commence à pleuvoir.

C'était vrai. De grosses gouttes, rondes, lourdes comme des pièces de monnaie, commençaient à tomber, formant autant de petits cratères dans la poussière de la voiture. Mais, sous son bicorne, le gendarme ne parut pas s'en soucier. Il jeta à Marianne un coup d'œil méfiant.

— Vous pouvez remonter, mais ne bougez pas ! Faut que je voie quelque chose.

— J'aimerais bien savoir quoi ? s'insurgea Marianne furieuse de le voir rentrer dans la maison avec son passeport. Est-ce que ce butor s'imagine que j'ai de faux papiers ?

Ce fut un vieux maraîcher, dont la charrette pleine de choux venait de s'arrêter le long de la berline, qui lui répondit.

— Faut pas vous impatienter, M'dame ! C'est comme ça pour tout l'monde et tous les sacrés bons sangs d'jours qu'fait c'sacré bon sang d'ciel ! Sont d'venus tatillons qu'c'est à n'y pas croire ! Moi qui vous cause, j'suis bon pour démolir mon chargement d'choux, des fois que j'cacherais d'dans un sacré bon sang d'conspirateur !

— Mais, enfin, que se passe-t-il? Il y a eu un attentat? Un criminel s'est échappé? On recherche des bandits?

En fait, Marianne n'était pas loin d'imaginer que Napoléon la faisait rechercher pour la punir de s'être mariée sans son autorisation.

— Rien d'tout ça, M'dame! Y a seulement qu'ce sacré bon sang d'Savary y s'imagine qu'y a pu qu'lui qu'est un bon sujet d'l'Empereur! Et j'te fouille, et j'tinterroge. Et qui c'est qui l'a couvé? Et qui c'est qui l'a pondu? Y veut tout savoir, c'gars-là!

Le maraîcher eût sans doute continué longtemps ses confidences si le gendarme moustachu n'était réapparu, mais cette fois précédé d'un jeune sous-lieutenant imberbe et tiré à quatre épingles qui vint vers la voiture, salua négligemment et, enveloppant Marianne d'un regard insolemment appréciateur, demanda :

— Vous êtes Madame Sant'Anna, à ce qu'il paraît?

Outrée du ton employé par ce jeune blanc-bec, Marianne sentit la moutarde lui monter au nez.

— Je suis, en effet, la princesse Sant'Anna, articula-t-elle en détachant bien les syllabes... et on me dit Altesse Sérénissime... ou Votre Seigneurie, au choix, lieutenant! On dirait que l'on ne vous enseigne pas beaucoup la politesse dans la gendarmerie?

— Du moment que l'on nous enseigne à faire notre devoir, c'est amplement suffisant, remarqua le jeune homme, nullement ému par le ton hautain de la jeune femme. Et mon devoir, c'est de vous conduire immédiatement chez le ministre de la Police, Altesse Sérénissime... si vous voulez bien prier votre femme de chambre de me laisser la place!

Avant que Marianne, suffoquée, eût pu répondre, le lieutenant avait ouvert la portière et était monté dans la voiture où, machinalement, Agathe se levait pour lui laisser la place près de Marianne. Mais celle-ci retint fermement la jeune fille par le bras.

— Restez là, Agathe ! Je ne vous ai pas ordonné de vous lever et je n'ai pas pour habitude de laisser n'importe qui s'asseoir auprès de moi. Quant à vous, monsieur, j'ai sans doute mal compris ? Voulez-vous répéter ce que vous venez de dire ?

Obligé de se tenir inconfortablement courbé faute de pouvoir s'asseoir, le jeune lieutenant grogna :

— J'ai dit que je devais vous conduire sans délai auprès du ministre de la Police. Votre nom a été déposé à toutes les barrières depuis plus d'une semaine. Ce sont les ordres.

— Les ordres de qui ?

— De qui voulez-vous que ce soit ? Du ministre de la Police, M. le duc de Rovigo, donc les ordres de l'Empereur !

— Cela reste à voir ! s'écria Marianne. Allons donc chez M. le duc de Rovigo, puisque vous semblez y tenir. Je ne serais d'ailleurs pas fâchée de lui dire ce que je pense de lui et de ses subordonnés... mais, jusque-là, j'entends rester maîtresse chez moi ! Faites-moi la grâce d'aller vous asseoir auprès de mon cocher, jeune homme ! Et, pendant que vous y serez, montrez-lui donc le chemin ! Sinon, je vous jure que vous ne me ferez pas bouger d'ici.

— C'est bon ! J'y vais !

De très mauvaise grâce, le jeune gendarme descendit et alla rejoindre Gracchus qui l'accueillit avec un sourire goguenard.

— C'est gentil de venir me tenir compagnie, mon lieutenant ! Vous allez voir comme on est bien ici ! Fait un peu humide peut-être, mais on a plus d'air qu'à l'intérieur ! Et où est-ce que nous allons ?

— Marche toujours ! Et ne fais pas le malin, mon bonhomme, sinon il pourrait t'en cuire ! Allez, en avant ! grogna l'autre.

Pour toute réponse, Gracchus enleva ses chevaux et, mettant pour un moment de côté sa nouvelle dignité de cocher princier, se mit à chanter à tue-tête, avec son plus bel accent de gamin des faubourgs, la vieille marche des soldats d'Austerlitz :

> *« On va leur percer le flanc,*
> *Ran tan plan tirelire plan !*
> *On va leur percer le flanc,*
> *Que nous allons rire !... »*

Rire ? Marianne, tapie dans le fond de sa voiture, n'en avait aucune envie, mais cette marche belliqueuse, clamée par la voix joyeuse du jeune cocher, lui convenait tout à fait. Elle était bien trop en colère pour avoir peur, même une minute, de ce Savary et de la raison pour laquelle il l'avait fait arraisonner aux portes mêmes de Paris.

A l'hôtel de Juigné où l'on arriva peu après, Marianne comprit qu'il y avait, là aussi, quelque chose de changé. Visiblement, on ravalait. Il y avait partout des échafaudages, des bacs de plâtre, des pots de peinture abandonnés par les ouvriers, leur journée terminée. Malgré cela et malgré l'heure tardive (10 heures venaient de sonner à Saint-Germain-des-Prés) un grand concours de valets en tenue rutilante et de personnages de tous ordres s'agitaient dans la cour et dans les antichambres. De plus, au lieu de conduire Marianne au premier étage, dans l'antichambre poussiéreuse sur laquelle ouvrait le petit bureau, bourré de cartons et si mal meublé, du duc d'Otrante, le jeune lieutenant de gendarmerie la remit à un gigantesque majordome tout en panne

rouge et poudre de la maréchale, qui ouvrit majes-
tueusement devant elle un salon du rez-de-chaussée,
un salon où tout proclamait une fidélité absolue au
goût du Maître. Ce n'étaient que meubles d'acajou
massif, victoires et griffes de lion en bronze doré,
tentures vert sombre tissées d'abeilles, lustre pom-
péien et allégories guerrières répétées en stuc sur
tous les panneaux. La dernière touche était donnée
par un énorme buste de l'Empereur, couronné de
lauriers, jaillissant d'une gaine de marbre épaisse
comme un pilier et à laquelle Marianne trouva des
airs de stèle funéraire.

Au milieu de tout cela, une dame en robe de taffetas mauve et mantelet de velours noir, capote de
paille de riz garnie de dentelles de Malines et de
branches de lilas, allait et venait avec agitation dans
le bruissement de ses soieries. C'était une dame
entre deux âges, dont le visage noble et le grand
front pensif offraient un mélange de douceur et de
sévérité mais ce visage-là, Marianne le connaissait
pour avoir souvent vu, chez Talleyrand, la chanoinesse de Chastenay, demoiselle de haut rang et
de bel esprit dont on disait qu'elle avait eu, jadis, un
faible pour le jeune et maigre général Bonaparte.

A l'entrée de Marianne, elle arrêta sa promenade
fiévreuse, regarda l'arrivante avec surprise puis,
avec une exclamation de joie, se précipita vers elle,
les mains tendues :

— Chère grande artiste!... Oh! pardon! Je veux
dire : ma chère princesse, quelle joie et quel soulagement de vous trouver ici!...

Ce fut à Marianne de s'étonner. Comment
Mme de Chastenay savait-elle le changement inter-
venu dans sa situation? La chanoinesse eut un petit
rire nerveux et entraîna la jeune femme vers un
canapé défendu par deux rébarbatives victoires de
bronze.

— Mais il n'est bruit dans tout Paris que de votre si romantique mariage! On en parle presque autant que de la disgrâce de ce pauvre duc d'Otrante! Savez-vous qu'il n'est plus question de gouvernement de Rome pour lui? L'Empereur, à ce que l'on dit, est de la dernière colère contre lui à cause de ce grand autofadé qu'il a fait de tous les dossiers secrets et de toutes les fiches de son ministère. Il est exilé, vraiment exilé!... C'est à n'y pas croire! Mais... où en étais-je au juste?

— Vous disiez que l'on parlait beaucoup de mon mariage, madame, murmura Marianne ahurie par ce flot de paroles.

— Ah! oui! Oh!... c'est tellement extraordinaire! Savez-vous, ma chère, que vous êtes une vraie cachottière? Dissimuler ainsi l'un des plus grands noms de France sous un pseudonyme! C'est d'un romantisme!... Mais, remarquez bien que je ne m'y suis jamais laissé vraiment prendre. J'avais deviné depuis longtemps que vous étiez une véritable aristocrate et quand nous avons appris la nouvelle...

— Mais comment l'avez-vous apprise? insista Marianne doucement.

La chanoinesse marqua un temps d'arrêt, réfléchit un instant, puis repartit, plus volubile que jamais :

— Comment était-ce donc? Ah! oui... la grande duchesse de Toscane en a écrit à l'Empereur comme d'une chose tout à fait extraordinaire! Et tellement touchante! Cette jeune et belle cantatrice qui acceptait d'épouser un malheureux, tellement disgracié de nature qu'il ne consent jamais à se montrer à qui que ce soit! Et, qui plus est, cette belle artiste se révélait être de vieille race! Ma chère, votre histoire doit faire à cette heure le tour de l'Europe. Mme de Genlis songerait à vous mettre en roman et quant à

Mme de Staël on dit que vous l'intriguez au plus haut point, qu'elle rêve de vous rencontrer.

— Mais... l'Empereur? Qu'a dit l'Empereur, insista Marianne à la fois abasourdie et inquiète de tout ce bruit fait autour d'une union qu'elle avait cru pouvoir garder secrète et qui avait été presque clandestine.

Il fallait que la cour de Toscane fût une rude potinière pour que les larges ondes concentriques de ses bavardages eussent déjà couvert tant de chemin !...

— Ma foi, je ne saurais trop vous dire, fit la chanoinesse. Tout ce que je sais, c'est que Sa Majesté en a parlé à M. de Talleyrand et a fort cruellement moqué le pauvre prince d'avoir donné pour lectrice à l'ex-Mme Grand, la propre fille du marquis d'Asselnat.

C'était bien de Napoléon cela ! Il devait être furieux de ce mariage et il avait trouvé bon de passer sa colère sur le dos de Talleyrand... en attendant sans doute de s'en prendre à Marianne elle-même, d'où cette invitation... pressante du nouveau ministre de la Police. Pour changer de sujet de conversation, elle demanda :

— Mais d'où vient, madame, que nous nous retrouvions ici, et à pareille heure ?

Instantanément, Mme de Chastenay perdit son bel enjouement de mondaine pour retrouver l'agitation à laquelle l'entrée de Marianne avait fait diversion.

— Ah ! ne m'en parlez pas ! J'en suis encore affreusement bouleversée ! Imaginez que je me trouvais en Beauvaisis, chez de bons amis qui ont là-bas un domaine enchanteur et qui... Bon ! Imaginez-vous qu'un grand diable de gendarme est venu, ce matin même, m'y chercher au nom de M. le duc de Rovigo qui me réclamait d'urgence ! Et le pire est que j'ignore absolument pourquoi, ou ce que j'ai bien pu faire ! J'ai laissé mes pauvres amis dans la dernière inquiétude et j'ai fait un voyage affreux, à me demander sans cesse pourquoi l'on m'arrêtait, en quelque sorte. J'étais si déprimée que je suis passée, un moment, chez le conseiller Réal pour lui demander ce qu'il en pensait et il m'a vraiment pressée de venir ici sans plus tarder... tout retard pouvant être gros de conséquences ! Ah ! ma chère, je suis dans un état... Et je suis certaine que, pour vous, c'est tout pareil.

Non, ce n'était pas pareil. Outre que Marianne s'efforçait de conserver un sang-froid absolu, elle avait certaines raisons d'imaginer que les ordres la concernant n'étaient pas gratuits... encore qu'elle n'eût tout de même jamais pu penser que Napoléon irait jusqu'à la faire arrêter pour avoir osé se marier sans sa permission. Mais elle n'eut pas le temps de partager avec sa compagne ses propres inquiétudes. Le majestueux huissier reparaissait et informait Mme de Chastenay que le ministre l'attendait.

— Seigneur ! gémit la chanoinesse, que va-t-il m'arriver ? Faites un bout de prière pour moi, ma chère princesse !

Et la robe de taffetas mauve disparut dans le cabinet du ministre laissant Marianne à sa solitude. Il faisait chaud dans cette pièce où les fenêtres étaient hermétiquement closes, mais les taches de plâtre et de peinture qui émaillaient les vitres prouvaient que, pour le bon état du mobilier, il valait mieux les tenir fermées, du moins tant que durerait le ravalement de l'hôtel. Afin de mieux respirer, Marianne ouvrit le grand manteau cache-poussière qu'elle portait sur une robe de légère soie verte et desserra les brides de satin de sa capote. Elle se sentait lasse, moite et sale, donc dans les conditions les moins favorables pour affronter un ministre de la Police. Elle aurait donné n'importe quoi pour un bain... mais quand aurait-elle la possibilité de se baigner ? Lui permettrait-on seulement de rentrer chez elle ? A quel genre d'accusation allait-elle avoir à faire face ? Il était assez dans les habitudes de l'Empereur de cultiver la mauvaise foi quand il avait quelque raison de rancune et Marianne se souvenait de certaines scènes de leurs amours passées, pleines de passion, mais pleines d'orage aussi, qui ne laissaient pas d'être inquiétantes.

La porte se rouvrit :

— Si Madame veut bien me suivre...

L'huissier venait de reparaître et ouvrait largement devant elle un grand et luxueux cabinet de travail qui ne rassemblait en rien à celui de Fouché. Là, assis à une table d'acajou fleurie de roses et dominée par un immense portrait en pied de l'Empereur, un beau garçon brun à l'œil de velours, mais aux traits un peu mous, travaillait ou faisait mine de travailler à un dossier. En le voyant, Marianne se souvint d'avoir déjà rencontré le duc de Rovigo et, en même temps, se rappela qu'il ne lui était pas du tout sympathique. Sa mine, à la fois suffisante, hautaine et toute pleine d'intime satisfaction, était de celles qui lui avaient toujours porté sur les nerfs. Le fait qu'il n'eût même pas levé les yeux à son entrée aggrava encore l'antipathie et la mauvaise humeur de Marianne. Bien que cette attitude peu courtoise fût sans doute de très mauvais augure, la jeune femme décida qu'il était temps de faire respecter, sinon sa personne, du moins son rang et le nom qu'elle portait. Au point où elle en était...

D'un pas tranquille, elle traversa la grande pièce et alla s'asseoir dans un fauteuil placé en face du bureau, puis d'une voix suave :

— Surtout, ne vous dérangez pas pour moi,

mais... quand vous aurez un moment, monsieur le ministre, vous consentirez peut-être à me dire pour quelle raison j'ai l'honneur de me trouver ici ?

Savary sursauta, jeta sa plume et regarda Marianne avec une stupéfaction qui, si elle n'était pas sincère, faisait au moins grand honneur à son tempérament d'artiste.

— Mon Dieu !... Ma chère princesse ! Mais vous étiez déjà entrée ?

— Il paraît...

Il bondit de son fauteuil, fit le tour du bureau, vint prendre une main que l'on ne songeait pas à lui offrir et qu'il porta respectueusement à ses lèvres.

— Que d'excuses ! mais que de joie aussi à vous voir enfin revenue à Paris ! Vous n'imaginez pas avec quelle impatience vous étiez attendue !

— Mais... je l'imagine assez bien au contraire, fit Marianne mi-figue mi-raisin, du moins si j'en crois l'ardeur avec laquelle vos gendarmes ont arraisonné ma voiture à la barrière de Fontainebleau ! Maintenant, si vous voulez bien, cessons de jouer au chat et à la souris. Je vous tiens quitte des formules de politesse, car je viens de faire un long voyage et je suis fatiguée... Alors, dites-moi vite dans quelle prison vous allez m'envoyer et, accessoirement, pour quelle raison !

Les yeux de Savary s'arrondirent et, cette fois, Marianne l'aurait juré, sa surprise n'était pas feinte.

— En prison ? Vous ?... mais, ma chère princesse, pourquoi donc ? C'est très curieux mais ce soir je n'entends parler que de cela ? Voici un instant, Mme de Chastenay...

— ... aurait juré elle aussi que vous alliez l'y envoyer. Dame ! c'est ce qui arrive quand on fait arrêter les gens !...

— Mais vous n'avez été arrêtées ni l'une ni

l'autre ! Simplement, j'avais recommandé à mes agents que l'on me prévienne et que l'on vous dise que je souhaiterais beaucoup vous voir dès que vous rentreriez à Paris, de même que j'avais exprimé le désir de voir la chanoinesse de Chastenay. Comprenez-moi : mon prédécesseur, en quittant cette maison, a... disons fait table rase d'à peu près tous les dossiers et de toutes les fiches. Ce qui fait que je ne connais plus personne.

— Table rase ? dit Marianne qui commençait à s'amuser, vous voulez dire qu'il a...

— Tout brûlé ! fit Savary piteusement. Naïvement, je lui avais fait confiance. Il m'avait proposé de rester ici encore quelques jours pour « mettre de l'ordre » et, pendant trois jours, trois jours !... enfermé ici, il a jeté au feu ses dossiers secrets, les fiches de ses agents, les correspondances qu'il détenait... et jusqu'aux lettres de l'Empereur ! C'est d'ailleurs ce qui a motivé la colère de Sa Majesté. Maintenant, M. Fouché est exilé à Aix et il a dû se sauver pour échapper à la juste rancune de l'Empereur. Mais moi, avec le peu qui me reste, j'essaie de reconstituer les rouages de la machine qu'il a brisée. Alors, je demande que l'on vienne me voir, je prends des contacts avec ceux qui passaient, jadis, pour avoir eu quelques rapports avec cette maison.

Une profonde rougeur, colère et honte mélangées, monta au visage de Marianne. Maintenant elle avait compris. Cet homme, aux prises avec une lourde succession, était prêt à faire n'importe quoi pour prouver à son maître qu'il avait au moins autant de valeur que Fouché-le-Renard ! Mais comme il n'avait pas, et de loin, son habileté, il accumulait maladresse sur maladresse. Et il s'imaginait qu'elle allait se soumettre de nouveau aux ordres d'un policier, même ministre ?... Néanmoins, pour achever de

tirer au clair sa propre situation, elle demanda doucement :

— Vous êtes certain que l'Empereur n'est pour
rien dans... l'invitation qui m'a été faite à la barrière
de Fontainebleau ?

— Mais pour rien du tout, ma chère princesse !
Seul mon désir de mieux connaître une personne
dont tout Paris s'entretient depuis quinze jours m'a
poussé à donner des ordres qui, je le vois, ont été
bien mal interprétés... et que, je l'espère, vous me
pardonnerez.

Il avait approché son fauteuil tout près de celui de
Marianne et s'emparait de sa main qu'il enfermait
entre les siennes. En même temps, son regard
velouté se chargeait d'une langueur que la jeune
femme jugea de mauvais augure. Savary, elle le
savait, avait beaucoup de succès auprès des femmes,
mais il n'était pas du tout son genre à elle. Il était
inutile de le laisser s'engager ainsi dans un chemin
sans issue. Retirant doucement sa main, elle
demanda :

— Ainsi, tout le monde parle de moi ?

— Tout le monde ! Vous êtes l'héroïne de tous
les salons.

— C'est beaucoup d'honneur. Mais est-ce que
l'Empereur est compris dans ce « tout le monde » ?

Savary eut un haut-le-corps offusqué.

— Oh ! Madame ! Sa Majesté ne peut, en aucun
cas, être comprise dans ce genre d'expression.

— Soit ! coupa Marianne qui s'énervait. Alors
l'Empereur ne vous a rien dit me concernant ?

— Ma foi... non ! Pensiez-vous qu'il en irait
autrement ? Je ne crois pas qu'il y ait, actuellement
au monde, une seule femme capable de retenir
l'attention de Sa Majesté. L'Empereur est profondément amoureux de sa jeune femme et lui consacre

tous ses instants! Jamais on n'a vu de ménage plus tendrement uni. C'est, en vérité...

Incapable d'en entendre davantage, Marianne se leva vivement. Cet entretien avait, selon elle, suffisamment duré. Et si cet imbécile ne l'avait fait venir que pour lui raconter les amours du couple impérial, c'est qu'il était encore plus stupide qu'elle ne l'imaginait. Ignorait-il les bruits qui avaient couru sur elle et sur Napoléon? Jamais Fouché n'eût commis pareil impair... à moins que cela ne lui eût été profitable...

— Si vous le permettez, monsieur le ministre, je vais me retirer. Comme je vous l'ai dit, je suis affreusement lasse...

— Mais bien sûr, mais bien sûr!... C'est trop naturel! Je vais vous mettre en voiture! Ma chère princesse, vous n'imaginez pas quelle joie j'ai eue...

Il se perdait dans toutes sortes de considérations, extrêmement flatteuses sans doute, mais qui ne faisaient qu'augmenter l'agacement de Marianne. Elle n'y voyait qu'une raison : elle n'intéressait plus aucunement Napoléon, sinon Savary ne se permettrait pas de lui faire la cour. Elle avait cru encourir sa colère, elle avait cru qu'il allait chercher à tirer d'elle une vengeance éclatante, qu'il la jetterait en prison, qu'il la persécuterait... rien de tout cela! Il se contentait d'écouter, distraitement sans doute, les potins la concernant. Et elle n'avait été amenée ici que pour satisfaire la curiosité d'un ministre novice avide de se faire des relations... ou des sujets de conversation. La colère et la déception s'amassaient au fond de son cœur et faisaient lever dans ses oreilles un bourdonnement rageur au travers duquel elle entendit vaguement Savary lui dire que la duchesse sa femme recevait le lundi et qu'elle serait heureuse d'avoir la princesse Sant'Anna à dîner l'un de ses prochains jours. Cela, c'était le bouquet!

— J'espère que vous avez aussi invité Mme de Chastenay? fit-elle ironiquement, tandis qu'il lui offrait la main pour l'aider à remonter en voiture.

Le ministre leva sur elle un regard chargé d'innocente surprise :

— Naturellement!... Mais pourquoi me demandez-vous cela?

— Pour rien... par simple curiosité! C'est bien mon tour, ne croyez-vous pas? A bientôt, mon cher duc! J'ai été, moi aussi, ravie de vous connaître.

Comme la voiture démarrait, Marianne se laissa aller sur les coussins, partagée entre l'envie de crier sa fureur, de pleurer et d'éclater de rire. Avait-on jamais rien vu de plus ridicule? La tragédie s'achevait en farce! Elle avait cru aller vers le destin dramatique d'une héroïne de roman... et elle avait récolté une invitation à dîner! N'était-il pas incroyable, ce ministre de la Police qui, souhaitant rencontrer quelqu'un, ne connaissait pas d'autre moyen que de l'envoyer chercher par les gendarmes? Et, là-dessus, il assurait le malheureux ahasourdi de son indéfectible amitié?

— Je suis bien contente de revoir Madame, dit Agathe près d'elle. J'ai eu si peur quand ce gendarme nous a menées ici!...

Regardant sa femme de chambre, Marianne vit que ses joues étaient encore brillantes de larmes et ses yeux gonflés.

— Et tu as cru que je n'en sortirais qu'entre deux gendarmes, enchaînée et en route pour Vincennes? Non, ma pauvre Agathe! Je ne suis pas un personnage si important! On m'a fait venir uniquement pour voir quelle figure j'avais! Il faut nous résigner, ma chère enfant, nous ne sommes plus la maîtresse bien-aimée de l'Empereur! Nous ne sommes plus que princesse.

Et pour bien montrer à quel point elle était résignée, Marianne se mit à pleurer à chaudes larmes, portant ainsi à son comble le désarroi de la pauvre Agathe. Elle pleurait encore quand la voiture franchit le portail de l'hôtel d'Asselnat, mais ses larmes s'arrêtèrent net devant le spectacle qui s'offrait à elle : la vieille demeure était illuminée depuis les communs jusqu'à son noble toit à la Mansard.

L'éclat des bougies ruisselait de toutes les fenêtres dont la plupart, ouvertes, montraient les salons remplis de fleurs et d'une foule élégante qui se déplaçait au son des violons. Les échos d'un ballet de Mozart vinrent jusqu'à la jeune femme abasourdie qui regardait sans comprendre et commençait à se demander si elle ne s'était pas trompée de porte. Mais non, c'était bien sa maison, sa maison où l'on donnait une fête... et c'étaient bien ses valets qui, en grande livrée, se tenaient sur le perron armés de chandeliers.

Aussi éberlué qu'elle-même, Gracchus avait arrêté ses chevaux au milieu de la cour et, les yeux écarquillés, regardait sans songer à s'avancer ou même à mettre pied à terre. Mais le fracas des roues ferrées sur les pavés de la cour avait dû dominer le son des violons. Il y eut un cri, quelque part dans la maison.

— La voilà !

Et, en un instant, le perron se couvrit d'un groupe de femmes en robe de soirée, d'hommes en frac au milieu desquels souriaient la figure pointue, la barbiche et les vifs yeux noirs d'Arcadius de Jolival. Mais ce ne fut pas lui qui s'avança vers la voiture... Du groupe se détacha un homme très grand et suprêmement élégant dont la boiterie légère s'appuyait sur une canne à pommeau d'or. Le visage hautain, les froids yeux bleus s'éclairaient d'un sourire plein de chaleur et Marianne, muette de stupeur, vit M. de Talleyrand écarter d'un geste les valets, marcher jusqu'à la voiture, en ouvrir lui-même la portière et lui offrir sa main gantée en disant d'une voix forte :

— Soyez la bienvenue dans la demeure de vos ancêtres, Marianne d'Asselnat de Villeneuve ! La bienvenue aussi parmi vos amis et parmi vos pairs ! Vous revenez d'un plus long voyage que vous ne l'imaginez, mais nous sommes tous réunis ici, ce soir, pour vous dire combien nous en sommes profondément heureux !

Pâle tout à coup et les yeux égarés, Marianne regarda la foule brillante qui lui faisait face. Elle vit au premier rang Fortunée Hamelin qui riait et pleurait, elle vit aussi Dorothée de Périgord en blanc et Mme de Chastenay qui lui faisait des signes dans son taffetas mauve, elle vit d'autres visages encore qui, jusque-là, ne lui avaient pas été très familiers, mais auxquels elle pouvait attribuer les plus grands noms de France : Choiseul-Gouffier, Jaucourt, La Marck, Laval, Montmorency, La Tour du Pin, Bauffremont, Coigny, tous ceux qu'elle avait rencontrés rue de Varenne quand elle était simple lectrice de la princesse de Bénévent. D'un seul coup, elle comprit qu'ils étaient venus là, ce soir, entraînés par Talleyrand, non seulement pour l'accueillir, mais pour lui rendre enfin la place qui, par droit de naissance, était la sienne et que seul le malheur lui avait fait perdre.

La vision des robes claires, des joyaux scintillants se brouilla. Marianne posa dans la main offerte ses doigts soudain tremblants. Elle descendit, s'appuyant lourdement à cette main amie.

— Et maintenant, s'écria Talleyrand, place, mes amis, place à Son Altesse Sérénissime la princesse Sant'Anna à qui j'offre, en votre nom et au mien, tous nos vœux de bonheur les plus chaleureux !

Aux applaudissements de toute la société, il l'embrassa sur les deux joues avant de lui baiser la main.

— Je savais bien que vous nous reviendriez ! chuchota-t-il contre son oreille. Vous souvenez-vous de ce que je vous ai dit, aux Tuileries, un jour d'orage ? Vous êtes l'une des nôtres et vous n'y pourrez jamais rien changer.

— Croyez-vous que l'Empereur pense comme vous ?

L'Empereur ! Toujours l'Empereur ! Malgré elle, Marianne n'arrivait pas à échapper à l'idée obsédante de l'homme qu'elle ne pouvait s'empêcher d'aimer toujours.

Talleyrand fit la grimace.

— Il se peut que vous ayez quelques ennuis de ce côté... mais venez, on vous attend ! Nous parlerons plus tard.

Triomphalement, il mena la jeune femme vers ses amis. En un instant, elle fut entourée, embrassée, félicitée et passa des bras, abondamment parfumés à la rose, de Fortunée Hamelin à ceux, fleurant bon le tabac et l'iris, d'Arcadius de Jolival. Elle se laissait faire, incapable même de penser. Tout cela était trop soudain, trop inattendu, et Marianne avait peine à réagir. Tandis que, dans le grand salon, Talleyrand portait un toast à son retour, elle prit Arcadius à part.

— Tout cela est très touchant, très agréable, mon ami, mais je voudrais comprendre. Comment avez-vous su que je rentrais ? Tout semble préparé comme si vous m'attendiez ?

— Mais je vous attendais. J'ai été certain que vous rentriez aujourd'hui quand on a apporté ceci.

Ceci, c'était un large papier timbré d'un sceau dont l'aspect fit battre plus vite le cœur de Marianne. Le sceau de l'Empereur ! Mais le texte, très sec, n'avait rien de réconfortant.

« Par ordre de Sa Majesté l'Empereur et Roi, la princesse Sant'Anna devra se présenter le mercredi 20 juin, à quatre heures de relevée, au Palais de Saint-Cloud. » C'était signé : « Duroc, duc de Frioul, grand maréchal du Palais. »

— Mercredi 20, c'est demain, remarqua Jolival, et on ne vous convoquerait pas si l'on ne savait que vous serez à même de vous y rendre ? Donc, cela signifiait que vous rentriez aujourd'hui... De plus, Mme de Chastenay est accourue ici en sortant de chez le duc de Rovigo.

— Comment pouvait-elle savoir que l'on ne me garderait pas ?

— Elle l'a demandé à Savary, tout simplement... mais venez, chère Marianne. Je n'ai pas le droit de vous accaparer ainsi. Vos hôtes vous réclament. Vous n'imaginez pas à quel point vous êtes devenue célèbre depuis que Florence a communiqué ici la nouvelle de votre mariage...

— Je sais... mais, mon ami, j'aurais tellement préféré demeurer seule avec vous, au moins ce soir. J'ai tant à vous dire !

— Et j'ai tant à entendre ! répondit Arcadius en serrant affectueusement le bout des doigts de son amie. Mais M. de Talleyrand m'avait fait promettre de l'avertir dès que je saurais quelque chose. Il tenait à ce que votre rentrée ici eût quelque chose de... triomphal...

— Une façon comme une autre de me faire entrer... un peu de force, dans son clan, n'est-ce pas ? Mais il faudra pourtant bien qu'il admette qu'en moi rien n'est changé. Mon cœur ne saurait évoluer si vite.

Songeuse, elle considérait l'ordre impérial qu'elle n'avait pas lâché, cherchant à évaluer ce qui se cachait derrière les mots si brefs, presque menaçants. Elle l'agita légèrement sous le nez de Jolival.

— Qu'en avez-vous pensé en le recevant ?

— Honnêtement, rien du tout !... On ne peut jamais savoir ce que l'Empereur a derrière la tête. Mais je parierais qu'il n'est pas content.

— Ne pariez pas, vous gagneriez, soupira Marianne. Je peux certainement m'attendre à passer au moins un mauvais moment ! Pour l'instant, soyez gentil, Arcadius, continuez à vous occuper de mes hôtes pendant que je vais me rafraîchir un peu et me changer. Après tout, je tiens, pour cette première fois, à remplir dignement mon rôle de maîtresse de maison. Je leur dois bien cela.

Elle allait se diriger vers l'escalier quand elle se ravisa :

— Dites-moi, Arcadius. Avez-vous des nouvelles d'Adélaïde ?

— Aucune, fit Jolival en haussant les épaules. Le Théâtre des Pygmées est fermé pour le moment et je me suis laissé dire qu'il s'est momentanément transporté... aux eaux d'Aix-la-Chapelle. Je suppose qu'elle y est aussi.

— Quelle histoire stupide ! Enfin, cela la regarde ! Et...

Marianne eut une toute légère hésitation puis, se décidant :

— ... et Jason ?

— Pas de nouvelles non plus, répondit Arcadius impassible. Il a dû faire voile vers l'Amérique et votre lettre l'attend sans doute encore à Nantes.

— Ah !

Ce fut presque un soupir, une très petite exclamation si brève qu'il était impossible d'y déceler un sentiment, pourtant il traduisait un bizarre pincement au cœur. Bien sûr, la lettre laissée à Patterson n'avait plus d'importance, bien sûr les dés étaient jetés, les jeux étaient faits et il n'y avait plus à y revenir, mais c'étaient des semaines d'espoir qui débouchaient ainsi sur le vide. Marianne découvrait que la mer était immense et qu'un navire n'y était qu'un fétu, qu'elle avait lancé un cri dans l'infini et que l'infini n'avait pas d'écho. Jason ne pouvait plus rien pour elle... et pourtant, tout en remontant lentement vers sa chambre, Marianne découvrait qu'elle avait toujours la même envie de le revoir... C'était étrange alors même que, dès le lendemain, il lui faudrait affronter la colère de Napoléon, soutenir encore, en face de lui, une de ces luttes épuisantes où l'amour la laissait si vulnérable... Il y aurait là une heure difficile. Cependant, elle ne s'en inquiétait pas. Obstinément, sa pensée retournait sur la mer, à la suite d'un navire qui n'était pas entré au port de Nantes. C'était drôle, d'ailleurs, cette insistance avec laquelle revenait le souvenir du marin ! C'était comme si la jeunesse de Marianne, peuplée de rêves un peu fous et du désir profond, presque viscéral, de l'aventure, s'accrochait à lui, l'homme de l'aventure par excellence, pour refuser la réalité et survivre encore.

Pourtant, l'heure de l'aventure était passée. En écoutant le brouhaha distingué, sur une ariette de Mozart, qui montait vers elle par la fenêtre ouverte, la nouvelle princesse pensa que c'était le prélude à une tout autre vie, une vie adulte, toute de calme, de dignité que l'enfant pourrait partager. Quand, demain, elle aurait fini de s'expliquer avec l'Empereur, il n'y aurait plus rien d'autre à faire que laisser couler les jours... que vivre comme tout le monde ! Hélas !... A moins que, malgré son mariage, Napoléon eût gardé assez d'amour pour elle, à moins qu'à nouveau il n'arrachât la mère de son enfant à cette vie terne qu'elle n'imaginait pas sans inquiétude, à moins que Marianne ne fût assez forte pour reprendre l'homme qu'elle aimait...

2

LA PREMIÈRE FÊLURE

4 heures sonnaient à l'horloge encastrée dans le fronton central du palais de Saint-Cloud quand Marianne gravit le grand escalier construit au siècle précédent. Elle se sentait mal à l'aise, moins à cause des regards qui, depuis la cour d'honneur, s'étaient attachés à elle et dont elle se sentait suivie, qu'à la pensée de ce qui l'attendait dans cette demeure inconnue. Deux mois et demi s'étaient écoulés depuis la dramatique scène des Tuileries et c'était la première fois qu'elle allait « le » revoir. Cela suffisait à faire trembler son cœur.

Une petite note, jointe à la convocation impériale, lui avait indiqué que, la cour portant actuellement le deuil du prince royal de Suède, les grands atours n'étaient pas de mise et qu'elle devait se présenter en « robe ronde » et « coiffure de fantaisie ». Elle avait donc opté pour une robe sans traîne en épais satin blanc et sans autre ornement que des manches-ballons assez volumineuses et l'agrafe d'or et de perles qui marquait, sous les seins, son étroite ceinture. Une toque de même tissu, garnie de plumes d'autruche noires et blanches qui frisaient le long de son cou, coiffait son opulente chevelure sombre et une grande écharpe de cachemire noir et or drapait l'une de ses épaules pour glisser doucement, derrière son dos, jusqu'au creux de l'autre bras. Des perles en poire aux oreilles et des bracelets d'or portés sur les longs gants blancs montant jusqu'au bord des manches complétaient une toilette que toutes les femmes regardaient avec une admirative curiosité. Sur ce point, d'ailleurs, Marianne n'avait aucune inquiétude. Elle en avait médité chaque détail, depuis la simplicité voulue de la robe qui rendait pleine justice à la ligne de ses jambes jusqu'à l'absence de joyaux autour de son long cou souple pour ne pas rompre l'harmonie de sa courbe qui s'attachait avec tant de grâce aux épaules rondes. Jusqu'à la lisière neigeuse de la robe, audacieusement décolletée, sa peau dorée laissait voir sans entrave son éclat chaleureux auquel, Marianne le savait bien, Napoléon s'était toujours montré sensible. Sur le plan physique, sa réussite était totale et sa beauté parfaite. Restait le plan moral.

A cause de la proximité de cette entrevue, elle n'avait guère dormi la nuit précédente et avait eu tout le temps de composer son attitude. Elle en était arrivée à cette conclusion que se présenter en posture de coupable serait la dernière des sottises. Napoléon ne pouvait rien lui reprocher sinon d'avoir assuré, sans lui demander son avis, l'avenir de leur enfant commun. Et cet avenir était fastueusement assuré. C'était donc en femme certaine de son pouvoir, en maîtresse décidée à reprendre son amant, qu'elle entendait s'approcher de lui. Elle était lasse de toutes ces élégies qu'elle avait entendues, depuis son entrée en France, sur le couple de tourtereaux que formaient Napoléon et Marie-Louise. Jusqu'à la nuit dernière où, avec un sourire qui sentait son libertin, Talleyrand lui avait susurré que l'Empereur passait le plus clair de son temps, sinon dans le lit de sa femme, du moins enfermé avec elle.

— Tous les matins, il assiste à sa toilette, choisit ses robes, ses bijoux. Jamais il ne la trouve assez magnifiquement parée ! Le seigneur de la guerre est devenu celui d'une fort tendre guerre.

Dans cette guerre amoureuse, Marianne était fermement décidée à faire diversion. Elle avait trop subi, depuis que ce mariage avait été annoncé, trop souffert les ravages d'une jalousie quasi animale quand elle évoquait « leurs » nuits tandis que s'étiraient interminablement les siennes. Elle se savait très belle, bien plus que « l'autre », et capable de faire perdre la tête à n'importe quel homme. Aujourd'hui, elle était décidée à vaincre. Ce n'était pas l'Empereur qu'elle allait voir, c'était un homme qu'elle voulait à tout prix garder. Et c'était peut-être à cause de cela que son cœur battait si lourdement quand elle atteignit le salon d'attente du premier étage où, traditionnellement, se tenaient en permanence, quand Leurs Majestés recevaient, le préfet du Palais et quatre dames de l'Impératrice.

Marianne savait qu'elle y retrouverait ce jour-là Mme de Montmorency et la comtesse de Périgord qui lui avaient dit la veille être de service.

— Le protocole veut, avait ajouté Dorothée, que l'une des dames du palais vous présente à la dame d'honneur et au préfet du Palais avant que vous ne soyez introduite dans le salon de présentation. Le préfet, le marquis de Bausset, est un homme charmant, mais la dame d'honneur, la duchesse de Montebello est, selon moi, une affreuse chipie. Le malheur veut que l'Impératrice ne voie que par elle, n'aime qu'elle et n'ait confiance qu'en elle, peut-être pour la consoler du malheureux boulet autrichien qui a tué ce pauvre Lannes. Heureusement, je serai là. C'est moi qui vous présenterai à elle et, avec moi, Mme de Montebello prend des gants.

Cela, Marianne voulait bien le croire, connaissant le caractère de la jeune comtesse qui n'aurait certainement jamais permis à Mme Lannes d'oublier qu'elle était née princesse de Courlande. Aussi fût-ce avec un sourire sans contrainte qu'elle s'avança vers son amie qui, de son côté, venait à elle. Mais les deux jeunes femmes eurent à peine le temps de se saluer qu'un troisième personnage intervint.

— Voilà donc une revenante ! s'écria la voix joyeuse de Duroc. Et quelle revenante ! Ma chère, c'est une vraie joie de vous retrouver ! Et quelle beauté ! Quelle élégance ! Vous êtes... ma foi, je ne trouve pas les mots !

— Dites « impériale » et vous ne serez pas loin de la vérité, fit Dorothée de sa voix un peu masculine, tandis que Duroc s'inclinait sur les doigts de Marianne. Il faut bien avouer, ajouta-t-elle en baissant légèrement le ton, que notre chère souveraine ne lui vient pas à la cheville ! J'ai toujours soutenu, d'ailleurs, que les robes de Leroy n'étaient pas faites pour être portées par n'importe qui !

— Oh ! protesta le grand maréchal du Palais, n'importe qui ? Une Habsbourg ? Madame la comtesse, votre franc-parler vous jouera des tours !

— Dites plutôt ma connaissance imparfaite du français, riposta Dorothée avec son grand rire brusque. J'ai voulu dire que toutes les silhouettes ne s'en accommodaient pas. Il faut être mince et souple avec de longues jambes, ajouta-t-elle en jetant à sa propre silhouette, dans une glace voisine, un regard approbateur, et Sa Majesté aime un peu trop les pâtisseries.

Mme de Périgord, pour sa part, était d'une parfaite élégance et, la veille, Marianne avait été frappée de son changement : la fillette aux grands yeux, que d'aucuns jugeaient laide et trop maigre, s'épanouissait pour devenir une vraie beauté. Même Marianne ne portait pas plus élégamment les difficiles créations de Leroy. La robe qu'elle arborait ce jour-là, faite de bandes alternées d'épaisse dentelle blanche et de velours noir, aurait écrasé un corps moins nerveusement racé que le sien. Gentiment, elle glissa son bras sous celui de Marianne.

— C'est merveilleux de vous voir redevenue vous-même ! soupira-t-elle. En vérité, nous voilà bien loin de Mlle Mallerousse et de la *signorina* Maria-Stella !

Marianne, malgré son empire sur elle-même, se sentit rougir.

— Je me fais l'effet d'être une espèce de caméléon, soupira-t-elle. Et je ne suis pas sans inquiétude quant à la façon dont le commun des mortels doit me juger.

Les beaux sourcils noirs de Mme de Périgord se relevèrent jusqu'au milieu de son front.

— Le commun des mortels ne se permettrait pas de juger, ma chère ! Quant à vos pairs, disons qu'ils en ont vu d'autres. Est-ce que vous ne savez pas que mon grand-père était garçon d'écurie chez la tzarine Elisabeth avant de devenir son amant et d'épouser la duchesse de Courlande ? Cela ne m'empêche nullement d'être très fière de lui... c'est même celui de mes ancêtres que je préfère !... Et quant à certains de vos émigrés j'en connais qui ont exercé des métiers infiniment moins élégants que servir de lectrice à une princesse ou donner des concerts ! Cessez de vous tourmenter ainsi et venez que je vous présente à notre Cerbère.

— Un petit moment ! fit Marianne en se tournant vers Duroc. Pourriez-vous me donner, monsieur le duc, l'explication de l'ordre que vous m'avez envoyé ? Pourquoi suis-je ici ?

Le visage rond aux traits un peu indécis du grand maréchal du Palais se plissa en un large sourire.

— Mais... pour être présentée à Leurs Majestés, rien de plus... c'est la règle ! Normalement cela aurait dû se faire au cours d'une soirée, mais puisque nous sommes en deuil...

— Rien de plus ? fit Marianne soupçonneuse. Vous en êtes sûr ? Vous êtes certain que Sa Majesté ne me réserve pas un tour de sa façon ?

— Mais oui ! L'Empereur m'a ordonné de vous convoquer et je vous ai ordonné, en son nom, de vous présenter. Au surplus, ajouta-t-il en tirant sa montre, il est l'heure d'entrer dans le salon et Mme de Montebello n'a pas encore paru. Elle doit être retenue chez l'Impératrice. Mais cela n'a que peu d'importance. J'ai autant qu'elle le privilège de présenter les nouveaux venus. Venez, madame.

Dans le salon voisin, dont deux valets en livrée vert et or ouvraient les doubles portes, les invités pénétrèrent lentement et se rangèrent autour de la pièce, les femmes devant, les hommes derrière. Seul, Duroc demeura auprès de Marianne qu'il avait d'ailleurs placée un peu à l'écart et non loin de la porte par laquelle devait entrer le couple impérial. Il y avait beaucoup de monde, mais la jeune femme, reprise à la fois par l'anxiété et par la hâte de revoir l'homme qu'elle aimait toujours, n'accorda même pas un regard aux autres invités. Ils formaient pour elle une masse brillante d'uniformes, français ou étrangers, et de robes où elle ne cherchait pas même à distinguer un visage. Elle s'était seulement bornée à vérifier au passage, devant l'une des hautes glaces, sa toilette et son aspect général. Une seule pensée occupait son esprit : comment allait-il la recevoir ?

Elle avait cru, d'abord, qu'elle n'aurait affaire qu'à lui seul, qu'il la ferait conduire à son cabinet pour lui parler sans témoins. Elle n'avait pas imaginé qu'elle aurait à faire face à une présentation en règle. La déception qu'elle en éprouvait était cruelle. C'était comme si Napoléon lui avait fait signifier qu'elle n'était plus rien pour lui, qu'une femme comme les autres ! Se pouvait-il qu'il fût tombé à ce point amoureux de cette grosse Allemande ? Et puis, la réputation des algarades et des compliments à rebours dont Napoléon gratifiait certaines femmes, en public, était trop bien assise pour qu'elle ne redoutât pas le moment où elle se trouverait en face de lui, avec toutes ces paires d'yeux, toutes ces oreilles avides braquées sur eux.

— Leurs Majestés l'Empereur et l'Impératrice ! claironna la voix du maître de cérémonie.

Marianne tressaillit. Ses nerfs se tendirent. Les grandes portes s'ouvrirent et le cœur de la jeune femme manqua un battement. Les mains au dos, de son pas rapide, Napoléon s'avançait.

Un peu en arrière de lui et plus lentement, Marianne vit approcher Marie-Louise, plus rose que jamais dans une robe blanche garnie de roses de même teinte et soutachée d'argent.

« Elle a grossi », jugea Marianne avec une joie vengeresse.

A la suite du couple, un groupe de hauts personnages entra, mais se tint au fond de la salle, tandis que l'Empereur et l'Impératrice en faisaient le tour, pliant les robes de soie et les habits brodés en interminables révérences. Marianne reconnut la ravissante princesse Pauline, sœur de Napoléon, et le duc de Wurtzbourg, oncle de Marie-Louise. Dans la file des invités, elle était la troisième après deux dames de haute mine et beaucoup plus âgées qu'elle, mais, trois minutes plus tard, elle eût été incapable de dire le nom de ses voisines ou de répéter ce que Napoléon leur avait dit, car ses oreilles s'étaient emplies d'un brouillard sonore. La voix forte de Duroc parvint pourtant à le percer.

— Daigne Votre Majesté me permettre de lui présenter, comme elle l'a ordonné, Son Altesse Sérénissime la princesse Corrado Sant'Anna, marquise d'Asselnat de Villeneuve, comtesse de Cappanori et de Galleno, de...

La longue liste des titres que lui avait valus son mariage tomba sur Marianne comme le poids d'une sentence. En même temps, ses genoux plièrent pour cette profonde révérence qui était presque un agenouillement et exigeait infiniment plus de grâce, de souplesse et de sens de l'équilibre. Les tempes battantes et les yeux troubles, Marianne entendit la fin de ses titres avec, pour seule perspective, deux jambes vêtues de soie blanche et des escarpins à boucles d'argent. Puis il y eut un silence. L'Empereur était si près qu'elle entendait sa respiration mais, terrifiée soudain, elle n'osait pas lever les yeux. Qu'allait-il dire ?

Tout à coup, une main qu'elle connaissait bien se tendit vers elle pour l'aider à se relever, tandis que, d'une voix calme, Napoléon déclarait :

— Relevez-vous, madame ! Voici longtemps, il me semble, que nous attendions votre visite.

Elle osa alors le regarder, croiser le regard gris-bleu où elle ne lut aucune colère, mais plutôt une sorte d'amusement et, du coup, elle se demanda si par hasard il ne se moquait pas d'elle. Il y avait vraiment beaucoup de gaieté dans le sourire qu'il lui adressait.

— Nous sommes heureux aussi de vous féliciter de votre mariage et de constater qu'il ne vous a pas changée. Vous êtes toujours aussi belle !

C'était à peine un compliment. Tout juste une

constatation ! Pourtant, son regard rapide parcourut le ravissant visage rougissant, les épaules et la gorge offerte qui palpitait si près de lui, mais Marianne, soudain dégrisée, ne put rien lire dans ce regard. D'ailleurs, il se tournait déjà vers Marie-Louise pour lui présenter la jeune femme et celle-ci, bon gré mal gré, dut rééditer sa révérence pour la femme qu'entre toutes elle détestait. Mais, avant de plonger, elle eut le temps de remarquer la lippe mécontente qu'accentuait encore la fameuse lèvre Habsbourg.

— Bonjour ! fit la voix maussade de l'Impératrice.

Rien de plus ! Avait-elle reconnu celle qui, au lendemain de son mariage, avait causé aux Tuileries cet affreux scandale, celle qu'elle avait surprise sanglotant aux pieds de l'Empereur et qu'elle avait appelée « la vilaine femme » ? Marianne l'aurait juré. En se relevant, elle ne put empêcher ses yeux de défier silencieusement Marie-Louise avec une joie sauvage. Il y eut un choc, presque électrique, dont Marianne jouit âprement. L'Autrichienne la détestait, elle en était certaine et trouvait à cela une grisante sensation de triomphe. La haine, d'autant plus violente qu'elle était impalpable, vibrait entre les deux femmes à la manière de l'air surchauffé d'un jour d'orage, une haine qui donnait peut-être la mesure de la crainte qui l'inspirait. Autour d'elle, Marianne avait conscience des respirations contenues, d'une attente un peu cruelle. Allait-on voir, dès la première rencontre, s'affronter la nouvelle épouse et la dernière maîtresse ?

Mais non. Avec un hochement de tête, Marie-Louise passait et rejoignait son époux qui, durant cet instant cependant bref, avait traversé la moitié de la salle.

— Allons ! chuchota à son oreille la voix basse

46

de Duroc. Les choses sont allées mieux que je ne l'espérais. Dès que ce sera fini, vous viendrez avec moi.

— Et pourquoi ?

— Mais voyons... parce que maintenant vous allez être reçue en audience privée. L'Empereur m'a dit de vous conduire à son cabinet de travail après la réception. Vous n'imaginiez pas qu'il en avait fini avec vous en quelques mots polis ?

Le cœur de Marianne bondit de joie. Seul ! Elle allait le voir seul ! Tout ce qui venait de se passer n'était que le reflet de l'étiquette, l'indispensable cérémonie à laquelle obligeait son nouveau rang, mais, cette fois, elle allait le retrouver en tête à tête, l'avoir un peu à elle toute seule... et tout n'était peut-être pas perdu comme elle l'avait cru en écoutant son ironique bienvenue.

Duroc, amusé, reçut en plein visage un regard où scintillaient des milliers d'étoiles. Il se mit à rire.

— Je savais bien que ceci vous plairait mieux que cela. Mais... n'ayez tout de même pas trop d'espoir. Le nom que vous portez vous mettait à l'abri d'un esclandre public. Cela ne veut pas dire qu'on ne vous dira, en privé, que des douceurs.

— Qu'est-ce qui vous fait croire cela ?

Duroc tira sa tabatière, prisa puis chiquenauda son superbe habit de velours violet brodé d'argent pour en faire tomber les brindilles de tabac. Ceci fait, il eut un petit rire.

— Ce qui pourrait le mieux répondre à votre question, ma chère, ce sont les débris de l'un des plus beaux vases de Sèvres de ce palais qui a connu l'anéantissement sous l'auguste main de Sa Majesté le jour où elle a appris votre mariage.

— Et vous croyez me faire peur ? fit Marianne. Vous ne savez pas à quel point vous me faites plaisir, au contraire. Rien, je crois, ne pouvait me rendre plus heureuse. J'ai eu peur, oui, mais c'était tout à l'heure...

C'était vrai. Peur de sa politesse superficielle, peur de son sourire de commande, peur de son indifférence... La pire de ses fureurs... mais pas ça! C'était la seule chose contre laquelle Marianne se sentait désarmée.

Le cabinet de l'Empereur, à Saint-Cloud, ouvrait de plain-pied sur la grande terrasse fleurie de roses et de pélargoniums. Une toile rayée, prolongeant les fenêtres, et les branches de vieux tilleuls y entretenaient une ombre douce qui faisait plus éclatant le soleil où baignaient les vastes pelouses. Et bien que le décor fût sensiblement le même qu'aux Tuileries, l'atmosphère de travail s'y trouvait beaucoup adoucie par les senteurs de l'été et la beauté de ces jardins vert et or qu'une joie de vivre avait ordonnés.

Abandonnant son cachemire sur le bras d'un fauteuil, Marianne se dirigea vers l'une des hautes portes-fenêtres pour trouver dans la contemplation des perspectives un dérivatif à une attente qu'elle imaginait assez longue. Mais elle eut à peine le temps d'en atteindre le seuil que le pas rapide de l'Empereur sonnait sur les dalles de la galerie extérieure. La porte s'ouvrit, claqua... Marianne, de nouveau, s'abîma dans sa révérence...

— Personne ne fait la révérence comme toi! remarqua Napoléon.

Il était resté debout près de la porte, les mains nouées derrière le dos à son habitude, et la regardait. Mais il ne souriait pas. Comme tout à l'heure, il ne faisait que constater un fait, non tourner un compliment destiné à plaire. D'ailleurs, et avant même que Marianne eût trouvé une réponse, il avait traversé la pièce, s'était assis à son bureau et désignait un siège.

— Assieds-toi, dit-il brièvement, et raconte !

Un peu suffoquée, Marianne s'assit machinalement tandis que, sans paraître lui accorder plus d'attention, il se mettait à fourrager dans les piles de papiers et les cartes qui encombraient sa table de travail. A mieux le regarder, la jeune femme le trouva à la fois grossi et fatigué. Sa peau mate et pâle était plus jaune, de ce jaune que prend l'ivoire en vieillissant. Les joues plus pleines accusaient le cerne des yeux, le pli un peu las des lèvres.

« Cette cavalcade, de fête en fête à travers les provinces du Nord, a dû être exténuante ! » songea Marianne, refusant résolument les insinuations de Talleyrand sur les occupations principales du couple impérial. Mais il releva brièvement les yeux vers elle.

— Eh bien ? J'attends...

— Raconter... quoi ? fit-elle doucement.

— Mais tout... ce mariage ahurissant ! Je te tiens quitte de la raison, je la connais.

— Votre Majesté... connaît la raison ?

— Naturellement. Il se trouve que Constant a un faible pour toi. Lorsque j'ai appris... ce mariage, il m'a tout dit, afin, très certainement, de t'éviter le plus gros de ma colère !

Fût-ce l'évocation de cette colère, toujours un peu à fleur de peau chez lui, mais le poing de Napoléon s'abattit soudain sur le bureau :

— Pourquoi ne m'as-tu rien dit ? J'avais le droit, il me semble, d'être averti, et tout de suite.

— Sans doute ! Mais, Sire, puis-je demander à Votre Majesté ce que cela aurait changé ?

— Changé à quoi ?

— Disons... à la suite des événements ? Et puis,

en vérité, je me voyais mal, après la façon dont nous nous étions quittés, le soir du concert, redemandant audience à Votre Majesté pour lui annoncer la nouvelle. J'aurais redouté d'être trop mal venue au milieu des fêtes de son mariage. Mieux valait disparaître et parer à l'événement par mes seules ressources.

— D'immenses ressources, à ce qu'il paraît, ricana-t-il. Un Sant'Anna ! Peste ! Ce n'est pas une mince trouvaille pour une...

— Je vous arrête, Sire ! coupa Marianne sèchement. Votre Majesté est sur le point d'oublier que le personnage de Maria-Stella n'était qu'un masque, une défroque de carnaval. Ce n'est pas elle qu'a épousée le prince Sant'Anna, mais bien la fille du marquis d'Asselnat. A notre degré de noblesse, cette union était simplement... normale ! Votre Majesté est d'ailleurs la seule à s'en étonner, d'après les échos que j'ai pu en recueillir depuis mon retour. La haute société parisienne a trouvé infiniment plus étonnant...

A nouveau le poing impérial s'abattit.

— Il suffit, madame ! Vous n'êtes pas ici pour m'apprendre comment réagit ou ne réagit pas le faubourg Saint-Germain. Je le sais mieux que vous ! Ce que je veux entendre, c'est comment vous en êtes venue à faire choix d'un homme que personne n'a jamais vu, qui vit terré sur ses domaines, caché même à ses serviteurs, une espèce de mystère vivant ! Il n'est tout de même pas venu vous chercher ici, j'imagine ?

La colère, Marianne l'éprouvait jusque dans ses propres nerfs, montait en lui. Elle redressa la tête, serra l'une contre l'autre ses mains gantées comme elle avait coutume de le faire dans les moments difficiles. D'autant plus calme en apparence qu'elle était plus inquiète en réalité, elle répondit :

— C'est l'un de mes parents qui a arrangé ce mariage... au nom de l'honneur de la famille.

— Un de vos parents ? Mais je croyais... Oh ! J'y suis ! Gageons qu'il s'agit de ce cardinal de San Lorenzo, cet insolent auquel cet imbécile de Clary a offert, pour vous plaire, sa voiture malgré mes ordres ! Un intrigant comme tous ses pareils !

Marianne se permit un sourire. Gauthier de Chazay était hors de portée de la colère impériale. Il n'avait rien à perdre à l'aveu qu'elle allait faire.

— Gagez, Sire, vous gagnerez ! C'est, en effet, mon parrain qui, en sa qualité de chef de notre famille, a choisi pour moi. Ce qui, aussi, était normal !

— Ce n'est pas mon avis.

Brusquement, Napoléon se leva et se mit à arpenter le tapis de son cabinet en une de ces promenades nerveuses dont il avait le secret.

— Ce n'est pas mon avis du tout, répéta-t-il. C'était à moi, le père, de choisir l'avenir de mon enfant. A moins, ajouta-t-il cruellement, que je ne m'abuse sur cette paternité ?

Aussitôt Marianne fut debout et lui fit face les joues en feu, les yeux fulgurants :

— Je ne vous ai jamais donné le droit de m'insulter, pas plus que de douter de moi ! Et j'aimerais, maintenant, savoir quel genre de dispositions Votre Majesté aurait bien pu prendre envers cet enfant, sinon contraindre d'abord sa mère à un mariage quelconque.

Il y eut un silence. L'Empereur toussota et détourna les yeux de ce regard étincelant qui s'attachait à lui, interrogateur jusqu'à l'insolence.

— Bien entendu ! Il ne pouvait en être autrement puisque, malheureusement, il ne m'était pas possible de reconnaître l'enfant. Du moins vous aurais-je confiés, l'une et l'autre, à l'un de mes fidèles, quelqu'un que j'eusse connu à fond, dont je serais sûr... sûr !...

— Quelqu'un qui eût accepté, les yeux fermés, la maîtresse de César... et la dot assortie. Car vous m'auriez dotée, n'est-ce pas, Sire ?

— Naturellement.

— Autrement dit : un complaisant ! Ne comprenez-vous pas, s'écria Marianne avec passion, que c'était cela, justement, que je n'aurais jamais pu supporter : être donnée... vendue plus exactement, par vous, à l'un de vos serviteurs ! Devoir accepter un homme de votre main !

— Votre sang aristocratique se serait révolté, sans doute, gronda-t-il, en mettant votre main dans celle de l'un de ces parvenus de la gloire dont j'ai fait ma cour, de l'un de ces hommes qui doivent tout à leur vaillance, au sang versé...

— ... et à votre générosité ! Non, Sire, je n'aurais pas rougi, en tant que Marianne d'Asselnat, d'épouser l'un de ces hommes, mais j'aurais préféré mourir plutôt que d'accepter d'être livrée, par vous, vous que j'aimais, à un autre... En obéissant au cardinal, je n'ai fait que suivre les usages de la noblesse qui veulent qu'une fille accepte, aveuglément, l'époux choisi par les siens. Ainsi, j'ai moins souffert.

— Voilà pour vos raisons ! fit Napoléon avec un froid sourire. Donnez-moi donc maintenant celles de votre... époux ! Qu'est-ce qui a pu pousser un Sant'Anna à épouser une femme enceinte d'un autre ?

Négligeant volontairement la grossièreté de l'intention, Marianne riposta du tac au tac :

— Le fait que l'autre soit vous ! Eh ! oui, Sire, sans vous en douter vous avez été ma dot ! C'est l'enfant du sang de Bonaparte que le prince Corrado a épousé, en fait.

— Je comprends de moins en moins.

— C'est pourtant simple, Sire ! Le prince est, à ce que l'on dit, atteint d'une grave maladie que, pour rien au monde, il n'accepterait de transmettre. Il s'était donc volontairement condamné à voir mourir avec lui son vieux nom... jusqu'à ce que le cardinal de San Lorenzo vînt lui parler de moi. Il répugnait à une quelconque adoption, par orgueil de race, mais cet orgueil ne joue plus du moment qu'il s'agit de vous. Votre fils peut porter le nom des Sant'Anna et assurer la continuité.

A nouveau, le silence. Lentement, Marianne se dirigea vers la fenêtre ouverte. Elle étouffait tout à coup, saisie de la bizarre conscience d'avoir menti quand elle avait évoqué Corrado Sant'Anna. Malade, l'homme qu'elle avait vu monter si magistralement Ildérim ? C'était impossible ! Mais comment expliquer à elle-même cette réclusion volontaire, ce masque de cuir blanc qu'il portait pour ses chevauchées nocturnes ? Elle revoyait maintenant, avec une curieuse netteté, sur le fond ensoleillé du parc impérial, la haute et vigoureuse silhouette aperçue sous l'ample manteau noir claquant au vent de la course. Un malade, non ! Mais un mystère, et il n'était jamais bon d'offrir un mystère à Napoléon.

Ce fut lui qui rompit le silence.

— Soit ! dit-il enfin. J'admets ces raisons, elles sont valables et je peux les comprendre. Au surplus, nous n'avons jamais rien eu à reprocher au prince qui, depuis notre prise de pouvoir, s'est toujours comporté en sujet loyal. Mais... vous avez tout à l'heure prononcé une phrase étrange...

— Laquelle ?

— Celle-ci : on dit le prince atteint d'une grave maladie. Cet « on dit » laisse supposer que vous ne l'avez pas vu ?

— Rien n'est plus exact. Je n'ai vu de lui, Sire, qu'une main gantée qui, à travers un rideau de velours noir, s'est tendue vers la mienne durant la cérémonie du mariage religieux.

— Vous n'avez jamais vu le prince Sant'Anna ? s'écria Napoléon incrédule.

— Jamais ! assura Marianne avec, de nouveau, la conscience d'être en train de mentir.

Mais elle ne voulait, à aucun prix, qu'il sût ce qui s'était passé à la villa. A quoi bon lui parler du cavalier fantôme... et surtout de son étrange réveil, à la fin de la nuit ensorcelée, dans un lit jonché de fleurs de jasmin ?... Elle fut d'ailleurs immédiatement payée de ce mensonge car, enfin, Napoléon sourit. Lentement, il vint vers elle, s'approcha presque à la toucher et plongea ses yeux dans ceux de la jeune femme.

— Alors, fit-il d'une voix basse, intime, il ne t'a pas touchée ?

— Non, Sire... Il ne m'a pas touchée.

Le cœur de Marianne trembla. Le regard impérial s'était soudain chargé de douceur comme, tout à l'heure, d'une implacable froideur. Elle y retrouvait, enfin, l'expression qu'il avait, au temps de Trianon, et qu'elle avait tant souhaité y retrouver, ce charme qu'il savait si bien déployer quand il le voulait, cette façon de caresser du regard qui préludait si bien à l'amour. Il y avait des jours... et des nuits qu'elle rêvait de ce regard-là ! D'où venait donc que, à cette minute, elle n'en éprouvât pas plus de joie ? Tout à coup, Napoléon se mit à rire :

— Ne me regarde pas ainsi ! On jurerait, ma parole, que je te fais peur ! Rassure-toi, tu n'as plus rien à craindre. C'est, toute réflexion faite, une excellente chose que ce mariage et tu as réussi un coup de maître ! Pardieu ! Je n'aurais pas fait mieux !

Un mariage superbe... et surtout un mariage blanc ! Sais-tu que tu m'as fait souffrir ?

— Souffrir ? Vous ?

— Moi ! Ne suis-je pas jaloux de ce que j'aime ? J'ai imaginé, alors, tant de choses...

« Et moi ? songea Marianne en évoquant avec rancune sa nuit infernale de Compiègne, moi qui ai cru devenir folle en apprenant qu'il n'avait pas su attendre quelques heures avant de mettre l'Autrichienne dans son lit, je n'ai rien imaginé sans doute ? »

Cette brusque bouffée de rancune était si violente qu'elle ne réalisa pas tout de suite qu'il l'avait prise dans ses bras et que c'était, maintenant, de tout près qu'il murmurait, de plus en plus bas, de plus en plus ardemment :

— Toi, ma sorcière aux yeux verts, ma belle sirène, aux mains d'un autre ! Ton corps livré à d'autres caresses, à d'autres baisers... Je te détestais presque de m'infliger cela et, tout à l'heure, quand je t'ai retrouvée... si belle ! Plus belle que mes souvenirs... J'ai eu envie de...

Un baiser étouffa le mot. C'était un baiser avide, impérieux, presque brutal, tout plein d'une ardeur égoïste, la caresse d'un maître à l'esclave soumise, mais il n'en bouleversa pas moins la jeune femme. Le seul contact de cet homme dont elle avait fait le centre de toutes ses pensées, de tous ses désirs, agissait toujours sur ses sens avec l'implacable exigence d'un tyran. Entre les bras de Napoléon, Marianne fondit aussi totalement que dans la nuit complice du Butard...

Pourtant, il se détachait déjà d'elle, s'éloignait, appelait :

— Roustan !

Le superbe Géorgien enturbanné apparut, impassible et rutilant, le temps de recevoir un ordre bref.

— Personne ici avant que je ne t'appelle ! Sur ta vie !

Le mameluk fit signe qu'il avait compris et disparut. Napoléon, alors, saisit la main de Marianne.

— Viens ! dit-il seulement.

Courant presque, il l'entraîna vers une porte qui se découpait dans l'un des panneaux de la pièce, découvrant un petit escalier en colimaçon qu'il lui fit gravir à toute allure. Cet escalier débouchait dans une chambre assez petite mais meublée avec le goût douillet et raffiné qui préside en général aux pièces faites pour l'amour. Les couleurs dominantes y étaient le jaune lumineux et le bleu doux, un peu éteint. Marianne, cependant, eut à peine le temps de jeter un regard à ce qui l'entourait, à peine le temps de penser à celles qui avaient dû la précéder dans cette discrète retraite. Avec l'habileté de la meilleure chambrière, Napoléon avait déjà ôté les épingles qui maintenaient la toque de satin blanc, ouvert la robe qui glissait à terre bientôt suivie du jupon et de la chemise, le tout à une incroyable vitesse. Il n'était plus question, cette fois, de lents et tendres préliminaires, de ce déshabillage savant et voluptueux qui, au soir du Butard, avait fait de Marianne la proie plus que consentante d'un affolant désir et qui, au temps de Trianon, donnait tant de charme à leurs préludes amoureux. En un rien de temps la sérénissime princesse Sant'Anna se retrouva uniquement vêtue de ses bas et jetée en travers d'une courtepointe de satin jaune soleil, aux prises avec une sorte de soudard pressé qui la prit sans un mot, se contentant de lui dévorer les lèvres de baisers frénétiques.

Ce fut si brutal et si hâtif que, cette fois, le fameux charme n'eut même pas le temps de se manifester. En quelques minutes tout fut terminé. Et, en guise de conclusion, Sa Majesté lui posa un baiser sur le bout du nez et lui tapota la joue :

— Ma bonne petite Marianne! fit-il avec une sorte d'attendrissement, tu es décidément la femme la plus exquise que j'aie jamais rencontrée. J'ai bien peur que tu ne me fasses faire des bêtises ma vie durant. Tu me rends fou!

Mais ces bonnes paroles étaient impuissantes à consoler la « bonne petite Marianne » qui, frustrée et furieuse en proportion, avait, au surplus, la désagréable sensation d'être un peu ridicule. Elle découvrait avec colère qu'au moment où elle avait cru retrouver vraiment son amant, renouer avec lui le fil précieux et enivrant de leurs amours d'antan, elle avait seulement assouvi le désir violent et inattendu d'un homme marié qui craignait peut-être d'être surpris par sa femme et qui, sans doute, regrettait déjà d'avoir perdu la tête. Outrée, elle arracha la courtepointe jaune pour en draper sa nudité et se leva. Sa chevelure, défaite, croula sur ses reins, l'enveloppant d'un noir manteau brillant.

— Votre Majesté me voit infiniment flattée de lui être agréable! dit-elle froidement. Puis-je espérer qu'elle me conservera sa bienveillance?

Il fronça les sourcils, fit la grimace et, à son tour, se leva:

— Allons, bon! Voilà que tu boudes maintenant? Voyons, Marianne, je sais bien que je ne t'ai pas accordé autant de temps qu'autrefois, mais tu es, je pense, assez raisonnable pour comprendre que bien des choses ont changé ici, que je ne peux plus me comporter envers toi comme...

— Comme un célibataire! Je sais! fit Marianne qui lui tourna carrément le dos pour aller remettre de l'ordre dans sa chevelure devant la glace de la cheminée.

Il la suivit, l'entoura de ses bras et posa un baiser sur son épaule nue puis se mit à rire:

— Tu devrais être très fière ! Tu es la seule femme capable de me faire oublier mes devoirs envers l'Impératrice, dit-il avec une maladresse qui ne fit qu'aggraver son cas.

— Mais... je suis fière, Sire, fit-elle gravement. Je regrette seulement de ne vous les faire oublier que très peu de temps.

— Le devoir, que veux-tu...

— Et le souci d'avoir bientôt un héritier ! acheva-t-elle ironiquement, pensant le piquer.

Il n'en fut rien. Napoléon lui adressa un sourire rayonnant.

— Mais, j'espère bien qu'il ne se fera pas trop attendre ! Je veux un fils ! Bien entendu. Et j'espère que toi aussi tu me donneras un gros garçon. Nous l'appellerons Charles, si tu veux, comme mon père.

— Et comme un certain M. Denis ! riposta Marianne stupéfaite.

Voilà qu'il parlait enfant maintenant ? Et aussi naturellement que s'ils eussent été mariés de longue date. L'envie sournoise, mais impérieuse, de le contrarier lui vint :

— Ce sera peut-être une fille ! dit-elle envisageant cette éventualité pour la première fois, car, jusque-là, et Dieu seul savait pourquoi, elle avait toujours été persuadée que l'enfant à naître était un garçon.

Mais, décidément, elle n'avait aucune chance, ce soir, de le remettre en colère. Ce fut très joyeusement qu'il déclara :

— Je serais très heureux d'avoir une fille. J'ai déjà deux garçons, tu sais ?

— Deux ?

— Mais oui, un jeune Léon, né voici quelques années, et le petit Alexandre qui a vu le jour en Pologne le mois dernier.

Cette fois, Marianne, vaincue, se tut, plus blessée qu'elle ne voulait se l'avouer. Elle ignorait encore la naissance du fils de Marie Valewska et cela la choquait au plus haut point de se trouver ainsi placée au même rang que les autres maîtresses de l'Empereur, son enfant mis d'autorité, qu'elle le voulût ou non, dans une sorte de *nursery* pour bâtards impériaux.

— Félicitations ! fit-elle du bout des dents.

— Si tu as une fille, reprit Napoléon, nous lui donnerons un nom corse, un joli nom ! Laetitia, comme ma mère, ou Vannina... j'aime ces noms ! Maintenant, dépêche-toi de t'habiller. On va finir par s'étonner de la longueur de cette entrevue.

Et maintenant, il se souciait du qu'en-dira-t-on ? Ah ! vraiment, il avait changé ! Il était bien entré tout entier dans son nouveau personnage d'homme marié ! Rageusement, mais avec rapidité, Marianne réintégra ses atours. Il l'avait laissée seule peut-être par discrétion, mais plus sûrement par hâte de regagner son cabinet, se contentant de lui dire de descendre le rejoindre dès qu'elle serait prête. Marianne y mit d'ailleurs une hâte égale à la sienne : elle était pressée maintenant de quitter ce palais où son bel amour venait de recevoir, elle le sentait bien, une dangereuse fêlure. Elle aurait du mal à lui pardonner ce trop rapide intermède amoureux qui sentait son bourgeois d'une lieue !

Quand elle regagna le cabinet de travail, Napoléon l'attendait, son cachemire sur le bras. Avec gentillesse, il le lui posa sur les épaules, demanda, câlin tout à coup, comme un enfant qui veut se faire pardonner une sottise :

— Tu m'aimes toujours ?

Elle se contenta, pour répondre, d'un haussement d'épaules et d'un sourire un peu triste.

— Alors, demande-moi quelque chose ! Je voudrais te faire plaisir.

Elle fut sur le point de refuser puis, brusquement, se rappela ce que Fortunée, entre deux portes, lui avait raconté la veille et qui la souciait tellement. C'était le moment où jamais de faire plaisir à sa plus fidèle amie... et certainement d'ennuyer un peu l'Empereur. Le regardant bien en face, elle lui adressa cette fois un grand sourire.

— Il y a, en tout cas, quelqu'un à qui, à travers moi, vous pourriez faire plaisir, Sire !

— Qui donc ?

— Mme Hamelin. Il paraît que lorsque l'on a, chez elle, arrêté le banquier Ouvrard, on a également arrêté le général Fournier-Sarlovèze qui s'y trouvait tout à fait par hasard.

Si Marianne avait espéré contrarier Napoléon, elle avait pleinement réussi. Instantanément, le masque de César recouvrit le sourire aimable de l'instant précédent. Il retourna vers son bureau et, sans la regarder, déclara sèchement :

— Le général Fournier n'avait rien à faire à Paris, sans permission. Sa résidence est Sarlat ! Qu'il s'y tienne.

— On dirait, fit Marianne, que Votre Majesté ignore quels tendres liens l'unissent à Fortunée. Ils s'adorent et...

— Balivernes ! Fournier adore toutes les femmes et Mme Hamelin est folle de tous les hommes. Ils savent parfaitement se passer l'un de l'autre. S'il était chez elle, c'était sans doute pour une autre raison.

— Naturellement, admit Marianne sans s'émouvoir. Il souhaite éperdument retrouver sa place dans les rangs de l'Armée... et Votre Majesté le sait très bien !

— Je sais surtout ce qu'il est : un trublion, un agité, une mauvaise tête... qui me déteste et ne me pardonne pas de porter la couronne !

— Mais qui aime tant votre gloire ! fit doucement Marianne en s'étonnant d'ailleurs de trouver de tels arguments pour défendre un homme que, personnellement, elle détestait. Et Fortunée serait si heureuse !

Le regard, soudain soupçonneux, de Napoléon revint se poser sur elle.

— Cet homme... d'où le connaissez-vous ?

Une diabolique tentation vint à Marianne ! Comment réagirait-il si elle lui disait que Fournier avait tenté, la nuit de son auguste mariage, de la violer derrière une porte de jardin ? Furieusement sans doute ! Et cette fureur la paierait de bien des choses, mais Fournier, lui, la paierait peut-être de sa vie, ou d'une éternelle disgrâce, et il n'avait pas mérité cela, même s'il était insupportable et odieux !

— Le connaître, c'est beaucoup dire ! Je l'ai vu, un soir, chez Mme Hamelin. Il arrivait de son Périgord et venait la supplier d'intercéder pour lui. Je ne me suis pas tellement attardée. Il me semblait que le général et mon amie souhaitaient beaucoup un moment de solitude !

L'éclat de rire de l'Empereur lui montra qu'elle avait réussi. Il revint vers elle, lui prit la main, la baisa et sans la lâcher la conduisit vers la porte.

— Allons ! Tu as gagné ! Dis à ce polisson en jupons de Fortunée qu'elle reverra bientôt son coq de village ! Je vais le sortir de prison et, avant l'automne, il retrouvera son commandement. Maintenant, sauve-toi vite ! J'ai à travailler.

Ils se saluèrent au seuil de la porte, lui d'une brève inclinaison du buste, elle de la rituelle révérence, aussi solennels, aussi impersonnels que s'ils n'avaient eu, derrière cette porte fermée, qu'une conversation de salon. Dans la galerie d'Apollon, Marianne retrouva Duroc qui l'attendait pour la reconduire à la voiture et lui offrit la main.

— Alors ? Contente ?

— Très, fit Marianne du bout des dents. L'Empereur a été... charmant !

— C'est une vraie réussite, approuva le grand maréchal. Vous voilà complètement rentrée en grâce ! Et vous ne savez pas encore à quel point ! Mais je peux vous le dire car vous recevrez certainement votre nomination avant peu.

— Ma nomination ? Quel genre de nomination ?

— Celle de dame du Palais, voyons ! L'Empereur a décidé que, en tant que princesse italienne, vous rejoindriez le groupe des grandes dames étrangères qui sont, désormais, attachées à ce titre à la personne de l'Impératrice : la duchesse de Dalberg, Mme de Périgord, la princesse Aldobrandini, la princesse Chigi, la comtesse Bonacorsi, la comtesse Vilain XIV... Cela vous revenait de droit.

— Mais je ne veux pas ! s'écria Marianne suffoquée. Comment a-t-il osé me faire cela, à moi ? M'attacher à sa femme, m'obliger à la servir, à lui tenir compagnie ? Il est fou !

— Chut donc ! intima précipitamment Duroc en jetant autour de lui un regard inquiet. N'imitez pas trop Mme de Périgord dans ses appréciations. Et, surtout, ne vous affolez pas. Les nominations sont décidées mais, d'abord, le décret n'est pas encore signé, encore que la comtesse Dorothée ait déjà pris son service ; ensuite, si j'en crois le caractère exclusif de la duchesse de Montebello, cette charge ne vous prendra pas beaucoup de temps. En dehors des grandes réceptions auxquelles vous serez tenue d'assister, vous n'approcherez guère l'Impératrice, n'entrerez pas dans sa chambre, ne lui parlerez pas, ne monterez pas dans sa voiture... Bref, c'est surtout une charge honorifique mais elle aura l'avantage de faire taire les ragots !

— S'il faut absolument que j'aie une charge à la Cour, ne pourrait-on me donner à un autre membre de la famille impériale ? La princesse Pauline, par exemple ? Ou, mieux encore, la mère de l'Empereur ?

Cette fois, le grand maréchal du Palais se mit à rire de bon cœur.

— Ma chère princesse, vous ne savez pas ce que vous dites ! Vous êtes beaucoup trop jolie pour cette charmante folle de Pauline et, quant à Mme Mère, si vous voulez périr d'ennui à brève échéance, je vous conseille de rejoindre le bataillon des graves et pieuses dames qui composent son entourage. Quand la duchesse d'Abrantès reviendra du Portugal, demandez-lui donc comment elle, qui cependant connaît Mme Laetitia depuis l'enfance, supporte l'atmosphère de l'hôtel de Brienne et les interminables parties de reversi qui en sont la distraction majeure ?

— C'est bon, fit Marianne avec un soupir résigné, je suis battue une fois de plus ! Je serai donc dame du Palais ! Mais pour l'amour du ciel, mon cher duc, ne précipitez pas la signature de ce fameux décret ! Plus tard il viendra...

— Oh ! avec un peu de chance, je peux le faire traîner jusqu'en août... ou peut-être septembre !

Septembre ? Le sourire revint aussitôt à Marianne. En septembre, son état serait bien suffisamment apparent pour qu'elle soit dispensée de paraître à la Cour, puisque, d'après ses calculs approximatifs, l'enfant devait naître dans les premiers jours de décembre.

On était arrivé sur le perron et elle tendit spontanément ses doigts au baiser du grand maréchal.

— Vous êtes un amour, mon cher duc ! Et, ce qui vaut encore beaucoup mieux, un excellent ami.

— J'aimais assez votre première définition, fit-il avec une grimace comique, mais je me contenterai de l'amitié! A bientôt, belle dame!

La fin du jour approchait dans une débauche orangée qui allumait des lueurs d'incendie derrière les coteaux de Saint-Cloud où les ailes des moulins tournaient doucement sous une brise légère. Il y avait beaucoup de monde sur la promenade de Longchamp, un monde chatoyant et joyeux fait d'équipages brillants, de beaux cavaliers, de toilettes claires et d'uniformes aux couleurs éclatantes. Ce n'étaient que plumes, dentelles, bijoux, dorures à cette heure élégante où il était de bon ton de se montrer dans les longues files de voitures qui, au pas, montaient ou descendaient, souvent jusqu'à 11 heures du soir, la longue allée qu'avaient mise à la mode les anciennes et fastueuses visiteuses de l'abbaye de Longchamp, les belles coquettes et les filles d'opéra du règne de Louis le Bien-Aimé et que les « Merveilleuses » du Directoire avaient remise en vogue après la tourmente révolutionnaire.

La soirée était si douce que Marianne prit volontiers le parti de rentrer chez elle sans se presser. Elle étrennait, ce jour-là, une nouvelle voiture, une calèche découverte dont Arcadius lui avait fait la surprise à son retour et qu'il avait fait exécuter chez Keller, le maître carrossier. C'était une voiture à la fois luxueuse, avec ses coussins de velours vert, ses cuivres miroitants, et confortable. On regardait beaucoup ce superbe équipage et celle qui l'occupait, les femmes avec curiosité, les hommes avec une admiration visible qui allait autant à la ravissante jeune femme étendue sur les coussins qu'aux quatre Lipizzans neigeux que Gracchus, plein de morgue sous sa nouvelle livrée noir et or, tenait superbement en main. On se retournait sur l'attelage. Certains promeneurs, reconnaissant Marianne, lui adressaient un salut ou un sourire. Ce fut le cas de Mme Récamier, de la baronne de Jaucourt, de la comtesse Kielmannsegge et de Mme de Talleyrand, qui, en croisant sa voiture, lui envoya un salut frénétique avec des mines de propriétaire. Visiblement, l'excellente femme se considérait comme le découvreur, en quelque sorte, de cette nouvelle étoile de la haute société parisienne. Quelques hommes s'approchèrent, chapeau bas, pour baiser sa main, tandis que leurs montures serraient de près la calèche, mais Marianne n'avait pas envie de bavarder et se contentait de leur offrir un sourire, un mot aimable, et ne les retenait pas, même le charmant prince Poniatowski, tout près cependant à rebrousser chemin pour l'accompagner alors même qu'il était en route pour Saint-Cloud et attendu par l'Empereur. Elle préférait se laisser bercer par le mouvement doux de sa voiture, en respirant l'air tiède, chargé du parfum sucré des acacias et des marronniers en fleur. Son regard, distrait, s'arrêtait juste assez sur le flot brillant qui la croisait pour reconnaître un visage et rendre un salut.

Pourtant, alors que les deux files devaient s'arrêter pour permettre aux gens du prince de Cambacérès, rutilant à son habitude dans un habit surdoré sur lequel s'étalaient son triple menton de trop bon vivant et la poudre de sa perruque 1780, de frayer un passage au train encombrant de leur maître, l'attention flottante de Marianne se fixa sur un cavalier qui tranchait curieusement sur toute cette foule brillante. Moins, d'ailleurs, par son costume que par le caractère remarquable de sa personne et de sa physionomie. Au petit trot d'un bel alezan doré, qu'il menait paisiblement sur le talus de la contre-allée, il avançait sans paraître se soucier de l'embouteillage, saluant de temps à autre l'une des nombreuses femmes qui, toutes, lui souriaient.

A l'uniforme vert sombre à parements rouges qui le sanglait, à la croix de Saint-Alexandre qui ornait son haut col et à la forme particulière du grand bicorne noir, sommé d'un plumet en plumes de coq, qui le coiffait, Marianne vit qu'il s'agissait d'un officier russe, bien que la croix de la Légion d'honneur saignât sur sa poitrine. Sans doute était-il l'un des attachés à l'ambassadeur du Tzar, le vieux prince Kourakine, qu'elle avait souvent aperçu chez Talleyrand. Mais elle n'avait encore jamais vu cet officier-là, tandis que d'autres visages, ceux de Nesselrode ou de Roumiantsoff, lui étaient déjà familiers. Cependant, il ne devait pas être aisé d'oublier cette physionomie une fois qu'on l'avait aperçue.

Tout d'abord, c'était un parfait cavalier. Cela se sentait à son aisance en selle, à une sorte de grâce qui n'excluait pas la puissance et à la parfaite musculature de ses cuisses dessinées par la culotte de peau blanche. La silhouette aussi était remarquable : les épaules étaient très larges et la taille étroite comme celle d'une jeune fille. Mais le plus extraordinaire, c'était le visage : blond avec de minces favoris qui moussaient sur ses joues comme de légers copeaux d'or, les traits avaient la pureté rigoureuse de l'art grec, mais les yeux obliques, sauvages, d'un vert intense, dénonçaient le sang asiatique. Il y avait du Tartare dans cet homme qui, à mesure qu'il s'approchait de la calèche, ralentissait son allure.

Il finit par s'arrêter tout à fait, à quelques pas de Marianne... mais ce fut pour examiner ses chevaux avec une attentive curiosité. Il détailla chacun d'eux, des oreilles à la queue, prit un peu de recul pour envisager l'ensemble, revint... Marianne crut même qu'il allait mettre pied à terre pour les voir de plus près quand ses yeux glissèrent jusqu'à la jeune femme. Et le même manège recommença.

Bien campé sur son cheval, à moins de deux mètres de Marianne, l'officier se mit à la considérer avec une attention d'entomologiste découvrant un insecte rare. Son regard, insolemment appréciateur, passa des épais cheveux sombres au visage que l'indignation empourprait déjà, à la longue colonne souple du cou, aux épaules et à la gorge sur lesquelles Marianne croisa vivement son cachemire noir et or. Scandalisée, avec l'impression désagréable d'être une esclave à l'étalage d'un trafiquant, elle foudroya du regard le grossier personnage, mais, perdu dans sa contemplation, il ne parut même pas s'en apercevoir. Bien plus, il sortit d'une poche une lentille de verre et la coinça dans une de ses orbites pour admirer plus commodément.

Vivement, Marianne se pencha et, du bout de son ombrelle, frappa sur l'épaule de Gracchus.

— Arrange-toi comme tu voudras, lui dit-elle, mais sortons d'ici ! Cet individu semble décidé à rester planter là jusqu'au jugement dernier.

Le jeune cocher jeta un coup d'œil à l'intrus et se mit à rire.

— On dirait que Votre Altesse Sérénissime a un admirateur ! Je vais voir ce que je peux faire. D'ailleurs, je crois que nous avançons.

La longue file de voitures, en effet, s'ébranlait. Gracchus fit partir ses chevaux, mais l'officier russe ne bougea toujours pas. Il se contenta de pivoter légèrement sur sa selle pour suivre des yeux la voiture et son occupante. Alors, Marianne, furieuse, lui lança :

— Goujat !

— Faut pas vous fâcher, Madame la princesse !

fit Gracchus. C'est un Russe et tout le monde sait que les Russes ça n'a pas d'usages. Tous des sauvages ! Celui-là ne sait peut-être pas trois mots de français. Il n'avait pas d'autre moyen pour montrer qu'il vous trouvait bien belle, sans doute.

Marianne évita de répondre. L'homme parlait certainement français. L'étude de cette langue faisait partie de l'éducation normale de tout noble russe et celui-là n'était visiblement pas né dans une isba. Il avait de la race, bien que son attitude ne plaidât guère en faveur de son éducation. Enfin, l'important était d'en être débarrassée ! Encore heureux qu'il n'allât pas dans le même sens qu'elle.

Mais, quand sa voiture franchit la belle grille à trois portes, chef-d'œuvre de Coustou, qui formait la porte Mahiaux et ouvrait, vers Neuilly, le mur d'enceinte du bois de Boulogne, elle entendit son cocher lui annoncer calmement que l'officier russe était toujours là !

— Comment ? Il nous suit ? Mais il allait vers Saint-Cloud...

— Il y allait peut-être, mais il n'y va plus puisqu'il est derrière nous.

Marianne se retourna. Gracchus avait raison. Le Russe était bien là, à quelques mètres, suivant la voiture aussi paisiblement que si cette place eût, de tout temps, été la sienne. Voyant que la jeune femme le regardait, il eut même l'audace de lui adresser un large sourire.

— Oh ! s'exclama-t-elle. C'est trop fort ! Fouette tes chevaux, Gracchus ! Et au galop !

— Au galop ? s'effara le jeune homme. Mais je vais renverser quelqu'un !

— Tu es assez habile pour l'éviter. J'ai dit : au galop ! C'est le moment de montrer ce que peuvent faire des bêtes comme celles-là !... et un cocher comme toi !

Gracchus savait qu'il était inutile de discuter avec sa maîtresse quand elle employait un certain ton. Le fouet claqua. L'attelage partit à un train d'enfer et se lança sur la route de Neuilly, franchit la place de l'Étoile, toujours ornée de son absurde Arc de triomphe de toile peinte, et dévala les Champs-Élysées. Gracchus, debout sur son siège à la manière d'un aurige grec, hurlait « Gare ! » de toute la force de ses poumons dès qu'il apercevait le plus petit obstacle, le plus modeste piéton. Ceux-ci, d'ailleurs, s'arrêtaient, médusés, en voyant passer cette élégante calèche emportée à la vitesse du vent par quatre chevaux blancs comme neige... et poursuivie par un cavalier lancé à fond de train. Car l'accompagnement paisible du Russe s'était mué en une course folle. Voyant la calèche partir au galop, l'officier avait donné de l'éperon et s'était lancé à sa poursuite avec une ardeur qui montrait clairement le plaisir qu'il en éprouvait. Son bicorne était tombé, mais il ne s'en était pas soucié. Ses cheveux blonds volant au vent, il poussait son cheval avec des cris sauvages qui répondaient aux hurlements de Gracchus. L'ensemble n'avait aucune chance de passer inaperçu et les curieux regardaient avec effroi cette trombe hurlante.

Dans un fracas de tonnerre, la calèche enfila le pont de la Concorde, contourna les murs du palais du Corps Législatif. Le Russe gagnait du terrain et Marianne était sur le point d'exploser.

— Nous ne pourrons jamais nous en débarrasser avant la maison, cria-t-elle... Nous sommes presque arrivés.

— Espérez ! brailla Gracchus ! Voilà du secours !

En effet, un autre cavalier s'était lancé sur leurs traces. C'était un capitaine des Lanciers polonais qui, voyant cette élégante voiture visiblement poursuivie par un officier russe, venait de juger utile de s'en mêler. Avec joie, Marianne le vit couper la route du Russe qui, bon gré, mal gré, fut bien obligé de s'arrêter pour éviter d'être désarçonné. Instinctivement, Gracchus retint ses chevaux. La calèche ralentit.

— Merci, monsieur ! cria Marianne tandis que les deux cavaliers maîtrisaient leurs montures.

— A votre service, madame ! répondit-il joyeusement en portant à sa chapska rouge et bleu une main gantée qui, l'instant suivant, alla s'appliquer sur la joue de l'officier russe.

— Voilà un joli petit duel bien entamé ! commenta Gracchus. Un coup d'épée pour un sourire, c'est cher !

— Et si tu te mêlais de ce qui te regarde ? gronda Marianne qui n'était pas d'humeur à endurer le franc-parler de son cocher. Ramène-moi vite et reviens voir ce qu'il en est ! Tâche de savoir qui sont ces messieurs ! Je verrai ce que je peux faire pour empêcher la rencontre.

Un instant plus tard, elle mettait pied à terre dans la cour de son hôtel et renvoyait Gracchus sur les lieux de la dispute. Mais, quand, après quelques minutes, il revint, le jeune cocher ne put rien lui apprendre de plus. Les deux adversaires avaient déjà disparu et le petit rassemblement causé par l'altercation s'était évanoui. Très contrariée de cet incident, car elle craignait qu'il n'eût plus de publicité que l'offense n'en méritait et que l'Empereur n'en eût connaissance, elle fit ce qu'elle avait toujours fait en des circonstances analogues : elle attendit le retour d'Arcadius pour lui confier son problème.

Depuis la veille, la situation du vicomte de Jolival dans la maison de Marianne avait subi une certaine reconversion à la suite du long entretien au cours duquel celui-ci avait été mis au courant des derniers événements d'Italie : d'imprésario d'une cantatrice, Jolival avait été promu au double poste de chevalier d'honneur et de secrétaire de la nouvelle princesse, situation qui convenait parfaitement à son esprit universel, autant qu'à la solide affection qui l'attachait à la jeune femme. Il aurait ainsi la haute main sur toutes les affaires de la maison et singulièrement sur les affaires financières et les relations avec Lucques. Avec lui Marianne n'aurait rien à craindre des machinations étranges de Matteo Damiani, en admettant que le prince Sant'Anna ait eu la faiblesse de le conserver comme secrétaire, ou de tout autre intendant mis à sa place.

— Il est bien certain, avait ajouté Arcadius à la suite de cette conversation, que vous devez vous monter une maison plus importante que celle de Maria-Stella. Entre autres, il vous faudrait une dame pour accompagner, ou une lectrice.

— Je sais, avait coupé Marianne, mais je n'en prendrai cependant pas. Outre que je déteste que l'on me fasse la lecture, je n'ai aucun besoin d'une dame pour accompagner, surtout si notre chère Adélaïde veut bien cesser un jour ses folies et se souvenir que nous existons.

Le débat avait été tranché là-dessus et, pour son entrée en fonction, Arcadius se trouva donc nanti d'une mission de confiance : tenter d'empêcher un duel absurde entre un officier de la Garde Impériale et un officier étranger, mission qu'il accepta avec un sourire amusé, se bornant à demander à Marianne auquel des deux adversaires allait sa préférence.

— Quelle question ! s'écria-t-elle. Mais au Polonais, voyons. Ne m'a-t-il pas débarrassée d'un importun, et cela au péril de sa vie ?

— Ma chère, fit Arcadius sans s'émouvoir,

l'expérience m'a appris qu'avec les femmes, ce ne sont pas toujours les sauveurs qui ont droit à la plus belle part de reconnaissance. Tout dépend de qui on les a sauvées. Prenez votre amie Fortunée Hamelin. Eh bien, je suis prêt à parier mon bras droit que non seulement elle n'aurait voulu, pour rien au monde, être « sauvée » de votre poursuivant, mais encore compterait à l'avenir au nombre de ses ennemis mortels l'imprudent assez... imprudent pour s'y risquer.

Marianne haussa les épaules.

— Oh! Je sais, Fortunée adore les hommes en général et tout ce qui porte uniforme en particulier. Un Russe lui semblerait un gibier de choix.

— Peut-être pas tous les Russes... mais celui-là très certainement!

— On dirait, ma parole, que vous le connaissez! fit Marianne en le regardant avec curiosité. Vous n'étiez cependant pas là, vous ne l'avez pas vu.

— Non, répondit Jolival aimablement, mais si votre description est exacte, je sais qui il est. D'autant plus que les officiers russes décorés de la Légion d'honneur ne courent pas les rues.

— Alors, c'est...

— Le comte Alexandre Ivanovitch Tchernytchev, colonel des Cosaques de la Garde Impériale russe, aide de camp de Sa Majesté le Tzar Alexandre Ier et son messager ordinaire avec la France. C'est l'un des meilleurs cavaliers du monde et l'un des plus invétérés coureurs de jupons des deux hémisphères. Les femmes en raffolent!

— Oui? Eh bien pas moi! s'écria Marianne furieuse de l'espèce de complaisance que Jolival avait mise à lui présenter l'insolent promeneur de Longchamp. Et, si ce duel a lieu, j'espère bien que le Polonais embrochera votre cosaque aussi proprement qu'un mercier de la rue Saint-Denis ! Séduisant ou non, ce n'est qu'un malotru !

— C'est, en général, ce que les jolies femmes disent de lui la première fois. Mais il est curieux de constater combien cette impression peut avoir tendance à se modifier par la suite ! Allons ! Ne vous fâchez pas, ajouta-t-il en voyant se charger d'orage le regard vert de son amie. Je vais voir si je peux arrêter le massacre. Mais j'en doute.

— Pourquoi ?

— Parce qu'on n'a jamais vu un Polonais et un Russe renoncer à une aussi belle occasion de s'entre-tuer. L'agressivité mutuelle est leur état normal !

De fait, le lendemain matin, Arcadius, qui était sorti à cheval bien avant l'aurore, revint apprendre à Marianne, sur le coup de 10 heures, et alors qu'elle se promenait dans son jardin, que le duel avait eu lieu le matin même au Pré-Catelan, au sabre, et que les adversaires, sans s'être réconciliés, s'en étaient retournés dos à dos, l'un avec un coup de lame dans le bras (c'était Tchernytchev) l'autre, le baron Kozietulski, avec une blessure à l'épaule.

— Ne le plaignez pas trop, ajouta Jolival devant la mine désolée de Marianne, la blessure est assez légère et aura l'avantage de lui éviter d'aller faire un tour en Espagne où l'Empereur n'eût pas manqué de l'envoyer. Je ferai d'ailleurs prendre de ses nouvelles, soyez tranquille. Quant à l'autre...

— L'autre ne m'intéresse pas ! coupa Marianne sèchement.

Le sourire, gentiment ironique, dont Jolival la gratifia, offensa Marianne qui, sans ajouter un mot, lui tourna le dos et continua sa promenade. Est-ce que, par hasard, son vieil ami se moquerait d'elle ? Quelle arrière-pensée renfermait-il dans ce sourire un brin sceptique ? Pensait-il qu'elle n'était pas sincère en affirmant que ce Russe ne l'intéressait pas, qu'elle pouvait être semblable à toutes ces femmes dont le beau cosaque faisait si aisément la conquête ? Ou encore que la solitude du cœur en faisait déjà une proie toute désignée pour les aventures faciles au fond desquelles tant de femmes cherchent le reflet, le simple reflet de l'amour ?

Elle fit quelques pas sur le sable fin des allées qui toutes allaient vers le bassin où chantait la fontaine. C'était un petit jardin fait de quelques tilleuls et d'une masse de roses embaumant sous le soleil d'été. C'était aussi une petite fontaine, un dauphin de bronze qu'étreignait un amour au sourire énigmatique. Rien de comparable en vérité avec les merveilles de la villa Sant'Anna, avec les grandes cascades grondantes, les eaux jaillissantes dont les sources se cachaient pour pleurer dans des murailles roulées comme des conques afin de répercuter le son, avec les nobles pelouses où passaient, hiératiques, les paons blancs de légende, où régnait la licorne fabuleuse. Ici, aucun étalon sauvage ne faisait résonner l'horizon sous le martèlement frénétique de son galop furieux, aucun cavalier fantôme n'éveillait les ténèbres de sa course solitaire, emportant jusqu'au bout de la nuit quel secret accablant, quel désespoir peut-être ?... Ici, c'était le calme douillet, policé, la mesure de bonne compagnie d'un petit jardin parisien : juste de quoi alimenter la rêverie mélancolique d'une jolie femme esseulée.

L'Amour au dauphin souriait dans la retombée des gouttelettes de cristal et, dans ce sourire-là aussi, Marianne crut lire une ironie : « Tu te moques de moi, pensa-t-elle, mais pourquoi ? Que t'ai-je fait moi qui croyais en toi et que tu as si cruellement déçue ? Tu ne m'as jamais souri que pour reprendre aussitôt ton présent ! Moi qui étais entrée dans le mariage comme on entre en religion, tu n'as jamais voulu que le mariage fût pour moi autre chose qu'une dérision. Et, cependant, me voici mariée pour la seconde fois... mais toujours aussi seule ! Le premier était un bandit, le second n'est qu'une ombre... et l'homme que j'aimais n'est plus que le mari d'une autre ! N'auras-tu jamais pitié de moi ? »

Mais l'Amour demeura muet et son sourire resta immuable. Avec un soupir, Marianne lui tourna le dos et alla s'asseoir sur un banc de pierre moussue où saignait un rosier grimpant. Elle se sentait le cœur vide. Il était comme l'un de ces déserts qu'une bourrasque crée en une nuit, emportant dans ses tourbillons jusqu'aux débris laissés par ses fureurs, jusqu'au souvenir de ce qui était auparavant. Et quand, pour essayer de réchauffer en elle le feu qui s'éteignait lentement, elle évoqua sa folie d'amour, les joies délirantes, les désespoirs aveugles que le seul nom, la seule image de son amant faisaient lever naguère en elle, Marianne, navrée, s'aperçut qu'elle ne trouvait même plus l'écho de ses propres cris. C'était... oui, c'était comme une histoire qu'on lui eût racontée, mais dont une autre eût été l'héroïne...

De très loin, comme du fond d'une enfilade d'immenses salles vides, elle crut entendre la voix persuasive de Talleyrand : « Cet amour-là n'est pas fait pour vivre vieux... » Se pouvait-il qu'il eût raison, qu'il eût « déjà » raison ? Se pouvait-il vraiment... que son grand amour pour Napoléon fût moribond, ne laissant derrière lui qu'une tendresse, une admiration, cette menue monnaie qu'abandonne en se retirant le flot d'or brûlant des grandes passions ?

3

LE BAL TRAGIQUE

Le soir du 1er juillet, une interminable file de voitures s'étirait tout au long de la rue du Mont-Blanc, débordait dans les rues adjacentes, envahissant même les cours des grands hôtels privés dont les doubles portes étaient demeurées ouvertes pour donner un peu plus d'espace et éviter autant que possible l'engorgement. Le bal que donnait l'ambassadeur d'Autriche, le prince de Schwartzenberg, s'annonçait comme une réussite. On attendait l'Empereur et surtout l'Impératrice en l'honneur de laquelle était donnée la fête, et les quelque douze cents personnes qui avaient été conviées faisaient figure de privilégiés, tandis que deux ou trois bons milliers d'oubliés refusaient de se consoler d'un si cruel abandon.

Au pas, l'une derrière l'autre, les voitures s'engageaient dans la courte allée de peupliers qui menait à la colonnade d'entrée de l'ambassade, éclairée pour la circonstance au moyen de grandes torchères antiques dont les flammes dansaient joyeusement dans la nuit. L'hôtel qui avait naguère appartenu à Mme de Montesson, épouse morganatique du duc d'Orléans, n'était pas immense et ne pouvait être comparé, pour la somptuosité, avec celui de son opulent voisin, l'ambassadeur de Russie, logé par Napoléon dans le fastueux hôtel Thélusson qu'il avait racheté à Murat contre un million et l'Élysée, mais il était admirablement décoré et possédait un très grand parc où l'on trouvait même une petite ferme et un temple d'Apollon.

Ce parc avait d'ailleurs donné une idée à l'ambassadeur et, afin de pouvoir y accueillir tous ceux qu'il souhaitait recevoir sans être gêné par l'exiguïté relative de ses salons, il y avait fait construire une immense et éphémère salle de bal en bois léger, recouverte de toile cirée, qu'une galerie, elle aussi sans lendemain, reliait aux pièces de réception. Et il n'était bruit, dans tout Paris, depuis une semaine, que de la charmante décoration de cette salle.

Dans la voiture de Talleyrand, qui avait tenu à l'accompagner à cette soirée parce qu'elle marquait, en quelque sorte, son entrée officielle dans la haute société parisienne, Marianne avait, comme tout le monde, patienté une bonne heure, coincée entre l'hôtel du banquier Perregaux et l'ambassade, avant de pouvoir mettre pied à terre sur les immenses tapis rouges qui garnissaient le péristyle.

— L'important est d'arriver avant l'Empereur, hé ? remarqua le prince de Bénévent, suprêmement sobre et suprêmement élégant à son habitude, dans un frac noir éclairé seulement des croix et rubans autrichiens dont le plus important, la Toison d'or, se nichait discrètement dans les plis neigeux de sa cravate. Pour le reste on arrive toujours assez tôt si l'on veut être remarqué. Et, ce soir, j'espère bien que l'on ne verra que vous.

Marianne, en effet, était, cette nuit-là, belle à couper le souffle. Le drap d'or clair de sa robe avait été choisi par Leroy, après de longues hésitations, en accord parfait avec la nuance ambrée de sa peau et la monture de ses bijoux, les énormes, les fabuleuses émeraudes de Lucinda la sorcière, dont, par un miracle de travail, le joaillier Nilot avait réussi à faire une parure juste, à temps pour la soirée. Elles allumèrent des éclairs verts quand la jeune femme quitta l'ombre de la voiture pour la féerie de lumières des salons. Elles allumèrent aussi l'étonnement et l'envie dans les yeux des femmes et même dans ceux de leurs compagnons. Mais la convoitise des hommes s'adressait autant à la femme qu'à ses magnifiques joyaux. Elle avait l'air d'une extraordinaire statue d'or et tous ces hommes qui la regardaient s'avancer lentement, dans le bruissement doux de sa longue traîne, ne savaient ce qu'ils devaient le plus admirer de la perfection de son visage lisse, de la pureté de la gorge sur laquelle tremblaient les scintillantes larmes vertes, de l'éclat de ses yeux ou de l'arc tendre, profondément émouvant, de ses lèvres souriantes. Néanmoins, aucun d'entre eux n'eût osé exprimer clairement ce désir instinctif qu'elle inspirait, moins d'ailleurs parce qu'on la savait donnée à l'Empereur qu'à cause de l'attitude, à la fois lointaine et détachée, de cette éblouissante jeune femme.

N'importe quelle fille d'Ève eût éclaté d'orgueil à se parer de ces joyaux d'idole. Seule, peut-être, Mme de Metternich, nouvellement promue princesse, étalait des pierres d'aussi belle taille. Pourtant, la princesse Sant'Anna les portait avec une indifférence qui frisait la tristesse. Sous cette parure qui multipliait superbement la nuance rare de ses grands yeux, elle semblait absente.

Une rumeur discrète montait sur le passage du couple bizarre mais impressionnant qu'elle formait avec le vieux Diable Boiteux, la sévérité et l'âge de l'un faisant ressortir la beauté et l'éclat de l'autre.

Talleyrand était pleinement conscient de l'effet produit et souriait intérieurement sous son masque indifférent de diplomate. Il pouvait reconnaître, parmi les belles invitées, outre les femmes les plus en vue et les plus élégantes de l'Empire, telles que la duchesse de Raguse, portant les diamants que lui avait donnés son père, le banquier Perregaux, ou la maréchale Ney sous des saphirs dont on chuchotait que certains avaient appartenu à la défunte reine Marie-Antoinette, de très grandes dames autrichiennes ou hongroises, la comtesse Zichy et ses célèbres rubis et la princesse Esterhazy, dont la collection de bijoux passait pour la plus fastueuse de tout l'Empire des Habsbourg. Pourtant, aucune ne parvenait à éclipser cette jeune femme qui s'avançait si gracieusement à son bras et qu'il ne pouvait s'empêcher de considérer comme sa création personnelle. Même le vieux prince Kourakine qui avait l'air de s'être plongé dans un fleuve de diamants, même quelques nobles dames russes dont les pierreries, d'une grosseur barbare, semblaient venir tout droit du fabuleux royaume de Golconde, n'avaient pas plus d'éclat ni de royale élégance que sa jeune compagne. Marianne remportait un triomphe silencieux dont il jouissait en artiste.

Mais Marianne, elle, ne voyait rien, n'entendait rien. Son sourire était machinal, posé comme un masque sur son visage. Elle avait l'impression bizarre que la seule partie d'elle-même qui fût réellement vivante était sa main gantée posée légèrement sur le bras du prince de Bénévent. Tout le reste était vide, inerte. Une sorte de façade glacée qu'aucune flamme intérieure n'habitait.

Elle ne parvenait pas à comprendre pourquoi elle se trouvait là, dans cette ambassade étrangère, au milieu de tous ces inconnus dont elle devinait la curiosité féroce et l'avidité. Qu'était-elle venue chercher, autre qu'un dérisoire triomphe mondain parmi tous ces gens qui avaient dû clabauder à satiété sur son étrange histoire et qui, maintenant, cherchaient sans doute à percer le secret qu'elle représentait : celui d'une fille de grande race descendue jusqu'aux planches d'un théâtre pour l'amour d'un empereur, mais remontée plus haut que jamais par la vertu d'un mariage plus étrange encore et plus mystérieux que tout le reste de sa vie ?

Elle pensa, amèrement, qu'ils eussent sans doute ricané s'ils avaient pu deviner que cette femme enviée, jalousée, se sentait misérable et seule parce que, dans sa poitrine, le cœur, muet, pesait comme une pierre de lave éteinte. Plus d'amour !... plus de flamme !... plus de vie ! Plus rien ! Sa féminité, son charme, la perfection de sa beauté, tout ce qui en elle, ne demandait qu'à vivre et à s'épanouir dans la chaleur d'un amour, n'aboutissaient qu'à composer l'effigie glacée de l'orgueil et de la solitude. Et, avec mélancolie, elle suivit des yeux une petite scène qui se déroulait auprès d'elle : avec une exclamation de joie, un jeune lieutenant de hussards se précipitait vers une toute jeune fille qui venait d'entrer, flanquée d'une mère importante, emplumée et endiamantée. La petite jeune fille n'était pas très belle : un teint brouillé, un peu trop ronde et l'air affreusement timide ; habillée par surcroît d'une robe de gaze rose bien raide qui lui donnait l'allure d'un volant, mais les yeux du jeune hussard brillaient comme des étoiles en la regardant alors qu'ils n'avaient pas même effleuré Marianne, ou n'importe quelle autre jolie femme. Pour lui, la petite jeune fille insignifiante et gauche était la plus belle des femmes parce qu'elle était celle qu'il aimait et Marianne, de tout son cœur, envia cette enfant qui n'avait rien de ce qu'elle possédait elle-même et qui, cependant, était tellement plus riche !

Le jeune couple se fondit dans la foule. Marianne avec un soupir le perdit de vue. D'ailleurs, il était temps pour elle de saluer ses hôtes qui recevaient leurs invités à la porte du grand salon d'où partait la galerie communiquant avec la salle de bal.

L'ambassadeur, prince Charles-Philippe de Schwartzenberg, était un homme d'une quarantaine d'années, brun et trapu, sanglé dans un uniforme blanc que ses muscles de lutteur semblaient toujours sur le point de faire craquer. Il donnait une impression de force et d'obstination. Auprès de lui sa belle-sœur, la princesse Pauline, offrait une image de grâce fragile malgré une grossesse parvenue presque à son point extrême et que d'ailleurs elle dissimulait avec art sous une sorte de péplum de mousseline et une immense écharpe glacée d'or. Marianne regarda avec un étonnement admiratif cette mère de huit enfants qui avait l'air d'une jeune fille et dont toute la personne respirait la joie de vivre. Et, de nouveau, en saluant le mari de cette charmante femme, le prince Joseph, Marianne se dit que l'amour était un bien étrange sentiment.

L'esprit ailleurs, elle parvint cependant à répondre avec aisance à la bienvenue enthousiaste des Autrichiens et se laissa docilement conduire par Talleyrand vers la galerie qui menait à la salle de bal, tout en essayant de lutter contre cette torpeur où s'engourdissait son esprit, cette bizarre sensation de non-être. Il fallait, à tout prix, qu'elle trouvât ici quelque chose à quoi s'intéresser, il fallait qu'elle eût l'air au moins de prendre plaisir à cette fête, ne fût-ce que pour faire plaisir à son ami Talleyrand qui, tout bas, lui désignait les personnalités étrangères qu'il apercevait. Mais tous ces gens lui étaient tellement indifférents !

Une voix claironnante parvint cependant à percer la dangereuse brume où Marianne voguait au hasard, une voix qui, avec un fort accent russe, déclarait :

— Je réclame la première valse, mon cher prince ! Elle m'est due ! Je l'ai déjà payée le prix du sang et je suis prêt à la payer deux fois plus cher encore !

C'était une voix de basse-taille où roulaient tous les cailloux de l'Oural, mais elle eut au moins l'avantage de ramener enfin Marianne vers la terre ferme. Elle vit que le propriétaire de cette voix n'était autre que son insolent suiveur du bois de Boulogne, celui qu'en elle-même elle avait déjà surnommé le cosaque. C'était cet odieux Tchernytchev !

Avec aplomb, il venait de leur barrer le passage mais, si ses paroles s'adressaient à Talleyrand, c'était dans les yeux de Marianne qu'il plantait insolemment son regard de Mongol. La jeune femme haussa imperceptiblement les épaules, mais ne cacha pas le dédain de son sourire.

— Elle vous est due ? Je ne vous connais même pas, monsieur.

— Si vous ne me connaissez pas, pourquoi avez-vous froncé le sourcil en m'apercevant, comme l'on fait d'un fâcheux ? Dites que je vous déplais, madame... mais ne dites pas que vous ne me connaissez pas !

Un éclair de colère alluma deux étoiles vertes sous les paupières de Marianne.

— Vous n'étiez qu'importun, monsieur, vous devenez insolent. En vérité, vous faites des progrès ! Dois-je me faire comprendre plus clairement ?

— Essayez toujours, vous n'y parviendrez pas ! Dans mon pays où sont les gens les plus entêtés du monde, mon obstination est proverbiale.

— Grand bien vous fasse ! Mais autant vous persuader tout de suite que la mienne ne l'est pas moins.

Maniant son éventail sur un rythme irrité, elle allait passer outre quand Talleyrand qui, avec un sourire amusé, avait suivi en silence cette escarmouche, la retint doucement.

— Si je ne m'en mêle, nous allons à un incident diplomatique, hé ? fit-il gaiement. Et moi, j'aime trop mes amis pour les laisser s'engager à l'étourdi sur le sol glissant des malentendus.

Marianne tourna vers lui un regard surpris qui était un chef-d'œuvre de gracieuse arrogance.

— Monsieur est votre ami ? Oh ! Prince !... Je savais déjà que vous connaissiez la terre entière, mais je vous croyais plus de goût dans vos amitiés !

— Allons, ma chère princesse, fit Talleyrand en riant, baissez un peu votre garde pour me faire plaisir. J'admets bien volontiers que le comte Tchernytchev pratique une courtoisie guerrière qui peut sembler un peu trop directe au goût raffiné d'une jolie femme. Que voulez-vous ? C'est à la fois un homme de valeur... et une âme sauvage !

— Et je m'en vante ! s'écria le Russe en dardant sur la jeune femme un regard sans équivoque. Seuls les sauvages savent dire la vérité et n'ont pas honte de leurs désirs. Le plus ardent des miens est d'obtenir une danse de la plus belle dame que j'aie jamais vue et, si possible, un sourire ! Je suis prêt à les demander à genoux, ici et à l'instant s'il le faut.

Cette fois, le courroux de Marianne se teinta de surprise. Elle ne douta pas un seul instant que cet homme bizarre ne fût fermement décidé à s'exécuter sur-le-champ, à s'agenouiller devant elle en plein milieu du bal sans se soucier de causer un nouveau scandale. Elle devinait en lui une de ces natures farouches, imprévisibles et fantasques dont son instinct lui avait toujours conseillé de se méfier. De son côté, Talleyrand dut recevoir la même impression, car il se hâta, de nouveau, d'intervenir. Toujours aussi souriant, il serra un peu plus fermement le bras de Marianne.

— Vous aurez votre danse, mon cher comte... du moins, je l'espère, si la princesse Sant'Anna veut bien vous pardonner vos façons de Tartare, mais ne soyez pas si pressé et laissez-la-moi encore un peu. Il y a ici une foule de gens qui souhaitent la saluer avant qu'elle n'ait le loisir de s'abandonner à la danse.

Tchernytchev s'écarta aussitôt de leur chemin et se cassa en deux en un salut que Marianne jugea un tant soit peu menaçant.

— Je m'incline, fit-il brièvement... mais je reviendrai ! A tout à l'heure, madame.

En reprenant enfin son chemin vers la salle de bal, Marianne se permit un léger soupir de soulagement et offrit à son cavalier un sourire plein de reconnaissance.

— Merci de m'avoir délivrée, prince ! En vérité, ce Russe est obsédant !

— C'est tout juste ce que prétendent la plupart des femmes. Il est vrai qu'elles le disent en soupirant et sur un tout autre ton. Peut-être soupirerez-vous un jour, vous aussi ! Il a beaucoup de charme, hé ?

— N'y comptez pas. J'ai la faiblesse de préférer les gens civilisés.

Le regard surpris dont il l'enveloppa fut plein de sincérité.

— Ah ! fit-il seulement. Je n'aurais pas cru.

La fameuse salle de bal, construite pour cette seule nuit, était un miracle d'élégance et de grâce.

La toile bleue qui en formait les fragiles parois était recouverte d'une gaze brillante dans laquelle se nichaient des guirlandes de fleurs multicolores, en tulle ou en soie mince. Une profusion de lustres en bois doré supportant d'innombrables bougies l'éclairaient féeriquement. La galerie qui y menait était décorée de la même façon. Par une haute ouverture, on apercevait le parc illuminé. Extérieurement, d'ailleurs, la grande salle, que l'on avait bâtie sur un grand bassin asséché, était toute décorée de lampions d'huile dans des godets.

Quand Marianne y entra au bras de Talleyrand, des couples nombreux évoluaient au son d'un orchestre viennois, robes étincelantes et uniformes mêlés dans le tourbillon charmant de la valse, dont la vogue avait, depuis quelques années, saisi l'Europe.

— Je ne vous offrirai pas de danser, car c'est un exercice auquel je suis impropre, fit Talleyrand, mais je crois que vous ne manquerez pas de cavaliers.

En effet, une troupe de jeunes officiers se précipitait déjà vers la jeune femme, se bousculant quelque peu, avides de l'entraîner sur un rythme aussi propice aux tentatives de séduction. Elle les refusa tous avec gentillesse, craignant l'esclandre auquel serait capable de se livrer le Russe dont elle sentait toujours sur elle le regard obstiné. Elle avait aperçu son amie Dorothée de Périgord, entre la comtesse Zichy et la duchesse de Dalberg, et s'apprêtait à la rejoindre quand l'annonce de l'arrivée de Leurs Majestés la figea sur place, arrêtant net l'orchestre et les danseurs qui se rangèrent docilement de chaque côté de la salle de bal.

— Nous sommes arrivés à point, remarqua Talleyrand en riant. Un peu plus l'Empereur était là avant nous. Je ne crois pas que cela lui aurait plu.

Mais Marianne ne l'écoutait pas. Son attention venait de se fixer soudain sur un homme dont la tête dépassait la plupart des autres dans la masse des invités qui se tenaient de l'autre côté du large espace laissé vide pour le passage des souverains. Un moment, elle se crut le jouet d'une illusion, d'une incroyable ressemblance, née peut-être d'un désir si profondément assoupi au fond de son cœur qu'elle n'en avait même pas conscience. Mais non... ce profil acéré, ce visage maigre à l'ossature hardie sur laquelle la peau basanée se tendait, presque aussi foncée que celle d'un Arabe, ces yeux bleus étincelants sous la profonde orbite, ce pli oblique, à la fois joyeux et insolent, ces lèvres dures, ces épais cheveux noirs, pas trop bien coiffés, qui semblaient toujours sortir de quelque tempête, ces larges épaules sous l'habit sombre porté avec désinvolture... pouvait-il exister, sous le ciel, un autre homme semblable à celui-là ? Et, de la plus imprévisible façon, le cœur de Marianne, éclatant d'une joie désordonnée, et sûr de lui-même, cria le nom bien avant que les lèvres encore hésitantes ne l'eussent murmuré dans un souffle :

— Jason !

— Hé, c'est ma foi vrai ! fit auprès d'elle la voix placide de Talleyrand. Voilà notre ami Beaufort ! Je savais qu'il devait venir, mais j'ignorais qu'il fût déjà arrivé.

Un instant, Marianne cessa de dévorer l'Américain des yeux pour les tourner, surpris, vers le diplomate.

— Vous le saviez ?

— Est-ce que je ne sais pas toujours tout ? Je savais qu'un envoyé, plus officieux qu'officiel d'ailleurs, du président Madison devait atteindre Paris ces jours-ci, sous couleur d'offrir les vœux de bonheur du gouvernement des États-Unis, et je savais qui il serait.

— Jason, ambassadeur ? C'est à peine croyable !

— Je n'ai pas dit ambassadeur, j'ai dit : envoyé, et j'ai ajouté plus officieux qu'officiel. La chose est simple à comprendre. Depuis que son frère est roi d'Espagne, l'Empereur souhaite mettre la main sur les colonies espagnoles d'Amérique et fait, là-bas, une intense propagande que le président Madison ne voit pas d'un mauvais œil. D'abord, il n'a aucune estime pour cet imbécile de Ferdinand VII, le roi détrôné, et, d'autre part, il pense que sa neutralité bienveillante pourrait lui valoir la Floride comme récompense : une terre espagnole qui devrait logiquement devenir américaine, puisqu'en 1803 Bonaparte a déjà vendu la Louisiane aux Américains. Mais, chut ! Voici l'Empereur.

En effet, Napoléon, dans son habituelle tenue verte de colonel des Chasseurs de la Garde, venait de faire son entrée donnant la main à Marie-Louise en robe de satin rose toute ruisselante de diamants. Une suite brillante, parmi laquelle on pouvait reconnaître, outre les sœurs de l'Empereur et sa maison militaire, le charmant prince Eugène, vice-roi d'Italie, et sa femme la princesse Augusta de Bavière, le duc de Wurtzbourg, la reine d'Espagne et toute une pléiade d'altesses, les accompagnait.

Marianne plongea, comme les autres, dans sa révérence, mais ne put se résigner à courber la tête. Son regard vert demeurait obstinément attaché au visage de Jason qui, lui aussi, avait incliné sa haute taille. Il ne l'avait pas vue. Il ne regardait pas de ce côté. Toute son attention, à lui, était dirigée vers la porte qui venait de livrer passage au couple impérial, puis à l'Empereur lui-même. Son regard direct, dédaignant la nouvelle impératrice, s'attachait au pâle visage du César corse avec une obstination insolite. Il semblait chercher une réponse sur ce masque romain.

Mais Napoléon, qui souriait tantôt à sa jeune femme, tantôt au prince de Schwartzenberg, son hôte, passa sans adresser la parole à personne, se contentant de saluer, avec affabilité mais d'un rapide signe de tête, tel ou tel invité. Il semblait avoir hâte de gagner le parc où un grand feu d'artifice était préparé. Peut-être était-ce aussi à cause de la chaleur, d'instant en instant plus pesante, qui régnait sous le toit de toile cirée, malgré les jets d'eau qui jaillissaient un peu partout dans le parc. Il n'avait même pas eu un regard pour le trône préparé à son intention.

Derrière le couple impérial et sa suite, la foule des invités se referma comme la mer Rouge sur le passage des Hébreux, avec une précipitation qui trahissait un désir courtisan d'approcher les souverains le plus possible et un besoin, plus humain, de ne rien perdre du spectacle. En un instant, Marianne fut noyée dans un flot de dentelles et de soieries, qui la sépara de son compagnon, et se retrouva au centre d'une volière caquetante et jacassante qui l'entraînait irrésistiblement au-dehors. Jason avait disparu dans le remous et, malgré les efforts qu'elle faisait pour l'apercevoir, elle ne put y parvenir. Quant à Talleyrand, elle l'avait tout simplement oublié. Il devait être lui aussi perdu dans le flot humain.

Elle éprouvait une fièvre étrange, une impatience irritée contre tous ces gens qui, subitement, étaient venus se mettre entre eux au moment où elle allait courir vers son ami. Et c'est seulement plus tard qu'elle s'aperçut de l'indifférence avec laquelle elle avait vu passer l'Empereur, l'homme, cependant, auquel se rapportait chacune de ses pensées si peu de temps auparavant, et s'en étonna. Même la présence de Marie-Louise, qui laissait planer sur l'assemblée le regard, plein de vanité satisfaite, de ses yeux pâles, n'avait pas eu son habituel pouvoir irritant. En fait, elle avait à peine vu les nouveaux mariés tant son esprit et son cœur étaient emplis de cette joie nouvelle, tellement inattendue et merveilleusement vivifiante : revoir Jason, Jason qu'elle avait attendu en vain pendant tant de jours ! Elle n'éprouvait même pas de colère à la pensée qu'il était là et que, cependant, il n'était pas accouru chez elle, qu'il avait sans doute eu sa lettre et que, cependant, il n'était pas venu. Inconsciemment elle lui cherchait et lui trouvait sans peine toutes sortes d'excuses. Elle savait depuis si longtemps que Jason Beaufort ne vivait pas, ne réagissait pas comme tout le monde !

C'est seulement quand la première fusée fit éclore, dans le ciel noir, une gigantesque gerbe d'étincelles roses qui retombèrent mollement vers les parterres où les joyaux des femmes allumaient une autre voie lactée, quand, sous cette pluie lumineuse, chaque détail, chaque silhouette parut surgir des massifs fleuris, que Marianne vit de nouveau Jason. Avec un groupe de personnes, il se tenait debout, un peu à l'écart, auprès de la balustrade d'une terrasse menant à une grotte, dont l'intérieur, doucement éclairé, s'habillait de reflets de perle. Les bras croisés, il regardait monter les chandelles éblouissantes, dont la préparation avait demandé beaucoup de travail aux frères Ruggieri, avec autant de calme que s'il eût été sur le pont de son navire, observant la course des étoiles. Rejetant d'un geste vif la longue traîne dorée de sa robe sur son bras ganté, Marianne, glissant entre les groupes, se mit en devoir de le rejoindre.

Ce ne fut pas facile. La foule des invités s'était massée autour de la terrasse, garnie de tapis et de fauteuils où avaient pris place Napoléon et Marie-Louise et formait un groupe compact entre Marianne et Jason. Elle dut bousculer un certain nombre de personnes qui, le nez en l'air, ne lui prêtaient d'ailleurs aucune attention, absorbées qu'elles étaient par le spectacle incontestablement réussi. Mais, sans bien s'en rendre compte, elle se sentait l'âme d'un nageur épuisé qui touche soudain, du bout d'un pied, le sable fuyant d'une plage. Elle voulait atteindre Jason et l'atteindre tout de suite ! Peut-être parce qu'elle l'avait déjà beaucoup trop attendu !...

Quand enfin elle gravit les trois marches qui menaient à la grotte, le ciel s'embrasa sous le bombardement doré de multiples fusées, auréolant Marianne d'une lumière si vive que, instinctivement, les occupants de la petite terrasse abaissèrent leurs regards sur cette femme si belle qui semblait concentrer dans sa robe et ses joyaux fabuleux tout l'éclat de la fête.

Jason Beaufort, qui s'était un peu écarté du groupe et rêvait, appuyé à un gigantesque vase de fleurs, la vit aussi. En un instant, son visage impassible exprima un univers de sentiments : surprise, incrédulité, admiration, joie... Mais ce ne fut qu'un éclair aussitôt éteint. Et c'est très calmement qu'il s'avança vers la jeune femme devant laquelle il s'inclina correctement.

— Bonsoir, madame ! J'avoue que, venant à Paris, j'espérais la joie de vous revoir, mais je ne pensais pas que ce serait ici. Puis-je vous faire mon sincère compliment ? Vous êtes admirable, ce soir.

— Mais, je...

Désarçonnée, Marianne le regardait sans comprendre. Ce ton froid, cérémonieux, presque officiel... alors qu'elle venait à lui les mains tendues, le cœur plein de joie, prête, à peu de chose près, à se jeter dans ses bras ? Mais que s'était-il passé pour changer Jason, son ami Jason, le seul homme avec Jolival en qui elle eût confiance en ce bas monde, en cette espèce d'étranger, si poli qu'il en paraissait indifférent... Quoi ! Pas même un sourire ? Rien d'autre que des paroles conventionnelles et archiusées ?

Au prix d'un effort douloureux, dont son orgueil fournit le principal, elle parvint à dominer sa déconvenue, à faire face à cette brusque grimace du destin. Relevant la tête et agitant son éventail sur un rythme rapide pour mieux cacher le tremblement de ses doigts, elle réussit à armer son visage d'un sourire, sa voix de l'obligatoire légèreté mondaine.

— Merci, fit-elle doucement. Mais pour moi votre présence ici est une vraie surprise, ajouta-t-elle en insistant sur le mot « votre ». Êtes-vous à Paris depuis longtemps ?

— Deux jours.

— Ah !

Des mots vides, des phrases rituelles, simplement polies comme en échangent de vagues relations ! Brusquement, Marianne eut envie de pleurer, incapable qu'elle était de comprendre ce qu'il était advenu de son ami. Cet étranger séduisant et glacial avait-il jamais eu quelque chose de commun avec l'homme qui, dans le petit Trianon de l'hôtel Matignon, l'avait suppliée de le suivre en Amérique, avec celui qui l'avait arrachée aux carrières de Chaillot, avec l'homme, enfin, qui avait juré de ne jamais l'oublier et qui avait chargé Gracchus de veiller sur elle à chaque heure de sa vie ?

Tandis qu'elle cherchait vainement quelque chose à dire qui ne fût pas stupide ou navrant, elle avait conscience de l'examen minutieux que lui faisait subir le regard de l'Américain et elle en souffrait comme d'une injustice. Depuis si peu de temps à Paris, il n'avait pas encore eu celui d'apprendre son mariage, bien certainement, et sans doute pensait-il que Napoléon entretenait fastueusement sa maîtresse. Ses yeux étincelants allaient des émeraudes à la robe d'or, revenaient aux émeraudes, impitoyables, accusateurs...

Son silence devenait gênant, malgré les crépitements du feu d'artifice. Marianne n'osait même plus lever les yeux sur Jason par crainte qu'il n'y vît des larmes. Pensant avec peine qu'ils n'avaient plus rien à se dire, elle se détourna lentement pour regagner les salons quand il l'arrêta.

— Voulez-vous me permettre, madame...?

— Oui? fit-elle, envahie d'un espoir involontaire et se raccrochant d'instinct à ces cinq petits mots qui la retenaient.

— J'aimerais vous présenter ma femme.

— Votre...

La voix de Marianne s'étouffa. Soudain, toute énergie l'abandonna. Elle se sentit faible, perdue, désemparée et chercha machinalement quelque chose pour soutenir son émotion. Ses mains se serrèrent sur l'éventail brusquement replié, si fort que les minces branches d'ivoire craquèrent. Mais, sans voir son trouble, Jason tendait la main, attirait une femme dont Marianne, tout à son émoi, n'avait pas remarqué la présence dans l'ombre de l'Américain. Elle vit surgir de cette ombre, avec autant d'effroi que s'il se fût agi d'un fantôme, une jeune femme petite et mince, vêtue d'une robe de drap d'argent recouverte de dentelle noire. A la mode espagnole, la nouvelle venue portait, dans ses cheveux sombres, un haut peigne recouvert d'une mantille de même dentelle que sa robe et une rose pâle, semblable à celles qui s'épanouissaient au creux de son décolleté. Sous la mantille, Marianne vit un jeune visage sérieux, aux traits bien ciselés, aux lèvres fines mais marquées d'un pli de tristesse étonnant chez une créature de cet âge, de grands yeux sombres, mélancoliques, des sourcils délicatement tracés sur une peau claire. L'ensemble donnait une impression de fragilité physique, mais l'expression du visage décelait l'orgueil et l'obstination.

Était-elle jolie, cette femme surgie brutalement d'une nuit d'été pour saccager la joie nouvelle de Marianne? Au prix de sa vie, celle-ci eût été incapable de le dire. Son esprit, son cœur, ses yeux n'étaient plus habités que par une immense déception qui, peu à peu, se faisait douleur. C'était comme la grisaille quotidienne d'un matin de novembre au sortir d'un rêve plein de chaleur, de joie et de lumière et, un instant, Marianne eut la tentation de fermer les yeux, pour se rendormir et retrouver le rêve... Comme du fond de la brume elle entendit Jason s'adresser à l'inconnue et, malgré son désarroi, remarqua qu'il parlait en espagnol.

— Je désire vous faire connaître une ancienne amie. M'y autorisez-vous?

— Naturellement... si c'est vraiment une amie!

Le ton, vaguement dédaigneux et surtout méfiant, hérissa Marianne. Une brusque colère chassa momentanément la douleur et lui fit du bien en lui rendant la maîtrise d'elle-même. Dans le plus pur castillan, elle demanda avec un sourire moqueur qui rendait dédain pour dédain :

— Pourquoi ne serais-je pas « vraiment » une amie?

Les beaux sourcils de l'autre se relevèrent légèrement, mais ce fut avec beaucoup de gravité qu'elle répondit :

— Parce qu'il semble que, dans ce pays, l'on n'attache pas, au mot amitié, la même signification profonde que chez nous.

— Chez vous ? Vous êtes espagnole, sans doute ?

Jason, avec l'instinct sensible des gens de mers habiles à flairer les tempêtes, même bénignes, se hâta de répondre en prenant la main de sa femme qu'il glissa sous son bras et garda dans la sienne :

— Pilar est originaire de Floride, dit-il doucement. Son père, don Agostino Hernandez de Quintana, possédait de grandes terres à Fernandina, près de notre frontière. Si la ville est petite, le pays est immense, plus qu'à demi sauvage, et Pilar voit l'Europe pour la première fois.

La jeune femme leva sur lui un regard qui ne s'éclaira pas.

— Et pour la dernière, je l'espère ! Je ne tiens pas à y revenir, pas plus qu'à y rester, car je ne m'y plais pas. Seule l'Espagne m'attirerait, mais il ne peut être question, hélas, de s'y rendre, avec la guerre affreuse qui la ravage ! Maintenant, *querido mio,* voulez-vous me dire le nom de cette dame ?

« Une sauvagesse ! fulmina intérieurement Marianne, une primitive confite dans la religion et la morgue ! Et une ennemie de l'Empereur, j'en jurerais ! Suis-je donc destinée à ne rencontrer ici, ce soir, que des sauvages ? Après le Mongol, cette fille ! »

Elle était excédée et retenait mal une colère qui faisait trembler chaque fibre de son être. Et comme Jason ouvrait la bouche pour la présenter et, ignorant son mariage, allait sans doute émettre une épouvantable bourde, elle coupa, sèchement :

— Ne vous donnez pas cette peine. Comme vous l'avez dit vous-même, Mrs Beaufort a toutes les excuses pour ne pas connaître son monde. Souffrez donc que je la renseigne moi-même. Je suis la princesse Corrado Sant'Anna, madame, et si j'ai à nouveau l'avantage de vous revoir, ce que j'espère vivement, sachez que j'ai droit au titre d'Altesse Sérénissime !

S'interdisant alors de voir la stupeur envahir le regard bleu de Jason, elle fit une courte révérence et leur tourna carrément le dos pour s'éloigner et chercher Talleyrand. D'ailleurs, au milieu des applaudissements, le feu d'artifice se terminait dans une sorte d'Apocalypse multicolore exaltant les deux aigles impériales, la française et l'autrichienne, unies par la magie de MM. Ruggieri. Mais ce remarquable morceau de pyrotechnie n'obtint de Marianne qu'un regard méprisant.

« Ridicule, pensa-t-elle. Ridicule et pompeux ! Autant que moi quand j'ai jeté mes titres à la tête de cette péronnelle ! Mais c'est uniquement sa faute. J'aurais voulu la voir rentrer sous terre ! Je voudrais, oui... je voudrais la voir morte... Penser qu'elle est sa femme, sa femme ! »

Les deux petites lettres possessives qui reliaient désormais Pilar à Jason causaient à Marianne une irritation douloureuse comme une piqûre d'abeille. La vieille envie de fuir la reprenait. Ce besoin primitif, venu probablement du fond des âges par le truchement de quelque ancêtre nomade, qui s'emparait d'elle chaque fois qu'une souffrance atteignait son cœur, non par lâcheté ou par crainte de faire face, mais par besoin de mieux dissimuler aux regards étrangers sa propre émotion et de trouver dans l'éloignement et la solitude une espèce de calmant.

Machinalement, elle suivit la foule vers la salle de bal où les violons faisaient rage de nouveau en attendant l'annonce du souper, avec l'idée de continuer tout droit jusqu'à sa voiture, jusqu'à la paix de sa maison et de sa chambre. Cette ambassade et tous les gens qui l'emplissaient lui faisaient horreur maintenant. Même la présence de Napoléon, assis sur le trône rouge et or, préparé pour lui et Marie-Louise au fond de la salle, n'y pouvait rien. Elle voulait s'en aller. Mais elle vit soudain un groupe de dames se diriger vers elle avec Dorothée et la comtesse Kielmannsegge, et cette vue lui arracha une exclamation de contrariété. Elle allait devoir papoter, échanger des paroles futiles, des niaiseries quand elle avait tellement besoin de silence pour écouter les étranges cris que poussait son cœur... et essayer d'y comprendre quelque chose. Non, cela, c'était impossible, elle ne pourrait pas le supporter...

Presque simultanément, elle vit, à deux pas d'elle, l'uniforme vert sombre de Tchernytchev qui la regardait et, sans plus réfléchir, se tourna vers lui.

— Vous m'avez demandé une danse, comte ! Celle-ci est à vous si vous le souhaitez.

— C'est une question cruelle, madame ! On ne demande pas au croyant s'il souhaite atteindre la divinité.

Froidement, elle planta son regard vert dans celui du Russe :

— Je ne désire pas que vous me fassiez la cour, mais seulement que nous dansions cette valse, fit-elle nettement.

Cette fois, il ne répondit pas, se contentant de s'incliner avec un sourire qui fit briller ses dents blanches. Au bord de la piste de danse, Marianne laissa tomber son éventail brisé, drapa calmement sa longue traîne dorée sur son bras et livra sa taille au bras de son cavalier. Il s'en empara comme d'une proie, l'emportant presque au milieu des danseurs avec une ardeur qui lui arracha un sourire mélancolique.

Elle n'aimait pas cet homme, mais il la désirait, ne s'en cachait pas et, dans l'état de désarroi où se trouvait Marianne, c'était, à tout prendre, assez réconfortant de rencontrer un être éprouvant quelque émotion, même de cet ordre ! Il dansait à la perfection, avec un sens étonnant de la musique, et Marianne, tourbillonnant dans ses bras, eut l'impression de flotter dans l'air. La valse la délivrait du poids de son propre corps. Pourquoi donc son esprit troublé refusait-il de se laisser libérer lui aussi ?

En dansant à travers la vaste salle, elle aperçut l'Empereur, assis sur son petit trône, l'Impératrice à ses côtés, lui parlant à voix basse, mais son regard ne s'y arrêta pas. Ces deux-là ne l'intéressaient plus. Tchernytchev, déjà, l'emportait plus loin, sa main gantée fermement appuyée au creux de la taille de la jeune femme. Elle vit alors Jason qui dansait avec sa femme. Leurs regards, un instant, s'accrochèrent, mais Marianne, avec irritation, détourna le sien puis, brusquement, poussée par le trop féminin démon de la coquetterie, par ce besoin viscéral que possède toute femme blessée de rendre coup pour coup, douleur pour douleur, elle adressa au Russe un sourire éblouissant.

— Vous êtes bien silencieux, mon cher comte ? fit-elle assez haut pour être entendue du couple américain. La joie vous rend-elle muet ?

— Vous m'avez défendu de vous faire la cour, princesse, et comme je ne saurais vous offrir que des paroles exprimant ce que j'éprouve...

— Connaissez-vous si mal les femmes pour prendre au pied de la lettre leurs interdictions ? Ne savez-vous pas que nous aimons, parfois, être contrariées, pourvu que ce soit avec grâce ?

Les yeux verts du Russe foncèrent jusqu'à devenir presque noirs. Il resserra son étreinte avec une avidité qui ne laissait aucun doute sur le plaisir qu'il prenait à ce rapprochement inattendu. La subite amabilité de Marianne parut le transporter de joie et, un instant, celle-ci crut qu'il allait pousser quelque sauvage cri de victoire. Mais il se contint, se contentant de coller sa joue à la tempe de la jeune femme et de balayer son cou de son souffle chaud. Serrée contre lui, Marianne eut soudain l'impression de danser avec quelque automate bien réglé tant ses muscles étaient durs.

— Ne me poussez pas trop à vous désobéir, chuchota-t-il ardemment contre son oreille. Je pourrais demander plus que vous ne souhaitez accorder et, quand je demande quelque chose, je n'ai de cesse de l'avoir obtenu.

— Mais... il me semble que vous avez obtenu ce que vous souhaitiez ! Ne dansons-nous pas ensemble ? Et je crois même vous avoir souri.

— Justement ! A une femme telle que vous on ne peut que demander toujours davantage, toujours un peu plus.

— Quoi, par exemple ? fit la jeune femme avec un sourire de défi.

Mais il était écrit qu'elle n'apprendrait pas jusqu'où, ce soir-là, Tchernytchev souhaitait aller sur le chemin de ses faveurs. Avec un cri inarticulé qui fit sursauter leurs voisins mollement abandonnés au rythme de la danse, il lâcha Marianne, et si brusquement qu'elle ne resta debout que par un miracle d'équilibre. Puis, avant même d'avoir trouvé le temps d'une protestation ou d'une simple question, elle vit l'officier russe se jeter à corps perdu à travers les couples de danseurs qu'il bouscula sans ménagement, bondir vers l'un des murs de la salle et saisir à pleines mains une guirlande de roses artificielles en taffetas léger que l'une des bougies des

98

girandoles dorées, en s'inclinant, venait d'enflammer. Négligeant la brûlure de ses mains, Tchernytchev arracha la guirlande... mais il était déjà trop tard. Les flammes avaient atteint la gaze argentée qui drapait les murs de toile et, rapides, se propageaient. En un instant, la paroi tout entière s'embrasa.

Avec un cri énorme, les danseurs refluèrent vers l'autre côté de la salle où était le trône. Emportée par la vague, Marianne se retrouva tout près de Napoléon vers lequel le prince Eugène, qui s'était écarté pour causer avec le ministre des Relations extérieures, Champagny, se frayait vivement un passage. Elle vit le jeune vice-roi parler bas à l'oreille de l'Empereur qui, se retournant, saisit le bras de Marie-Louise.

— Venez ! dit-il. Le feu est ici... il faut partir.

Mais la jeune Impératrice, qui semblait fascinée par les flammes, restait assise, les yeux rivés au mur flambant.

— Venez, Louise ! ordonna l'Empereur en l'arrachant presque de son siège.

Au pas de charge, il l'entraîna vers la galerie. Marianne voulut se lancer dans leur sillage, mais une ruée de la foule qui s'affolait l'emporta comme un fétu de paille vers la porte donnant sur le parc. Plus rien ne pouvait arrêter cette foule prise de panique. En un instant, le plafond de toile cirée s'embrasa. Le feu courut le long des autres parois à une vitesse terrifiante. L'un après l'autre, les lustres dorés, avec leurs charges de bougies allumées, se détachèrent du plafond en feu et s'effondrèrent sur la foule éperdue, assommant l'un, enflammant les vêtements de l'autre. La robe de tulle bleu d'une jeune femme s'embrasa d'un seul coup. Transformée en torche vivante, la malheureuse, hurlant de souffrance, se jeta aveuglément à travers la masse humaine qui, bien loin de lui porter secours, faisait de vains efforts pour lui échapper. Un officier, cependant, arracha sa tunique pour la jeter sur elle et tenter d'étouffer les flammes, mais tous deux disparurent bientôt sous la ruée démentielle de la foule.

Très vite, les issues, celle de la galerie par laquelle était sorti l'Empereur, et les fausses fenêtres découpées dans la toile furent bouchées par le feu. La galerie d'ailleurs s'enflamma à son tour, dirigeant droit vers les salons de l'ambassade un véritable train de feu. Il n'y eut plus, comme sortie possible, que la haute porte-fenêtre donnant sur le parc et la foule s'y précipita avec la violence d'un barrage qui a rompu ses digues. Une fumée épaisse et noire, suffocante, emplissait la salle incendiée, brûlant les yeux et les poumons.

Pour lui échapper, hommes et femmes se pressaient vers l'unique issue avec une fureur sauvage, jouant des coudes et des poings, se renversant les uns les autres, cherchant la vie avec une rage où se montrait à nu le primitif instinct de conservation. Des femmes tombaient aussitôt piétinées par les plus forts, par ceux peut-être qui, l'instant précédent, s'inclinaient avec tant de grâce sur des doigts qu'ils écrasaient maintenant, ou murmuraient de douces paroles à des oreilles qu'ils auraient arrachées sans vergogne pour passer plus vite et gagner enfin ce bien inestimable : l'air libre, l'air respirable.

Emportée par l'assaut furieux vers la vie, bousculée, à demi étouffée par la fumée et par la pression de tous ces corps, la traîne de sa robe arrachée, Marianne épouvantée ne voyait autour d'elle que des yeux hagards, des visages déformés par l'épouvante, des bouches hurlantes. La chaleur était intolérable et les tourbillons de fumée qui emplissaient la salle d'un épais brouillard gris lui donnaient l'impression que ses poumons allaient éclater. Parmi toutes ces têtes, elle reconnut celle de Savary qui avait l'air de voguer comme un absurde navire sur une mer en furie. Le ministre de la Police était aussi vert que son habit brodé mais, hurlant des choses à peu près incompréhensibles, il essayait vainement de discipliner cette horde affolée.

La porte donnant sur le parc était là, toute proche, mais les tentures qui l'ornaient commençaient à brûler et la bousculade y devint féroce, chacun cherchant à franchir le seuil avant qu'il ne soit barré par le feu. Tous voulant passer à la fois, cela fit une sorte de bouchon. Coincés, les invités ne pouvaient plus ni avancer ni reculer. La mêlée devint furieuse. Marianne reçut dans la gorge le coude d'un sénateur et sentit que des mains agrippaient ses cheveux. Heureusement pour elle, il y avait, un peu en arrière, une sorte de géant, un homme immense, barbu comme un ours et portant sur des épaules larges comme une armoire le brillant uniforme des chevaliers-gardes du Tzar. Il se démenait comme un diable, poussant la foule devant lui de ses deux mains énormes. La chute d'un lustre alluma ses cheveux. Il émit une clameur sauvage et donna une si violente poussée que le bouchon humain sauta avec un tourbillon de fumée. La poitrine broyée, mais sauve, Marianne se retrouva hors de la salle, sur les marches qui menaient aux jardins. Mais, à peine eut-elle gonflé ses poumons d'une bouffée d'air un peu moins brûlant, qu'un cri de douleur lui échappa. Près d'elle, une autre femme poussa un long gémissement, puis une autre, dont le cri s'acheva en sanglot : l'huile des lampions qui ornaient si gaiement les murs de la salle de bal se déversait, brûlante, sur les épaules nues et les gorges découvertes, causant de cruelles blessures. Marianne se jeta en avant, vers l'eau rougeoyante d'un bassin près duquel des domestiques accouraient avec des seaux et des cuvettes. Il était temps. La porte de la salle de bal venait de s'embraser.

Sur l'escalier, Marianne vit une poutre enflammée s'abattre sur le vieux prince Kourakine. L'ambassadeur russe, énorme et perclus de goutte, s'écroula avec un grognement d'ours blessé, mais, aussitôt, un général français, dont l'uniforme était à moitié déchiré, se rua vers lui pour lui porter secours.

Adossée contre une statue dont la pierre rafraîchissait son dos nu, Marianne regardait le parc de ses yeux agrandis, figée d'épouvante, devant ce spectacle de désolation et de mort qui avait brutalement remplacé l'enchantement de la fête, et cherchait à reprendre son souffle. Sa gorge lui faisait mal, son épaule aussi dont la peau brûlée s'était fendue. L'air, plein de flammèches, était à peine respirable. La salle de bal, totalement embrasée maintenant, n'était plus qu'un énorme bûcher dont les flammes ronflantes bondissaient vers le ciel noir, cherchant un autre aliment. Des formes indistinctes s'échappaient encore de cet enfer, et, hurlantes, leurs vêtements allumés, roulaient à terre pour échapper à la morsure du feu.

Partout des blessés, des mourants, des gens pris de panique qui couraient dans tous les sens, incapables de savoir où ils allaient. Marianne aperçut le prince de Metternich, armé d'un seau d'eau, qui se ruait vers l'incendie. Elle aperçut aussi un homme qui courait, une femme vêtue d'argent dans les bras, et reconnut Jason. Oubliant tout ce qui n'était pas Pilar, sa femme, il l'emportait loin du danger.

« Je n'existe plus pour lui, songea Marianne bouleversée. Il ne pense qu'à elle !... Il n'essaie même pas de savoir si je suis encore vivante... »

Elle se sentait si faible, tout à coup, si seule aussi puisque, parmi ces gens, elle ne comptait pas un seul ami, personne qui pensât seulement à elle, qu'elle glissa ses bras autour de la statue, une petite Cérès de marbre blanc, et se mit à pleurer amèrement en s'accrochant à la pierre que le brasier, peu à peu, réchauffait.

Un appel déchirant éclata auprès d'elle :

— Antonia !... Antonia !...

Arrachée à son chagrin égoïste, Marianne vit une femme passer près d'elle, les cheveux dénoués sur des lambeaux de mousseline blanche, courant éperdument vers le brasier malgré son ventre déformé par la grossesse, les bras tendus. Avec épouvante, elle reconnut la princesse Schwartzenberg, belle-sœur de l'ambassadeur, et s'élança derrière elle pour l'arrêter.

— Madame ! Madame !... Où allez vous ? Par pitié...

La jeune femme posa sur elle des yeux trop dilatés par l'épouvante et l'angoisse pour qu'elle pût seulement espérer être vue.

— Ma fille !... balbutia-t-elle... mon Antonia ! Elle est là !

D'une brusque secousse, elle échappa à l'étreinte de Marianne laissant entre ses mains un peu de mousseline fripée et reprit sa course aveugle. Toujours appelant, elle atteignit l'incendie. Il y eut un craquement énorme. Le plancher de la salle de bal, construit au-dessus d'un bassin à sec, venait de s'effondrer ouvrant dans les flammes un gouffre dans lequel Marianne vit disparaître aussitôt la silhouette de la pauvre mère.

Malade d'horreur, l'estomac révulsé, Marianne se plia en deux et vomit. Ses tempes battaient et elle était trempée de sueur. En relevant les yeux, elle vit avec dégoût que les musiciens de l'orchestre, qui s'étaient aussi enfuis dans le parc, se jetaient vers les blessés pour les dépouiller de leurs joyaux. Et, malheureusement, ils n'étaient pas les seuls : la populace qui, grimpée sur les murs de l'ambassade, avait suivi le feu d'artifice avec des grondements de joie, maintenant, se jetait, elle aussi, à la curée. Par bandes, des gens de mauvaise mine glissaient pardessus les murs jusque dans les jardins avec les yeux luisants d'une bande de loups affamés et s'élançaient au pillage sans faire plus de bruit que des serpents.

Le personnel de l'ambassade, malgré ses efforts, était impuissant à lutter contre cette marée sordide, au moins aussi dangereuse que le feu. Quelques hommes tentaient de défendre les femmes attaquées ; malheureusement, ils n'étaient pas assez nombreux pour combattre efficacement les pillards.

« Mais enfin, songea Marianne épouvantée, il devrait y avoir des pompiers, des soldats... L'escorte armée de l'Empereur... »

L'Empereur, hélas, était parti et son escorte avec lui. Combien de temps faudrait-il pour qu'un régiment vînt mettre de l'ordre et faire reculer les bandits ? Une main, soudain, s'abattit sur elle, arracha son diadème et une mèche de cheveux, puis, empoignant son collier d'émeraudes, tira pour en faire céder le fermoir. Terrifiée, Marianne hurla.

— Au secours ! Au vol !...

Une autre main, brutale et malodorante, lui ferma la bouche. D'instinct alors, elle se débattit contre son agresseur, un homme au long visage blême, aux yeux cruels, vêtu d'une blouse sale sentant la sueur. Griffant et mordant, elle parvint à lui glisser des mains et chercha à s'enfuir, les doigts sur son collier, mais il se jeta en avant de tout son poids et la reprit contre lui. Contre son cou, elle sentit la morsure d'une lame d'acier.

— Donne ça ! ordonna l'homme d'une voix éraillée, sinon j'te saigne !

Il appuya légèrement. L'acier entama la chair tendre. Paralysée de terreur, Marianne leva des mains tremblantes jusqu'à sa gorge, détacha le collier qui glissa sur la manche de l'homme, puis elle ôta les scintillantes girandoles de ses oreilles. Le couteau s'éloigna. Marianne crut qu'il allait enfin la lâcher, mais il n'en fit rien. L'homme ricana et se pencha sur elle. Contre son visage, elle sentit une haleine empestée de mauvais vin et hurla de dégoût, mais une bouche humide et froide s'abattit sur la sienne et étouffa le cri sous un baiser qui lui leva le cœur. En même temps, l'homme, qui la serrait contre lui, la poussa brutalement vers un massif d'énormes pivoines qui gardait l'entrée d'un bosquet.

— Viens par là, poulette ! Une belle fille, on n'la laisse pas filer sans y goûter, surtout une d'la haute ! C'est trop rare !

Délivrée de l'odieuse bouche, Marianne tenta de résister et se remit à crier, des cris stridents, nerveux, suraigus, des cris de folle que l'autre ne parvint pas à endiguer. Alors, de toutes ses forces, il la gifla et la jeta à terre. Il se penchait déjà pour la traîner sous les branches quand une forme humaine jaillit de l'ombre du bosquet, tomba sur l'homme et le rejeta à deux pas de Marianne. A la lumière rouge de l'incendie, elle reconnut Tchernytchev. Une balafre saignait sur son front et son uniforme était à moitié brûlé, mais il ne paraissait pas blessé.

— Écartez-vous ! gronda-t-il. Par saint Vladimir, je vais étriper ce moujik !

Il ne regardait pas Marianne. Dans les lueurs dansantes et sinistres, elle vit ses yeux verts briller d'une joie sauvage, celle du combat prochain. Les mains ouvertes, prêtes à saisir, ramassé sur lui-même, sans arme et parfaitement insoucieux de sa récente blessure, il faisait face au malfaiteur et à son couteau de boucher.

— Il m'a volé mes bijoux, murmura Marianne en portant la main à sa gorge meurtrie où le collier avait laissé une marque saignante quand le bandit avait tiré dessus.

— Rien d'autre ? Il ne vous a pas violée ?

— Il n'a pas eu le temps, mais...

— Allez vous mettre à l'abri. Je reprendrai vos joyaux... Quant à ce misérable, il peut remercier Notre-Dame de Kazan ! Chez moi, je l'aurais fait périr sous le knout pour avoir seulement osé vous toucher.

L'homme éclata de rire et cracha une insulte ignoble puis assura son couteau dans sa patte noire.

— Mais il est armé ! gémit Marianne. Il va vous tuer.

Les yeux rétrécis, au point de n'être plus que de minces fentes obliques, surveillant attentivement son adversaire, le colonel des Cosaques éclata de rire.

— Lui ? Son couteau ne lui sauvera pas la vie. Mes mains savent dresser les chevaux sauvages et tuer les ours ! Dans deux minutes, je l'aurai étranglé, couteau ou pas !

Et, dans une détente de ses jarrets d'acier, Tchernytchev sauta à la gorge du malfaiteur qui, surpris et déséquilibré, s'abattit lourdement sur le sol avant d'avoir eu le temps de frapper. Râlant, à demi étranglé, il se débattit sous la poigne féroce du Russe. Le couteau avait glissé de sa main et Marianne, se courbant vivement, essaya de le saisir. Mais l'homme était fort malgré sa taille maigre. Déjà il s'était repris et, d'un sursaut, il avait libéré son cou. Les deux hommes, roulant l'un sur l'autre, aussi étroitement enlacés que deux serpents furieux, se livrèrent un combat sauvage sur l'herbe humide d'une pelouse.

Le Russe savait se battre au corps à corps et Marianne n'était pas très inquiète pour lui. Elle était certaine qu'il sortirait vainqueur de cette bataille. Mais, soudain, elle remarqua avec effroi deux autres hommes, en blouse eux aussi et en casquettes à pont, qui rampaient silencieusement vers les combattants : des camarades de son agresseur, sans doute, qui arrivaient à la rescousse. Cette fois, la partie ne serait plus égale et, en un éclair, elle comprit que Tchernytchev allait avoir besoin d'aide. Se retournant vivement elle vit qu'une troupe de soldats envahissait le parc en escaladant les murs, portant des civières et du matériel de secours. Rassemblant les lambeaux de sa robe, elle courut vers eux, avisa un groupe d'hommes en uniforme vert qui se penchaient sur les blessés et saisit l'un d'entre eux par le bras.

— Le comte Tchernytchev ! s'écria-t-elle ! Vite ! Il est en danger ! Ils vont le tuer !

Celui dont elle avait pris le bras se retourna, la regarda... Et si puissante était l'atmosphère d'irréalité de cette nuit désastreuse que Marianne fut à peine surprise de reconnaître Napoléon en personne. Noir de suie, son uniforme de colonel des chasseurs plein de trous, il s'apprêtait à emporter une femme blessée qui gémissait doucement sur un banc de pierre. C'était sans doute lui qui, en revenant vers l'ambassade sinistrée, avait ramené les secours qui, maintenant, prenaient possession du parc.

— Qui va le tuer ? dit-il seulement.

— Des hommes... là, dans le bosquet ! Ils m'ont

attaquée et le comte est venu à mon secours ! Vite, ils sont trois, armés... et il est seul sans autre défense que ses mains...

— Qui sont ces hommes ?

— Je ne sais pas ! Des bandits ! Ils sont venus par-dessus le mur...

L'Empereur se redressa. Sous les sourcils froncés, ses yeux gris étaient durs comme de la pierre. Il appela :

— Eugène ! Duroc ! Par ici ! Il paraît qu'on assassine maintenant.

Et flanqué du vice-roi d'Italie et du duc de Frioul, l'Empereur des Français vola, de toute la vitesse de ses jambes, au secours de l'attaché russe. Rassurée sur le sort de Tchernytchev, Marianne revint machinalement vers les bassins. Elle ne savait plus bien ni que faire ni où aller. Sans surprise comme sans joie, elle vit enfin arriver les pompiers, ou tout au moins un semblant de pompiers car ils n'étaient que six... et incroyablement ivres par-dessus le marché. Elle entendit les cris de fureur de Savary.

— Vous n'êtes que six ? Où sont les autres ?

— On... on ne sait pas, mon... mon général !

— Et votre chef ? Cet imbécile de Ledoux ? Où est-il ?

— A... à la campagne, mon général.

— Six ! hurla Savary ivre de rage, six sur deux cent quatre-vingt-treize ! Et où sont les pompes ?

— Là... mais on n'a pas d'eau. Les bouches à eau des Grands Boulevards sont fermées à clé et on n'a pas la clé.

— Et elle est où cette clé ?

Le pompier eut un geste évasif qui porta à son comble le courroux du ministre de la Police. Marianne le vit partir comme une flèche, traînant après lui le malheureux qui faisait des efforts désespérés pour conserver son équilibre et ne se doutait certainement pas qu'il allait affronter une seconde plus tard une colère infiniment plus redoutable que celle d'un ministre.

Néanmoins, les secours s'organisaient. C'était la Garde Impériale, ramenée par Napoléon et jointe à un régiment de tirailleurs, qui tentait maintenant de sauver l'ambassade et ses habitants. On était allé chercher la grande échelle à la bibliothèque de la rue de la Loi et les bassins étaient largement mis à contribution. Mais Marianne se désintéressa bientôt de ce qui se passait autour d'elle. Puisque l'Empereur avait pris la direction des opérations, tout allait s'arranger. Elle entendit sa voix métallique tonner quelque part dans le jardin.

Son esprit était vide, sa tête douloureuse. Elle se sentait meurtrie dans tout son corps et cependant ne parvenait pas à trouver la force d'essayer d'en sortir, de chercher une voiture pour rentrer chez elle. Quelque chose s'était brisé en elle et c'était avec une sorte d'indifférence qu'elle regardait l'incroyable scène de dévastation que présentait le parc bouleversé. Cet énorme incendie qui, en quelques instants, avait décimé une société joyeuse, élégante, raffinée, pour ne laisser qu'un champ de mort, était trop à l'image de sa propre vie pour qu'elle n'en fût pas profondément atteinte. Le bal tragique lui avait asséné le dernier coup, celui qu'elle ne se sentait plus capable de supporter. Et nul n'était à blâmer qu'elle-même. Comment avait-elle pu s'aveugler à ce point sur ses véritables sentiments ? Il avait fallu tant de détours, tant de luttes contre l'évidence, contre l'avis même de ses meilleurs amis, tant de stériles combats contre l'invisible pour en arriver enfin à cette issue cruelle, se résumant en une seule image, celle de Jason emportant une autre femme, pour que l'éclatante vérité vînt enfin, et trop tard, éblouir ses yeux : elle aimait Jason, elle l'avait toujours aimé, alors même qu'elle se croyait éprise d'un autre et qu'elle s'imaginait le haïr. Comment n'avait-elle pas été alertée quand, dans sa chambre de jeune fille, à Selton Hall, il l'avait prise dans ses bras pour lui voler ce baiser sous lequel elle s'était sentie défaillir ? Comment n'avait-elle pas compris, à sa joie quand il avait surgi dans les souterrains de Chaillot, à sa déception quand il avait quitté Paris sans la revoir, à son émotion devant le bouquet de camélias posé dans sa loge, au soir de son unique concert public, à son impatience et, enfin, à sa cruelle déconvenue quand elle l'avait attendu en vain, tout au long des routes d'Italie et jusqu'à la dernière minute, avant de s'engager dans un mariage insensé ? Elle entendait encore la voix, gentiment dubitative d'Adélaïde : « Vous êtes bien sûr de ne pas l'aimer ?... »

Ah oui ! elle en était sûre alors, dans sa folie et dans l'orgueil qu'elle avait éprouvé à s'attacher, par les brûlantes chaînes de l'amour physique, le géant de l'Europe. Dans le réveil brutal qui était le sien, à cette minute entre toutes cruelle, Marianne analysait enfin lucidement la vérité du sentiment qui l'attachait à l'Empereur. Elle l'avait aimé avec orgueil et avec crainte, avec une joie que pimentait une délicieuse sensation de fruit défendu et de danger, elle l'avait aimé avec l'ardeur de sa jeunesse et d'un corps avide qui avait, grâce à lui, découvert l'envoûtant sortilège que fait naître l'accord parfait de deux chairs. Mais elle comprenait maintenant que son amour était fait d'émerveillement et de gratitude. Elle était tombée au pouvoir de cette séduction étrange qu'il exerçait sur les êtres humains et, quand elle avait souffert de son abandon, la jalousie alors éprouvée était âpre, brûlante, stimulante en quelque sorte. Elle n'était pas cette déchirure, cette angoisse, ce tremblement affolé de tout son être devant la double image de Jason et de Pilar. Et maintenant qu'elle avait perdu, à jamais perdu, ce bonheur que le destin avait si longtemps laissé à portée de sa main, Marianne sentit qu'elle avait aussi perdu le goût de vivre.

Plus violente encore qu'à son arrivée au bal, la sensation de n'être qu'une marionnette vide lui revint avec le sentiment d'une vie gâchée par sa propre faute. Par orgueil, par folie et par aveuglement, elle avait laissé Jason lui échapper, se tourner vers une autre et lier son destin à cette autre. C'était Pilar qui vivrait avec lui, dans le pays où pousse le coton, où chantent les Noirs, c'était elle qui partagerait chaque instant de sa vie, qui dormirait chaque nuit dans ses bras, qui porterait ses enfants...

Autour de Marianne, le parc était livré au combat de rues. Les régiments qui étaient entrés en scène livraient bataille aux pillards tandis que des infirmiers bénévoles emportaient des corps dont certains étaient déjà des cadavres. D'autres soldats, armés de seaux d'eau, tentaient d'enrayer le sinistre et de sauver l'hôtel de l'ambassade. Personne ne prêtait attention à cette femme qui, à l'abri d'un buisson, ne faisait que regarder.

L'énorme brasier, dont la chaleur la brûlait à distance, la fascinait. Les arbres voisins avaient pris feu et de longues flammes s'élançaient, triomphantes et voraces, de l'amas des poutres et des troncs qui s'abattaient. Les cris, les gémissements s'étaient tus. Seule, la grande voix du feu emplissait la nuit. Les yeux pleins de larmes, Marianne l'écoutait comme si de ce cœur ardent pût jaillir la réponse à sa propre brûlure. Du fond de sa mémoire, un vers de Shakespeare remonta :

« Un feu qui brûle en éteint un autre... »

Son amour pour Jason, si soudainement découvert, avait éteint son amour pour l'Empereur, ne laissant qu'une tendresse et une admiration, pierres brillantes au milieu des cendres chaudes. Mais cet amour qui, maintenant, la torturait, quel autre feu viendrait l'éteindre avant que le désespoir ne conduisît Marianne aux portes de la folie ? Jason était loin ! Il avait emporté sa jeune femme hors de ce champ de mort et, sans doute à cette heure, il devait être auprès d'elle, cherchant à calmer sa frayeur avec des gestes tendres et des mots d'amour. Il avait oublié Marianne et, de cet oubli, elle allait mourir. La révélation était venue trop tard et, comme la foudre tombant sur un arbre, elle avait anéanti Marianne. Il fallait, maintenant, qu'elle s'en allât discrètement sur la pointe des pieds.

Sa mémoire, soudain, remit devant ses yeux l'image de la princesse de Schwartzenberg se jetant dans les flammes à la recherche de son enfant. Elle était entrée dans le feu comme on entre dans un sanctuaire, sans une hésitation, sans même un geste de recul, avec une certitude aveuglante : celle d'y retrouver quelqu'un. Et la porte étroite de la mort, terrifiante et cruelle, s'était changée pour elle en une porte de gloire, celle du sacrifice librement consenti, celle aussi de la paix et de l'éternité. Il suffisait d'un peu... de si peu de courage !

Les yeux grands ouverts, Marianne quitta son abri de feuillage et marcha vers le brasier. Elle ne tremblait pas. La douleur est un puissant opium contre la peur et son tourment était plus puissant que ce chanvre indien dont les prêtres gavaient les veuves hindoues pour les mener passives jusqu'au bûcher de leur époux. Elle voulait y échapper sans que personne eût à souffrir de sa mort. Un accident, rien qu'un accident!... Alors, comme tout à l'heure la pauvre princesse, Marianne se mit à courir vers l'incendie. Une pierre, sur son chemin, la fit choir brutalement, lui causa une douleur aiguë mais ne l'éveilla pas de son envoûtement. Elle se releva, reprit sa course, les oreilles emplies par un vent d'orage au milieu duquel il lui sembla entendre crier son nom. Cela non plus ne l'arrêta pas. Quel que puisse être celui qui appelait, il ne cherchait qu'à la rendre à la monotonie d'une vie dont elle ne voulait plus, à un long sommeil à l'écart de la vraie vie qui, portant en lui des germes de mort, la dissoudrait lentement dans la solitude. La mort qu'elle choisissait, cruelle mais rapide, ouvrait sur une paix plus longue, mais qui n'engendrait ni regrets ni souvenirs.

L'ardeur des flammes était telle que, en recevant leur souffle brûlant au seuil du brasier, Marianne, instinctivement, cacha son visage et recula d'un pas. Elle en eut honte aussitôt, murmura les premières paroles d'une prière et voulut se jeter en avant. Sa robe déchirée prit feu. Une langue brûlante lécha son corps, causant une douleur atroce qui la fit hurler. Mais, au moment précis où elle allait se laisser tomber dans le gouffre de flammes, une masse noire tomba sur elle, l'enveloppa et roula avec elle sur la terre humide. Quelqu'un s'était interposé entre la mort et elle à l'instant suprême, la condamnant à vivre...

Sentant le poids d'un corps, elle se débattit, tenta d'échapper à l'étreinte paralysante sous laquelle les flammes avaient été étouffées et, folle de fureur, chercha à mordre la main qui la maintenait. L'inconnu s'écarta, se releva sur les genoux puis, sèchement et par deux fois, la gifla... Contre le fond rouge de l'incendie, elle ne voyait qu'une silhouette noire vers laquelle, aveuglément, elle voulut se jeter, toutes griffes dehors afin de rendre coup pour coup. Mais l'homme saisit ses deux poignets et les immobilisa. En même temps, une voix glaciale intimait :

— Tenez-vous tranquille ou je recommence ! Pardieu, vous êtes en pleine crise de démence ! Une seconde de plus et vous périssiez carbonisée ! Folle ! Maudite folle ! N'y aurait-il jamais dans votre tête d'écervelée autre chose que du vent, de l'égoïsme et de la stupidité ?

Amollie soudain, comme la corde de l'arc libérée par l'archer fatigué, Marianne écoutait Jason déverser sur elle un torrent d'injures avec le ravissement qu'elle eût réservé à une musique céleste. Elle n'essayait même pas de savoir par quel miracle il était là, par quel prodige inouï il avait pu l'arracher aux flammes alors qu'elle l'avait vu partir si peu de temps auparavant. La seule chose qui comptât pour elle, c'était justement qu'il fût là. Sa colère n'était rien, que la preuve d'un petit reste d'intérêt et, pour qu'il demeurât ainsi, à genoux auprès d'elle, Marianne était prête à se laisser insulter tout le reste de la nuit. La douleur même de ses poignets qu'il meurtrissait était une joie de plus.

Avec un soupir de bonheur, et sans souci de ses blessures, elle se laissa retomber dans l'herbe et sourit de tout son cœur à la noire silhouette de son ami.

— Jason ! murmura-t-elle. Vous êtes là... vous êtes revenu...

Il lâcha brusquement ses poignets et cessa de crier, considérant avec une sorte d'hébétude la forme gracieuse étendue devant lui, à peine couverte de quelques lambeaux de drap d'or entre lesquels la peau meurtrie apparaissait avec de longues traînées de sang. De sa manche, il essuya machinalement son front en sueur, rejetant en arrière ses cheveux qui collaient, cherchant à apaiser la terreur mêlée de colère qui s'était emparée de lui quand, dans cette femme courant follement vers l'incendie, il avait reconnu Marianne. Et maintenant, elle le regardait comme une apparition céleste, avec ses grands yeux verts tout brillants de larmes, elle le regardait en souriant comme si de cuisantes brûlures ne mordaient pas sa chair, comme si cette dernière était insensible... Mais lui-même ne sentait pas les brûlures de ces flammes qu'il avait étouffées entre leurs deux corps, tout entier à la joie d'être arrivé à temps. Jamais il n'avait éprouvé une aussi grande fatigue. C'était comme si ces dernières minutes l'avaient vidé de toute son énergie...

Marianne, elle, était en pleine extase. L'univers de bruit et de fureur qui les entourait avait totalement disparu pour elle. Seule demeurait cette forme sombre qui la regardait sans rien dire, respirant lourdement parce que son cœur cognait trop fort dans sa poitrine. Elle voulut le toucher, chercher dans sa force un refuge trop longtemps attendu et tendit les bras pour l'attirer vers elle. Mais le geste ébauché s'acheva dans un cri d'agonie. Une douleur terrible, fulgurante, venait de lui déchirer les entrailles.

Instantanément Jason fut debout et regarda sans comprendre Marianne se tordre dans l'herbe à ses pieds.

— Qu'... qu'avez-vous ? Vous êtes blessée ?

— Je... ne sais pas ! Mais j'ai mal... j'ai... oh !

De nouveau il se pencha vers elle, voulut relever sa tête qui roulait dans tous les sens, mais une longue plainte s'échappa des lèvres décolorées, tandis que le corps s'arquait sous l'assaut d'une nouvelle douleur. Quand cette douleur fut apaisée, Marianne, le visage couleur de cendre, haletait comme une bête malade. Elle jeta sur Jason, presque aussi pâle qu'elle-même, un regard terrifié... Quelque chose de chaud mouillait ses jambes et, dans le temps d'un éclair, elle venait de comprendre ce qui lui arrivait.

— Mon... mon enfant ! souffla-t-elle. Je vais... le perdre !

— Comment ? Vous êtes... enceinte ?

Elle fit oui des paupières pour garder ses forces car une nouvelle douleur naissait au fond d'elle-même.

— C'est vrai ! Vous êtes mariée ! Et où est donc votre prince. Altesse Sérénissime ?

Comment pouvait-il se moquer d'elle quand il la voyait souffrir à ce point ? Elle s'agrippa de toutes ses forces à son bras pour mieux lutter, poussa une longue plainte puis gémit :

— Je ne sais pas ! Très loin ! En Italie... Par pitié allez chercher de l'aide ! L'enfant... l'Empereur... je voudrais...

Le reste se perdit dans un cri. Jason bondit sur ses pieds, jura superbement, puis prit sa course vers un groupe de personnes qui, massées près du petit temple, regardaient avec des yeux de somnambules la grande salle et la galerie achever de se consumer. On voyait maintenant, de l'autre côté des flammes mourantes, les murs noircis de l'ambassade, ses fenêtres éclatées et le peuple de valets et de soldats qui cherchaient à éteindre les pièces atteintes par le feu. Il aperçut Napoléon, courut à lui. Marianne n'avait-elle pas parlé de l'Empereur en même temps que de l'enfant ?

Quelques instants plus tard, Marianne, qui émergeait d'une nouvelle vague de souffrance, vit se pencher sur elle les deux visages de Napoléon et de Jason. Elle entendit la voix tendue de l'Empereur :

— Elle fait une fausse couche ! gronda-t-il. Vite !

Une civière! Il faut la porter hors d'ici! Et trouver Corvisart... Il doit être quelque part vers la ferme à soigner les blessés. Holà! vous autres! Par ici!...

Marianne n'entendit pas la suite, ne vit pas qui l'Empereur appelait ainsi. Elle était seulement consciente du fait que Jason s'éloignait et elle se souleva pour le rappeler. La main de Napoléon la força doucement à s'étendre de nouveau puis, ôtant vivement sa veste, il la roula en boule et la glissa sous la tête de la jeune femme.

— Doucement, *carissima mia*!... Ne bouge pas! On va venir, on va t'aider, te soigner! N'aie pas peur, surtout! Je suis là!

Il chercha sa main moite et la serra. Elle leva vers lui des yeux pleins de reconnaissance. Il l'aimait donc encore un peu? Elle n'était donc pas tout à fait seule au monde avec son cœur déçu et son corps torturé. Cette main ferme et chaude qui tenait la sienne était bonne, rassurante... Oubliant qu'elle avait voulu mourir, Marianne s'y raccrocha comme l'enfant perdue qu'elle était aurait pu se raccrocher à son père... à cette différence que, peut-être, le bel officier de Mestre-de-Camp-Général n'aurait pas eu cette douceur, cette tendresse pour sa fille en détresse.

Reprise par une marée de souffrance, elle sentit malgré tout qu'on l'enlevait doucement, qu'on l'emportait aussi vite que possible à travers le jardin dévasté où le vent du soir faisait voler les cendres encore chaudes. Avidement, durant une accalmie, elle chercha Jason, ne le vit pas et murmura son nom. La main de l'Empereur qui n'avait pas quitté la sienne la serra plus fort. Il se pencha.

— Je l'ai renvoyé auprès de sa femme. Tu n'avais plus besoin de lui puisque je suis là... Il n'est qu'un ami pour toi.

Un ami !... Le mot, qu'elle-même aurait prononcé de si bon cœur la veille encore, la crucifia. Un ami... rien qu'un ami et peut-être moins encore si cette Pilar le lui défendait ! Tout à l'heure, pourtant, elle avait cru qu'il lui revenait ! Mais non ! Tout était fini ! Jason était retourné vers sa femme et il n'y avait plus rien à espérer, sinon, peut-être, la mort qui, tout à l'heure, n'avait pas voulu d'elle. Le sang coulait toujours, lentement, de son corps blessé. Avec lui s'en allait la vie...

Elle eut un petit soupir tremblant, résigné, puis s'abandonna à la souffrance...

4

LE CHOCOLAT DE MONSIEUR CARÊME

Le baron Corvisart baissa les manches de sa chemise, attacha soigneusement ses manchettes de linon plissé, passa l'habit de fin drap bleu que lui tendait Fortunée Hamelin puis, après un coup d'œil rapide à un miroir pour s'assurer que l'ordre de ses beaux cheveux blancs était toujours aussi parfait, il revint lentement vers le lit de Marianne. Un instant, il considéra silencieusement le visage amaigri de la jeune femme, puis ses mains, qui, sur la blancheur des draps, semblaient de fragiles objets d'ivoire.

— Vous voilà hors d'affaire, jeune dame ! dit-il enfin. Maintenant, il faut reprendre des forces, manger, commencer à vous lever... Vous êtes sauvée, mais je n'aime pas votre mine ! Il faut changer cela !

— Croyez bien que j'en suis navrée, mon cher docteur, et que je voudrais beaucoup vous faire plaisir. Vous m'avez soignée avec tant de patience et de dévouement ! Mais je n'ai envie de rien... et surtout pas de nourriture ! Je me sens si lasse...

— Et si vous ne mangez pas, vous vous sentirez chaque jour un peu plus lasse encore, gronda le médecin de l'Empereur. Vous avez perdu beaucoup de sang, il faut vous en refaire ! Vous êtes jeune, que diable ! Vigoureuse sous votre aspect délicat ! A votre âge, on ne se laisse pas dépérir pour une fausse couche et quelques brûlures ! Comment croyez-vous que l'Empereur me recevra quand je lui dirai que vous n'obéissez pas à mes prescriptions et que vous refusez de recommencer à vivre ?

— Ce n'est pas votre faute.

— Ouais ! Si vous vous imaginez que Sa Majesté l'entendra de cette oreille ! Quand elle donne des ordres, elle compte être obéie et nous avons chacun reçu un ordre : moi de vous guérir, vous de recouvrer la santé au plus vite. Nous n'avons le choix ni l'un ni l'autre. Et je vous rappelle que, chaque matin, quand je me rends à son petit lever, l'Empereur s'inquiète de vous.

Marianne tourna la tête sur son oreiller pour qu'il ne vît pas les larmes qui montaient à ses yeux.

— L'Empereur est très bon, fit-elle d'une voix enrouée.

— Il l'est surtout pour ceux qu'il aime ! rectifia Corvisart. Quoi qu'il en soit, j'ai l'intention de lui dire demain matin que vous êtes guérie. Arrangez-vous pour ne pas me faire mentir, ma chère princesse !

— J'essaierai, docteur, j'essaierai.

Le médecin sourit puis, d'un geste impulsif, tapota affectueusement la joue de sa malade.

— A la bonne heure, ma petite fille ! J'aime mieux ce langage. A demain ! Je vais donner des ordres à vos gens et je reviendrai voir comment vous les avez suivis ! Madame Hamelin, je suis votre serviteur.

S'inclinant devant la belle créole, Corvisart alla prendre sur une console son chapeau, sa canne et ses gants, et sortit de la chambre en refermant doucement la porte. Lentement, alors, Fortunée quitta son fauteuil et vint s'asseoir au bord du lit de son amie

120

l'enveloppant de son parfum de rose. La robe qu'elle portait, en simple batiste brodée de fleurettes multicolores, était accordée à la chaleur de cette journée d'été et lui donnait l'air d'une jeune fille. Une grande capeline de paille naturelle se balançait par son ruban au bout de ses doigts sortant de mitaines blanches. En face d'elle, Marianne se sentait étrangement vieille et lasse. Elle lui jeta un regard si désolé que Fortunée fronça les sourcils.

— Je ne te comprends pas, Marianne, dit-elle enfin. Depuis bientôt une semaine que tu es malade, tu t'es comportée exactement comme si tu cherchais par tous les moyens à en finir avec la vie ! Cela ne te ressemble pas.

— Cela ne me ressemblait pas. Maintenant, c'est vrai, je n'ai plus envie de vivre. Pour quoi ? Pour qui ?

— C'était... si important cet enfant ?

A nouveau les larmes montèrent aux yeux de Marianne et, cette fois, elle n'essaya pas de les retenir. Elle les laissa couler librement.

— Bien sûr, c'était important ! C'était même tout ce qu'il pouvait y avoir encore d'important dans ma vie, c'était ma seule raison d'exister. J'aurais vécu pour lui, avec lui, par lui. Il portait tous mes espoirs... et pas seulement les miens...

Depuis qu'en reprenant connaissance, à l'issue de la nuit tragique, elle avait appris qu'elle avait perdu l'enfant, Marianne se désespérait et se faisait les plus sanglants reproches. Tout d'abord, pour avoir, durant ces heures terribles, complètement oublié qu'elle allait être mère. Du moment où elle avait revu Jason, tout ce qui, jusque-là, avait eu pour elle quelque importance avait soudainement disparu devant la découverte aveuglante d'un amour qu'elle avait porté en elle durant des mois sans jamais le soupçonner. Le parc illuminé par le feu d'artifice avait été son chemin de Damas, à elle et, comme jadis Saül de Tarse, elle en était sortie aveugle, aveugle à tout ce qui l'entourait, aveugle au monde, aveugle à sa propre vie, aveugle à ce qui n'était pas cet amour dont la profondeur s'était révélée telle que Marianne ne pouvait, sans vertige, se pencher sur lui. Et elle avait follement mis en péril la vie de l'enfant en jouant la sienne, en cherchant à la perdre ! Pas une minute elle n'avait songé à lui... ni à cet autre qui, là-bas, dans la villa de Toscane, attendrait indéfiniment l'annonce d'une naissance à laquelle il avait accroché toute sa misérable vie d'emmuré !

Corrado Sant'Anna ne l'avait épousée qu'à cause de l'enfant de sang impérial auquel il pourrait donner son nom. Et voilà que, par sa propre faute, Marianne avait perdu tout espoir d'accomplir sa part du contrat. Le prince avait fait un marché de dupe !

— Tu penses à ton mystérieux époux, n'est-ce pas ? dit Fortunée doucement.

— Oui. Et j'ai honte de moi, j'ai honte, tu entends, parce que, ce nom que je porte, il me semble maintenant que je l'ai volé.

— Volé ? Pourquoi donc ?

— Je te l'ai déjà dit, fit Marianne avec lassitude : le prince Sant'Anna ne m'a épousée qu'à cause de cet enfant, parce qu'il était du sang de l'Empereur et qu'alors le prince pouvait, sans déchoir, en accepter la paternité.

— Alors, parce que tu l'as perdu, tu te juges indigne de vivre et, si j'ai bien compris tes projets immédiats, tu as décidé simplement de te laisser dépérir jusqu'à ce que mort s'ensuive ?

— C'est assez ça... Mais ne crois pas que je cherche à me punir en souhaitant la mort. Non, je te l'ai dit : je n'ai plus envie de vivre, tout simplement.

Fortunée se leva, fit quelques pas irrités dans la chambre, alla jusqu'à la fenêtre qu'elle ouvrit en grand, puis revint se planter en face du lit.

— Si ton envie de vivre ou de ne pas vivre est uniquement subordonnée à l'existence d'un enfant de Napoléon, l'affaire me paraît facile à régler : Napoléon t'en fera un autre et voilà tout !

— Fortunée !...

Suffoquée, Marianne regarda son amie d'un air scandalisé. Mais la créole lui décocha un sourire frondeur.

— Eh bien ! quoi, Fortunée ? Le mot te choque ? La chose ne t'avait pas produit le même effet, il me semble ? Et s'il est une attitude mentale que j'exècre, c'est bien l'hypocrisie. Laisse-la aux spécialistes du genre, à cette bonne Mme de Genlis ou à Mme Campan et à son escadron d'oies blanches, à moins que tu ne souhaites rejoindre au plus vite la troupe piaillante des douairières de retour d'émigration qui passent leur temps à espérer le retour des bonnes mœurs ! J'aime que l'on appelle un chat un chat et que l'on regarde les choses en face ! Si tu veux être honnête envers ton mari-fantôme, il te faut lui donner un enfant et un enfant de Napoléon. Conclusion : Napoléon doit t'en faire un autre ! Il me semble que c'est simple. D'ailleurs, on chuchote que l'Autrichienne a des espérances ! Il va donc être tranquille de ce côté-là et pouvoir se consacrer entièrement à toi !

— Mais, Fortunée, souffla Marianne abasourdie, sais-tu que tu es immorale ?

— Naturellement je le sais ! s'écria joyeusement Mme Hamelin, et tu n'imagines pas à quel point je suis contente de l'être ! La morale telle que je la vois pratiquer autour de moi a quelque chose de nauséabond ! Vive l'amour, ma toute belle, et foin des grands principes !

Comme pour souligner cette espèce de déclaration de guerre aux principes établis, un coup de canon éclata tout à coup au-dehors, suivi d'un second puis d'un troisième. En même temps, le vent chaud apporta l'écho d'une musique, à la fois guerrière et funèbre, et le murmure d'une grande foule.

— Qu'est-ce que cela ? demanda Marianne.

— C'est vrai, tu ne sais pas ! Ce sont les funérailles nationales du maréchal Lannes. Aujourd'hui, 6 juillet, l'Empereur fait transporter solennellement le corps de son vieux camarade de combat des Invalides au Panthéon. Le cortège vient sans doute de quitter les Invalides.

Le canon, maintenant, tonnait sans interruption. L'appel lugubre des trompettes et les roulements de tambours se rapprochaient, envahissaient peu à peu le jardin et entraient dans la chambre paisible avec le glas de toutes les cloches de Paris.

— Veux-tu que je ferme ? demanda Fortunée impressionnée par l'écho solennel de cette fête funèbre qui, pour un jour, mettait la capitale aux pieds de l'un des plus vaillants héros de l'épopée.

Marianne refusa d'un geste. Elle écoutait, elle aussi, mesurant peut-être mieux qu'à travers la joie factice des fêtes nuptiales la grandeur de l'homme qui s'était emparé de son destin et qui, si haut qu'il fût, trouvait tout de même le temps de veiller sur elle. Elle se rappelait avec émotion la main qui avait tenu la sienne tandis qu'elle entamait une longue torture. Il lui avait promis de ne pas l'abandonner et il avait tenu parole. Il tenait toujours parole !

Par Fortunée, par Arcadius aussi, elle avait appris qu'il était demeuré à l'ambassade d'Autriche jusqu'à ce que le feu fût complètement éteint, payant de sa personne, sauvant même une simple chambrière assiégée par les flammes dans une mansarde.

Elle avait appris aussi sa colère, le lendemain, et sa justice : le préfet de Police, Dubois, renvoyé, Savary durement tancé, l'imprudent architecte qui avait conçu la salle de bal arrêté, le chef des pompiers révoqué, et le remaniement complet de ce corps un peu trop fantaisiste, mené tambour battant. Oui, il était bon et réconfortant d'être l'objet de sa sollicitude, mais Marianne savait bien que sa passion pour lui s'était éteinte comme une chandelle que l'on souffle, laissant peut-être des sentiments plus profonds, mais combien moins exaltants !

Poursuivant, tout haut, sa pensée secrète, Marianne murmura :

— Je ne pourrai plus jamais lui appartenir, plus jamais.

— Que veux-tu dire ? s'inquiéta Fortunée. De qui parles-tu ? De... l'Empereur ? Tu ne veux plus...

— Non, fit Marianne. Ce n'est plus possible !

— Mais... pourquoi ?

Marianne n'eut pas le temps de répondre. On grattait à la porte. Agathe apparut, pimpante à souhait dans sa robe de percale rayée et son tablier amidonné.

— Il y a en bas un M. Beaufort, Votre Altesse... Il demande si Madame la princesse est assez bien pour le recevoir.

Un flot de sang bondit au visage de Marianne et l'empourpra.

— Lui, ici ? Mais, je ne peux pas...

— Madame ne le sait peut-être pas, mais ce monsieur est passé tous les matins depuis l'accident et comme, aujourd'hui, je lui ai dit que Madame allait mieux...

Fortunée, dont l'œil brillant avait suivi sur la physionomie de Marianne la montée de l'émotion, jugea bon de prendre l'affaire en main.

— Dites à ce monsieur d'attendre un instant, Agathe, et revenez m'aider à arranger votre maîtresse. Allez, au trot !

Marianne, affolée à l'idée de se retrouver si soudainement en face de l'homme auquel sa pensée s'attachait avec tant d'obstination, depuis le bal, voulut protester. Elle était affreuse, elle le savait, si pâle, si maigre !... Quel homme normal ne serait épouvanté par le spectacle affligeant qu'elle offrait ! Mme Hamelin ne voulut rien entendre et se garda bien de faire remarquer à son amie que, pour une femme si totalement résignée à l'anéantissement final, sa réaction devant une visite masculine avait de quoi faire rêver. Elle s'était bornée à s'assurer que le Beaufort en question était bien le fameux Américain, si subitement disparu de la vie de son amie, quand elle-même y était entrée, puis elle s'était mise au travail.

En un clin d'œil Marianne se retrouva nichée au creux d'un très séduisant fouillis de rubans roses et de dentelles neigeuses, recoiffée, discrètement maquillée et si vigoureusement aspergée à l'eau de Cologne de M. Jean-Marie Farina qu'elle en éternua. La chambre se mit à embaumer la bergamote, le romarin, le citron et la lavande.

— Rien de plus détestable que ces odeurs indéfinissables qui traînent toujours dans une chambre de malade ! affirma Fortunée en redressant, d'un doigt habile, une mèche rebelle. Maintenant cela peut aller.

— Mais enfin, Fortunée, pourquoi tout ceci ?

— Pour rien... une idée comme ça ! Maintenant, je te laisse.

— Non ! cria Marianne. Non ! surtout pas !

Fortunée n'insista pas et alla s'installer dans un fauteuil près de la fenêtre avec une rapidité qui pou-

126

vait laisser des doutes sur son intention réelle de s'esquiver. En réalité, elle brûlait de curiosité et quand Jason, introduit par Agathe, franchit le seuil de la chambre, l'infatigable chasseresse d'hommes qu'était Fortunée l'attendait de pied ferme, à l'affût derrière un livre qu'elle avait saisi au hasard et dans l'attitude de la parfaite garde-malade. Mais, par-dessus les pages, ses yeux noirs eurent tôt fait d'évaluer la silhouette du visiteur.

Celui-ci, après un salut rapide à cette inconnue, se dirigea vers le lit où Marianne, bouleversée d'une émotion nouvelle, le regardait venir. Avec son corps nerveux, son visage hâlé et ses yeux clairs, c'était l'océan tout entier que Jason faisait entrer dans cette chambre qui en avait les couleurs.

Marianne eut l'impression qu'il faisait éclater les murs et que l'air du large s'y engouffrait par grandes bouffées violentes... Pourtant, c'était très calmement qu'il avait traversé la pièce et s'était incliné devant elle en exprimant une satisfaction polie de la trouver assez remise pour le recevoir un instant. Étranglée de trouble, Marianne parvint tout de même à contraindre sa voix à se faire entendre.

— Je voulais vous remercier de m'avoir sauvée, balbutia-t-elle en s'efforçant de prendre le ton d'une conversation de salon. Sans vous, je ne sais ce qui serait arrivé...

— Moi je le sais, dit Jason tranquillement, vous en seriez au même point que Mme de Schwart-zenberg ou la princesse de la Leyen et quelques autres. Ce que j'aimerais apprendre, par exemple, c'est ce que vous alliez chercher dans ce brasier ? Ce n'était pas l'Empereur, en tout cas ? Sa Majesté était dans le parc, aidant les sauveteurs.

— N'y a-t-il au monde que l'Empereur que je puisse chercher jusque dans le feu ? En fait, je crois que je cherchais tout autre chose.

— Quelqu'un de cher, sans doute ! Peut-être... un parent de votre nouvel époux ? Et... à ce propos... (Le sourire sarcastique n'étira qu'à peine sa bouche, et d'un seul côté, tandis que ses yeux bleus demeuraient glacés.) À ce propos, contez-moi donc l'histoire de ce mariage inattendu ! Où donc avez-vous déniché ce nom et ce titre impressionnants ? Un nouveau cadeau de l'Empereur ? Cette fois, il s'est montré généreux, mais il n'a fait, après tout, que vous rendre justice : il vous va mieux d'être princesse que chanteuse !

— L'Empereur n'y est pour rien. Ce mariage est le fait de ma famille. Peut-être avez-vous gardé quelque souvenir de l'abbé de Chazay, mon parrain, qui, à Selton, avait...

— Mais comment donc ! Ainsi c'est lui qui, cette fois, s'est chargé de vous trouver un autre nom ? Savez-vous, ma chère amie, que vous êtes la femme la plus imprévisible que je connaisse ? Quand on vous quitte, on ne sait jamais sous quel état civil on vous retrouvera.

Il s'interrompit, regarda du côté de Fortunée qui, sa curiosité satisfaite, jugea sans doute que les choses prenaient une étrange tournure et qu'il valait mieux s'éloigner. Elle se leva et gagna la porte avec dignité. Marianne eut un geste de la main pour la retenir, mais se ravisa. Puisque Jason n'était venu que pour être désagréable, elle aimait mieux l'affronter seule. D'ailleurs, Fortunée avait dû comprendre qu'elle avait perdu son temps en s'efforçant de présenter Marianne avec avantage. Un sourcil levé, Jason observa sa sortie puis revint à Marianne à laquelle il adressa un sourire féroce :

— Une bien jolie femme ! Je disais donc... Ah ! oui, que l'on ne sait jamais quel nom vous allez adopter. Je vous ai connue Mlle d'Asselnat, puis, tout de suite après, lady Cranmere. Quand nous nous sommes retrouvés, chez le prince de Bénévent, vous étiez devenue Mlle Mallerousse. Pas pour très longtemps, il est vrai. A mon départ, un tour de magie impériale vous avait transformée en une admirable cantatrice italienne nommée, je crois, Maria-Stella ? Maintenant, vous êtes toujours italienne... si j'ai bien compris, mais vous voilà princesse et, comment avez-vous dit ?... Altesse Sérénissime ? Un titre difficile à imaginer pour un citoyen de la libre Amérique comme moi.

Incrédule, Marianne écoutait ce débordement de sarcasmes débités d'une voix mesurée et sur un ton d'aimable badinage en se demandant quel but obscur poursuivait son visiteur. Était-ce simple moquerie ou bien essayait-il de lui faire entendre que la chaude amitié née dans les souterrains de Chaillot s'était muée en un paisible et souriant mépris ? Si c'était cela, il était probable qu'elle ne pourrait pas le supporter, mais il fallait en avoir le cœur net. Détournant avec lassitude sa tête sur l'oreiller de dentelles, Marianne ferma les yeux et soupira :

— On m'a dit que, depuis le bal, vous étiez venu chaque matin prendre de mes nouvelles et j'ai, naïvement, attribué cette assiduité à l'amitié. Je m'aperçois qu'il n'en est rien et que vous souhaitiez seulement vous assurer que je serais bientôt assez forte pour faire, avec vous, assaut d'ironie. Malheureusement, vous voyez qu'il n'en est rien. Je ne suis pas encore de taille à lutter contre vous. Pardonnez-moi !

Il y eut un petit silence que Marianne, derrière l'écran de ses paupières closes, trouva éternel. Un instant, elle crut qu'il était parti. Inquiète, elle allait rouvrir les yeux, quand elle l'entendit rire. Indignée, elle se retourna et le foudroya du regard.

— Vous riez ?

— Mais oui ! Vous êtes une extraordinaire comédienne, Marianne, et j'ai failli me laisser prendre à votre faiblesse. Il suffit cependant de voir étinceler vos yeux pour comprendre qu'il n'en est rien.

— Et pourtant, cela est. Le baron Corvisart...

— Sort d'ici. Je le sais. Je l'ai vu. Il m'a dit que vous êtes épuisée, mais je sais maintenant que votre corps seul est affaibli. L'esprit, Dieu en soit loué, est intact et c'est tout ce que je voulais savoir. Pardonnez-moi mon ironie. Elle n'avait d'autre but que vous faire réagir. Depuis l'autre soir, j'ai vécu avec la crainte que vous n'en soyez plus capable.

— Mais... pourquoi ?

— Parce que, fit-il gravement, la femme que j'ai vue, au bal et dans l'incendie, n'était plus celle que j'avais connue. C'était une femme glacée, lointaine, au regard vide... une femme qui voulait mourir. Car, possédant tout ce qu'une créature humaine peut souhaiter : beauté, richesse, honneurs, plus l'amour d'un homme exceptionnel... et enceinte par-dessus le marché, vous avez voulu mourir et d'une mort atroce. Pourquoi, Marianne ?

Une vague de chaleur parcourut le corps de la jeune femme, réveillant les fibres profondes anesthésiées par la souffrance physique et le désespoir moral. Ainsi, il avait joué la comédie de l'indifférence, de l'ironie ? A le voir là, près d'elle, avec cette expression tendue qui avouait son inquiétude, elle en prenait une conscience plus aiguë de son amour pour lui. Cette impression fut si violente qu'un instant elle éprouva une folle envie de lui dire toute la vérité, de lui dire que, si elle avait voulu mourir, c'était de la douleur de l'avoir perdu. Elle fut sur le point de lui avouer, à cette minute, combien elle l'aimait et combien cet amour l'émerveillait. Mais elle se reprit à temps. L'homme qui était en face d'elle était un homme marié. Il n'avait plus le droit ni sans doute l'envie de s'entendre parler d'amour, car seule l'amitié l'avait mené ici. Et Marianne avait trop d'honnêteté foncière pour ne pas respecter le mariage chez les autres, même si son expérience en la matière se traduisait par un double désastre.

Elle trouva cependant le courage de sourire, sans s'apercevoir que son sourire était plus triste que des larmes et, comme il répétait « Pourquoi ? » elle répondit enfin :

— Peut-être à cause de tout cela, tout au moins de ce qui, en cela, n'est en réalité qu'un leurre. L'Empereur est marié, Jason, heureux de l'être... et je ne suis plus pour lui qu'une amie tendre et dévouée. Je crois qu'il aime sa femme. Quant à moi...

— Vous l'aimez toujours, n'est-ce pas ?

— Je l'aime... bien, et surtout je l'admire passionnément.

— Mais l'enfant, l'enfant était-il un leurre lui aussi ?

— Non. Il était même le seul lien qui nous attachât irrévocablement l'un à l'autre. Peut-être est-ce mieux ainsi, pour lui tout au moins, car pour moi cela complique singulièrement les choses avec le prince Sant'Anna... mais, au fait, s'écria tout à coup Marianne, si vous êtes venu ici tous ces jours-ci, vous avez certainement rencontré Arcadius ?

— Naturellement.

— Alors, ne me dites pas qu'il ne vous a rien raconté ? Je suis certaine qu'il vous a tout dit sur ce mariage.

— En effet, fit Jason tranquillement. Il m'a tout dit... mais je voulais entendre votre version des choses. Il m'a dit d'abord qu'une lettre m'attendait toujours à Nantes, chez Patterson... à Nantes où je n'ai pas touché terre parce qu'un corsaire anglais m'avait pris en chasse et que j'ai dû fuir pour éviter le combat.

— Éviter le combat, vous ?

— Les États-Unis ne sont pas en guerre avec l'Angleterre, mais j'aurais dû passer outre, réduire cet Anglais et revenir à Nantes. Tant de choses eussent été différentes ! Vous ne savez pas à quel point j'ai pu me reprocher mon obéissance aux lois.

Il s'était levé et, comme Fortunée tout à l'heure, avait marché lentement jusqu'à la fenêtre. Son dur profil et ses larges épaules se découpèrent sur le fond verdoyant du jardin. Marianne retint son souffle, envahie qu'elle était d'une émotion à la fois douce et angoissante devant la colère, réelle cette fois, que trahissait la voix de Jason.

— Vous avez regretté de n'avoir pas eu cette lettre ? Est-ce que... vous auriez accepté ce que je vous demandais ?

En trois pas il revint à elle, saisit ses deux mains dans les siennes et mit un genou à terre auprès du lit pour être au même niveau que Marianne.

— Et vous ? demanda-t-il âprement, vous auriez rempli loyalement votre engagement envers moi ? Vous m'auriez suivi ? Vous auriez tout quitté ? Vous seriez vraiment devenue ma femme sans arrière-pensée, sans regret ?

Bouleversée, Marianne plongea son regard dans les yeux de son ami, cherchant à deviner une vérité qu'elle pressentait merveilleuse, mais à laquelle elle n'osait croire.

— Sans regret, sans arrière-pensée, Jason... et même avec une joie dont je n'ai eu conscience que voici bien peu de temps. Vous ne saurez jamais à quel point je vous ai attendu... jusqu'à la dernière seconde, Jason, jusqu'à la dernière seconde. Et, quand il a été trop tard...

— Taisez-vous!

Il enfouit soudain son visage dans la blancheur des draps et, sur sa main, Marianne sentit la chaleur de sa bouche. Tout doucement, presque en tremblant, elle posa sa main libre sur les épais cheveux noirs du marin, effleura d'une caresse les mèches rebelles, heureuse de cette faiblesse qu'il montrait soudain, lui, l'homme indestructible, plus heureuse encore de le sentir aussi bouleversé qu'elle-même.

— Vous comprenez maintenant, dit-elle tout bas, pourquoi, l'autre soir, j'ai voulu mourir. Quand je vous ai vu avec... Oh! Jason! Jason! Pourquoi vous êtes-vous marié?

Aussi brusquement qu'il s'était jeté vers elle, il s'en arracha, se releva et lui tourna le dos.

— Je vous croyais à jamais perdue pour moi, gronda-t-il sourdement. On ne lutte pas contre Napoléon, surtout quand il aime! Et je savais qu'il vous aimait... Pilar, elle, avait besoin d'aide. Elle était en danger de mort. Son père, don Agostino, ne cachait pas ses sympathies pour les États-Unis. A sa mort, voici quelques semaines, le gouverneur espagnol de Fernandina s'en est pris aussitôt à Pilar, son unique héritière. Il a confisqué ses terres et elle allait être jetée dans une prison sans beaucoup d'espoir d'en sortir. La seule façon de la sauver et de la mettre définitivement à l'abri était de lui donner la nationalité américaine. Je l'ai épousée.

— Étiez-vous obligé d'aller si loin? Ne pouviez-vous l'emmener dans votre pays, l'installer, veiller sur elle?

Jason haussa les épaules.

— Elle est espagnole. Les choses ne sont pas si simples avec ces gens-là! Et je devais beaucoup à son père. Au moment de la mort de mes parents, don Agostino a été le seul à m'offrir son aide. Je connais Pilar depuis toujours.

— Et, bien sûr, elle vous aime... depuis toujours ?

— Je crois... oui !

Marianne se tut. Éblouie par la révélation de son amour, elle découvrait seulement maintenant qu'elle ne savait rien, ou à peu près rien, de ce qu'avait été la vie de Jason Beaufort, avant qu'il n'apparût, un soir d'automne, dans le salon de Selton Hall. Il avait vécu tant d'années sans elle, sans même soupçonner qu'elle existât ! Jusqu'à présent, Marianne n'avait songé à Jason que par rapport à elle-même et qu'en fonction du rôle qu'il jouait dans sa vie, mais, derrière lui, dans ce pays immense, mystérieux pour elle et même vaguement inquiétant, il avait tissé des liens, creusé une trace qui lui était propre. Sa mémoire était pleine de paysages dans lesquels Marianne ne s'était jamais inscrite, de visages qu'elle n'avait jamais vus et qui, cependant, suscitaient chez Jason des sentiments divers allant, peut-être, de la haine à l'amour. Ce monde-là, en partie tout au moins, c'était aussi celui de Pilar. Il lui était familier ; elle s'y mouvait à l'aise et ces images communes devaient tisser entre elle et Jason l'un de ces liens faits des mêmes goûts, des mêmes souvenirs qui se révèlent souvent plus étroits et plus solides que les chaînes flamboyantes de la passion. Et Marianne résuma ce qu'elle éprouvait en une petite phrase triste :

— Je vous aime et, cependant, je ne vous connais pas !

— Moi, il me semble que je vous ai toujours connue, s'écria-t-il en l'enveloppant d'un regard lourd de souffrance, et pourtant cela ne sert à rien. Nous avons laissé passer l'heure que le destin avait marquée pour y croiser nos chemins. Maintenant, il est trop tard !

Une soudaine révolte souleva Marianne hors de son habituelle réserve.

— Pourquoi trop tard ? Vous l'avez dit, vous n'aimez pas cette Pilar.

— Pas plus que vous n'aimez l'homme qui vous a donné son nom, mais le fait n'en demeure pas moins. Vous portez ce nom, comme Pilar porte le mien. Dieu sait combien j'ai horreur de jouer les moralistes ! Et j'éprouve une irrésistible sensation de ridicule à le faire avec vous, mais, Marianne, nous n'avons pas le choix. Nous devons respecter ceux qui nous ont fait confiance... ou tout au moins ne rien faire dont ils pourraient avoir à souffrir.

— Ah ! fit Marianne. Elle est jalouse...

— Comme une Espagnole. Elle sait que je ne l'aime pas vraiment, mais elle s'attend à du respect, à de l'affection et à ce qu'au moins je donne extérieurement à notre mariage les couleurs, sinon de l'amour, du moins de l'entente parfaite.

De nouveau un silence, que Marianne employa à peser les paroles de Jason. La joie de tout à l'heure s'éteignait devant la dure réalité. Homme de toutes les aventures, de tous les risques et de toutes les audaces, Jason, cependant, et Marianne le savait bien, ne transigeait jamais avec lui-même et il s'attendait à ce que la femme qu'il aimait fît preuve de la même force... Il n'y avait pas grande discussion à apporter à ce genre de détermination. Marianne soupira.

— Si j'ai bien compris, vous êtes venu me dire adieu... Je suppose que vous partez bientôt. Votre femme n'a pas l'air d'apprécier son séjour ici.

Une flamme amusée brilla un instant dans les yeux de l'Américain.

— Elle trouve que les femmes y sont trop belles et trop hardies. Bien sûr, elle a confiance en moi, mais elle préférera cent fois, quand je ne suis pas auprès d'elle, me savoir en mer que dans un salon. Nous restons ici encore une quinzaine. Un ami de mon père, le banquier Baguenault, nous a offert l'hospitalité dans son hôtel de la rue de Seine à Passy... une très belle maison dans un grand jardin qui a été, jadis, la propriété d'une amie de la reine Marie-Antoinette. Pilar s'y plaît assez à condition de ne pas en sortir et j'ai quelques affaires à régler. Ensuite, nous regagnerons l'Amérique. Mon bateau nous attend à Morlaix.

Le ton était redevenu celui de la conversation mondaine et Marianne, au fond de son nid de dentelles, en soupira de regret. L'éclat passionné de tout à l'heure s'était éteint par la volonté inflexible de Jason. Jamais ils n'y reviendraient sans doute. Cette volonté les séparait aussi fermement que l'océan immense qui bientôt s'étendrait entre eux. Le bateau dont elle avait parfois rêvé, c'était une autre qu'il emporterait. Quelque chose se terminait qui n'avait jamais commencé et Marianne sentit qu'elle ne pourrait plus bien longtemps retenir ses larmes. Elle ferma les yeux un instant, serra les dents, prit une profonde respiration puis, finalement, murmura :

— Alors... disons-nous adieu maintenant, Jason ! Je vous souhaite... d'être heureux.

Il s'était levé, reprenait sa canne et son chapeau, mais, les yeux rivés au sol, ne la regardait pas.

— Je n'en demande pas tant, fit-il avec une dureté involontaire. Souhaitez-moi seulement la paix intérieure ! Ce sera très suffisant. Quant à vous...

— Non... par pitié, ne me souhaitez rien !

Il se retourna, marcha vers la porte. Le regard éperdu de Marianne suivit sa haute silhouette. Il allait partir, sortir de sa vie, rejoindre le monde de Pilar alors que la somme de leurs souvenirs communs était encore si mince ! Une sorte de panique s'empara d'elle et, comme il posait la main sur le bouton de la porte, elle ne put retenir un cri.

— Jason !

Lentement, très lentement, le regard bleu revint à elle chargé d'une lassitude qui bouleversa Marianne. Jason, tout à coup, paraissait plus vieux.

— Oui ? fit-il d'une voix contenue.

— Ne voulez-vous pas... puisque nous ne nous reverrons plus, m'embrasser avant de me quitter ?

Elle crut qu'il allait bondir vers elle. L'élan qui le saisit fut visible, presque palpable. Mais il se contint au prix d'un effort qui fit blanchir les jointures de sa main brune sur le pommeau d'ivoire de la canne et alluma des éclairs de fureur dans ses yeux.

— N'avez-vous rien compris ? gronda-t-il entre ses dents serrées. Que croyez-vous qu'il arriverait si, en ce moment, je vous touchais seulement du bout des doigts ? Dans quelques instants vous seriez devenue ma maîtresse et il ne me serait certainement plus possible de m'arracher à vous. En quittant cette chambre, j'aurais perdu tout respect de moi-même... et peut-être de vous. Je ne serais plus autre chose que votre esclave... et je ne vous le pardonnerais pas !

Épuisée cette fois, Marianne, qui s'était soulevée pour tendre une main vers lui, se laissa retomber dans ses oreillers.

— Alors... allez-vous-en ! Allez-vous-en vite, parce que je vais pleurer et que je ne veux pas vous montrer mes larmes.

Elle semblait si désarmée, si pitoyable que, avec ce fabuleux illogisme des amoureux, Jason fit un pas vers elle au moment précis où elle le priait de partir.

— Marianne...

— Non ! Je vous en supplie ! Partez si vous m'aimez seulement un tout petit peu ! Vous voyez bien que je ne peux plus supporter votre présence ? Je sais bien que j'ai été sotte, que j'aurais dû comprendre plus tôt, voir clair plus tôt en moi-même, mais, puisque tout est irrémédiablement perdu, il vaut mieux en finir vite. Retournez vers votre femme puisque vous estimez que vous devez lui appartenir tout entier et laissez-moi !

Et comme Jason, interdit par ce mélange de douleur et de colère que trahissait la voix de la jeune femme, hésitait encore au seuil de la porte, elle cria :

— Mais allez-vous-en donc ! Qu'est-ce que vous attendez ? Que j'achève de me couvrir de ridicule ?

Cette fois, il s'élança au-dehors, sans même refermer la porte. Marianne entendit le claquement de ses bottes décroître au long des marches de l'escalier. Elle poussa un petit soupir douloureux, ferma les yeux et laissa couler les larmes qu'elle retenait si péniblement. A son chagrin s'ajoutait une notion d'absurdité qui l'étonnait et l'effrayait un peu. Pour être franche avec elle-même, elle devait s'avouer que les sommets moraux où planait Jason lui paraissaient un peu excessifs... et qu'elle n'aurait éprouvé ni honte ni remords à lui appartenir. N'était-il pas stupide de se dire ainsi un éternel adieu au moment précis où, ensemble, ils avaient découvert qu'ils s'aimaient ? C'était du moins de cette façon qu'en jugerait Fortunée. Pour la morale élastique de la créole, pour sa passion affichée de l'amour à tout prix, une scène comme celle qui venait de se dérouler entre Jason et Marianne serait le comble du grotesque. Elle allait en hurler de rire, accabler Marianne sous un déluge d'ironie... que Marianne, pour sa part, trouverait parfaitement justifié. Et c'était là ce qui lui faisait peur : ce regret instinctif et gênant que Jason n'eût pas ajouté les liens de la chair à ceux du cœur et eût préféré une fuite, pleine de gloire peut-être, bien conforme sans doute à son éducation américaine et à son sang huguenot, à ces merveilles sans prix que sont, pour deux amants, les heures de joie partagée. L'influence de Fortunée était-elle donc devenue assez puissante, sur Marianne, pour lui faire adopter sa façon d'envisager la vie ? Ou bien Marianne était-elle de ces femmes, infiniment moins compliquées qu'elle ne l'avait imaginé jusque-là, pour lesquelles aimer et appartenir à l'homme aimé ne sont qu'une seule et même, et très simple et très naturelle chose ?

Il était extrêmement flatteur, sans doute, d'occuper, dans le secret du cœur d'un homme, l'enviable situation d'une intouchable divinité définitivement hissée sur un grand piédestal, mais Marianne se disait qu'elle eût préféré plus de passion et moins d'adoration. En se remémorant sa nuit de noces manquée, elle pensait que Jason avait beaucoup changé. A Selton, il était tout prêt à devenir l'amant d'une jeune femme mariée depuis quelques heures et même à prendre la place du mari lui-même. D'où venait donc cette bizarre crise de puritanisme dont, le moins qu'on puisse dire, est qu'elle était mal venue ? Et si, comme le prétendait Napoléon, la plus grande victoire en amour était la fuite, alors incontestablement Jason avait gagné sur toute la ligne, mais Marianne eût souhaité que cette belle victoire ne lui laissât pas, à elle, ce curieux sentiment de défaite. Elle en arrivait à se demander s'il ne l'avait fuie que par désir de sublimation de son amour... ou par ce besoin inhérent à tout homme marié qui le pousse à rechercher, avant tout, la paix domestique et des jours dépourvus aussi bien de moments exaltants que de scènes de ménage. Cette Pilar, de toute évidence, était jalouse comme une panthère et, pour ne pas la contrarier, Jason trouvait apparemment plus simple d'abandonner une femme qu'il prétendait idolâtrer comme un simple colis encombrant. Et elle avait accepté cela ! Et elle avait même admiré un instant cette hauteur de sentiment ! Et elle avait admis qu'il refusât l'innocent baiser qu'elle lui offrait avec autant de terreur que s'il eût été le plus perfide des philtres d'amour ! Que pensait-il qu'elle allait faire, maintenant ? Se laisser glisser au fond de son lit et attendre la mort afin d'obtenir une place impérissable dans la légende des grandes amoureuses victimes de leur amour et un vague parfum de fleur fanée dans la mémoire de Jason lui-même ? Ne serait-ce pas trop bête et trop...

La porte, en s'ouvrant sous la main nonchalante de Mme Hamelin, coupa court au monologue dont Marianne nourrissait sa colère grandissante.

— Alors ? fit la créole avec un sourire enjôleur. Heureuse ?

Le mot était pour le moins malheureux ! Marianne lui lança un regard noir.

— Non ! Il m'aime trop pour être infidèle à sa femme. Nous nous sommes dit un éternel adieu !

Un instant interdite, Fortunée réagit exactement comme Marianne l'avait prévu. Secouée d'un fou rire comme seul Molière avait osé en imaginer, elle alla s'effondrer sur un petit canapé qui gémit sous le choc. Elle riait, riait avec tant de cœur que Marianne finit par trouver qu'elle exagérait.

— Tu trouves cela drôle ? reprocha-t-elle.

— Oh !... oh ! oui !... oh !... c'est impayable ! Et puis... c'est d'un ridicule !

— Ridicule ?

— Parfaitement : ridicule ! s'écria Fortunée chez

qui une sainte indignation éteignit subitement l'hilarité. Et plus que ridicule : burlesque, extravagant, caricatural ! Mais de quel matériau êtes-vous faits, tous les deux ? Voilà un garçon superbe, séduisant, fascinant (tu sais que je m'y connais !) pour qui, de toute évidence, tu représentes l'Unique, la Femme avec un grand F et qui te désire d'autant plus violemment qu'il n'a pas le courage de te l'avouer. D'autre part, il y a toi, qui l'aimes... car tu l'aimes, n'est-ce pas ? C'est bien ça ?

— Il n'y a pas longtemps que je le sais, avoua Marianne en rougissant, mais c'est vrai : je l'aime... plus que tout au monde.

— J'en aurais mis ma main au feu, mais tu as mis du temps à en convenir ! Donc, vous vous aimez... et tout ce que vous trouvez comme solution, c'est de vous dire... quel mot stupide as-tu employé ?... un éternel adieu ? C'est bien ça ?

— C'est bien ça !

— Alors, il n'y a pas cinquante solutions ; ou bien vous ne vous aimez pas autant que vous voulez bien vous l'imaginer, ou bien vous n'êtes pas dignes de vivre !

— Il est marié... et je suis mariée !

— Et après ? Moi aussi, je suis mariée... si peu, il est vrai, mais enfin je le suis. Il y a quelque part un certain Hamelin comme il y a quelque part aussi un certain prince Sant'Anna. Et tu voudrais...

— Tu ne peux pas comprendre, Fortunée, coupa Marianne. Ce n'est pas la même chose.

— Et pourquoi n'est-ce pas la même chose ? demanda Fortunée avec une inquiétante douceur. Tu penses, n'est-ce pas, que je suis une femme facile, une Marie-couche-toi-là parce que, quand j'ai envie d'un homme, je le prends sans me poser de questions ? Je ne m'en cache pas plus que je n'en ai honte. Vois-tu, Marianne, ajouta-t-elle avec une soudaine gravité, la jeunesse est un temps de grâce, trop merveilleux et trop bref pour être gaspillé. De même, l'amour, le grand, le véritable amour, celui que tout le monde espère et auquel, cependant, personne n'ose croire, cet amour-là vaut la peine d'être vécu autrement qu'en contemplant, en esprit, de part et d'autre d'un océan et sur fond de regrets éternels les images de ce qui aurait pu être. Quand nous serons vieilles, il vaudra mieux, crois-moi, égrener des souvenirs plutôt que des soupirs... Et ne viens pas me dire que tu ne penses pas comme moi ! conclut Fortunée. Tes regrets sont inscrits en toutes lettres sur ton visage.

— C'est vrai, reconnut honnêtement Marianne. Tout à l'heure, je lui ai demandé de m'embrasser avant de me quitter. Il a refusé parce que... parce qu'il se sentait incapable de se maîtriser si seulement il me touchait. Et c'est vrai aussi que je l'ai regretté, que je le regrette encore parce que, au fond, il m'est immensément égal qu'il existe une Pilar ou un Sant'Anna. C'est lui que j'aime et c'est lui que je veux. Personne d'autre... pas même l'Empereur ! Seulement... dans quinze jours, Jason sera reparti ! Il aura quitté la France avec sa femme... peut-être pour n'y plus revenir.

— Si tu sais t'y prendre, il partira peut-être, mais je te promets qu'il reviendra... et vite ! Le temps peut-être de reconduire Madame à la maison.

Marianne hocha la tête d'un air de doute.

— Jason n'est pas comme ça ! Il est plus rigide, plus austère que je ne l'imaginais. Et...

— L'amour déplace les montagnes et fait tourner à tous les vents les têtes les plus solides.

— Que puis-je faire, alors ?

— D'abord sortir enfin de ce lit.

Vivement, Fortunée tendit la main, atteignit le cordon de la sonnette et tira vigoureusement. A Agathe qui accourut elle demanda si « c'était prêt ». Et, comme la jeune fille répondait affirmativement, elle lui donna l'ordre de « faire monter immédiatement ».

— D'abord reprendre des forces ! déclara-t-elle en se tournant vers Marianne. Il y a justement en bas tout ce qu'il faut. Le cher Talleyrand y a veillé.

Marianne n'eut pas le temps de poser une question. Un curieux cortège venait d'entrer dans sa chambre. Il y eut d'abord Agathe qui ouvrit la porte à double battant, puis Jérémie, le majordome, aussi lugubre que s'il conduisait un deuil, alors qu'il précédait seulement deux valets portant des pots, des boîtes et des tasses sur un grand plateau d'argent, et un autre valet chargé d'un petit réchaud portatif. Derrière eux venaient deux aides de cuisine qui, avec un respect quasi religieux, soutenaient une petite marmite de vermeil qui paraissait très chaude. Enfin, fermant la marche, avec toute la majestueuse gravité d'un prêtre marchant à l'autel pour y accomplir un rite particulièrement sacré, venait le célèbre Antonin Carême, le propre cuisinier du prince de Bénévent, l'homme exceptionnel que toute l'Europe, y compris l'Empereur, lui enviait.

Marianne ne comprenait pas bien ce que le fameux cuisinier venait faire dans sa chambre avec tout cet attirail, mais elle avait suffisamment vécu dans la maison de Talleyrand pour comprendre que le déplacement de Carême représentait un immense honneur auquel le bon ton voulait qu'elle se montrât particulièrement sensible... sous peine de voir Carême, affreusement susceptible comme tous les vrais artistes, se vexer et la classer définitivement parmi les gens infréquentables.

Elle répondit donc avec empressement au salut du roi des cuisiniers et se mit en devoir d'écouter la harangue qu'il lui adressa une fois parvenu au milieu de sa chambre. Aux termes de celle-ci, Carême lui apprit que M. de Talleyrand, profondément soucieux de la santé de la Sérénissime princesse et ayant appris avec douleur qu'elle refusait de se nourrir, en avait conféré longuement avec lui, Carême, et que tous deux en étaient arrivés à cette conclusion qu'il fallait offrir à la Sérénissime princesse des mets astucieusement choisis pour lui rendre rapidement force et santé et les lui présenter de manière qu'il lui soit impossible de les refuser.

— J'ai donc dit à Son Altesse que je me rendrais en personne au chevet de Madame la princesse pour lui confectionner, de ma main, une infaillible recette dont il n'est pas d'exemple qu'elle n'ait restauré, par ses vertus roboratives, les forces les plus défaillantes... J'ose espérer que Madame la princesse daignera accepter ce que je vais avoir l'honneur de lui préparer.

Étant sous-entendu qu'il n'était absolument pas question de refuser sous peine des pires cataclysmes ! Marianne, amusée par le ton pompeux du célèbre cuisinier, lui fit entendre gracieusement, et en termes aussi fleuris que les siens, qu'elle serait trop heureuse de goûter une fois encore à l'une des merveilles sans égales qui jaillissaient, comme une source miraculeuse, du cerveau fertile, des mains magiques et de la cuisine de M. Carême. Après quoi elle s'enquit poliment de ce qu'elle allait avoir à absorber.

— Un chocolat, Madame, un simple chocolat dont la recette, à dire vrai, a été inventée par M. le conseiller Brillat-Savarin, mais que j'ai eu l'honneur de perfectionner. J'ose dire que, après avoir bu une

144

seule tasse de ce breuvage magique, Madame la princesse se sentira une tout autre femme.

C'était, à dire vrai, tout ce que souhaitait Marianne ! Se sentir une autre femme, quel rêve ! Surtout si cette autre femme pouvait, par miracle, posséder un cœur parfaitement libre et insouciant. Mais, faisant trêve un instant aux discours, Carême, dont un de ses aides venait de draper d'un immense tablier, immaculé et craquant, le bel habit de velours prune, commençait à officier. La petite marmite fut posée sur le réchaud et, son couvercle enlevé solennellement, laissa s'échapper une odorante vapeur qui se mit à voltiger gaiement à travers la chambre. Puis, à l'aide d'une cuillère d'or, Carême se mit à plonger dans les différents pots que ses aides ouvraient avec déférence et, en même temps, entamait une conférence :

— J'ose affirmer que ce chocolat, fruit des méditations de plusieurs personnes de haute valeur, représente à lui tout seul une véritable œuvre d'art. Ainsi, le chocolat en lui-même, tel qu'il repose dans cette marmite, a été cuit dès hier au soir, comme le recommande Mme d'Aresterel, Supérieure du couvent de la Visitation de Belley, orfèvre en la matière, afin que le repos de vingt-quatre heures lui donne un maximum de velouté. Il a été élaboré en partant de trois sortes de cacao : le Caraque, le Sainte-Madeleine et le Berbice. Mais, afin de confectionner ce que M. le conseiller Brillat-Savarin nomme avec raison le « chocolat des affligés », il nous faut faire appel au savoir subtil des Chinois et y ajouter de la vanille, de la cannelle fine, un peu de macis, du sucre de canne réduit en poudre et surtout, surtout, quelques grains d'ambre gris qui sont l'élément majeur des vertus, presque magiques, de ce breuvage. Quant à mon apport personnel, il se compose de miel de Narbonne, d'amandes grillées et finement pilées, de crème fraîche et de quelques gouttes d'excellent cognac. Si Madame la princesse veut bien me faire le grand honneur...

Agissant à mesure qu'il parlait, Carême avait ajouté ces divers ingrédients à son chocolat, puis, après quelques instants de cuisson, il avait empli avec d'infinies précautions une tasse de fine porcelaine et la portait avec majesté jusqu'au lit de la malade après l'avoir posée sur un petit plateau. Le parfum du chocolat emplit le baldaquin de taffetas bleu-vert, noyant Marianne dans le flot puissant de ses effluves.

Consciente d'accomplir une sorte de rite, la jeune femme trempa ses lèvres dans l'épais et brûlant liquide sous l'œil sévère de Carême. Un œil qui la mettait nettement au défi de ne pas trouver cela bon. Le goût, difficile à apprécier à cause de la température, était très sucré, agréable d'ailleurs, encore que, selon Marianne, le parfum d'ambre gris n'ajoutât rien.

— C'est très bon, hasarda-t-elle après deux ou trois gorgées pénibles.

— Il faut tout boire! ordonna Carême impérieusement. Une certaine quantité est nécessaire pour que l'effet se fasse sentir.

Marianne prit son courage à deux mains, se brûla héroïquement et avala la tasse entière. Une bouffée de chaleur envahit tout son corps. Elle eut l'impression qu'un fleuve de feu coulait à travers elle. Rouge comme une écrevisse et trempée de sueur mais curieusement revigorée, elle se laissa aller sur ses oreillers après avoir adressé à Carême un sourire qu'elle espérait reconnaissant.

— Je me sens déjà mieux, dit-elle. Vous êtes un magicien, monsieur Carême!

— Moi non, Madame la princesse, mais la cuisine oui ! J'ai préparé la valeur de trois tasses et j'espère que Madame la princesse voudra bien les boire. Je reviendrai demain, à pareille heure, lui en préparer autant ! Non, non... ce n'est pas un dérangement, c'est un plaisir !

Toujours aussi majestueux, Carême ôta son tablier, le jeta à ses aides d'un geste superbe et, sur un salut que n'eût pas désavoué un abbé de cour, quitta la chambre de Marianne, escorté comme à son entrée.

— Comment te sens-tu ? demanda en riant Fortunée quand elle fut à nouveau seule avec son amie.

— Bouillante... mais bien moins faible ! Néanmoins, j'ai un peu mal au cœur.

Sans répondre, Fortunée alla verser dans une tasse quelques gouttes du chocolat de M. Carême et les avala avec un visible plaisir, fermant les yeux à la manière d'une chatte en train de boire du lait.

— Tu aimes cela ? demanda Marianne. Cela ne te paraît pas un peu trop sucré ?

— Comme toutes les créoles, j'adore le sucre, fit Mme Hamelin en riant. Et puis même si ce chocolat était amer comme de la chicorée, j'en boirais quand même. Sais-tu pourquoi Brillat-Savarin a baptisé son breuvage « le chocolat des affligés » ? C'est, ma chère, parce que les grains d'ambre lui procurent d'appréciables vertus aphrodisiaques... et que je vais souper tout à l'heure avec un Russe superbe.

— Aphrodisiaques ? s'écria Marianne scandalisée. Mais je n'ai pas besoin de ça !

— Crois-tu ?

Négligemment, Fortunée s'était dirigée vers la table à coiffer de son amie. Parmi les multiples flacons, pots et instruments d'or et d'argent qu'elle supportait, elle prit un grand écrin et l'ouvrit. Les émeraudes que Marianne avait portées au bal de l'ambassade et que Tchernytchev lui avait fait remettre dès le lendemain se mirent à briller sous les rayons du soleil couchant. Mme Hamelin tira le collier et prit plaisir à le faire jouer dans la lumière, arrachant aux pierreries de fulgurants rayons verts.

— Talleyrand est un vieux filou, Marianne... et il a très bien compris que te rendre le goût de l'amour est encore la meilleure manière de te rendre le goût de la vie.

— Le goût de l'amour ? Tu as vu, tout à l'heure, où l'amour m'a menée.

— Justement ! Est-ce que tu ne m'as pas dit que ton beau corsaire était encore parmi nous pour quinze jours ?

— En effet, et ce n'est pas beaucoup. Que puis-je faire ?

Sans répondre directement, Fortunée continua à jouer avec les gemmes et, en même temps, poursuivit son idée.

— Renoncer à une femme à bout de souffle et misérablement seule, au fond de son lit, est, somme toute, assez facile, mais renoncer à une éblouissante créature que l'on rencontre menant en laisse l'un des plus redoutables séducteurs de l'Europe est bien moins aisé. Pourquoi ne permettrais-tu pas à ce cher Sacha Tchernytchev de t'escorter ces jours-ci, à la promenade, au théâtre, partout où il est bon d'être vue ? Si j'en crois ce que l'on m'a raconté, c'est une menue récompense qu'il mérite amplement... ne fût-ce que pour n'avoir pas fourré ces merveilles dans sa poche ! Personnellement, je ne sais pas si j'aurais résisté à la tentation ! Il est vrai que lorsqu'une femme intéresse assez pour que l'on accepte allégrement pour elle un coup d'épée et un coup de couteau à huit jours d'intervalle...

148

Lentement, les pierres glissèrent des doigts bruns de Fortunée et retombèrent mollement dans leur nid de velours noir. Puis, comme si elle se désintéressait de la question et n'avait articulé que des paroles sans importance, la belle créole s'assit devant la coiffeuse, rectifia l'ordonnance de ses boucles noires, se mit un peu de poudre, aviva l'arc tendre de ses lèvres et, finalement, se mit à humer tous les parfums qu'elle débouchait l'un après l'autre. Avec son visage ardent, son corps épanoui et voluptueux qui démentait si bien l'allure virginale de sa robe d'été, la belle créole offrait une si parfaite image de la féminité et de sa toute-puissance que Marianne en fut frappée. Inconsciemment, ou peut-être bien intentionnellement, Fortunée lui démontrait que là étaient ses meilleures armes, celles contre lesquelles tiennent si mal les plus nobles et les plus énergiques décisions des hommes !

Se soulevant sur un coude, Marianne contempla un instant son amie occupée à appliquer, d'un doigt caressant, une touche de parfum au creux chaud de ses seins.

— Fortunée ! appela-t-elle.

— Oui, mon cœur ?

— Je voudrais... que tu me donnes ce qui reste de ce chocolat. Après tout, je crois bien que je vais le finir !

5

« BRITANNICUS »

Six jours plus tard, Marianne, en robe de mousseline couleur de flamme, casquée de plumes de même
nuance, faisait une entrée sensationnelle à la Comédie-Française dans une loge du premier étage. Le
comte Alexandre Tchernytchev l'accompagnait.

Le second acte de « Britannicus » était déjà
commencé mais, sans souci de la pièce ou des
acteurs, le couple s'avança sur le devant de la loge et
se mit à examiner la salle, qui d'ailleurs ne regardait
plus qu'eux, avec une tranquille insolence. Sans
autre bijou qu'un étonnant éventail de laque chinoise
et de plumes assorties à celles de sa coiffure,
Marianne, dans tout ce rouge qui exaltait le ton doré
de sa peau et l'éclat de ses longs yeux, était insolite
et superbe, comme une fleur exotique. Tout en elle
n'était que provocation, depuis le dépouillement
volontaire de son large décolleté, jusqu'au tissu
défendu de sa robe, une soyeuse et fluide mousseline
de contrebande que Leroy avait eue à prix d'or et
qui contrastait violemment avec les épais satins et
brocarts des autres femmes, en rendant pleine justice
à chaque ligne du corps de la princesse Sant'Anna.

Auprès d'elle, sanglé dans son uniforme vert et or
constellé d'ordres scintillants, Tchernytchev, arro-

gant et cambré comme un arc, éclatait d'orgueil en laissant peser sur la salle un regard dominateur.

Le couple était saisissant. Talma, qui jouait le rôle de Néron et en était à :

Quoi qu'il en soit, ravi d'une si belle vue,
J'ai voulu lui parler et ma voix s'est perdue.
Immobile, saisi d'un long étonnement...

Talma, donc, s'arrêta bouche bée au beau milieu de sa tirade, tandis que la salle, frappée de la coïncidence de ces vers qui allaient si bien à la nouvelle venue, éclatait en applaudissements. Amusée, Marianne sourit au tragédien qui, aussitôt, une main sur le cœur, s'avança vers la loge et salua comme il eût salué l'Impératrice elle-même, puis il alla reprendre son dialogue avec Narcisse, tandis que Marianne et son compagnon se décidaient enfin à s'asseoir.

Mais la jeune femme, qui ne se sentait pas encore parfaitement remise, n'était pas venue au théâtre ce soir pour le plaisir d'entendre le plus grand tragédien de l'Empire. Le visage à demi caché par l'écran frissonnant de son éventail, elle examinait attentivement la salle, cherchant celui qu'elle espérait bien y trouver... Les soirées où jouait le grand Talma étaient toujours brillantes et Marianne avait laissé entendre discrètement à son ami Talleyrand qu'elle aimerait le voir offrir aux Beaufort deux places dans sa loge pour « Britannicus ».

Et de fait, ils étaient là, dans une loge située presque en face de celle occupée par Marianne elle-même. Pilar, plus espagnole que jamais en robe de dentelle noire, était assise sur le devant, auprès du prince qui semblait somnoler dans sa cravate, ses deux mains appuyées sur son inséparable canne.

Jason se tenait debout derrière elle, légèrement appuyé au dossier de sa chaise. Les autres occupants de la loge étaient une femme déjà âgée et un homme qui l'était depuis longtemps. La femme gardait les restes d'une beauté qui avait dû être impérieuse : ses yeux noirs et étincelants possédaient encore tout le feu de la jeunesse et l'arc rouge de sa bouche demeurait à la fois sensuel et déterminé. Elle aussi était vêtue d'un noir sévère, mais luxueux. L'homme, chauve à l'exception de rares cheveux roux, avait la figure rouge et un peu boursouflée d'un fidèle ami de la bouteille, mais, malgré la voussure de ses épaules, on devinait que cet homme avait possédé une puissante constitution et une force au-dessus de la moyenne. Son aspect évoquait irrésistiblement un vieux chêne tordu par la foudre qui s'obstine à demeurer debout.

A l'exception de Jason qui semblait captivé par la scène, les yeux de tous ces gens étaient rivés sur Marianne et son compagnon, ceux de Pilar ayant même requis le secours d'une lorgnette à peu près aussi amicale qu'un canon de pistolet. Talleyrand, lui, sourit à sa manière indolente, salua Marianne d'un geste discret et parut se rendormir malgré les efforts de son autre voisine, la femme aux yeux noirs. De toute évidence, elle le bombardait de questions au sujet des arrivants. A côté d'elle, Marianne entendit ricaner Tchernytchev.

— On dirait que nous faisons sensation.

— Cela vous étonne ?

— En aucune manière.

— Alors, cela vous déplaît ?

Cette fois, le Russe rit de bon cœur.

— Me déplaire ? Ma chère princesse, sachez que je n'aime rien tant que faire sensation, tout au moins quand cela ne gêne pas mon devoir d'officier. Et ce n'est pas simple sensation que je voudrais faire, auprès de vous, c'est scandale!

— Scandale? Vous divaguez?

— Nullement! Je répète : scandale, afin que vous soyez irrévocablement et à jamais attachée à moi sans garder le moindre espoir de pouvoir vous libérer.

Sous le marivaudage des paroles, il y avait une légère menace qui choqua Marianne. Entre ses doigts l'éventail se replia avec un bruit sec.

— Ainsi, dit-elle lentement, c'est là ce grand amour dont vous me fatiguez depuis notre première rencontre : vous souhaitez m'enchaîner à vous, faire de moi votre propriété privée... et une propriété farouchement défendue, j'imagine? En d'autres termes, le genre de vie que vous souhaitez pour moi, c'est la prison.

Tchernytchev découvrit toutes ses dents en un sourire que Marianne ne put s'empêcher de juger féroce, mais sa voix était douce comme un velours en répondant :

— Vous savez bien que je suis un Tartare! Un jour, sur le chemin de Samarcande, où l'herbe ne poussait plus depuis que les cavaliers de Gengis Khan l'avaient écrasée, un pauvre caravanier trouva la plus belle des émeraudes, échappée sans doute au butin d'un pillard. Il était pauvre, il avait faim, il avait froid et la pierre représentait une énorme fortune. Pourtant, au lieu de la vendre et de vivre désormais dans l'aisance et la joie, le pauvre caravanier garda l'émeraude, la cacha dans un pli de son turban crasseux et, de ce jour, n'eut plus ni faim ni soif car il avait perdu le boire et le manger. Seule comptait l'émeraude. Alors, pour être certain que nul ne la lui prendrait, il s'enfonça dans le désert, plus loin, toujours plus loin, jusqu'à des grottes profondes et inaccessibles où il n'avait rien d'autre à attendre que la mort. Et la mort vint... la plus lente, la plus cruelle, mais il la vit venir en souriant parce que l'émeraude était contre son cœur.

— L'histoire est jolie, fit Marianne calmement, et la parabole des plus flatteuses, mais, mon cher comte, je vais en arriver à me réjouir de vous voir repartir prochainement pour Saint-Pétersbourg ! Vous êtes vraiment un ami trop dangereux !

— Vous vous trompez, Marianne, je ne suis pas votre ami. Je vous aime et je vous veux, rien d'autre. Et ne vous réjouissez pas trop de mon départ : je reviendrai bientôt ! D'ailleurs...

Il n'alla pas plus loin. D'un peu partout des « chut ! » indignés et vigoureux fusaient autour d'eux et, sur la scène, Talma levait vers la loge un regard lourd de reproches. Marianne abrita un sourire derrière son éventail et se mit en devoir d'écouter. Satisfait, Talma-Néron revint à Junie et lança superbement :

Songez-y donc, Madame, et pesez en vous-même,
Ce choix digne des soins d'un prince qui vous
                                          [aime,
Digne de vos beaux yeux trop longtemps captivés,
Digne de l'univers à qui vous vous devez...

— Mais, écoutez-le donc, madame ! ricana tout bas le Russe, ce soir, Néron parle comme un livre ! On dirait qu'il m'a entendu.

Marianne se contenta de hausser les épaules, sachant bien que la moindre réponse entraînerait la suite du dialogue et du mécontentement des spectateurs. Mais, ce soir, Racine l'ennuyait et elle n'avait pas envie d'écouter. D'ailleurs, ce n'était pas pour Britannicus, ni même pour Talma qu'elle était venue au théâtre, mais uniquement pour y voir Jason et surtout être vue de lui. Elle se mit en devoir d'examiner discrètement son entourage.

L'Empereur étant retourné à Compiègne avec l'Impératrice, il y avait assez peu de personnes appartenant à la Cour et la loge impériale eût sans doute été vide si la princesse Pauline ne l'avait occupée. La plus jeune des sœurs de Napoléon, en effet, n'appréciait guère les festivités de Compiègne et préférait de beaucoup passer l'été dans son château de Neuilly, dont elle terminait tout juste l'installation. Ce soir, elle rayonnait de joie de vivre entre Metternich, superbe dans un habit bleu sombre qui allait bien à son élégante silhouette et à ses cheveux blonds, et un jeune officier allemand, Conrad Friedrich, qui était le dernier amant en date de la plus jolie des Bonaparte.

Avec Marianne, la princesse était la seule femme de l'assistance à avoir osé transgresser les ordres impériaux. Sa robe de mousseline neigeuse, décolletée aux limites de la décence, semblait surtout destinée à déshabiller avec subtilité un corps justement célèbre et à mettre en valeur une magnique parure de turquoises d'un bleu lumineux qui étaient le dernier cadeau de Napoléon à Notre-Dame des Colifichets.

Marianne ne s'étonna nullement de voir Pauline adresser un éclatant sourire à Tchernytchev. Il y avait beau temps que le fringant courrier du Tzar était passé par l'alcôve de la princesse. Il est vrai que ce sourire vint s'achever sur Talma qui, d'émotion, faillit manquer un vers. Pauline non plus ne venait pas au théâtre pour écouter mais pour s'y faire admirer et constater l'effet, toujours assez vif, que sa présence produisait sur les hommes de l'assistance.

Non loin de la loge impériale, le prince de Cambacérès, énorme et surdoré à son habitude, somnolait dans son fauteuil, noyé dans les béatitudes d'une heureuse digestion, tandis qu'auprès de lui le ministre des Finances Gaudin, élégant et archaïque à la fois, avec son habit à la dernière mode et sa perruque à marteaux, semblait trouver dans sa tabatière infiniment plus de délices que sur la scène. Dans une loge un peu sombre, Marianne aperçut Fortunée Hamelin, en tendre conversation avec un hussard qu'il ne lui fut pas possible d'identifier, mais que la belle Mme Récamier surveillait avec une nonchalance affectée et une très réelle attention. A côté, chez l'Intendant général aux Armées, la belle comtesse Daru, sa femme, en robe de satin bleu paon, rêvait auprès de son cousin, un jeune auditeur au Conseil d'État, nommé Henri Beyle, dont le large visage sans beauté était sauvé de la vulgarité par un front magnifique, un œil vif et perçant et une bouche au pli sardonique. Enfin, dans une vaste loge de face, le maréchal Berthier, prince de Wagram, se dépensait sans compter pour dispenser une égale galanterie à sa femme, une princesse de Bavière laide, bonne et placide, et sa maîtresse, la tumultueuse, beaucoup trop grosse et vipérine marquise Visconti, une vieille liaison qui avait toujours eu le don d'exaspérer Napoléon. La plupart des autres spectateurs étaient des étrangers, Autrichiens, Polonais, Russes, Allemands, venus à Paris pour le mariage et dont une bonne moitié ne comprenaient visiblement rien à Racine. Parmi ceux-ci, la palme de la beauté revenait à l'éclatante et blonde comtesse Potocka, la plus récente conquête du beau Flahaut. Tous deux occupaient une loge discrète, elle rayonnante, lui encore pâle de sa convalescence, mais ne regardant qu'eux-mêmes.

« Talma n'a pas de chance ! pensa Marianne tandis que l'acte s'achevait néanmoins dans un tonnerre d'applaudissements, ceux qui n'avaient pas écouté ou pas compris cherchant ainsi visiblement à se faire pardonner. Il faut que l'Empereur soit là pour que les spectateurs se donnent vraiment la peine d'écouter... Quand il y est, personne n'ose broncher... »

Avec l'entracte, la salle de la Comédie-Française s'emplissait de bruit, de rires et de conversations. Le bon ton voulait qu'une grande activité s'emparât des hommes qui devaient aller saluer dans leurs loges toutes les femmes de leurs amis, celles-ci recevant hommages et visites avec autant de grâce et de dignité que dans leurs demeures. Dans certaines loges, pourvues de petits salons, on croquait des bonbons, on dégustait des sorbets et des liqueurs. Le théâtre n'étant plus alors qu'un prétexte à papotages, une manifestation comme une autre de la vie mondaine.

Marianne connaissait bien cette coutume et, dès l'instant où le rideau était retombé sur le salut des artistes, elle avait attendu fiévreusement ce qui allait suivre. Jason viendrait-il la saluer ou bien demeurerait-il dans la loge, auprès de Talleyrand et des autres invités du prince ? Elle brûlait d'envie de le voir de plus près, de toucher sa main, de chercher dans ses yeux un regard comme il en avait eu tellement pour elle durant la folle équipée de Malmaison. Et, s'il quittait la loge, viendrait-il vers elle... ou réserverait-il à une autre dame cette précieuse visite ? Peut-être que la présence de Tchernytchev auprès d'elle le gênait ? Peut-être qu'elle aurait mieux fait de ne pas se faire escorter de cet homme encombrant ? Mais elle avait tort de se tourmenter.

A l'exemple des autres hommes, Tchernytchev s'était levé. Avec ennui, il s'excusait auprès de Marianne de devoir la quitter un instant : d'un geste impérieux et qui ne laissait place à aucune équivoque, la princesse Pauline l'avait appelé.

— Allez! fit la jeune femme, l'esprit et les yeux ailleurs, essayant seulement de cacher sa joie.

Elle surveillait la loge de Talleyrand où le prince, en s'appuyant sur sa canne, se levait avec effort et s'apprêtait à sortir en compagnie de Jason. Les yeux de Marianne brillèrent d'impatience. Si Jason escortait Talleyrand, celui-ci ne pourrait pas ne pas le conduire auprès de la princesse Sant'Anna! Elle allait donc le voir!...

Cependant, voyant que Marianne n'avait pas l'air de se soucier de lui, Tchernytchev fronçait les sourcils et remarquait avec humeur :

— Cela m'ennuie de vous laisser seule!

— Je ne le serai pas longtemps... Allez donc! La princesse s'impatiente...

En effet, Pauline Borghèse répétait à l'adresse du Russe son geste d'invitation. Réprimant un mouvement de contrariété, Tchernytchev se dirigea vers la porte de la loge et, sur le seuil, dut s'effacer pour laisser passer Fortunée Hamelin. Fraîche comme une laitue dans une robe de brocart vert cru rebrodée de petites perles de cristal qui lui donnait l'air de sortir tout juste d'un jet d'eau, la créole lui décocha avec un sourire provocant :

— Apparemment, Son Altesse n'aime pas que l'un de ses étalons favoris aille gambader dans les prairies voisines! dit-elle gaiement. Courez, mon cher comte, sinon vous risquez d'être fort mal reçu!

Le beau colonel se hâta d'obéir en se gardant bien de relever le propos. Fortunée était assez connue pour une certaine verdeur de langage qui, d'ailleurs, ne lui messeyait pas. Rayonnante, elle s'avança vers son amie qui se détournait pour lui sourire, cachant de son mieux sa contrariété de n'être plus seule. La loge, tout d'un coup, embauma la rose.

— Ma foi, soupira Mme Hamelin en s'installant auprès de son amie, je n'ai pu résister à l'envie de venir voir les choses d'un peu plus près, quand j'ai reconnu notre Américain dans la loge du cher prince.

— Et ton hussard ? demanda Marianne ironiquement, qu'en as-tu fait ?

— Je l'ai envoyé boire du café. Il avait un peu trop tendance à s'endormir et je n'aime pas que l'on somnole bêtement quand je suis là ! C'est offensant. Mais dis-moi, mon cœur, ce Murillo revêche drapé dans ses dentelles noires, serait-il l'épouse légitime de notre intéressant pirate ? Elle sent la très catholique Espagne à dix lieues et je parie qu'elle se parfume à l'encens.

— Oui... C'est la *señora* Pilar. Mais Jason n'est pas un pirate.

— Permets-moi de le regretter. Il ne s'encombrerait pas alors de préjugés hors d'âge et aussi poussiéreux qu'une sierra espagnole. Quoi qu'il en soit, pirate ou pas, j'espère qu'il fait actuellement route vers cette loge pour venir te saluer.

— Peut-être ! fit Marianne avec un pâle sourire, mais rien n'est moins sûr.

Elle trouvait, en effet, que les deux hommes mettaient bien du temps à parcourir la galerie.

— Allons donc ! Talleyrand sait son monde et comme il l'a pris en remorque je suis certaine que nous allons les voir apparaître d'un instant à l'autre. Sois sans crainte, ajouta-t-elle en posant une main apaisante sur les genoux de son amie, je sais sur le bout des doigts mon rôle de confidente... et j'ai une foule de questions à poser au cher prince. Vous pourrez causer...

— Avec cette paire d'yeux noirs braqués sur nous ? As-tu seulement remarqué de quel œil la *señora* me regarde ?

— Des yeux noirs sont toujours des yeux noirs ! fit la créole avec un haussement d'épaules philosophe, et, personnellement, je trouverais cela plutôt amusant ! Tu ne sais pas quel plaisir savoureux on éprouve à faire enrager une jalouse.

— A propos d'yeux noirs, qui est l'autre Parque en robe noire, qui tient l'autre côté du prince de Bénévent, cette femme mûre mais encore belle ?

— Comment ? Tu ne la connais pas ? s'exclama Fortunée sincèrement surprise. Elle et son mari, ce vieil Écossais rouquin qui a l'air d'un héron somnolant sur une patte, sont pourtant des meilleurs amis de Talleyrand. Jamais entendu parler de Mrs Sullivan, la belle Eleonora Sullivan, et de l'Écossais Quintin Crawfurd ?

— Ah ! C'est elle ?...

Marianne se souvenait, en effet, d'une amère confidence de Mme de Talleyrand, au temps où elle remplissait auprès d'elle les fonctions de lectrice. La princesse avait parlé avec colère d'une certaine Mrs Sullivan, une intrigante qui, après avoir été l'épouse morganatique du duc de Wurtemberg et avoir trempé dans toutes sortes de conspirations, avait vécu maritalement avec un agent anglais, Quintin Crawfurd, qu'elle avait fini par épouser pour sa grande fortune. Marianne se souvenait aussi de ce que cette antipathie était surtout motivée par le fait que Mrs Sullivan-Crawfurd, malgré un âge déjà plus que certain, gardait sur les hommes une singulière emprise. En particulier, bien entendu, sur Talleyrand, avec lequel elle entretenait des relations que la princesse jugeait fort troubles, car elles semblaient mêler l'attrait physique aux affaires immobilières. C'étaient les Crawfurd qui avaient vendu au prince le superbe hôtel de Matignon et, par contre, ils habitaient actuellement son ancien hôtel de la rue d'Anjou.

— Je n'aime pas voir cette femme ici ! avait conclu Mme de Talleyrand. Elle sent les trafics louches.

Cependant, Mme Hamelin avait laissé son amie examiner à loisir Mrs Crawfurd qui semblait la fasciner. Comme Pilar, en effet, elle était vêtue de noir, mais d'un noir fait de soie mate et lourde qui avait l'austérité d'un deuil.

— Comment la trouves-tu ? demanda doucement Fortunée.

— Étrange ! Belle encore, c'est certain, mais elle le serait davantage sous une couleur moins sinistre.

— C'est qu'elle est en deuil, fit la créole avec un petit rire amusé, en deuil de son amant préféré. Voici à peine un mois, les Suédois ont mis en pièces le comte de Fersen, tu sais, le bel ami de cette pauvre Marie-Antoinette ?

— Il était l'amant de cette femme ?

— Mais oui. La pauvre reine avait de la concurrence et l'ignorait. Je dois dire qu'ils ont formé, un temps, Eleonora, Fersen et Crawfurd, un assez agréable ménage à trois, mais un ménage à trois de conspirateurs, et Quintin comme Eleonora ont pris leur large part de l'aventure de Varennes. Je reconnais qu'ils ont tout fait pour que la Famille royale pût fuir Paris. Inutile de te dire que l'on n'aime pas beaucoup l'Empereur rue d'Anjou !

— Et il les tolère ? Alors que cet homme est anglais ? fit Marianne scandalisée.

— Et qu'il a été longtemps un agent de Pitt ! Mais oui, mon cœur, il les tolère : c'est là un effet de la magie personnelle de notre cher prince. Il a répondu d'eux. Il est vrai que, maintenant, il aurait grand besoin que quelqu'un répondît de lui ! Enfin ! C'est ainsi...

Les yeux de Marianne semblaient ne plus pouvoir

161

se détacher de cette loge où deux femmes en noir, de part et d'autre d'un fauteuil vide, semblaient monter on ne sait quelle garde menaçante. Elle murmura enfin :

— Comme elle me regarde, cette Mrs Crawfurd ! On dirait qu'elle cherche à graver mes traits dans sa mémoire. Pourquoi est-ce que je l'intéresse tellement ?

— Oh ! fit Fortunée en ouvrant son réticule pour y prendre des pastilles de chocolat à la violette dont elle raffolait, j'ai l'impression que c'est surtout la princesse Sant'Anna qui l'intéresse. Sais-tu que cette femme, de son nom de fille, Eleonora Franchi, est née à Lucques ? Elle a dû beaucoup connaître la famille de ton mystérieux mari...

— C'est possible, en effet.

Tout à coup, l'étrange femme prit une nouvelle dimension. Si elle se rattachait à l'irritant secret dont s'entourait Corrado Sant'Anna, elle cessait, pour Marianne, d'être suspecte pour n'être plus que follement intéressante. Depuis la perte de son enfant, elle s'était trop souvent demandé comment allait réagir le prince pour n'être pas tentée d'approcher quiconque pouvait l'aider à déchiffrer l'énigme qu'il représentait. Il y avait des moments où, malgré la peur affreuse qui l'avait poussée à quitter la *villa,* elle se reprochait de s'être montrée lâche. Avec le temps, les terreurs éprouvées dans les ruines du petit temple s'étaient émoussées. Bien souvent, durant ses longues heures de maladie et surtout durant ces nuits qui semblaient ne devoir jamais finir, elle avait évoqué la silhouette fantastique du cavalier masqué de cuir blanc... Il ne lui voulait aucun mal. Bien plus, il l'avait sauvée de la folie criminelle de Matteo Damiani, il l'avait rapportée dans sa chambre, soignée peut-être, couchée sans doute... et, au souvenir de son réveil dans le lit jonché de fleurs, le cœur de Marianne s'affolait encore. Il l'aimait peut-être et elle s'était enfuie, comme une enfant apeurée, au lieu de rester et d'arracher au prince Sant'Anna, avec son masque, le secret de sa vie recluse. Elle aurait dû... oui, elle aurait dû rester ! Peut-être avait-elle laissé là une chance de trouver la paix et, qui sait, un certain bonheur ?

— Tu rêves ? chuchota la voix moqueuse de Fortunée. A quoi penses-tu donc ? Voilà que tu regardes la Sullivan comme si tu voulais l'hypnotiser.

— Je voudrais la connaître.

— Rien de plus facile ! Et d'autant plus que c'est très certainement une envie réciproque. Mais...

La porte de la loge, en s'ouvrant, coupa la parole à la jeune femme. Talleyrand, flanqué de Jason, venait de faire son apparition. On échangea saluts, révérences et baisemains, puis l'incorrigible créole, après avoir gratifié Beaufort d'un sourire trop rayonnant pour qu'une forte dose de coquetterie n'y fût pas mêlée, prit le bras du prince et l'entraîna au-dehors sans lui laisser même le temps de souffler, en déclarant qu'elle avait à lui confier une chose de la plus grande importance, réclamant, bien entendu, le plus grand secret. Marianne et Jason se retrouvèrent seuls.

Instinctivement, la jeune femme avait repoussé sa chaise pour se trouver dans l'ombre relative de la loge. A n'être plus en pleine lumière, elle se sentait moins vulnérable et il était plus facile d'ignorer le noir regard de Pilar rivé à elle. C'était bien peu de chose : un instant de solitude à deux au milieu de cette énorme volière jacassante, mais, pour Marianne, tout ce qui touchait Jason, tout ce qui venait de lui ou se rapportait à lui, était désormais infiniment précieux... En une seconde tout ce qui les entourait s'abolit : le décor rouge et or, la foule scintillante et ses bruits futiles, l'atmosphère factice et raffinée. Jason semblait posséder l'étrange pouvoir de faire craquer les cadres où il se mouvait, aussi civilisés fussent-ils, pour y substituer son monde à lui, ses dimensions d'homme et les senteurs fortes de l'aventure marine.

Incapable de prononcer un seul mot, Marianne se contentait de le regarder avec des yeux lumineux de joie. Elle avait oublié jusqu'à la présence dans cette salle de Tchernytchev qu'elle avait cependant choisi délibérément comme compagnon pour la soirée. Puisque Jason était là, près d'elle, tout était bien. Le temps pouvait s'arrêter, le monde s'écrouler, rien de tout cela n'aurait la moindre importance.

Elle éprouvait, à le contempler, une joie profonde, cherchant vainement à comprendre comment elle avait pu ne pas deviner, ne pas sentir à ces signes impalpables que tissent entre deux êtres voués l'un à l'autre les affinités secrètes, qu'elle ne pourrait jamais aimer que lui. Et la conscience même qu'il était désormais lié à une autre femme ne parvenait pas à éteindre cette joie, comme si l'amour qu'elle éprouvait pour Jason était de ceux que rien d'humain ne peut atteindre.

Pourtant, l'Américain ne semblait pas partager le bonheur silencieux de Marianne. Son regard l'avait à peine effleurée quand il l'avait saluée. Ensuite, il s'était évadé vers les profondeurs de la salle comme si Jason n'avait vraiment rien à dire. Les bras croisés sur sa poitrine, son maigre visage tourné vers la loge impériale, il semblait y chercher la réponse d'une énigme qui durcissait encore ses traits tourmentés et assombrissait son regard.

Ce silence ne tarda pas à être insupportable pour Marianne, insupportable et offensant. Jason n'était-il venu dans sa loge que pour montrer publiquement le peu d'intérêt qu'il lui portait ? Elle murmura, avec une involontaire tristesse :

— Pourquoi êtes-vous venu jusqu'ici, Jason, si vous ne trouvez pas même une parole à me dire ?

— Je suis venu parce que le prince m'a prié de l'accompagner.

— Simplement ? fit Marianne dont le cœur se serra. Est-ce à dire que, sans M. de Talleyrand, vous ne m'auriez pas fait l'honneur d'une visite ?

— C'est exactement cela !

La sécheresse du ton hérissa Marianne dont l'éventail prit un rythme nerveux.

— Voilà qui est aimable ! fit-elle avec un petit rire. Vous craigniez, j'imagine, de déplaire à votre femme dont l'œil ne nous quitte pas ? Eh bien, mon cher, je ne vous retiens pas, allez la retrouver !

— Cessez de dire des sottises ! gronda Jason entre ses dents. Mrs Beaufort n'a pas à m'autoriser ou à me défendre quoi que ce soit et ne l'imaginerait même pas. Je ne serais pas venu parce que vous n'aviez nul besoin de ma présence. Vous avez, je crois, affiché assez clairement, ce soir, vos préférences et vos amours.

— Affiché ? protesta Marianne outrée. Voilà que vous vous lancez dans les potins, maintenant ? Qui peut me reprocher de sortir escortée d'un galant homme auquel, d'ailleurs, je dois la vie ?

Cette fois, le regard de Jason, noir de colère et de mépris, vint croiser celui de Marianne, étincelant de fureur. Il eut un rire sec.

— Qui ? Mais votre mari, ma chère ! Le nouveau... Ce prince toscan qui paraît n'avoir dans votre vie d'autre importance que celle d'épisode négligeable ! Vous n'êtes pas mariée depuis trois mois et, au lieu de demeurer sur vos terres, comme la décence vous en fait devoir, vous vous affichez, je répète, à moitié nue et dans une toilette insensée aux côtés du plus fameux coureur de jupons des deux hémisphères, l'homme qui prétend ne pas connaître le refus !

— Si je doutais encore que l'Amérique ne soit pas un pays sauvage, riposta Marianne devenue aussi rouge que les plumes de sa coiffure, voilà qui m'éclairerait ! Est-ce qu'après avoir été pirate, écumeur des mers ou je ne sais quoi, puis envoyé officieux et, selon moi, beaucoup trop discret, vous songez à vous faire pasteur ? Le révérend Beaufort ! Voilà qui sonnerait bien ! Et je vous assure que, avec un peu de travail, vos sermons seraient tout à fait au point ! Il est vrai que lorsque l'on compte, dans ses ancêtres...

— J'y compte surtout des femmes respectables ! Et des femmes qui savaient demeurer à leur place !

Les traits de Jason étaient devenus durs comme pierre tandis que le pli sarcastique creusé au coin de sa bouche donnait à Marianne une irrésistible envie de le battre.

— On croirait, à vous entendre, que j'ai choisi mon sort ! Comme si vous ne saviez pas...

— Je sais tout, justement ! Tant que vous étiez obligée de lutter pour votre vie ou pour votre liberté, vous aviez tous les droits... et je vous admirais ! Maintenant, vous n'en avez plus qu'un seul : celui de payer l'homme qui vous a donné son nom en respectant au moins ce nom.

— En quoi est-ce que je ne le respecte pas ?

— En ceci : il y a trois mois à peine on vous donnait encore pour la maîtresse de l'Empereur. Maintenant, on vous donne pour celle d'un cosaque dont la réputation s'est assise bien plus fermement dans les alcôves que sur les champs de bataille !

— Vous n'exagérez pas un peu ? Je vous rappelle que l'Empereur lui-même l'a décoré de sa main, à Wagram, et que Napoléon n'a pas pour habitude de distribuer ses croix au petit bonheur.

— J'admire l'ardeur avec laquelle vous le défendez ! En vérité, quelle plus grande preuve d'amour pourrait-il exiger ?

— D'amour ? Moi, j'aime Tchernytchev ?

— Si vous ne l'aimez pas, vous faites bien semblant. Mais je commence à croire que ce semblant-là vous est familier. Avez-vous également fait « semblant » avec votre mystérieux époux ?

Marianne eut un soupir plein de lassitude.

— Je croyais vous avoir tout dit sur mon mariage ! Faut-il vous répéter que, hors la chapelle où nous avons été unis et où je n'ai vu de lui qu'une main gantée, je n'ai jamais approché le prince Sant'Anna ? Faut-il vous répéter aussi que, si vous aviez reçu à temps certaine lettre, ce n'est pas le prince que j'aurais épousé ?

Cette fois, Jason se mit à rire, mais d'un rire si sec, si dur, qu'il faisait mal, comme fait mal le grincement maladroit de l'archet sur la corde tendue d'un violon.

— Après ce que j'ai vu ici, ce soir, je crois que je vais remercier le Ciel d'avoir permis que cette lettre ne me parvienne pas. J'ai pu, ainsi, sauver Pilar d'un sort immérité et, tout compte fait, je crois qu'il vaut mieux vous laisser, vous, à un sort qui ne semble pas trop vous déplaire et, selon moi, tout à fait mérité quand on considère la facilité avec laquelle vous changez d'amour !

— Jason !

Marianne s'était levée. De pourpre, elle était devenue blanche et, entre ses doigts crispés, les minces branches de l'éventail précieux venaient de se briser avec un petit craquement triste. De toutes ses forces, elle essayait d'empêcher les larmes qui emplissaient son cœur de monter à ses yeux. A aucun prix ne lui montrer qu'il venait de lui faire si mal !... Trop blessée pour comprendre que les mots d'offense n'étaient, après tout, dictés que par une amère... et consolante jalousie ! Elle chercha, un instant, mais en vain, une réplique cinglante, pour rendre coup pour coup, blessure pour blessure, sang pour sang... Mais elle n'en eut pas le temps. Une haute silhouette verte venait de se dresser entre Jason et elle.

Roulant les « r » plus que jamais, et plus que jamais coq de combat, Tchernytchev déclara en s'efforçant visiblement de rester calme :

— Vous venez d'insulter à la fois Son Altesse Sérénissime et moi-même. C'est trop, monsieur, et vous me faites regretter de ne pouvoir vous tuer qu'une fois !

Jason toisa le Russe avec un sourire insolent qui eut le don de porter à son comble la colère de Tchernytchev.

— Il ne vous vient pas à l'idée que je pourrais vous tuer, moi aussi ?

— Certainement pas ! La mort est femme, elle m'obéit.

Jason se mit à rire.

— Compter sur une femme c'est se préparer de cruelles déceptions. Quoi qu'il en soit, monsieur, je ne retire aucune de mes paroles et suis à votre disposition. Mais je ne vous connaissais pas cette intéressante faculté d'écouter aux portes !

— Non, je vous en supplie ! gémit Marianne en se glissant entre les deux hommes. Je vous défends de vous battre pour moi !

Tchernytchev prit la main qu'elle venait instinctivement de mettre sur son bras et y posa un baiser rapide.

— Pour cette fois, madame, vous me permettrez de ne pas vous obéir.

— Et si, moi aussi, je vous en priais, hé? fit la voix lente de Talleyrand qui était rentré dans la loge sur les talons du Russe. Je n'aime pas que mes amis s'entr'égorgent...

Cette fois, ce fut Jason qui répondit.

— Justement. Vous nous connaissez trop bien l'un et l'autre, prince, pour ne pas savoir que ceci devait venir, tôt ou tard!

— Peut-être, mais j'eusse préféré que ce fût tard! Venez, madame, ajouta-t-il en se tournant vers Marianne. Je pense que vous ne souhaitez pas demeurer plus longtemps. Je vais vous mener à votre voiture.

— Voulez-vous m'y attendre un instant? demanda le Russe. Le temps de régler ceci et je vous rejoins.

Silencieusement, Marianne le laissa disposer sur ses épaules la grande écharpe de velours pourpre qu'elle avait laissée au dossier de sa chaise, posa une main sur le bras du prince de Bénévent et, sans un regard pour l'un ou l'autre des deux adversaires, sortit de la loge. Le rideau, d'ailleurs, se levait sur l'acte suivant et sa sortie s'effectua aussi discrètement que possible.

Mais, tandis qu'elle descendait lentement le grand escalier désert où des valets statufiés veillaient auprès de hautes torchères, Marianne laissa éclater sa colère et son chagrin.

— Que lui ai-je fait? s'écria-t-elle. Pourquoi Jason me poursuit-il de ce mépris, de cette colère qui ne désarment pas? Je croyais...

— Il faut être bien vieux ou bien rompu aux plus

hautes doctrines philosophiques pour ne pas se laisser emporter par la jalousie. Entre nous, n'est-ce pas un peu ce que vous cherchiez ? Ou alors, quelle diable d'idée avez-vous eue de venir ici seule avec Sacha ?

— C'est vrai, avoua Marianne. Je voulais rendre Jason jaloux... Ce mariage stupide avec cette Pilar l'a tellement changé...

— Et vous a changée vous aussi, à ce qu'il paraît ! Allons, Marianne, cessez donc de vous tourmenter ainsi. Il faut savoir accepter les conséquences, de ses actes, hé ? Au surplus, si Tchernytchev sait se battre, il aura un adversaire à sa taille et qui peut lui réserver une surprise désagréable.

Cesser de se tourmenter ! Talleyrand en avait de bonnes ! Une fois seule dans l'obscurité ouatée de sa voiture, Marianne laissa la colère l'envahir. Elle en voulait au monde entier, à Tchernytchev qui, selon elle, s'était mêlé de ce qui ne le regardait pas, à Jason qui l'avait traitée indignement alors qu'elle espérait tant un mot tendre, un regard, la moindre des choses, à tous ces gens qui, certainement, avaient suivi l'altercation avec des yeux avides de scandale et qui allaient en faire des gorges chaudes... et plus encore à elle-même qui, par puérile vanité, avait causé tout ce dommage.

« Je dois être folle, pensa-t-elle tristement, mais aussi je ne savais pas encore que l'amour pouvait faire si mal. Et si jamais Tchernytchev blesse Jason ou le... »

Elle n'osa même pas penser le mot mais, songeant tout à coup qu'elle était là, à attendre sottement le Russe, alors qu'elle le haïssait de tout son cœur à cet instant, elle se pencha pour ordonner à Gracchus de partir :

— A la maison, Gracchus ! Et vite !

170

La voiture s'ébranlait quand Tchernytchev surgit de la colonnade du théâtre, bondit sur le marchepied et tomba plus qu'il n'entra dans la voiture.

— Vous partiez sans moi, pourquoi ?

— Parce que je n'ai plus envie de vous voir ce soir. Et je vous prie de descendre. Gracchus, arrête ! cria-t-elle.

A demi agenouillé à ses pieds, Sacha Tchernytchev la regarda, interdit :

— Vous voulez que je descende ? Mais pourquoi ? Vous êtes fâchée ? Pourtant, en provoquant cet insolent qui vous insultait, je n'ai fait que mon devoir.

— Votre devoir ne vous demandait pas de vous mêler d'une conversation privée. J'ai toujours su me défendre seule ! En tout cas, retenez ceci : que Jason Beaufort soit seulement blessé et je ne vous pardonnerai, ni ne vous reverrai de ma vie !

— Vraiment ?

Tchernytchev n'avait pas bougé mais, dans l'ombre de la voiture, Marianne vit briller ses yeux, devenus de minces fentes vertes, comme brillent dans la nuit les yeux des chats. Lentement, il se releva et Marianne eut l'impression que l'ombre d'un immense oiseau de proie envahissait l'étroite boîte de satin parfumé et menaçait de fondre sur elle. Mais le Russe, déjà, ouvrait la portière et sautait dans la rue. Un instant, ses mains gantées de blanc demeurèrent accrochées aux montants de la portière et il contempla la jeune femme avec un demi-sourire. Puis, d'une voix infiniment douce, il dit :

— Vous avez eu raison de me prévenir, Marianne ! Je vous promets de ne pas blesser M. Beaufort...

Il sauta en arrière, ôta son bicorne, balaya le pavé

de son immense plumet en un salut ironique et conclut encore plus doucement :

— J'aurai l'honneur de le tuer demain matin !

— Si vous osez...

— J'oserai... puisque apparemment c'est le seul moyen de vous l'ôter de l'esprit. Une fois cet homme mort, je saurai bien vous amener à m'aimer.

Malgré la peur et la colère qui lui serraient le cœur, Marianne se raidit, redressa la tête, toisa Tchernytchev du haut de sa voiture et parvint à armer son visage d'un sourire glacial :

— N'y comptez pas ! Vous n'en aurez pas le temps, mon cher comte... car, si demain Jason Beaufort meurt de votre main, sachez qu'avant d'en finir avec une vie qui aura cessé de m'intéresser je prendrai le temps de vous abattre, de ma propre main. Vous l'ignorez peut-être, mais je manie les armes comme un homme... Je vous souhaite une bonne nuit. Touche, Gracchus !

Le jeune cocher fit claquer son fouet, enleva son attelage au grand trot. La voiture s'engouffra dans la rue Saint-Honoré, tandis que l'horloge de Saint-Roch sonnait une heure que Marianne n'entendit pas. On atteignait le pont des Tuileries qu'elle cherchait encore à retrouver son calme en même temps qu'un moyen de sauver Jason des armes du Russe. Avec l'extrême générosité que donne le véritable amour, elle n'attribuait qu'à elle-même la responsabilité du drame qui venait de se jouer. Elle allait même jusqu'à se reprocher la dureté de Jason, en vertu de ce mot magique, inquiétant et cependant tellement réconfortant qu'avait prononcé Talleyrand : la jalousie. Si Jason était jaloux, jaloux au point de l'insulter publiquement, cela voulait peut-être dire que tout n'était pas tout à fait perdu.

« Comment faire, songeait-elle avec désespoir, comment faire pour empêcher ce duel ? »

Le roulement de la voiture, à travers les rues désertes du Paris nocturne, emplissait ses oreilles d'un bruit énorme et menaçant. Elle regardait défiler les façades muettes de toutes ces maisons où dormaient paisiblement de braves gens pour lesquels, sans doute, les orages du cœur n'avaient qu'un intérêt secondaire.

La voiture avait presque atteint la rue de Lille quand Marianne eut une idée. Elle se reprochait aussi maintenant d'avoir blessé Tchernytchev parce que, stupidement, elle avait cru posséder sur lui un plus grand pouvoir. Au lieu de lui faire comprendre, doucement, qu'elle serait peinée qu'il arrivât quelque chose à un ami, elle lui avait laissé deviner son amour pour Jason et, tout naturellement, elle avait éveillé la colère normale de tout homme désirant une femme et s'apercevant qu'elle lui en préfère un autre... Il fallait au moins tenter quelque chose de ce côté. Elle tira le cordon qui correspondait au petit doigt de son cocher. Celui-ci se pencha :

— Fais demi-tour, Gracchus, lui dit-elle, nous ne rentrons pas tout de suite.

— Bien, Madame. Où allons-nous ?

— Chaussée d'Antin, à l'ambassade de Russie. Tu la connais ?

— L'ancien hôtel Thélusson ? Bien sûr... on connaît son Paris.

Après un virage savant, la voiture reprit la direction de la Seine, mais cette fois au galop. Les rues désertes l'autorisaient. A cette allure rapide, il ne fallut pas plus de quelques minutes pour couvrir le trajet. Bientôt, l'énorme arc de triomphe de dix mètres de haut sur autant de large, qui servait de portail à l'ambassade russe, fut en vue. Au-delà, on apercevait un vaste jardin peuplé de statues et de colonnes et, tout au fond, l'hôtel brillait de tous ses feux comme pour une fête. Mais, au portail, des cosaques à longues moustaches et longues robes montaient une garde farouche. Marianne eut beau décliner ses noms et titres, répéter qu'elle désirait voir l'ambassadeur, prince Kourakine, les factionnaires demeurèrent intraitables : pas de laissez-passer, pas de passage ! N'entrait pas qui voulait à l'ambassade de Russie, surtout la nuit.

— Peste, grogna Gracchus, voilà une ambassade bien gardée ! Je me demande ce qu'ils peuvent bien fricoter là-dedans, ces barbus, pour se montrer si méfiants ? On entre plus facilement chez l'Empereur qu'ici... Et qu'est-ce qu'on fait, maintenant, Madame la princesse ?

— Je ne sais pas ! fit Marianne désolée. Il faut pourtant que j'entre, ou tout au moins... Écoute, Gracchus, va leur demander de te dire si le comte Tchernytchev est rentré. S'il n'y est pas, nous l'attendrons... sinon...

— Sinon ?

— Va toujours. Nous aviserons ensuite.

Docilement, Gracchus dégringola de son siège et alla trouver le cosaque de gauche dont la figure lui revenait plus que celle de son camarade. Il entama avec lui une conversation animée où les gestes tenaient la meilleure place. Malgré son inquiétude, Marianne ne put s'empêcher de trouver réjouissant le contraste entre la silhouette trapue de Gracchus, aussi large que haute dans son grand manteau de livrée, et celle du gigantesque Russe qui penchait vers lui une tête coiffée d'un énorme bonnet de fourrure et superbement poilue. Le dialogue dura un moment ; après quoi Gracchus revint avertir sa maîtresse que le comte n'était pas encore rentré.

— C'est bien, fit Marianne, remonte sur ton siège et range-toi, nous allons l'attendre.

— Vous croyez que c'est une bonne idée ? M'est avis que vous ne vous êtes pas quittés si bons amis que ça... et...

— Depuis quand discutes-tu mes ordres ? Range ta voiture et attendons.

Mais Gracchus n'eut pas le temps d'exécuter la manœuvre demandée. Le roulement d'une voiture se faisait entendre dans le jardin de l'hôtel et Marianne, aussitôt, ordonna à son cocher de ne plus bouger. Si elle ne faisait pas déplacer sa voiture, le passage était obstrué, empêchant tout autre attelage de sortir de l'ambassade. Avec un peu de chance, la voiture qui venait serait peut-être celle de l'ambassadeur...

C'était celle de Talleyrand. Marianne reconnut aussitôt les grands anglo-arabes dont le prince était si fier et les couleurs de sa livrée. De son côté, Talleyrand avait reconnu la voiture de la jeune femme et ordonnait à son cocher de se ranger auprès d'elle. Sa tête pâle aux yeux de saphir clair apparut à la portière.

— J'allais chez vous, fit-il avec un sourire, mais, puisque vous voilà, je vais pouvoir aller me coucher avec la satisfaction du devoir accompli... et vous aussi, car je ne crois pas que vous ayez encore beaucoup à faire ici, hé ?

— Je ne sais pas. Je voulais...

— Voir l'ambassadeur ? C'est bien cela ?... ou tout au moins rencontrer Tchernytchev ? Alors, j'ai raison : vous pouvez aller dormir sans crainte de faire de mauvais rêves : le comte Tchernytchev partira cette nuit même pour Moscou... avec... heu !... des dépêches urgentes.

— Il devait partir demain.

— Il partira dans une heure... Le prince Kourakine a fort bien compris que certaines missions ne pouvaient être différées... voire mises en danger par

175

les hasards d'un duel au sabre. C'est un outil que notre ami Beaufort manie aussi bien que notre beau colonel et les chances étaient égales. Or, il se trouve que le Tzar a, pour le moment, le plus urgent besoin de son courrier préféré... Soyez sans crainte, Tchernytchev obéira.

— Alors... le duel ?

— Remis aux calendes grecques... ou tout au moins à la première fois où ces messieurs se retrouveront ensemble dans la même région... ce qui n'est pas pour demain puisque, dans une semaine, Beaufort rentre en Amérique.

Une vague de chaleur envahit le cœur glacé de Marianne. Le soulagement qu'elle éprouva alors fut si profond que les larmes lui montèrent aux yeux. Par la vitre baissée de sa voiture, elle tendit, spontanément, la main vers son vieil ami.

— Comment vous remercier ? Vous êtes mon bon génie.

Mais Talleyrand secoua la tête, la mine soudain assombrie.

— J'ai bien peur que non ! Si vous vous débattez dans cet affreux gâchis qu'est votre vie, j'en suis en grande partie responsable ! Ce n'est pas d'aujourd'hui que je regrette de vous avoir présentée... à qui vous savez ! Sans cette fâcheuse idée, vous seriez peut-être heureuse aujourd'hui. J'aurais dû comprendre... le soir où vous avez rencontré chez moi Jason Beaufort. Maintenant, il est trop tard, vous êtes mariés chacun de votre côté...

— Je ne renoncerai jamais à lui ! J'aurais dû, moi aussi, comprendre plus tôt, mais je refuse d'entendre dire qu'il est trop tard. Il n'est jamais trop tard pour aimer.

— Si, ma chère... quand on a mon âge !

— Même pas ! s'écria Marianne avec tant de passion que le sceptique homme d'État tressaillit. Si vous le vouliez vraiment, vous pourriez aimer encore... ce qui s'appelle aimer ! Et peut-être, qui sait, connaître le plus grand, le seul amour de votre vie.

Le prince ne répondit pas. Les mains nouées sur le pommeau d'or de sa canne et le menton posé sur ses mains, il parut s'ensevelir dans une sorte de rêve éveillé. Marianne vit qu'une étincelle brillait dans ses yeux pâles, habituellement si froids, et se demanda si, en l'écoutant, il n'avait pas évoqué un visage, une silhouette... peut-être un amour auquel il n'aurait pas osé penser, le croyant impossible. Doucement, comme s'il avait parlé, mais se répondant en réalité à elle-même, Marianne murmura :

— Les amours impossibles sont les seules auxquelles je crois... parce que ce sont les seules qui donnent du sel à la vie, les seules qui méritent que l'on se batte pour elles...

— Qu'appelez-vous amours impossibles, Marianne ? Votre amour pour Jason, car vous l'aimez, n'est-ce pas ? n'est pas de ceux que l'on peut qualifier ainsi. Amour difficile, simplement.

— Je crains que non. Sa réalisation me paraît aussi impossible que... (Elle chercha un instant puis lança, très vite :) Que si, par exemple, vous étiez épris de votre nièce Dorothée et souhaitiez en faire votre maîtresse.

Le regard de Talleyrand tourna, se posa sur celui de Marianne. Il était redevenu plus froid et plus indéchiffrable que jamais.

— Vous avez raison, dit-il gravement. C'est, en effet, un bon exemple d'amour impossible ! Bonne nuit, ma chère princesse... Je ne sais pas si je vous l'ai déjà dit, mais je vous aime beaucoup.

D'un accord tacite, les deux voitures se séparèrent

et Marianne, avec un soupir de bonheur, se laissa aller dans les coussins, fermant les yeux pour mieux savourer la paix retrouvée. Elle avait terriblement sommeil maintenant. La tension nerveuse, en se retirant, la laissait épuisée, avide uniquement de retrouver sa chambre paisible, la fraîcheur de ses draps. Elle allait pouvoir si bien dormir, maintenant que Jason ne courait plus aucun danger et que Talleyrand avait réparé sa faute stupide !

Elle baignait toujours dans la même gratitude en rentrant chez elle. Ce fut en chantonnant même qu'elle gravit légèrement le grand escalier de pierre et se dirigea vers sa chambre. Quand elle aurait à nouveau la tête claire, elle trouverait bien un moyen de faire entendre raison à Jason Beaufort et de lui faire comprendre qu'il ne pouvait pas l'obliger à se séparer de lui pour toujours. Quand il saurait à quel point elle l'aimait, alors peut-être...

En poussant la porte de sa chambre, la première chose qu'elle aperçut fut une paire de chaussures brillantes et typiquement masculines, posées sur un tabouret de taffetas bleu-vert.

— Arcadius ! s'écria-t-elle pensant que le propriétaire des bottes était son ami Jolival, soudainement revenu de voyage, j'ai bien trop sommeil...

La phrase mourut sur ses lèvres. Sous sa main, la porte s'était ouverte en grand, découvrant l'homme qui l'attendait ainsi, étendu dans une bergère. Et Marianne comprit que l'heure du sommeil n'était pas encore venue car celui qui se levait nonchalamment pour un salut aussi profond qu'ironique, c'était Francis Cranmere...

LE PIÈGE D'UNE NUIT D'ÉTÉ

6

UNE FENÊTRE OUVERTE SUR LA NUIT...

Les nerfs de Marianne avaient été trop secoués, durant cette soirée, pour que, à la vue de son premier mari, elle éprouvât autre chose qu'un sentiment d'ennui. Si dangereux que pût être le personnage et quelque raison qu'elle eût toujours de le craindre, elle en était arrivée à ce point de détachement qu'elle n'en avait même plus peur. Aussi, sans montrer la moindre émotion, referma-t-elle tranquillement la porte de sa chambre. Puis, sans accorder à ce visiteur intempestif autre chose qu'un regard très froid, elle se dirigea vers sa table à coiffer, jeta son écharpe sur le tabouret de velours et commença à ôter ses longs gants, mais sans pour cela perdre de vue l'image de Francis que reflétait la haute glace.

Elle éprouva une certaine satisfaction à remarquer qu'il semblait déçu. Sans doute s'était-il attendu à un mouvement d'effroi, peut-être à un cri. Cette froideur et ce silence étaient, pour lui, tout à fait inattendus... Poussant le jeu jusqu'au bout, Marianne rectifia d'un doigt distrait l'ordonnance de sa coiffure, prit un flacon de cristal parmi tous ceux qui encombraient la table et passa un peu de parfum sur son cou et ses épaules. Après quoi, elle demanda :

— Comment êtes-vous entré ? Mes serviteurs ne

vous ont certainement pas vu, sinon ils m'auraient prévenue.

— Pourquoi donc ? Un serviteur, cela s'achète.

— Pas les miens. Ils ne risqueraient pas leur place pour quelques écus. Alors ?

— La fenêtre, bien entendu ! soupira Francis en se réinstallant dans sa bergère. Les murs de votre jardin ne sont pas tellement hauts... et il se trouve que je suis votre voisin depuis trois jours.

— Mon voisin ?

— Ignorez-vous que vous avez une voisine anglaise ?

Non, Marianne ne l'ignorait pas. Elle entretenait même d'assez bonnes relations avec Mme Atkins, chez qui sa cousine Adélaïde avait jadis trouvé refuge quand elle était recherchée par la police de Fouché. C'était une ancienne actrice du théâtre de Drury Lane, qui s'appelait alors Charlotte Walpole, mais elle avait acquis droit au respect et en même temps droit de cité à Paris en tentant, au prix de sa vie et de sa fortune, de faire évader du Temple la famille royale après la mort de Louis XVI. La police impériale la tolérait. Ce qui étonnait surtout Marianne, c'était que cette femme douce, distinguée et douée d'une bonté profonde pût entretenir des relations amicales avec un homme tel que Francis et elle ne cacha pas sa façon de penser. Lord Cranmere se mit à rire.

— J'irai même jusqu'à dire que cette chère Charlotte m'aime beaucoup. Savez-vous, Marianne, que vous êtes l'une des rares femmes à me trouver odieux et à me détester ? La plupart de vos contemporaines me trouvent charmant, aimable, galant...

— Peut-être n'ont-elles pas eu la joie de vous épouser ! De là cette différence... Ceci dit, j'aimerais que notre conversation ne s'éternisât pas. Je suis... très fatiguée !

Francis Cranmere appuya les bouts de ses doigts les uns aux autres et se mit à les contempler avec application.

— Il est vrai que vous n'êtes pas restée très longtemps à la Comédie-Française. Est-ce que vous n'aimez pas « Britannicus » ?

— Parce que vous étiez aussi au théâtre ?

— Mais oui. Et j'ai pu admirer en connaisseur votre entrée en compagnie de ce superbe animal qu'est le beau Tchernytchev. En vérité, on ne peut rêver couple mieux assorti... sinon, peut-être, celui que vous pourriez former avec Beaufort ! Mais il semble que, de ce côté, les choses n'aillent pas tout droit. Apparemment, vous êtes toujours à couteaux tirés, vous et lui ? Toujours cette vieille histoire de Selton ? Ou bien n'aimez-vous pas son épouse espagnole ?

Ce verbiage volontairement futile commençait à agacer Marianne. Se retournant d'une seule pièce, elle fit face à Francis et coupa sèchement.

— Assez ! Vous n'êtes pas venu ici, ce soir, pour potiner mais, certainement, dans un but précis. Alors dites-le et allez-vous-en ! Que voulez-vous ? De l'argent ?

Lord Cranmere enveloppa la jeune femme d'un regard amusé puis se mit à rire franchement.

— Je sais que vous n'en manquez plus et que cela ne signifie plus grand-chose pour vous. J'admets volontiers que, pour moi, c'est le contraire qui se produit, mais nous n'en sommes pas encore là...

Il cessa de sourire, se leva et fit deux pas en direction de Marianne. Son beau visage avait revêtu une expression de gravité que la jeune femme ne lui avait jamais vue car elle n'était mitigée ni de hauteur ni de menace.

— En fait, Marianne, c'est un traité de paix que je suis venu vous offrir, si vous voulez bien l'accepter.

— Un traité de paix ? Vous ?

Lentement, Francis alla jusqu'à une petite table sur laquelle Agathe avait disposé une collation au cas où sa maîtresse aurait faim en rentrant du théâtre. Il se versa un verre de champagne, en but environ la moitié et reprit, avec un soupir de satisfaction :

— Mais oui. Je crois que nous aurions à y gagner l'un comme l'autre. Lors de nos dernières rencontres, je m'y suis très mal pris avec vous. J'aurais dû faire preuve de plus de douceur, de doigté. Cela ne m'a pas réussi.

— En effet et, à ne vous rien cacher, je vous croyais mort à cette heure !

— Encore ! Ma chère, fit-il avec une grimace, j'aimerais que vous perdiez cette habitude de me compter perpétuellement au nombre des défunts ! C'est très déprimant... à la longue ! Mais si, par là, vous faites allusion à ce molosse que la police avait attaché à ma personne, sachez que je l'ai perdu en route, tout simplement ! Que voulez-vous, les meilleurs limiers se déroutent quand on sait la chasse. Mais, où en étais-je ? Ah oui ! Je disais que j'avais regretté de m'être montré si brutal envers vous. Il eût été infiniment préférable de s'entendre.

— Et quel genre d'entente proposez-vous ? demanda Marianne que l'allusion à la poursuite dans laquelle s'était lancé son ami Black Fish avait à la fois contrariée et rassurée.

Contrariée parce que, de toute évidence, le policier avait laissé son gibier lui filer entre les doigts et rassurée parce que, si Black Fish avait seulement perdu Francis, du moins était-il encore vivant.

Quand elle avait reconnu l'Anglais, elle avait cru entendre la voix furieuse du Breton affirmant : « Je l'aurai ou j'y laisserai ma peau ! », et son cœur s'était serré en pensant à tout ce que signifiait la présence de Francis bien vivant. Ses craintes étaient vaines et c'était très bien ainsi... Il arrive que les événements trahissent les résolutions les mieux trempées.

Cependant Francis avait calmement achevé son verre de champagne et s'était dirigé vers le petit secrétaire placé entre les deux fenêtres, ouvertes toutes deux sur la nuit du jardin. Parmi les papiers qui le chargeaient, il avait pris un cachet de jade et d'or qui servait à Marianne pour cacheter ses lettres. Et, un instant, il avait contemplé les armes gravées sur le plat.

— Une entente cordiale, bien entendu, dit-il lentement, et aussi une entente... défensive. Vous n'avez plus rien à craindre de moi, Marianne. Notre mariage est rompu, vous êtes remariée et vous portez désormais l'un des plus grands noms d'Europe. Je ne peux que vous en féliciter car, pour moi, la chance s'est montrée moins généreuse. Je dois vivre traqué, caché, dans l'ombre, et tout cela pour servir mon pays qui, d'ailleurs, me paie fort mal. Ma vie est...

— Une vie normale d'espion ! trancha Marianne que les nouveaux sentiments de Francis, étrangement amènes et généreux, laissaient méfiante et sceptique.

Il eut un demi-sourire qui n'atteignit pas ses yeux.

— Vous ne désarmez pas facilement, hein ? Eh bien, soit ! Une vie d'espion ! Mais qui me permet de connaître bien des choses, d'approcher bien des secrets qui seraient, je crois, assez susceptibles de vous intéresser.

— La politique ne m'intéresse pas, Francis, et j'entends, plus que jamais, m'en tenir à l'écart. Mieux vaudrait pour vous de quitter cette maison au plus vite... avant que j'oublie que j'ai porté votre nom pour me souvenir uniquement du fait que vous êtes un ennemi de mon pays et de mon souverain !

Francis leva les bras au ciel.

— Incroyable ! Vous voilà bonapartiste maintenant ? Vous, une aristocrate ! Il est vrai qu'un oreiller est encore la meilleure manière de combattre les convictions hostiles. Mais rassurez-vous, ce n'est pas de ce genre de politique que je souhaitais vous entretenir. Vous ne vous y intéressez pas, soit !... mais ne vous intéressez-vous pas non plus à celle qui touche Beaufort ?

— Qu'est-ce qui peut vous faire croire que M. Beaufort m'intéresse ? fit Marianne en haussant les épaules.

— Non, Marianne, pas à moi ! Je connais bien les femmes et, vous, je vous connais mieux que vous ne le supposez. Non seulement Beaufort vous intéresse, mais vous l'aimez... et il vous aime malgré ce pruneau acariâtre qu'il s'est cru obligé d'épouser. Vous aviez, tout à l'heure, une façon de vous regarder avec fureur qui ne trompe pas un observateur averti. Mais assez tergiversé ! En deux mots : Beaufort court, demain, un grand danger. La question est de savoir si vous voulez le sauver oui ou non.

— Si c'est au duel que vous faites allusion, sachez...

— Mais non ! Bon sang ! Je ne me serais pas dérangé pour un duel. Beaufort est sans doute la meilleure lame de toute l'Amérique. Si je dis qu'il court un danger, c'est qu'il s'agit d'un vrai danger.

— Pourquoi, alors, ne pas aller le lui dire, à lui ?

— Parce qu'il ne m'écouterait pas... et parce

qu'il ne paierait pas pour savoir de quel danger il doit être sauvé. Tandis que vous, vous paierez! N'est-ce pas?

Marianne ne répondit pas, rendue muette par la stupeur et l'indignation. En même temps, elle éprouvait un curieux soulagement. Francis, dans son nouveau personnage, la gênait. Il y avait quelque chose qui ne cadrait pas avec sa nature profonde. Maintenant, elle se retrouvait en terrain connu. Il était bien toujours le même et c'était bien de lui cette idée, de venir à elle pour monnayer le salut d'un ami. Elle ne put s'empêcher de lui laisser entendre sa façon de penser.

— Je croyais qu'il était votre ami? fit-elle dédaigneusement. Il est vrai que, pour vous, l'amitié ne doit pas signifier grand-chose.

— Un ami? C'est beaucoup dire... Le fait d'avoir laissé filer votre fortune entre ses mains ne constitue pas un lien fort tendre. Et les temps sont trop durs pour faire du sentiment. Ceci dit, combien m'offrez-vous en échange de ce que je sais?

Sous la désinvolture des paroles, l'avidité se devinait. Marianne regarda avec dégoût cet homme jeune, incontestablement beau et de grande allure, très élégant dans son frac de velours vert sombre. Ses cheveux blonds étaient coiffés de la façon qui convenait le mieux à ses traits presque trop parfaits et ses mains fines étaient aussi belles, aussi blanches que celles du cardinal de San Lorenzo. Son sourire, malgré la froide indifférence du regard gris, était plein de charme. Et, cependant, l'âme qui animait ce beau gentilhomme n'était que boue glaciale, désespérant marais d'égoïsme, de cruauté, de fausseté et de bassesse. Une âme que son propriétaire eût vendue sans hésitation pour un peu d'or... « Dire que je l'ai aimé! » pensa Marianne avec dégoût, « dire que durant des mois il a incarné pour moi tous les héros de roman, tous les chevaliers de la Table Ronde ! Dire que tante Ellis voyait en lui le parangon de toutes les vertus ! Quelle dérision !... »

Mais, avant tout, il s'agissait de garder son calme, même et surtout si une véritable peur commençait à l'envahir. Elle connaissait trop Cranmere, maintenant, pour savoir qu'il ne menaçait jamais en vain. Son chantage avait certainement une terrible réalité pour base, une réalité dont Jason allait faire les frais si elle ne payait pas. Et maintenant que Francis avait découvert son amour pour Beaufort, il ne lâcherait pas prise facilement. Pour empêcher ses nerfs de la trahir, Marianne noua ses mains derrière son dos et les serra très fort l'une contre l'autre. Aussi son visage n'était-il qu'indifférence quand elle demanda :

— Et si je refusais de payer ?

— Alors, je garderais mes informations pour moi... mais je ne crois pas que nous en arrivions là, n'est-ce pas ? Disons... vingt-cinq mille livres ? Le prix est raisonnable, il me semble ?

— Raisonnable ? Mais vous ne doutez vraiment de rien ! Vous me prenez pour quoi ? Pour la Banque de France ?

— Ne soyez donc pas mesquine, Marianne ! Je sais que vous avez fait un très riche mariage et que pour vous vingt-cinq mille livres sont une misère ! D'ailleurs, si je n'avais un tel besoin d'argent, je me serais montré plus exigeant, mais je dois avoir quitté Paris à l'aube. Alors, assez de tergiversations ! Voulez-vous, oui ou non, savoir ce qui menace Beaufort ? Je vous jure que si vous n'acceptez pas, demain, à pareille heure, il sera mort !

Un frisson de terreur courut tout le long du dos de Marianne. Elle eut la vision soudaine d'un monde où

Jason ne serait plus et comprit qu'alors plus rien ne serait capable de l'empêcher de le rejoindre dans la mort. Qu'importait l'argent à côté d'un semblable malheur, cet argent qui, pour Cranmere, était la suprême félicité et, pour Marianne, moins que rien. Depuis son mariage, en effet, d'énormes sommes étaient tenues à sa disposition par les hommes d'affaires du prince Sant'Anna. Elle adressa à l'Anglais un regard lourd de dégoût :

— Attendez-moi un instant ! Je vais chercher l'argent.

Comme elle se dirigeait vers la porte, Cranmere fronça les sourcils et tendit la main comme s'il cherchait à la retenir. Elle lui adressa alors un froid sourire :

— Qu'avez-vous à craindre ? Que je n'appelle à l'aide et vous fasse arrêter ? Dans ce cas, rien, j'imagine, ne pourrait sauver Jason Beaufort ?

— Rien, en effet ! Allez donc, je vous attends.

Marianne ne gardait jamais d'argent dans sa chambre. C'était Arcadius de Jolival qui, d'imprésario promu au rang d'homme d'affaires de la nouvelle princesse, s'en chargeait. Un coffre, encastré dans un mur de sa chambre, renfermait toujours une assez forte somme d'argent et les bijoux de Marianne. Lui seul et la jeune femme en avaient la clef. Marianne se dirigea donc vers sa chambre, après s'être assurée, malgré tout, que Francis ne la suivait pas.

Arcadius était absent, ces temps-ci. Il avait quitté Paris pour Aix-la-Chapelle, sous prétexte d'y faire une cure dans les eaux chaudes et chlorurées qui faisaient la gloire de l'ancienne capitale de Charlemagne et y attiraient une bonne partie de l'Europe. Quand Marianne, un peu étonnée de cette subite fringale de cure thermale, s'était inquiétée de sa santé, Arcadius s'était déclaré perclus de rhumatismes et à deux doigts d'une dramatique et définitive extinction de voix. Du coup, Marianne avait trouvé que cela faisait beaucoup et s'était contentée de lui souhaiter bon voyage en ajoutant :

— Vous embrasserez Adélaïde pour moi... et vous lui direz qu'elle me manque beaucoup. Si elle pouvait revenir...

A la mine soudain radieuse de son vieil ami, elle avait compris qu'elle avait vu juste et s'était émue de découvrir chez Arcadius quelque chose qui ressemblait fort à une tendresse cachée.

Marianne entra vivement dans la chambre vide, referma soigneusement la porte, tira même le verrou et, un instant, s'y adossa, cherchant à reprendre son souffle. Son cœur battait à tout rompre, comme si cette chambre était une chambre étrangère qu'elle s'apprêtait à cambrioler. Elle avait peur sans bien savoir exactement pourquoi. Peut-être simplement parce que, partout où il était, Francis Cranmere dégageait une atmosphère dangereuse et trouble. Elle n'avait qu'une hâte : le voir filer. Ensuite, elle pourrait courir avertir Jason de ce danger mystérieux dont la révélation coûtait si cher.

Reprenant un peu le contrôle de ses nerfs, Marianne prit la clef du coffre dans une minuscule cachette creusée dans le pied d'acajou massif du lit et dissimulée par un motif de bronze doré qui pivotait. Elle alla ensuite ouvrir l'un des panneaux tendus de soie verte qui habillaient les murs en déplaçant la palmette d'une moulure et découvrit enfin une armoire de fer. Des piles d'écrins, des liasses de billets de la Banque de France et deux sacs d'or apparurent. Sans hésiter, Marianne prit trois liasses, en mit deux de côté, compta la troisième, rangea ce qu'elle en retira puis, refermant soigneusement armoire, panneau et cachette, elle quitta la chambre d'Arcadius serrant contre elle ce qu'elle considérait comme la rançon de Jason. La maison était toujours silencieuse. Les serviteurs dans les communs et Agathe dans sa petite chambre proche de celle de sa maîtresse dormaient, à cent lieues d'imaginer le drame qui se jouait sous le toit de leur maîtresse. Mais, pour rien au monde, Marianne n'eût voulu que ses serviteurs fussent mêlés à cette histoire.

En apercevant les billets dans les mains de Marianne, Francis Cranmere se renfrogna.

— J'aurais préféré de l'or !

— Je n'ai pas la somme en or. Et ne m'en contez pas, Francis, vous avez certainement un ami banquier qui vous les escomptera... ne fût-ce qu'à Londres votre ami Baring.

— Tiens ? Vous savez cela ?

— Je sais beaucoup de choses. Par exemple pourquoi vous pouviez vous promener si aisément dans Paris quand Fouché était ministre de la Police. Mais Fouché n'est plus ministre.

— C'est pourquoi je ne peux m'attarder. Donnez ces billets, je m'en arrangerai.

Vivement, Marianne retira ses mains et les plaça derrière son dos, déposant les billets sur une console.

— Un instant ! Vous les prendrez avant de partir. Maintenant, vous allez parler.

Son cœur manqua un battement. Les yeux de Francis cherchaient l'argent et s'étaient rétrécis jusqu'à n'être plus que deux minces fentes grises. Il avait rougi aussi et elle comprit que la fièvre de l'argent le reprenait. Rien ne l'empêchait de se jeter sur elle, de l'assommer, de prendre les billets et de fuir avec. Peut-être qu'après tout il n'avait rien à dire.

Saisie d'une brusque colère, elle s'élança, courut à une précieuse commode de bois des Iles, ouvrit une boîte posée dessus et tirant l'un des pistolets de duel, tous chargés, qui dormaient là sur un lit de peluche rouge, elle fit brusquement face à Francis, braquant l'arme.

— Si vous touchez à cet argent sans avoir parlé, vous ne ferez pas un autre pas vers la porte. Vous savez que je tire juste !

— Quelle mouche vous pique ? Je n'ai pas l'intention de vous voler et, en vérité, cela tient en peu de mots.

Cela tenait, en effet, en peu de mots. Jason Beaufort devait se rendre, le lendemain soir, chez Quintin Crawfurd, rue d'Anjou, sous couleur de visiter sa célèbre collection de peintures, en réalité pour y rencontrer un émissaire de Fouché, actuellement exilé, mais nullement guéri de sa soif de pouvoir et décidé à revenir par tous les moyens, même la haute trahison, plus deux farouches fanatiques du roi en exil, le chevalier de Bruslart, bien connu de Marianne, et le baron de Vitrolles.

— Savary est prévenu, ajouta Cranmere. Les quatre hommes seront discrètement arrêtés avant même d'avoir franchi le seuil de Crawfurd, conduits à Vincennes et fusillés avant que l'aube ne soit levée.

Marianne bondit :

— Vous êtes fou ! Exécuter ainsi quatre hommes sans jugement, sans un ordre exprès de l'Empereur ?

Le beau visage de Francis se plissa en un sourire moqueur.

— Avez-vous oublié que Savary est l'homme qui a assassiné le duc d'Enghien ? Buonaparte est à Compiègne et il s'agit cette fois d'agents ennemis.

— Jason un agent de l'ennemi ? A qui ferez-vous croire cela ?

— Mais... à vous, ma chère. Comme beaucoup d'hommes de bon sens, il estime que la paix avec l'Angleterre est nécessaire pour une foule de raisons dont la meilleure est la bonne marche du commerce. Cette paix, on la fera avec ou sans Boney! Le roi Louis XVIII lui est tout acquis.

Une rage folle envahissait Marianne. Elle ressentait comme une injure personnelle cette assimilation de Jason, de l'homme qu'elle aimait, à ces politiques tortueux et sans scrupules qui, pour leur seul intérêt, étaient prêts à renverser les empires et à rétablir n'importe quel fantoche épuisé sur un trône encore sanglant.

— Il y a une chose que vous ignorez peut-être! Jason admire et aime Napoléon. Oubliez-vous qu'il est auprès de lui l'envoyé de son gouvernement?

— Un envoyé officieux, ce qui est une situation bien pratique. Oubliez-vous, de votre côté, que Beaufort a toujours besoin d'argent? Il me semble que nous sommes payés, vous et moi, pour le savoir!

— Il n'y a pas que lui!

— Oubliez-vous, continua Francis, en ignorant volontairement l'interruption, en quelles circonstances vous l'avez connu? A Selton, en Angleterre... et dans le groupe des intimes du Prince de Galles! Voulez-vous une preuve de plus? Ce corsaire anglais qu'il a si opportunément laissé fuir, voici peu de temps, sous prétexte que l'Amérique n'est pas en guerre avec l'Angleterre, ce corsaire, en fait, était fort important car il revenait d'Espagne et portait des dépêches de Wellington que celui-ci avait jugé plus prudent de confier à un navire rapide. Or, pour un navire marchand, la *Sorcière de la Mer* est singulièrement bien armée, mieux que le *Revenge* et plus rapide encore. Êtes-vous convaincue?

Marianne n'eut pas le courage de répondre. Elle détourna la tête. Bien sûr, elle ne pouvait pas reprocher à Jason de préférer aux intérêts de la France les intérêts de son pays, mais l'idée qu'il pût revenir en France sous le couvert de l'amitié, être reçu par l'Empereur, traité avec honneur en s'abouchant avec les pires ennemis du souverain français, lui était insupportable. Mais il était indéniable que les arguments de Francis ne manquaient pas de valeur. Avant d'approcher Napoléon, Jason Beaufort était, bien réellement, l'ami du prince anglais, au point de compter parmi ses intimes.

Au bout d'un moment, quand elle eut fait le tour de la question, elle remarqua :

— Il y a quelque chose que je ne comprends pas. Vous venez ici me vendre une information qui peut sauver Mr Beaufort... mais cette information ne le concerne pas uniquement. Il y a Crawfurd... et les trois autres.

— Si Crawfurd a des ennuis, il s'en arrangera seul, fit Francis avec un rire sec. Car, si Savary a eu vent de la chose, il ne faut pas chercher beaucoup plus loin la source de ses renseignements.

— Vous voulez dire...

— Que Crawfurd se trouve fort bien à Paris et que, l'âge venu, il tient beaucoup plus à sa tranquillité qu'à des convictions pour lesquelles il estime sans doute, et sûrement avec quelque raison, qu'il a suffisamment payé de sa bourse et de sa personne. Rassurez-vous, Crawfurd ne craint certainement rien. Quant aux autres, je m'en charge.

— L'un d'eux peut avoir la pensée charitable de prévenir Beaufort ?

— Ils n'auront que le temps de se mettre eux-mêmes à l'abri. Ai-je gagné mon argent ?

D'un signe de tête, Marianne acquiesça. Sa main

armée retomba et elle reposa le pistolet dans son écrin tandis que Francis allait lentement vers la console. Silencieusement, il enfouit l'argent dans ses vastes poches, salua profondément et se dirigea vers la fenêtre. Marianne avait hâte, maintenant, qu'il fût parti. Le marché qu'ils venaient de conclure ensemble, s'il n'avait pas augmenté la haine qu'elle portait à cet homme, avait du moins aboli la peur qu'il lui avait inspirée depuis la soirée du théâtre Feydeau et considérablement accru son mépris. Elle savait maintenant qu'avec un peu d'or il lui serait toujours possible de museler Cranmere et de l'empêcher de nuire. Et l'or était ce qui, désormais, lui manquerait le moins. Plus difficiles à assimiler allaient être ses révélations concernant Jason. Marianne n'arrivait pas à admettre, malgré les faits, que son ami fût seulement un espion. Et pourtant...

L'Anglais allait passer sur le balcon pour l'enjamber et se laisser glisser dans le jardin quand il se ravisa.

— J'oubliais ! Comment comptez-vous prévenir Beaufort ? Vous allez lui écrire ?

— Je crois que cela ne vous concerne pas. Je le préviendrai comme bon me semblera.

— Vous connaissez son adresse ?

— Il m'a dit qu'il habitait à Passy, la maison d'un ami, le banquier Baguenault.

— En effet. C'est, en bordure de Seine, une grande et belle maison, entourée d'un parc en terrasses. Elle appartenait, avant la Révolution, à la princesse de Lamballe et c'est sous ce nom qu'elle est encore connue dans le quartier. Mais, si vous me permettez de vous donner un conseil...

— Donner ? Vous ?

— Pourquoi pas ? Vous avez été généreuse, je vais l'être aussi en vous évitant une sottise. N'écrivez pas. Dans ce genre d'affaires on ne sait jamais ce qui peut se produire et, au cas où la police en viendrait à perquisitionner chez Beaufort, il serait dangereux pour vous que l'on y trouvât une lettre de vous. Quand il n'y a pas de traces, il n'y a pas de preuves, Marianne, et, dans certains cas, votre intimité avec l'Empereur pourrait se retourner contre vous. Le mieux est que vous vous rendiez personnellement chez Beaufort... disons, demain soir vers 9 heures ? Le rendez-vous chez Crawfurd est pour 11 heures. Beaufort sera encore chez lui.

— Qu'en savez-vous ? Il peut fort bien être absent tout le jour.

— Oui, mais ce que je sais, de source sûre, c'est qu'il recevra, demain soir, vers 8 heures, une importante visite. Donc, il sera chez lui.

Marianne regarda Cranmere avec curiosité.

— Comment faites-vous pour être si bien renseigné ? On jurerait que Jason ne prend aucune décision ou n'accepte aucun rendez-vous sans vous en informer auparavant.

— Ma chère, dans le métier que je fais, le fait de savoir le plus de choses possibles, concernant amis ou ennemis, est souvent une simple question de vie ou de mort. Après tout, vous êtes parfaitement libre de ne pas me croire et d'agir comme bon vous semblera... mais ne m'incriminez pas si, en agissant à la légère, vous déclenchez une catastrophe.

Marianne eut un geste d'impatience. Elle n'avait qu'une hâte : le voir partir et, ensuite, courir vers Jason sans perdre une minute, y aller tout de suite afin d'être bien certaine qu'il n'irait pas à ce rendez-vous insensé. Mais ce qu'elle pensait apparaissait si clairement sur son visage mobile que Cranmere n'eut aucun mal à le saisir. Négligemment, comme s'il s'agissait d'une chose sans importance, il remarqua, tout en redressant d'un doigt distrait un pli de sa haute cravate :

— Courir à Passy à cette heure ne servirait pas à grand-chose, car vous auriez un mal du diable à être reçue... La... *señora* Pilar (c'est bien son nom ?) veille sur son bonheur conjugal aussi jalousement que le premier Jason sur sa fameuse Toison d'or. Vous ne verriez qu'elle seule... tandis que je puis vous assurer que, demain soir, cette gracieuse dame se trouvera à Mortefontaine, chez cette étrange reine d'Espagne que l'on a fabriquée avec une petite-bourgeoise marseillaise. Cette malheureuse reine Julie, puisqu'il faut l'appeler ainsi, estime de son devoir d'attirer à elle tout ce qui peut avoir le moindre rapport avec l'Espagne où, d'ailleurs, elle ne mettra sans doute jamais les pieds, son noble époux préférant de beaucoup la laisser dans son coin. Où en étais-je ?...

— Vous étiez sur le point de partir ! lança Marianne crispée.

— Un peu de patience ! Je suis en train de me conduire en preux chevalier, cela vaut la peine de perdre quelques instants. Je disais donc... ah oui ! Que demain la *señora* ne sera point au logis, que vous aurez la route libre, ma chère princesse, et que... si Beaufort n'est pas un parfait imbécile, il ne tiendra qu'à vous de ne rentrer ici qu'au matin.

Les joues de Marianne se mirent à brûler tandis que son cœur, lui, manquait un battement. Ce que les derniers mots de Cranmere sous-entendaient n'était que trop clair !... Mais si la perspective qu'ils évoquaient avait le pouvoir de la faire trembler de bonheur, ils n'en prenaient pas moins dans cette bouche cynique un sens équivoque et douteux qui lui déplaisait. Cette espèce de bénédiction que lui donnait Francis lui semblait souiller son amour.

— Que d'attentions! ironisa-t-elle amèrement. Ma parole, on jurerait que l'idée maîtresse de votre vie est toujours de me jeter à tout prix dans les bras de Mr Beaufort?

Dans sa poche, Cranmere froissa la liasse de billets.

— Vingt-cinq mille livres sont une belle somme! fit-il négligemment.

Puis, d'un seul coup, son attitude changea. Se jetant sur Marianne, il saisit son poignet qu'il serra à lui faire mal, tandis qu'il grondait d'une voix furieuse:

— Hypocrite! Espèce de sale petite hypocrite! Tu n'as même pas le courage d'avouer ton amour! Mais il suffisait de regarder l'expression de ton visage, dans cette loge de théâtre, pour comprendre que tu crèves d'envie d'être à lui! Seulement, ce serait trop humiliant, n'est-ce pas, d'avouer qu'après la farce de Selton, après tes grands airs et ta vertueuse indignation, tu en es venue à l'aimer! Combien de fois, dis-moi, as-tu regretté ton attitude stupide? Combien de nuits solitaires as-tu gaspillées à regretter cette nuit-là? Dis? Combien?...

D'une brusque torsion de son bras, Marianne l'arracha de la main qui le serrait puis, courant vers son lit, elle saisit le gland doré de la sonnette.

— Sortez d'ici! Vous avez votre argent, alors, partez! Et vite, sinon j'appelle mes gens!

La colère disparut comme un nuage de la figure crispée de Francis. Il prit une profonde respiration, haussa les épaules et se dirigea lentement vers la fenêtre.

— Inutile! Je m'en vais! Dans un instant, vous allez me dire que cela ne me regarde pas et, après tout, vous avez raison. Mais je ne peux m'empêcher de penser que... tout eût peut-être été différent si vous aviez été moins sotte!

— Et vous moins vil ! Écoutez ceci, Francis : je n'ai jamais rien regretté de ce qui s'est passé et je ne regrette encore rien.

— Pourquoi ? Parce que Napoléon vous a appris l'amour et vous a faite princesse ?

Négligeant l'interrogation, Marianne secoua la tête.

— A Selton, vous m'avez rendu un immense service en me donnant le goût de la liberté. Votre seule excuse, si tant est que vous en eussiez une, est d'avoir tout ignoré de moi. Vous me croyiez faite du même bois que vous ou vos amis et c'était une erreur. Quant à Jason, je suis prête à crier au monde entier que je l'aime, et de cela aussi je peux vous remercier car, si j'avais souscrit à votre répugnant marché, je ne l'aimerais pas autant ! Enfin, si j'ai regretté quelque chose, c'est de n'avoir pas compris immédiatement l'homme qu'il était et de ne l'avoir pas suivi, comme il me l'a demandé la première nuit... mais j'ai, grâce à Dieu, assez d'amour et assez de jeunesse pour attendre le bonheur autant qu'il le faudra ! Parce que je sais, je sens, qu'un jour je le tiendrai...

— Eh bien, mais... c'est tout le mal que je vous souhaite !

Et sans rien ajouter de plus, il sortit sur le balcon, enjamba la balustrade et se laissa glisser au-dehors. Un instant, Marianne, qui s'était avancée vers la fenêtre, vit ses mains très blanches accrochées à l'appui de fer forgé. Puis il y eut le choc sourd d'une chute, immédiatement suivi de pas légers, rapides, fuyant vers le mur de la maison voisine. Machinalement, Marianne franchit à son tour la porte-fenêtre et fit quelques pas sur le balcon, cherchant, à la fois, à calmer l'agitation de son cœur et à mettre de l'ordre dans ses idées.

Sa première impulsion la poussait à sonner Gracchus pour demander ses chevaux et à se faire conduire à Passy sans plus tarder, mais les paroles de Francis trouvaient leur chemin dans son esprit et, malgré tout ce qu'elle savait de lui, elle ne pouvait s'empêcher d'en reconnaître la justesse. Qui pouvait dire comment réagirait l'Espagnole quand elle apparaîtrait devant elle, au cœur de la nuit ? Accepterait-elle seulement d'avertir son mari ? Ou bien trouverait-elle, dans l'aversion que lui inspirait Marianne, une excellente raison de ne pas croire un mot de ce qu'elle lui dirait ? Et si, pour attirer malgré tout l'attention de Jason, Marianne faisait du tapage, n'en résulterait-il pas un scandale qui ne ferait de bien à personne ?... L'idée d'envoyer Gracchus seul, avec un mot, ne la séduisait pas davantage parce qu'elle savait qu'elle n'aurait ni trêve ni repos tant qu'elle ne serait pas pleinement rassurée sur le sort de Jason. Peut-être n'aurait-elle pas trop de toutes ses supplications, de toutes ses larmes, pour le faire renoncer à un rendez-vous dont il attendait peut-être beaucoup... Le mieux serait sans doute d'attendre le jour et, dès son lever, de se faire conduire chez Beaufort.

Oppressée, Marianne passa sur son front une main qui tremblait et respira profondément deux ou trois fois pour essayer de calmer les battements désordonnés de son cœur. La nuit était silencieuse et douce. Sa voûte profonde scintillait d'étoiles et, du jardin, avec le murmure argentin et mélancolique du petit jet d'eau, montait le parfum des roses et du chèvrefeuille. C'était une nuit qu'il devait faire bon vivre à deux et Marianne poussa un soupir en songeant à cet étrange et tenace caprice du destin qui semblait la condamner, elle que tant d'hommes désiraient, à une perpétuelle solitude. Femme sans mari, maîtresse sans amant, mère privée de l'enfant dont, à l'avance, elle chérissait la forme fragile et si souvent imaginée, n'y avait-il pas là une injustice du destin, une espèce de dérision ? Que faisaient, à l'heure présente, les hommes qui pesaient de quelque poids dans sa vie ? Celui qui venait de partir si rapidement avec, dans les yeux, une étrange expression de lassitude, que faisait-il maintenant, chez Mme Atkins, cette femme douce et romanesque dont toute la vie n'était plus que la longue attente du retour de l'Enfant du Temple, de ce petit Louis XVII qu'elle était persuadée d'avoir contribué à arracher de sa prison ? Que faisait le centaure masqué de blanc de la *villa* Sant'Anna, dont l'effroyable solitude semblait vouloir se refléter dans celle de son artificielle épouse ? Quant à ce que pouvait faire Napoléon, sous les lambris dorés de Compiègne, en compagnie de son Autrichienne et en admettant qu'il ne soit pas occupé à soigner l'une des multiples indigestions d'une épouse aimant un peu trop la pâtisserie, Marianne l'imaginait sans peine, mais n'en éprouvait plus aucune souffrance. L'éclat et l'ardeur du soleil impérial, un temps, l'avaient éblouie, mais le soleil s'était couché dans un lit bourgeoisement conjugal et en avait quelque peu perdu de sa fascination.

Infiniment plus douloureuse était l'évocation de Jason, menacé d'un danger mortel, mais caché à cette minute, avec Pilar, dans cette ravissante demeure des bords de Seine que Marianne plus d'une fois avait admirée. Le grand jardin étalé en terrasses devait avoir bien du charme à cette heure nocturne... mais la sévère Pilar, qui n'aimait pas la France, était-elle capable de sentir la séduction de ce parc désuet et charmant ? Elle devait préférer prier un dieu d'orgueil et d'implacable justice dans la solitude retirée d'un oratoire bien clos !...

Soudain, Marianne tourna le dos à cette nuit par trop nostalgique, dans un mouvement plein de rancune, et regagna sa chambre. Dans l'un des candélabres de la cheminée, une bougie fumait, menaçant de s'éteindre, et la jeune femme souffla tout le chandelier... La chambre ne fut plus éclairée que par les petites lampes à huile placées au chevet du lit et s'emplit ainsi d'une mystérieuse lueur rose. Mais le charme ouaté de la chambre, l'appel du lit douillet n'agissaient plus sur Marianne. Elle venait de décider qu'elle se rendrait sur l'heure à Passy, quelles qu'en puissent être les conséquences! Elle savait qu'elle ne pourrait pas trouver le repos tant qu'elle n'aurait pas vu Jason, quitte, pour cela, à passer, s'il le fallait, sur le corps de l'odieuse Pilar, quitte à ameuter tout le quartier!... Mais d'abord, changer de costume...

Marianne commença à se dévêtir, ôtant le casque de plumes pourpres qui commençait à lui tirer douloureusement les cheveux puis, à pleines mains, fourragea dans sa chevelure qui croula comme un noir serpent jusqu'au creux de ses reins. La robe de mousseline fut plus difficile à ôter. Un instant, Marianne, énervée par les multiples agrafes, fut sur le point d'appeler Agathe, mais, soudain, elle se souvint que cette robe avait déplu à Jason et, avec colère, elle tira sur le fragile tissu, arrachant la fermeture. Désormais vêtue d'une courte chemise de batiste attachée aux épaules par de minces rubans de satin blanc, elle s'assit pour changer de chaussures. C'est alors que la sensation d'une présence lui fit lever les yeux. Un homme, en effet, s'encadrait dans le chambranle de la fenêtre et restait là, immobile, à la regarder.

Avec une exclamation indignée, Marianne bondit sur un saut-de-lit de moire verte posé sur un fauteuil et s'en drapa hâtivement. Un instant, dans l'ombre, elle avait cru que Francis revenait. Elle avait seulement aperçu des cheveux blonds. Mais, en regardant mieux, elle comprit que la ressemblance s'arrêtait là et, très vite, avant même qu'il eût parlé, elle le reconnut. C'était Tchernytchev. Immobile comme une statue sombre dans son sévère uniforme vert foncé, le courrier du Tzar la dévorait des yeux. Mais des yeux si luisants et si fixes que quelque chose se bloqua dans la gorge de la jeune femme. Visiblement, le Russe n'était pas dans son état normal. Peut-être avait-il bu? Elle savait déjà qu'il pouvait engloutir de prodigieuses quantités d'alcool sans perdre un pouce de sa dignité.

D'une voix basse, que l'inquiétude feutrait, Marianne ordonna :

— Allez-vous-en! Comment osez-vous pénétrer chez moi?

Il ne répondit pas, fit seulement un pas en avant, puis un autre, et, se retournant, ferma rapidement la fenêtre. Voyant qu'il allait aussi fermer l'autre, Marianne s'y jeta et se cramponna au montant.

— Je vous ai déjà dit de partir! gronda-t-elle. Est-ce que vous êtes sourd? Je vais appeler si vous ne disparaissez pas immédiatement.

Toujours pas de réponse, mais la main de Tchernytchev s'abattit sur l'épaule de la jeune femme, l'arracha de la fenêtre et l'envoya rouler sur le tapis à quelques pas de là, contre le pied du canapé qui lui arracha un cri de douleur. Pendant ce temps, le Russe, posément, fermait l'autre fenêtre puis revenait vers Marianne. Sa façon d'agir était celle d'un automate et Marianne, épouvantée, ne douta plus un instant qu'il ne fût totalement ivre. Quand il s'était approché d'elle, une puissante odeur d'alcool était montée à ses narines.

Pour lui échapper, elle essaya de se glisser sous le canapé, mais il était déjà sur elle. Avec la même force irrésistible, il l'enleva de terre et alla la déposer sur le lit malgré la défense vigoureuse qu'elle lui opposait. Elle cherchait vainement à crier : une main brutale s'était abattue sur sa bouche et, d'ailleurs, les obliques yeux verts du Russe luisaient, dans l'ombre, à la manière des yeux de chat et d'un feu tellement sinistre qu'une véritable terreur s'infiltra dans les veines de la jeune femme.

Il la lâcha un instant, mais ce fut pour arracher les cordelières d'or qui retenaient, au baldaquin, les rideaux de moire bleu-vert. En retombant, ils enveloppèrent le lit d'une ombre glauque où la veilleuse mettait un point d'or, mais Marianne n'eut même pas le temps de protester. En un tournemain, ses poignets furent liés à la tête du lit. Elle voulut crier mais sa voix s'étrangla dans sa gorge : une main péremptoire venait de lui fourrer dans la bouche un mouchoir roulé en boule.

Presque réduite à l'immobilité, Marianne ne s'en tordit pas moins comme une couleuvre, cherchant contre tout espoir à échapper à son tourmenteur et ne réussissant guère qu'à meurtrir douloureusement ses poignets que les fils d'or entamèrent. C'était bien peine perdue. Tchernytchev réussit sans peine à immobiliser ses jambes en se couchant dessus et attacha chaque cheville à un pied du lit. Cette fois, Marianne, à peu près écartelée, ne pouvait plus bouger. Le Russe, alors, se releva, considéra sa victime avec satisfaction.

— Tu t'es bien moquée de moi, Aniouchka ! fit-il d'une voix si lourde qu'elle en était difficilement intelligible. Mais, tu vois, c'est fini de rire ! Aussi, tu as été trop loin, vois-tu ! M'obliger à renoncer à tuer cet homme que tu aimes, c'était une grosse sottise parce que je n'ai jamais laissé un défi derrière moi. Tu as touché à mon honneur en te servant de mon devoir pour protéger ton amant et, pour cela, je vais te punir...

Il parlait posément, lentement, un mot coulant après l'autre, avec la monotonie d'un enfant répétant une leçon cent fois répétée.

« Il est fou ! » songea Marianne qui, cependant, n'hésita que très peu pour conjecturer la manière dont Tchernytchev entendait la punir. Elle pensa qu'il allait la violer. Et, de fait, jugeant sans doute, du fond de son ivresse, qu'il en avait assez dit comme cela, le Russe ouvrit le peignoir vert, déchira la chemise sur toute sa longueur et en écarta les pans mais sans toucher, même du bout des doigts, la peau nue de Marianne. Puis, se redressant de toute sa hauteur et sans même regarder la jeune femme, il se mit à se déshabiller aussi calmement que s'il avait été dans sa chambre.

A demi étranglée par le mouchoir qui, trop enfoncé dans sa gorge, lui donnait des haut-le-cœur, Marianne le vit avec horreur dévoiler un corps aussi blanc et aussi bien bâti que celui d'un dieu de marbre grec, mais à peu près aussi velu que celui d'un renard roux. Ce corps, sans autre formalité, s'abattit sur le sien. Ce qui suivit fut incroyablement violent, rapide et, pour Marianne, aussi désagréable qu'ennuyeux. Ce cosaque ivre mettait à faire l'amour la même application et la même fureur que s'il avait administré le knout à un moujik récalcitrant. Non seulement il ne cherchait pas à éveiller un plaisir quelconque chez sa compagne, mais il semblait s'évertuer à la faire souffrir au maximum. Heureusement, la nature vint au secours de Marianne et son supplice, qu'elle subit sans une plainte, ne dura pas longtemps.

Défaillante et presque étouffée elle crut renaître quand son bourreau se releva, pensant qu'il allait maintenant la délivrer, puis se décider enfin à prendre la route de Moscou. Mais, toujours sur le même ton monocorde, Tchernytchev annonça :

— Maintenant, je vais t'enlever pour toujours le moyen de m'oublier. Aucun homme ne pourra plus t'approcher sans savoir que tu es mon bien.

Apparemment, il n'en avait pas fini avec elle et Marianne, éperdue, le vit ôter calmement de son doigt une de ces grosses chevalières d'or dont le chaton, gravé aux armes, servait à cacheter les lettres, et en présenter la gravure à la flamme de la veilleuse. En même temps, il examinait le corps de la jeune femme, semblant chercher quelque chose sur la peau brillante de sueur. Mais Marianne, qui avait compris ce qu'il voulait faire, se mit à gémir et à se tordre dans ses liens avec une si violente énergie que le Russe, dont la main d'ailleurs n'était peut-être pas très sûre, manqua son but. Il avait visé le ventre, mais ce fut sur la hanche de Marianne qu'il appliqua le sceau brûlant...

La douleur fut si atroce que, malgré le bâillon, un cri d'agonie jaillit de la gorge de Marianne. Il eut pour écho un ricanement d'ivrogne satisfait... et le bruit d'une vitre brisée. A demi morte, Marianne entendit ouvrir violemment sa fenêtre et, comme du fond d'un rêve, vit s'effondrer d'un seul coup les rideaux qui protégeaient son lit, tandis qu'à la place se dressait la silhouette sombre d'un homme en uniforme de hussard, dont la main droite tenait un sabre nu. Devant le spectacle inattendu qui s'offrait à lui, le nouveau venu jura superbement :

— Et bien ! fit-il avec un bel accent périgourdin qui parut à Marianne la plus douce musique du monde, j'ai vu bien des piqués dans ma chienne de vie, mais des comme toi !...

Marianne souffrait trop de sa hanche brûlée et elle était passée par trop d'émotions durant cette incroyable nuit pour s'étonner encore de quoi que ce soit. Découvrir, au pied de son lit et l'épée à la main, le bouillant Fournier-Sarlovèze, l'amant préféré de Fortunée Hamelin, n'avait même plus de quoi la surprendre... D'ailleurs, après avoir intimé au Russe qui, de surprise, s'était assis sur le lit l'ordre de s'habiller « et un peu vite ! » avant d'en découdre avec lui, le beau François s'occupait hâtivement de Marianne, ôtait enfin le mouchoir sous lequel elle suffoquait, tranchait les liens dorés et ramenait pudiquement la lingerie déchirée sur le corps blessé, le tout sans cesser de parler.

— On dirait que j'ai eu une bonne idée de passer par la rue de l'Université ! fit-il joyeusement. Je pensais d'ailleurs à vous, belle dame, et me disais qu'il me fallait vous rendre bientôt visite pour vous remercier de m'avoir tiré de prison, quand j'ai vu ce personnage en train d'escalader le mur de votre jardin. La première idée qui m'est venue est qu'il venait en galant impatiemment attendu. Mais un amant attendu par une dame vivant seule n'a aucun besoin de râper ses vêtements en franchissant les murailles. Quand je vais chez Fortunée, j'y vais comme tout le monde : par la porte... Sa conduite m'a donc intrigué. Et puis, à ne vous rien cacher, je n'aime pas les Russes et celui-là moins encore que tous ses frères. Après quelques hésitations, je me suis décidé à prendre le même chemin. Une fois dans le jardin, j'ai failli rebrousser chemin. Il n'y avait plus trace de rien et les fenêtres, si elles étaient éclairées, étaient fermées. Du diable si je sais pourquoi je suis monté jusqu'ici ! Peut-être par curiosité ! J'adore me mêler de ce qui ne me regarde pas ! conclut-il, tandis que Tchernytchev, toujours avec les mêmes gestes automatiques, se rhabillait sans prêter la moindre attention à ce qui se passait auprès de lui.

Mais il fut brutalement rappelé à la réalité. A peine libérée, et sans souci de sa douleur, Marianne avait bondi de son lit. Se ruant sur son bourreau, elle lui appliqua deux maîtresses gifles, puis, saisissant une précieuse potiche de Chine rose qui, avec son pied de bronze, pesait un certain poids, elle la souleva, emportée au-delà d'elle-même par la fureur, et la lui brisa sur la tête.

Le vase s'éparpilla en mille morceaux, mais le Russe ne tomba pas. Ses yeux s'ouvrirent sous l'effet d'une immense surprise et il vacilla légèrement. Puis il s'assit lourdement sur le bord du lit tandis que Fournier-Sarlovèze éclatait d'un rire sonore qui couvrit le flot d'injures dont Marianne abreuvait son adversaire. Cependant, comme sur sa lancée, elle se précipitait vers l'autre potiche jumelle pour lui faire subir le même sort, le général des hussards s'interposa.

— Hé là ! Doucement, jeune dame ! D'aussi belles choses ne méritent pas un sort aussi tragique !

— Et moi ? Est-ce que je méritais ce que cette brute sauvage m'a fait subir ?

— Justement ! Il n'y a aucune raison de vous priver, au surplus, d'objets auxquels vous devez tenir quelque peu ! Que ne prenez-vous le tisonnier, ou un chenet ?... Non, ajouta-t-il vivement en voyant Marianne regarder d'un œil brillant le lourd tisonnier de bronze, laissez cela ! Tout compte fait, j'aime mieux le tuer moi-même.

Péniblement, car sa blessure au côté lui faisait éprouver de cruels élancements, Marianne parvint à sourire à ce paladin inattendu. Elle n'arrivait plus à comprendre comment elle avait pu, jusqu'à présent, trouver François Fournier antipathique.

— Je ne sais pas comment vous remercier !
murmura-t-elle.

— Alors n'essayez pas, sinon nous n'en finirons
jamais de nous remercier mutuellement. Comment
appelle-t-on votre femme de chambre ? Elle doit être
sourde, celle-là !

— Non, surtout ne l'appelez pas ! En effet, elle a
si bon sommeil qu'elle attache le cordon de la sonnette à son petit doigt pour le cas où j'aurais besoin
d'elle. Mais, pour une fois, j'aime autant cela ! Je...
je ne suis pas très fière de ce qui vient de se passer.

— Je ne vois pas pourquoi ! Mettez ça sur le
compte des blessures de guerre ! Avec ces gens-là,
on est toujours un peu en guerre, mais je vais lui ôter
toute envie de recommencer. Vous y êtes, vous ?
acheva-t-il en se tournant vers le Russe.

— Un moment ! fit l'autre.

D'un pas solennel, il alla jusqu'à une carafe
pleine d'eau posée sur une table et, sans hésiter, s'en
versa le contenu sur la tête. L'eau dégoulina sur le
bel uniforme vert et vint inonder le tapis, mais les
yeux de Tchernytchev perdirent instantanément leur
fixité trouble. Il s'ébroua, à la manière d'un grand
chien, puis, rejetant en arrière ses cheveux trempés,
il tira son sabre et adressa un sourire hargneux à
Fournier.

— Quand vous voudrez ! fit-il froidement. Je
n'aime pas beaucoup que l'on vienne interrompre
mes plaisirs.

— Drôles de plaisirs ! Mais, si vous le voulez
bien, nous allons régler ça dans le jardin. Il me
semble, ajouta-t-il en désignant du bout de son arme
les rideaux arrachés, la fenêtre brisée, le vase en
miettes et la large flaque d'eau que le tapis absorbait
lentement, que, pour cette nuit, les dégâts sont suffi-
sants !

Froidement, Marianne remarqua avec un petit rire méprisant :

— Le comte n'a pas le droit de se battre ! Il devrait déjà être sur le chemin de son pays. Il est en mission.

— Je suis déjà en retard, affirma Tchernytchev, alors un peu plus un peu moins... Je ne prendrai d'ailleurs que tout juste le temps de tuer cet intrus... l'un de vos amants, sans doute !

— Non, corrigea Fournier avec une menaçante amabilité, mais celui de sa meilleure amie ! Allons, Tchernytchev, cessez de faire l'imbécile ! Vous savez parfaitement qui je suis. On n'oublie pas le premier sabreur de l'Empire quand on l'a, une fois, rencontré sur un champ de bataille, ajouta-t-il avec un naïf et superbe orgueil. Rappelez-vous Austerlitz !

— Et vous, intervint Marianne, rappelez-vous votre situation actuelle ! Sur la mémoire de mon père, je donnerais dix ans de ma vie pour voir ce soudard raide mort, mais avez-vous songé à ce qui se passera si vous le tuez ? Vous sortez de prison. L'Empereur vous y renverra immédiatement.

— Et avec joie, approuva Fournier. Il me déteste !

— Je ne sais pas s'il en sera heureux, mais il vous y renverra... et pour combien de temps ? Cet homme doit être couvert par l'immunité diplomatique. Ce sera la fin de votre carrière... et je vous dois trop pour vous laisser faire cela... même si j'en meurs d'envie.

D'un geste insouciant, Fournier-Sarlovèze fouetta l'air de sa lame nue et haussa les épaules.

— J'essaierai de ne pas le tuer tout à fait ! J'espère qu'une bonne leçon lui suffira et, comme il est en faute, lui aussi, je crois qu'il saura se taire ! Quant à vous, princesse, inutile d'insister : aucune force au monde ne peut m'empêcher de croiser le fer avec un Russe quand j'en trouve un ! Comprenez donc que c'est du gâteau pour moi ! Vous venez, vous ?

Les derniers mots, bien sûr, s'adressaient à Tchernytchev qui n'eut même pas le temps de répondre. Déjà, Fournier-Sarlovèze, vif comme l'éclair, avait enjambé le balcon et s'était laissé tomber dans le jardin. Son adversaire suivit, plus lentement, et non sans s'arrêter un instant devant Marianne qui, les bras croisés sur sa poitrine, le regardait avec des yeux brûlants de haine.

— Il ne me tuera pas, dit-il d'une voix où demeuraient les traces de son ivresse à peine dissipée, et je reviendrai !

— Je ne vous le conseille pas !

— Je reviendrai tout de même, et tu me suivras ! Je t'ai marquée de mon sceau.

— Une brûlure s'efface... au besoin par une autre brûlure ! Je me ferai arracher la peau, lança Marianne avec un accent sauvage, plutôt que de conserver la moindre marque de vous ! Partez ! Ne remettez jamais les pieds ici ! Et, au cas où vous oseriez passer outre, sachez que l'Empereur saurait, dans l'heure suivante, ce qui s'est passé, dussé-je lui montrer ce que vous avez osé faire.

— Que m'importe ? Le Tzar est mon seul maître !

— Comme je n'ai, moi, d'autre maître que l'Empereur ! Et il est possible que le vôtre n'apprécie pas la colère du mien.

Tchernytchev allait sans doute répondre mais, du jardin, parvint la voix impatiente de Fournier.

— Vous descendez, ou bien faut-il aller vous chercher ?

— Allez, monsieur, fit Marianne, mais apprenez encore ceci : je manie les armes comme un homme et si vous osez franchir à nouveau le seuil de cette maison, en admettant que vous en sortiez vivant, sachez que je vous abattrai comme un chien !

Pour toute réponse Tchernytchev haussa les épaules, puis se rua vers le jardin dans lequel il plongea plus qu'il ne descendit. Un instant plus tard, les deux hommes tombaient en garde sur la petite pelouse ronde qui formait le centre du jardin. Serrant contre elle son déshabillé de soie verte, Marianne fit quelques pas sur le balcon pour voir le duel. Les sentiments qu'elle éprouvait étaient mitigés. Sa rancœur lui faisait souhaiter la mort sans phrase de son lâche agresseur, mais la reconnaissance qu'elle éprouvait envers le général lui faisait espérer qu'il n'allât pas, pour punir la férocité d'un sadique, briser irrémédiablement sa carrière.

Les lumières de la chambre que Marianne avait rallumées avant de sortir mettaient une auréole claire autour des deux duellistes, arrachant des éclairs aux lames nues des sabres qui, en se choquant, lançaient des étincelles. Les deux adversaires étaient de force sensiblement égale. Le Russe, un peu plus grand que le Français, semblait plus puissant mais, sous sa minceur méridionale, Fournier cachait une force redoutable et une extrême agilité. Il était partout à la fois, dansant autour de son adversaire un mortel ballet et l'enveloppant d'une étincelante toile d'araignée.

Fascinée, reprise malgré elle par ce goût étrange et garçonnier qu'elle avait toujours eu pour le redoutable jeu des armes, Marianne suivait avec passion les phases diverses du duel quand, soudain, une tête apparut au-dessus du mur du fond du jardin, celui qui le séparait de la rue de l'Université et que, tour à tour, Tchernytchev et Fournier avaient franchi, une tête coiffée d'un inquiétant bicorne. Une autre tête apparut, puis une troisième...

« Les gendarmes ! pensa Marianne. Il ne manquait plus qu'eux ! »

Elle se penchait déjà sur le balcon pour conseiller aux deux hommes de mettre bas les armes, mais il était trop tard. Une voix rude intimait :

— Les duels sont interdits, messieurs ! Vous devriez le savoir ! Au nom de l'Empereur, je vous arrête.

Tranquillement, Fournier mit son sabre sous son bras et offrit au brigadier occupé à franchir le mur, sans doute grâce au cheval sur le dos duquel il était monté, un sourire d'une désarmante innocence.

— Un duel ? Où diable prenez-vous cela, brigadier ? Mon ami et moi faisions simplement quelques passes d'armes, rien de plus.

— A 4 heures du matin ? Et devant une dame qui n'a pas l'air de trouver ça tellement drôle ? fit le brigadier en levant les yeux vers une Marianne plutôt désemparée.

Très vite elle avait compris que l'arrivée des gendarmes constituait la véritable catastrophe de la soirée : un duel, chez elle, en pleine nuit, entre Tchernytchev et Fournier, après ce qui s'était déjà passé au Théâtre-Français, c'était le scandale assuré, la colère de l'Empereur, tellement à cheval sur la respectabilité de son entourage depuis qu'il avait épousé son archiduchesse, des sanctions sévères pour les coupables, la réputation de Marianne fortement endommagée. Sans compter que Tchernytchev étant russe et en mission, l'affaire pouvait tourner par-dessus le marché à l'incident diplomatique. Il fallait essayer d'arranger cela et tout de suite ! Et comme le brigadier, après avoir enfin sauté son mur, avertissait les deux adversaires qu'il allait les conduire au plus proche commissariat de police, elle se pencha vivement sur la balustrade.

— Un instant, brigadier ! Je descends ! Nous causerons plus commodément au salon.

— Je ne vois pas ce que nous pourrions dire, madame. Les duels sont formellement interdits. Et malheureusement pour ces messieurs, en faisant une ronde nous avons entendu le bruit des armes. Le cas est clair.

— Peut-être moins que vous ne le pensez ! Mais faites-moi tout de même la grâce de m'attendre. D'ailleurs, il faut que je fasse ouvrir les portes... à moins que vous ne souhaitiez emmener ces messieurs en passant de nouveau par-dessus le mur ?

Tout en descendant, aussi vite que le permettait sa brûlure à la hanche, le grand escalier de marbre, Marianne s'efforçait de réfléchir. Visiblement le brigadier n'avait pas cru à l'explication, à vrai dire un peu simplette, de Fournier. Il fallait trouver autre chose et, malheureusement, l'esprit de Marianne, tout entier tourné vers Jason et le danger qui le menaçait, avait peine à changer de sujet de préoccupation. Elle brûlait du désir de courir chez lui, de l'avertir, et voilà que cette stupide affaire de duel l'arrêtait, allait la retenir Dieu sait combien de temps !

Quand elle sortit dans le jardin, la nuit était déjà moins sombre, une mince bande de lumière pâle apparaissait vers l'horizon... et une agitation totale régnait entre les gendarmes et les prisonniers. Fournier se débattait comme un diable aux mains de deux représentants de l'ordre qui semblaient avoir le plus grand mal à en venir à bout, tandis que le brigadier faisait des efforts touchants pour essayer une fois de plus d'escalader un mur qui, cette fois, et sans les chevaux qui en avaient facilité l'accès à l'aller, se montrait infiniment plus rétif pour un homme légèrement replet et, de plus, chaussé d'énormes bottes...

Tchernytchev avait disparu et, au-delà du mur, le galop d'un cheval s'éloignait... Devant la vanité de son effort, le brigadier renonça à franchir l'obstacle et revint vers Fournier qui continuait à fournir une honorable défense. Il était, cette fois, tout à fait furieux.

— Inutile de vous fatiguer! Votre complice est déjà loin! Mais nous le retrouverons et, quant à vous, mon garçon, vous paierez pour deux!

— Je ne suis pas votre garçon! explosa Fournier hors de lui. Je suis le général Fournier-Sarlovèze et je vous serais reconnaissant, brigadier, de vous en souvenir!

Le brigadier rectifia la position, salua militairement et déclara :

— Excusez-moi, mon général, je ne pouvais pas deviner! Mais vous n'en demeurez pas moins mon prisonnier, à mon grand regret! J'aurais préféré garder l'autre et je ne comprends pas pourquoi vous avez facilité sa fuite en vous jetant tout à coup sur mes hommes.

Fournier haussa les épaules et dédia au gendarme un sourire moqueur.

— Je vous ai dit que c'était un ami! Pourquoi ne voulez-vous pas me croire?

— Parce que vous n'oseriez pas me donner votre parole d'officier que vous ne vous battiez pas en duel, mon général!

Fournier se tut. Marianne jugea qu'il était temps, pour elle, d'intervenir. Elle alla poser une main, à la fois apaisante et persuasive, sur le bras du brigadier.

— Et si moi, brigadier, je vous demandais, pour une fois, de fermer les yeux? Je suis la princesse Sant'Anna, une amie fidèle de l'Empereur. Le duc de Rovigo me veut du bien, je crois, ajouta-t-elle se souvenant à propos des invitations de Savary, et, après tout, il n'y a ni mort ni blessé. Nous pourrions...

— Mille regrets, Madame la princesse, mais je dois faire mon devoir. Outre que mes hommes ne comprendraient pas et que je devrais leur fournir des explications gênantes, je ne voudrais pas subir le sort d'un de mes collègues qui s'est trouvé dans une situation analogue et a montré de l'indulgence. Cela s'est su et il a été cassé. M. le duc de Rovigo se montre, sur le chapitre de la discipline, d'une impitoyable sévérité. Mais... je n'apprends certainement rien à Madame la princesse ?... puisqu'elle le connaît ! Mon général, si vous voulez bien me suivre ?

Refusant de s'avouer vaincue, Marianne voulut plaider encore et peut-être commettre une sottise, car elle était si désolée de voir Fournier retourner en prison pour l'avoir défendue qu'elle eût peut-être offert de l'argent à cet homme. Fournier comprit et s'interposa :

— J'y vais ! fit-il tout haut, puis plus bas, se tournant vers Marianne : Ne vous tourmentez pas, princesse ! Ce n'est pas la première fois que je me bats en duel et l'Empereur me connaît bien. J'ai préféré laisser fuir le cosaque. Avec lui l'affaire pouvait aller trop loin. Au pire, je m'en tirerai avec quelques jours de prison et un petit séjour dans mon cher Sarlat.

Marianne avait l'oreille trop fine pour ne pas sentir la petite pointe de regret qui vibrait dans la voix du hussard. Sarlat, pour lui, c'était peut-être la douceur du pays natal, mais c'était aussi l'inaction, l'éloignement de ces champs de bataille pour lesquels il était fait et que, sans cette stupide histoire, il eût rejoints ces jours-ci en Espagne. Bien sûr, Marianne se souvenait aussi de ce que lui avait confié Jean Ledru, sur les horreurs de la guerre dans ce pays sans espoir, mais elle savait que de telles évocations ne pouvaient en rien retenir la fougue du premier sabreur de l'Empire, en admettant même qu'elles n'excitassent point la véritable passion qu'il mettait à se battre.

Spontanément, elle lui tendit ses deux mains.

— J'irai trouver l'Empereur, promit-elle. Je lui dirai ce qui s'est passé et ce que je vous dois. Il comprendra. Je préviendrai aussi Fortunée. Mais je me demande si elle comprendra aussi bien...

— S'il s'agissait d'une autre que vous, sûrement pas ! fit Fournier en riant. Mais, pour vous, non seulement elle comprendra, mais elle m'approuvera. Merci de votre promesse. J'en aurai peut-être besoin.

— C'est moi qui dois dire merci, général.

Quelques minutes plus tard, Fournier-Sarlovèze, les mains dans les poches, franchissait le seuil de l'hôtel d'Asselnat sous l'œil éberlué et vaguement scandalisé du majordome Jérémie qui, mal réveillé, regardait les gendarmes avec une sorte d'horreur sacrée. L'un d'eux ayant été récupérer le cheval que Fournier avait laissé, lui aussi, derrière le mur de la rue de l'Université, le général sauta en selle aussi légèrement que pour se rendre à la parade puis, du bout des doigts, envoya un baiser à Marianne qui, du perron, le regardait partir.

— Au revoir, princesse Marianne ! Et surtout ne regrettez rien ! Vous n'imaginez pas comme il est grisant d'aller en prison pour une femme aussi belle !...

La petite troupe s'éloigna dans le jour levant. L'aurore mettait des roseurs de chair aux pierres blanches de l'hôtel et, des jardins proches, une fraîcheur et une brume légère montaient avec les premiers chants d'oiseaux. Marianne était lasse à mourir et sa hanche lui faisait un mal affreux. Derrière elle, ses domestiques en bonnets de nuit, les yeux gros de sommeil, gardaient un silence prudent. Seul, Gracchus, arrivé le dernier, pieds nus et seulement vêtu de sa culotte, osa interroger sa maîtresse.

— Qu'est-ce qui vous est arrivé, Mademoi... Madame la princesse ?

— Rien Gracchus ! Va t'habiller et attelle. J'ai à sortir. Quant à vous, Jérémie, au lieu de me regarder comme si j'allais vous envoyer à l'échafaud, allez plutôt réveiller Agathe ! Celle-là, si la maison lui tombait dessus, elle ne s'en rendrait même pas compte !

— Et... que... que dois-je lui dire ?

— Que vous êtes un imbécile, Jérémie ! s'écria Marianne exaspérée, et que je me passerai dorénavant de vos services si dans cinq minutes elle n'est pas dans ma chambre !

Rentrée chez elle et parfaitement indifférente à l'image de désolation qu'offrait la charmante pièce avec ses rideaux arrachés et ses porcelaines brisées, Marianne alla enduire sa brûlure de baume du Pérou, but un grand verre d'eau fraîche et ordonna à Agathe, qui accourait tout effarée, d'aller lui faire du café très fort. Mais la jeune fille, devant le spectacle qui s'offrait à elle, demeurait au seuil de la porte, figée sur place.

— Eh bien ? s'impatienta Marianne. Tu n'entends pas ?

— Ma... madame ! balbutia Agathe en joignant les mains. Qui est venu ici cette nuit ? On dirait que... que le diable lui-même est passé par là !

Marianne eut un petit rire sans gaieté puis alla décrocher une robe dans sa penderie.

— C'est bien cela ! fit-elle. Le diable en personne ! ou plutôt... en trois personnes ! Maintenant, mon café, et vite !

Agathe disparut en courant.

7

LA MAISON DU DOUX FANTÔME

Le soir allumait de sanglants reflets d'incendie derrière la colline de Chaillot quand la voiture de Marianne franchit, une fois de plus, le pont de la Concorde pour se rendre à Passy. La venue de la nuit, hâtée par les épais nuages qui avaient envahi le ciel de Paris en fin de journée, semblait vouloir étouffer sous un drap gris le rouge éclat d'une ultime lueur du soleil mourant. La chaleur, pesante et moite, était insupportable. L'air n'entrait qu'avec peine par les vitres baissées de la voiture et Marianne, appuyée au velours trop chaud des coussins, respirait difficilement, cherchant à la fois un peu de fraîcheur dans cette atmosphère suffocante et un peu de calme pour ses nerfs parvenus à leur point extrême de tension.

Pour la seconde fois, elle se rendait à Passy. Lorsqu'elle y était arrivée, au matin, décidée à n'importe quel éclat pour voir Jason, ne fût-ce qu'un instant, et l'avertir, elle avait trouvé porte close. Seul, un concierge suisse en pantoufles, bougon et mal réveillé, était apparu quand Gracchus s'était pendu à la cloche de la grille. Dans un français rocailleux, l'homme des cantons l'avait informée qu'il n'y avait personne à la maison. Mr et

Mrs Beaufort étaient à Mortefontaine où ils s'étaient rendus en sortant du théâtre[1]. La vue d'une pièce d'or avait tout de même décidé le bonhomme à indiquer que l'Américain devait rentrer vers le soir. Et Marianne, déçue, avait fait demi-tour en regrettant de n'avoir pas, pour une fois, suivi le conseil de Francis. Mais la vérité était si peu son fait !

Malgré la lassitude qu'elle devait à sa nuit blanche, malgré la douleur de sa hanche blessée qui lui donnait un peu de fièvre, la jeune femme avait été incapable de trouver le repos. Elle avait erré, comme une âme en peine, de sa chambre au jardin et du jardin à sa chambre, courant cent fois au salon pour y regarder l'heure au gracieux cartel de laque et de bronze. Le seul intermède dans cette interminable journée avait été la visite du commissaire de police venu poser quelques questions, embarrassées mais obstinées et perfides, sur le duel du petit matin. Marianne s'en était tenue à la version de Fournier : il ne s'agissait pas d'un duel. Mais visiblement, le fonctionnaire était reparti mal satisfait.

Quittant le cours la Reine, la voiture roulait maintenant à vive allure sur le Grand Chemin de Versailles qui, sous les arbres, suivait la Seine, se dirigeant vers la barrière de la Conférence. Un arrêt s'était produit à la hauteur des énormes travaux de construction du pont d'Iéna, presque terminé d'ailleurs, à cause d'un charroi de pierres qui avait été renversé dans la journée et qui obstruait encore une partie de la chaussée. Mais Gracchus, jurant comme un templier, avait réussi à franchir l'obstacle en mettant un instant sa voiture en équilibre instable et

1. Les représentations commençaient beaucoup plus tôt que de nos jours et s'achevaient de même. Cela permettait de regagner des propriétés parfois assez lointaines.

avait ensuite enlevé ses chevaux d'une rapide zébrure de fouet pour les lancer au galop vers la barrière.

La nuit était complètement tombée quand on atteignit les premières maisons du village de Passy, une nuit que les nuages d'orage, roulant comme de menaçantes fumées, rendaient singulièrement épaisse. Aucune lumière n'apparaissait dans la masse de végétation dense débordant les grilles des propriétés, si ce n'est une lueur jaune dans une maisonnette tapie près d'une porte charretière, indiquant que le concierge de la raffinerie de betteraves à sucre du banquier Benjamin Delessert était à son poste. A côté, l'ancien parc thermal de Passy, jadis plein de bruit et d'animation, n'offrait plus qu'un pesant silence, une longue obscurité où les arbres inertes paraissaient minéralisés dans l'air immobile.

Gracchus prit à droite et engagea ses chevaux dans une pente, montant doucement entre le jardin des Eaux et le mur d'une très grande propriété. Au bout de cette rue, d'élégantes lanternes dorées, pendues à des crosses de fer noir, éclairaient la haute grille et les deux petits pavillons d'entrée, gardiens jumeaux de l'hôtel de Lamballe. Mais Marianne fit arrêter sa voiture à mi-pente et ordonna à Gracchus de se ranger de façon à être aussi peu visible que possible. Et, comme le jeune cocher s'étonnait, elle ajouta :

— Je voudrais essayer d'entrer dans cette maison sans être vue.

— Pourtant, ce matin...

— Ce matin, il faisait jour et rechercher le secret eût été folie. Maintenant, il fait nuit, il est tard et je voudrais éviter, autant que possible, que l'on sût ma présence dans cette maison. Il ne pourrait en sortir que des inconvénients pour tout le monde et pour

M. Beaufort en particulier, dit-elle en songeant à ce que pourrait être la réaction jalouse de Pilar si elle apprenait qu'en son absence Jason avait reçu, de nuit, une femme et une femme nommée Marianne.

Voyant que Gracchus détournait la tête d'un air gêné, Marianne comprit qu'il se méprenait et croyait qu'il s'agissait d'un rendez-vous d'amour. Aussi mit-elle tout de suite les choses au point.

— Jason court, cette nuit, un grand danger, Gracchus. Moi seule ai la possibilité de le sauver. Voilà pourquoi il faut que j'entre. Veux-tu m'aider ?

— A sauver M. Jason ? Je pense bien ! fit le brave garçon d'un ton joyeux qui renseigna Marianne sur le degré de soulagement qu'il éprouvait. Seulement, ça ne va pas être facile : les murs sont hauts, les grilles solides. Et quant à l'entrée qui donne sur la route de Versailles...

— Ce matin, j'ai remarqué dans le mur une petite porte qui ne doit pas être loin d'ici. Peux-tu ouvrir cette porte ?

— Avec quoi ? Je n'ai que mes mains, et si j'essaie de l'enfoncer...

— Avec ceci.

Et Marianne tira de sous sa mante de légère soie vert sombre un crochet de serrurier qu'elle mit dans la main de son cocher.

Sentant la forme de l'outil entre ses doigts, Gracchus poussa une exclamation étouffée :

— Ben !... ça alors !... Mais où...

— Chut ! C'est mon affaire, fit Marianne qui avait découvert l'outil dans le petit arsenal personnel de Jolival. (Comme le feu roi Louis XVI, le vicomte Arcadius avait toujours eu, pour la serrurerie d'amateur, un petit faible et gardait, dans sa chambre, une assez jolie trousse d'outils qui, chez un homme moins respectable, eût peut-être laissé planer quelques doutes sur son honnêteté.) Crois-tu pouvoir ouvrir une porte avec ça ?

— S'il n'y a pas de barre de fer derrière, c'est l'enfance de l'art, assura Gracchus. Vous allez voir !

— Un moment ! Va d'abord doucement jusqu'à la grille et essaie de voir s'il y a de la lumière dans l'hôtel. Vois aussi s'il y a un équipage ou des chevaux dans la cour. Je sais que M. Beaufort attendait une visite vers 8 heures, ajouta-t-elle. Il se peut que le visiteur soit encore là.

Pour toute réponse, Gracchus fit signe qu'il avait compris. Il ôta son chapeau qu'il alla ranger dans la voiture avec sa veste de livrée, gara la dite voiture dans un renfoncement du parc des Eaux Thermales encore obscurci par les énormes branches d'un vieil arbre puis, ayant constaté qu'elle était devenue à peu près invisible pour qui ne savait pas sa présence, il prit sa course vers la grille, grimpant le chemin sans faire plus de bruit qu'un chat.

Les yeux de Marianne s'étant assez habitués à l'obscurité pour qu'elle pût distinguer la petite porte, elle se dirigea vers elle et, après s'être assurée qu'elle était bien fermée, se tapit dans l'encoignure pour attendre le retour de Gracchus.

La chaleur était suffocante, mais l'orage s'annonçait. Vers le sud, de sourds grondements se faisaient entendre et un éclair encore lointain zébra l'horizon, révélant un instant le ruban humide de la Seine. Quelque part dans le voisinage, sans doute à la petite église de Notre-Dame-des-Grâces, une horloge sonna 9 heures et le cœur de Marianne, sur un contrepoint angoissé, se mit à cogner dans sa poitrine. Des craintes terribles et vagues lui venaient. Si Jason n'était pas revenu de Mortefontaine avant le rendez-vous chez Crawfurd ? Si ce rendez-vous dont Francis avait parlé s'était trouvé annulé... ou si Jason était déjà parti, contre toutes prévisions, contre tous les renseignements que Cranmere croyait posséder... Si demain, à l'aube, dans les fossés de Vincennes...

L'image qui se forma dans l'imagination de Marianne était si vivante et si cruelle à la fois qu'elle retint avec peine un gémissement. Tremblante, elle dut s'adosser au mur, cherchant la fraîcheur de la pierre pour apaiser la fièvre qu'elle sentait monter et qui battait dans ses tempes. Elle était encore mal remise de sa récente maladie et le sauvage traitement que lui avait fait subir Tchernytchev la nuit précédente n'avait rien arrangé. Mais, à évoquer l'homme qu'elle haïssait maintenant de tout son cœur, elle trouva un regain de force, chercha son mouchoir et tamponna machinalement les gouttes de sueur qui coulaient le long de sa joue. La fraîche odeur de l'eau de Cologne dont elle l'avait abondamment inondé avant de sortir lui fit du bien. Gracchus, d'ailleurs, revenait.

— Alors ?

— Il y a de la lumière dans la maison, chuchota le jeune garçon, et il y a aussi, dans la cour, une berline qui ne va pas tarder à sortir. J'ai aperçu vaguement quelque chose qui sortait en courant de la maison et qui grimpait dedans. Écoutez...

En effet, le roulement d'une voiture se faisait entendre. Puis ce fut le grincement d'une grille, le pas sonore des chevaux, enfin la silhouette d'une grosse berline qui s'élança dans la rue en pente. Vivement, Marianne et Gracchus se tapirent dans le renfoncement de la porte. Il faisait si sombre, d'ailleurs, que le cocher de la berline ne soupçonna même pas qu'il y eût, dans ce grand mur, une petite porte et deux êtres humains cachés là. Parvenue au bas du chemin, la berline tourna à droite. Le cocher fit claquer son fouet et les chevaux s'élancèrent sur la route de Versailles.

— Je crois qu'on peut y aller ! soupira Gracchus. Voyons ce que vaut votre outil !

A tâtons, il chercha la serrure, y engagea le crochet. Le fer crissa sur le fer qui hésita puis céda. Le pêne, accroché, tourna sans trop d'effort, mais la porte qui, peut-être, n'avait pas été ouverte depuis longtemps, demeura close. Gracchus, de l'épaule, pesa dessus et la porte, enfin, capitula. Un coin de parc apparut et, à travers les troncs vêtus de lierre, la tache pâle d'une grande demeure blanche et ses hautes fenêtres lumineuses érigées sur trois terrasses. Devant les plus hautes et les plus ornées, celles du centre, une légère dentelle forgée accompagnait avec grâce la double coulée d'un souple et facile escalier de pierre au bas duquel rêvaient des nymphes de marbre.

Dans la poitrine de Marianne, le cœur bondit avant même que les pieds n'eussent fait les premiers pas vers ces clartés qui, mieux que les paroles, lui disaient que Jason était là. Un coup de tonnerre, plus proche que tout à l'heure, vibra dans le ciel et Gracchus, levant la tête vers l'épaisse voûte de feuillage, dit :

— L'orage approche ! Dans quelques instants, sans doute, il pleuvra et je...

— Reste ici ! ordonna la jeune femme. Je n'ai pas besoin de toi. Ou, plutôt, va m'attendre dans la voiture mais en prenant soin de laisser cette porte seulement tirée.

— Ne vaudrait-il pas mieux que je vous accompagne ?

— Non. Va te mettre à l'abri, surtout s'il pleut. Je ne cours ici aucun danger... ou, si j'en cours, ajouta-t-elle avec un involontaire sourire que la nuit absorba, tu ne peux m'être d'aucun secours. A tout à l'heure.

Sans plus s'attarder, elle ramassa ses jupes pour ne pas risquer de les accrocher dans les branches basses et se dirigea d'un pas léger vers la maison. A mesure qu'elle en approchait, elle en distinguait mieux la grâce parfaite et l'élégance discrète. C'était bien, en vérité, la demeure d'une femme charmante et raffinée comme en avait tant broyé la sanglante Terreur ! Et les marches douces que Marianne gravit sans faire plus de bruit qu'un souffle semblaient faites pour le chatoiement évanoui des traînes de moire et des paniers de satin...

Parvenue sur le haut perron, elle dut comprimer sous sa main les battements désordonnés de son cœur, affolé comme après une longue escalade. La haute porte-fenêtre était entrouverte et, grâce aux bouquets de bougies brûlant aux girandoles dorées contre les boiseries des murs, Marianne apercevait une partie d'un grand salon dont les peintures et les tentures, refaites de neuf, disaient qu'il avait dû souffrir de la tourmente révolutionnaire ; pour ameublement, quelques fauteuils, une haute bibliothèque aux reliures fanées, le vernis craquelé d'un clavecin muet...

Elle avança la main et, doucement, timidement, poussa un peu le battant de la fenêtre, craignant au fond d'elle-même que cette pièce ne fût vide et que la lumière ne fît qu'attendre le retour d'un absent. Mais, tout de suite, elle vit Jason et une onde de joie la parcourut tout entière, chassant fatigue, angoisse, douleur et fièvre.

Il était en train d'écrire une lettre. Assis, un peu de guingois, devant un bureau dos-d'âne, éclairé par une bougie posée dans un chandelier d'argent, il faisait courir rapidement la longue plume d'oie sur le papier. La lueur de la bougie mettait une douceur sur son curieux profil de gerfaut, s'attardait sur l'arête mince du nez, sur l'ossature volontaire du menton, mais creusait d'une ombre plus noire le pli de la bouche serrée et la profonde orbite où s'abritait l'œil, invisible sous sa paupière baissée. Les mains maigres, fortes et belles, en prenaient, elles aussi, un relief saisissant : l'une serrant la plume aussi fermement qu'une arme, l'autre maintenant à deux doigts la feuille de papier...

A cause de la chaleur accablante, l'Américain ne portait sur sa culotte et ses bottes à l'écuyère qu'une chemise de batiste blanche, dont le col rabattu libérait les attaches puissantes de son cou et de ses épaules. Les manches, retroussées, montraient des bras qui semblaient taillés dans du vieil acajou. Et, dans ce salon élégant, un peu trop précieux avec ses bibelots d'argent et de porcelaine, avec la note féminine du clavecin, Jason paraissait aussi insolite qu'un sabre d'abordage sur une table à ouvrage, mais Marianne, arrêtée au seuil de la porte, retenant son souffle, avait tout oublié de ce qui l'amenait ici et se contentait de le contempler, sûre désormais qu'il ne s'échapperait pas pour courir à son dangereux rendez-vous et naïvement attendrie par la mèche noire qui retombait sans cesse sur le nez du corsaire.

Peut-être fût-elle demeurée là, sans bouger, durant des heures si l'instinct, quasi animal, de Jason ne lui avait fait flairer une présence. Il leva les yeux, tourna la tête et se dressa si brusquement que sa chaise, renversée, tomba bruyamment. Les sourcils froncés, il dévisagea l'ombre noire surgie au seuil du perron et la reconnut aussitôt.

— Marianne ! s'écria-t-il. Que venez-vous faire ici ?

Le ton n'avait rien de tendre et Marianne, brutalement ramenée des hauteurs du rêve où elle planait depuis un instant, ne put s'empêcher de soupirer.

— Si j'ai, un moment, espéré que ma visite vous ferait plaisir, me voilà fixée ! fit-elle avec amertume.

— Là n'est pas la question ! Vous apparaissez au seuil de cette porte, sans avertissement, sans que quiconque vous ait seulement entendue venir et vous vous étonnez que je vous demande ce que vous venez faire ? Savez-vous que si l'une des servantes était entrée dans cette pièce à cet instant, vous pouviez la faire fuir en hurlant ?

— Je ne vois vraiment pas pourquoi ?

— Parce qu'elle vous aurait prise, immanquablement, pour le fantôme de Mme de Lamballe qui hante cette maison... du moins à ce qu'on dit, car moi je ne l'ai encore jamais rencontré. Mais les gens d'ici sont très sensibles sur ce chapitre ! Depuis que leur guillotine a fait des morts en série, ils voient des revenants partout !

— En tout cas, j'espère que je ne vous ai pas fait peur, à vous ?

Jason haussa les épaules et s'avança vers la visiteuse qui, figée sur place, n'avait même pas eu l'idée de faire un pas dans sa direction.

— Ceci dit, je répète ma question : que venez-vous faire ici ? Voir si le Russe m'a tué ? Le duel n'a pas eu lieu. Le prince Kourakine a obligé votre champion à y renoncer momentanément pour accomplir une mission. Je le regrette d'ailleurs assez !

— Pourquoi ? Vous teniez tellement à mourir ?

— Vous me prenez vraiment pour une mazette ! remarqua Jason avec un sourire amer. Mais retenez ceci : votre cosaque courait un plus grand danger que moi car j'aurais fait tout au monde pour le tuer.

Au fait, ce n'est pas à vous, par hasard, que nous devons ce... délai ? Je vous crois très capable d'être allée tirer Kourakine de son lit en pleine nuit pour le supplier « d'empêcher ça » !

Marianne rougit. Cette idée, elle l'avait eue, bien sûr, et, sans Talleyrand, c'était exactement ce qu'elle s'apprêtait à faire, la nuit précédente, en se rendant à l'hôtel Thélusson. L'intervention du prince de Bénévent la sauvait d'avoir à avouer une démarche que Jason eût interprétée, Dieu seul pouvait dire comment ! Elle hocha la tête.

— Non. Ce n'est pas moi. Vous avez ma parole !

— Bien. Je vous crois. Alors, puis-je pour la troisième fois...

— Savoir ce que je fais ici ? Je vais vous le dire : je suis venue pour vous sauver d'un danger infiniment plus grand que celui dont vous menaçait le sabre de Tchernytchev.

— Un danger ? Lequel, mon Dieu ?

Un violent coup de tonnerre lui coupa la parole, si fort qu'il parut avoir éclaté sur le toit même de la maison. En même temps, un coup de vent s'engouffra par la porte et les fenêtres ouvertes, fit voler les rideaux, les papiers sur le bureau. Les croisées claquèrent. Jason se précipita pour tout fermer, ramassa les papiers épars, ralluma quelques bougies soufflées par l'ouragan, puis revint enfin vers Marianne qui avait fait quelques pas dans la pièce devenue tout à coup étouffante. La légère mante de soie qu'elle avait jetée sur une simple et fraîche robe de linon blanc brodé de pâquerettes lui parut insupportablement chaude et elle l'ôta pour la poser sur un fauteuil. Quand elle se retourna vers Jason, elle vit qu'il la regardait avec curiosité et en éprouva une impression de gêne.

— Pourquoi me regardez-vous ainsi ? demanda-t-elle sans oser lever les yeux sur lui.

230

— Je ne sais pas. Ou plutôt... si ! Avec cette robe, ce ruban qui retient vos cheveux, vous venez de me rappeler la gamine de Selton, celle que j'ai vue pour la première fois, il n'y a même pas un an ! Un bien court laps de temps pour tout ce que vous avez vécu ! Quand on songe que vous en êtes à votre deuxième mari, que Napoléon est votre amant... et peut-être pas le seul ! C'est incroyable !

— Si l'on considère qu'aucun de mes maris n'a fait de moi sa femme, est-ce déjà plus facile à croire ? demanda Marianne amèrement.

— Je sais ! A vous entendre, c'est l'Empereur qui s'en est chargé.

Le ton était ironique, froidement sarcastique et méprisant. Une brusque bouffée de colère s'enfla dans la poitrine de Marianne, empourpra ses joues, sa gorge et mit des éclairs dans ses yeux. Alors qu'elle était venue vers lui, éperdue d'angoisse, presque folle à la pensée qu'il pourrait mourir à l'aube sous les balles d'un peloton d'exécution, alors qu'elle venait de lui crier qu'il était en danger, tout ce qu'il trouvait à lui offrir n'était que sarcasmes et questions insidieuses sur la façon dont elle était devenue femme... La déception lui fit perdre la tête et elle osa lui jeter ce qu'elle aurait tant voulu lui cacher.

— Je n'ai jamais prétendu cela ! s'écria-t-elle d'une voix tremblante de colère. Puisque vous voulez tout savoir, l'Empereur n'a été que le second de mes amants. Le premier était un marin breton, échappé des pontons de Plymouth, avec qui je m'étais enfuie d'Angleterre. Il m'avait sauvée du naufrage comme des naufrageurs et c'est lui qui m'a eue le premier, sur la paille d'une grange. Et je l'ai laissé faire parce que j'avais encore besoin de lui et parce qu'il en mourait d'envie ! Voulez-vous aussi que je vous dise son nom ? Il se nommait...

La gifle, en lui coupant le souffle, fit tomber la griserie de la colère. Comme une enfant punie, elle porta la main à sa joue devenue brûlante et leva sur Jason des yeux déjà noyés de larmes. Devant ce visage décomposé par la fureur, elle eut un mouvement de recul. L'immense colère qui possédait Jason le rendait si effrayant qu'elle voulut fuir mais, d'un élan, il la rattrapa et, à nouveau, la gifla à toute volée.

— Sale petite p...! Et combien y en a-t-il eu d'autres depuis? A combien t'es-tu donnée? Hein?... Quand je pense que je t'ai aimée! Que dis-je? Aimée? Je t'adorais... j'étais fou de toi... fou au point de ne pas même oser te toucher! Fou au point d'avoir eu, un moment, la tentation de tuer l'homme qui te possédait et que, cependant, j'admirais de tout mon cœur! Mais lui, lui, combien de fois l'as-tu trompé? Avec qui?... Ce Russe, sans doute!

Toutes les fureurs de l'orage grondaient dans cette voix haletante. Folle, à la fois d'épouvante et de désespoir de s'être laissée aller à cette colère stupide, Marianne comprenant qu'elle venait de déchaîner chez cet homme les forces inconnues d'une âme passionnée, d'autant plus terribles qu'il savait si bien les maîtriser, d'habitude, sous son implacable volonté, voulut tenter de le calmer. Elle s'agrippa aux mains si dures qui l'avaient saisie aux épaules et la secouaient comme un prunier en août, impitoyablement.

— Jason! supplia-t-elle, calmez-vous! Écoutez-moi, au moins.

Mais il la secoua de plus belle.

— Bien sûr, je t'écoute! Tu vas répondre. Alors, ce Russe? Peux-tu jurer sur la mémoire de ta mère qu'il ne t'a jamais possédée?

L'affreux souvenir de la nuit précédente envahit

la mémoire de Marianne qui poussa un gémissement d'agonie.

— Pas cela !... non... pas cela !...

— Vas-tu répondre, dis ? Tu vas me répondre... tu vas...

Cette fois, ce fut un râle qui jaillit. Fou de rage, Jason avait saisi Marianne à la gorge et commençait à serrer, à serrer... Elle ferma les yeux, cessa de se débattre. Elle allait mourir... mourir de ses mains ! Tout allait être tellement plus simple ! Elle n'avait qu'à le laisser faire, ne plus rien dire... et, demain, les hommes de Savary les réuniraient dans la mort.

Déjà, elle défaillait. Des éclairs rouges passaient devant ses yeux. Elle devint molle entre les mains féroces qui l'étranglaient et, d'un seul coup, Jason comprit qu'il était en train de la tuer. Il la lâcha si brusquement qu'elle vacilla et fût tombée à terre si un fauteuil ne s'était trouvé à point nommé derrière elle pour la recueillir. Elle s'abandonna un instant à la douceur des coussins, cherchant l'air qui, peu à peu, revint à ses poumons. Doucement, elle massa sa gorge froissée. Le sanglot qui lui échappa passa comme une boule de feu. L'orage maintenant était déchaîné autour d'eux et les enveloppait d'un univers infernal, mais pas plus infernal que leur univers à eux. Douloureusement, désespérément, elle murmura :

— Je t'aime... Devant Dieu qui m'entend, je jure que je t'aime et que je n'appartiens à personne !

— Va-t'en !...

Ouvrant les yeux, elle vit qu'il lui tournait le dos et qu'il avait mis entre eux toute la longueur du salon. Mais elle vit aussi qu'il tremblait et que la sueur collait sa chemise à sa peau brune. Péniblement, elle quitta son siège, mais dut s'y raccrocher un instant. Elle se sentait brûlante de fièvre et tout tournait autour d'elle. Mais elle ne pouvait pas partir avant de lui avoir dit, enfin, pourquoi elle était venue, avant de l'avoir mis en garde... Puisqu'il ne l'avait pas tuée, elle ne voulait plus qu'il meure ! Il devait vivre, vivre ! Même si elle devait passer le reste de ses jours à mourir lentement de l'avoir perdu. Après tout, elle avait commis, par son aveugle colère, une énorme sottise, il était juste qu'elle la payât !

Au prix d'un violent effort de volonté, elle repartit vers lui à travers les centaines de lieues de steppe désertique que représentait à ses yeux ce salon.

— Je ne peux pas partir, balbutia-t-elle... pas encore ! Il faut que tu saches...

— Je n'ai rien à savoir ! Je ne veux plus te voir jamais ! Va-t'en !

Malgré la dureté des paroles, la voix de Jason avait perdu sa fureur. Elle était pesante et sombre... étrangement semblable, tout à coup, à celle qu'un soir Marianne avait entendue dans un miroir...

— Non... Écoute ! Ce soir, il ne faut pas que tu sortes ! C'est cela que je suis venue te dire ! Si tu vas chez Quintin Crawfurd, tu es perdu... tu ne verras pas se lever le soleil !

Brusquement, Jason se retourna et considéra Marianne avec une surprise qui n'était pas feinte.

— Chez Crawfurd ? Qu'est-ce que c'est que cette histoire ?

— Je savais que tu ne voudrais pas l'avouer, mais c'est inutile de nier parce que c'est du temps perdu. Je sais que l'Écossais t'attend à 11 heures, avec d'autres hommes, pour une raison que je ne veux pas connaître parce qu'elle ne regarde que toi... et parce qu'à mes yeux tu ne peux pas avoir tort tout à fait.

— Quels hommes ?

234

Marianne baissa la tête, gênée d'avoir à prononcer ces noms de conspirateurs.

— Le baron de Vitrolles... Le chevalier de Bruslart.

De la plus imprévisible façon, Jason se mit à rire.

— Je ne connais pas ce M. de Vitrolles, mais je sais qui est le chevalier de Bruslart, et vous aussi, si j'ai bonne mémoire ? Voulez-vous me dire ce que j'ai à voir avec des conspirateurs ? Est-ce que vous espérez me faire croire que vous me faites l'honneur de me compter parmi eux ?

— Le moyen de faire autrement ? Ne devez-vous pas vous rendre chez Crawfurd, rue d'Anjou ? fit Marianne un peu démontée par l'absolu sang-froid, non dépourvu de gaieté qu'il montrait.

— Si fait ! Je dois me rendre chez Crawfurd, rue d'Anjou... demain matin, pour déjeuner. Et aussi pour admirer sa très remarquable collection de tableaux. Mais... si je vous comprends bien, je suis censé m'y rendre ce soir même, pour y rencontrer ces étranges personnages ? Voulez-vous me dire pour quoi faire ?

— Est-ce que je sais ! J'ai appris que vous trempiez dans une conspiration royaliste destinée à assurer à n'importe quel prix la paix avec l'Angleterre, que les conjurés devaient se réunir cette nuit chez Crawfurd, lequel Crawfurd jouerait, d'ailleurs, plus ou moins le double jeu, et que, cette nuit, Savary s'apprête à arrêter toute la bande qui sera conduite, sur l'heure, à Vincennes et fusillée sans jugement. Voilà pourquoi je suis venue ici : pour vous supplier de ne pas y aller... afin de garder la vie... Même si cette vie, c'est à une autre qu'elle appartient.

Jason se laissa tomber sur une chaise, les coudes aux genoux, et leva vers Marianne un regard où la stupeur le disputait à l'amusement.

— J'aimerais bien savoir où vous avez pêché ce conte de bonne femme ? Je vous jure que je ne trempe dans rien du tout ! Moi, conspirant avec les royalistes, les hommes de ces princes émigrés qui n'ont su que sauver leur peau, laissant le roi monter à l'échafaud et le petit Louis XVII crever de misère au Temple ? Moi aux côtés des Anglais ?

— Pourquoi non ? N'est-ce pas en Angleterre que je vous ai connu ? N'étiez-vous pas l'ami du prince de Galles ?

Jason haussa les épaules, se leva et fit quelques pas en direction de la bibliothèque.

— N'importe qui peut devenir « l'ami » de Georgie pourvu qu'il présente une originalité quelconque et ne soit pas tout à fait taillé sur le patron des autres hommes. En fait, il m'a accueilli dans sa bande parce que j'étais l'ami d'Orlando Bridgeman, qui est de ses intimes. C'est Orlando qui m'a aidé, recueilli, remis en selle quand j'étais démuni de tout après le naufrage de mon navire sur les côtes de Cornouailles. Nous nous connaissons depuis longtemps. J'ai donc un ami anglais. Mais cela ne signifie pas, il me semble, que je doive pour autant épouser les idées de toute l'Angleterre ? Surtout que, sans être en guerre déclarée avec elle, mon pays sent chaque jour les relations se tendre et se détériorer... la guerre approche.

Tout en parlant, il avait ouvert l'une des petites armoires qui formaient le bas de la bibliothèque, en avait tiré un flacon, un plateau et deux verres qu'il se mit à remplir. Là-haut, le fracas de l'orage s'éloignait. On n'entendait plus que de vagues grondements mêlés au bruit de la pluie diluvienne qu'il avait amenée et qui s'abattait sur la ville, flagellant les feuilles d'arbre et pianotant rageusement aux vitres et aux ardoises des toits. Envahie d'un inexprimable soulagement, Marianne s'était assise sur la banquette du clavecin et laissait les battements de son cœur se calmer peu à peu. Elle ne comprenait plus rien à l'absurde aventure de ce soir, sinon que Jason n'était pas en danger, ne l'avait jamais été... et qu'il n'avait jamais songé à conspirer contre Napoléon. Sinon, aussi, qu'il s'était singulièrement radouci à son égard... La fièvre serrait ses tempes et battait dans sa gorge. Jamais Marianne ne s'était sentie aussi fatiguée mais, obstinément, elle cherchait à rassembler les morceaux du puzzle absurde que représentaient les derniers événements de sa vie, cherchant à comprendre...

— Enfin, fit-elle lentement, pensant tout haut plutôt que s'adressant directement à Jason, enfin vous étiez bien à Mortefontaine avec votre... avec la *señora* Pilar et vous en êtes bien revenu sans elle ?

— Exact ! J'y étais et j'en suis revenu ce soir.

— Vous en êtes revenu... parce que vous aviez une visite à recevoir, une visite que j'ai vue quitter cette maison.

— Jusque-là, rien à dire ! fit Jason. Vous êtes parfaitement renseignée, mais, je le répète, jusque-là seulement ! L'affaire Crawfurd relève d'une brillante imagination, et, à ce sujet, je pense que c'est mon tour de poser les questions. Tenez, prenez ça ! Vous devez en avoir besoin.

« Ça », c'était l'un des deux verres de vin d'Espagne qu'il venait de servir. Marianne le prit, machinalement, but quelques gouttes qui brûlèrent un peu sa gorge en passant, mais qui lui firent du bien.

— Merci, fit-elle en reposant le verre sur le coin du clavecin. Vous pouvez questionner, je répondrai.

S'attendant à une nouvelle algarade quand elle dirait qui était son informateur, elle baissa les yeux, résignée d'avance, et, avec un soupir, noua ses mains sur ses genoux. Il y eut un petit silence durant lequel Marianne n'osa pas relever la tête, pensant que Jason choisissait ses questions. Mais il se contentait de la regarder.

— Bien! dit-il enfin. Dans ce cas, je n'ai qu'une seule chose à vous demander : le nom de la personne à qui vous devez cette fantastique histoire, car il faut que j'essaie de voir clair dans tout ce fatras. Vous n'avez pas inventé ça toute seule. Qui vous a dit que j'allais chez Crawfurd pour conspirer?

— Francis...

— Francis? Vous voulez dire Cranmere? Votre mari?

— Le premier de mes maris! précisa Marianne avec rancune.

— Ne revenons par là-dessus! fit Jason avec impatience. Mais d'où le sortez-vous celui-là? Où et quand l'avez-vous vu?

— Hier soir, chez moi. Quand je suis rentrée du théâtre, il m'attendait, dans ma chambre. Il y était entré en sautant le mur du jardin et en escaladant le balcon.

— C'est incroyable! C'est insensé! Mais racontez. Je veux tout savoir... Quand cet homme-là se mêle de quelque chose, on peut s'attendre à tout.

En effet, il n'y avait plus la moindre trace d'amusement sur le visage tendu de Beaufort. Accoudé au clavecin, il ne dominait pas seulement Marianne, assise, de toute sa haute taille, mais aussi de son regard impérieux qui s'attachait au joli visage penché. Durement, il ordonna :

— Et d'abord, regardez-moi! J'ai besoin de savoir si vous dites toute la vérité.

Toujours ce soupçon nuancé de mépris! « Que faudrait-il faire, songea Marianne douloureusement,

238

pour qu'il admette enfin que je l'aime et qu'il n'y a plus que lui au monde, pour moi ? » Mais elle obéit, leva la tête. Son regard vert, extraordinairement calme et limpide, vint se poser sur celui de l'homme penché vers elle.

— Je vais tout vous dire, fit-elle simplement. Vous jugerez.

Il ne lui fallut que peu de mots pour retracer la scène qui l'avait opposée, la nuit précédente, à Francis Cranmere. A mesure qu'elle parlait, elle suivait sur le masque acéré du corsaire la course rapide et changeante des impressions : étonnement, colère, indignation, mépris, pitié aussi, mais Jason ne prononça pas le moindre mot, pas la plus petite exclamation tant que dura le récit. Néanmoins, quand Marianne eut fini, elle put noter avec joie que les yeux bleus du marin avaient perdu presque toute leur dureté.

Il demeura là, un instant, à la regarder en silence puis, haussant les épaules avec un soupir, il se détourna d'elle et s'éloigna de quelques pas.

— Et vous avez payé ! gronda-t-il. Le connaissant comme vous le connaissez, vous avez payé, aveuglément ! Il ne vous est pas venu à l'idée qu'il pouvait mentir, que ce n'était qu'un prétexte pour vous arracher de l'argent ?

« Et toi, songea Marianne tristement, il ne te viendrait pas à l'idée que je t'aime assez pour avoir perdu la tête ? que, pour sauver ta vie, je lui aurais donné tout ce que je possède ?... » Mais elle ne formula pas à haute voix cette amère pensée, se contentant de répondre mélancoliquement :

— Il donnait de telles précisions que je n'ai pas pu ne pas le croire. C'est lui qui m'a dit que vous seriez tout le jour à Mortefontaine, lui encore qui m'a dit que vous en reviendriez seul, lui enfin qui m'a appris qu'une visite importante devait vous être rendue ce soir... et tout cela s'est révélé exact, puisque ce matin, à l'aube, je suis accourue ici pour entendre tout cela de la bouche de votre concierge. Tout était exact... sauf le plus important, mais pouvais-je le deviner?

— Moi, un conspirateur! lança Jason avec rage. Et vous avez cru ça? Est-ce que vous ne me connaissez pas assez?

— Non, fit Marianne gravement, non... à dire vrai, je ne vous connais pas du tout! Songez que vous avez d'abord été pour moi un ennemi, puis un ami et un sauveur avant de devenir... un indifférent!

Le mot eut quelque peine à passer, mais Marianne néanmoins le prononça fermement. Puis très doucement, elle ajouta :

— Lequel de ces hommes est le vrai Jason, puisque, de l'indifférence, il semble que vous soyez revenu à l'inimitié... si ce n'est à la haine?

— Ne dites pas de bêtises, fit-il rudement. Qui peut être indifférent à la femme que vous êtes? Il y a en vous quelque chose qui pousse aux pires excès. On ne peut que vous aimer avec passion... ou avoir envie de vous tuer! Il n'y a pas de demi-mesure.

— Apparemment... vous avez choisi la seconde formule!... Je ne peux pas vous le reprocher. Mais, avant de vous quitter, il y a une chose que je voudrais savoir.

Il lui tournait le dos, regardant machinalement la pluie cingler les vitres et l'univers noir du jardin.

— Quoi?

— Cette visite... si importante qu'elle vous a fait revenir de chez la reine d'Espagne, je voudrais savoir... pardonnez-moi!... Je voudrais savoir si c'était une femme?

A nouveau il se retourna, la toisa, mais il y avait

cette fois dans ses yeux comme un reflet d'involontaire tendresse :

— Cela a tant d'importance ?

— Plus que vous ne sauriez croire. Et je... je ne
vous demanderai plus jamais rien ! Même vous
n'entendrez jamais plus parler de moi.

Cela fut dit d'une voix si douloureusement résignée, si humble aussi qu'elle trouva le défaut de
l'armure. Un élan, dont il ne fut pas maître, jeta le
corsaire un genou à terre auprès de la jeune femme
dont il emprisonna les deux mains dans les siennes :

— Folle que tu es ! Cette visite n'avait d'importance qu'au point de vue commercial et c'était celle
d'un homme, d'un Américain comme moi : mon ami
d'enfance Thomas Sumter qui vient de partir pour
assurer le chargement de mon navire. Tu sais, ou tu
ne sais pas, qu'à cause du Blocus certains grands
producteurs français s'adressent aux navires américains pour le transport de leurs marchandises. C'est
le cas d'une aimable dame qui, à Reims, dirige de
grandes caves de vin de Champagne et Mme Veuve
Nicole Clicquot-Ponsardin me fait confiance depuis
que je navigue. Thomas vient de conclure pour moi
le dernier marché et gagne Morlaix dès cette nuit
pour en assurer l'acheminement vers... l'extérieur de
l'Empire. Voilà toutes mes conspirations ! Tu es
contente ?

— Du champagne ! s'écria Marianne riant et
pleurant à la fois. C'est de champagne qu'il était
question ! Et moi qui ai cru... Oh ! mon Dieu ! C'est
trop beau, c'est trop merveilleux !... c'est trop drôle !
J'ai raison de dire que je ne te connais pas du tout !

Mais Jason n'avait fait que sourire de la joie de la
jeune femme. Ses yeux sombres et graves dévoraient
avidement son visage illuminé de bonheur.

— Marianne, Marianne ! Qui es-tu toi-même

avec ta naïveté d'enfant et tes roueries de femme avertie? Tu es tantôt claire comme le jour et inquiétante comme les ténèbres et je ne saurai peut-être jamais ce qui est vrai en toi.

— Je t'aime... c'est cela qui est vrai.

— Tu as le pouvoir de me faire endurer l'enfer ou de me changer moi-même en démon. Es-tu femme ou sorcière?

— Je t'aime... je ne suis que celle qui t'aime.

— Et j'ai failli te tuer! Et j'ai voulu te tuer...

— Je t'aime... j'ai déjà oublié!...

Doucement, les fortes mains brunes avaient glissé le long des bras de Marianne, se refermaient autour d'elle, l'attiraient contre une poitrine dure et chaude, tandis que les lèvres de Jason se posaient sur ses yeux, sur ses joues, cherchant sa bouche. Tremblante d'une joie si forte qu'elle crut, un instant, qu'elle allait en mourir, Marianne s'abandonna aux bras qui la serraient maintenant, se blottit plus étroitement contre Jason et ferma ses yeux, si brillants de larmes qu'en se fermant ils mouillèrent son visage. Leur baiser eut le goût du sel et de la flamme, la douleur et l'âpreté, l'ardeur et la tendresse de ce que l'on a longtemps attendu, longtemps désiré, longtemps imploré du ciel sans vraiment espérer être exaucé. Il fut une éternité de quelques secondes, ne s'interrompit que pour reprendre avec plus de passion encore. C'était comme si Jason ni Marianne ne pouvaient étancher cette intense et douloureuse soif qu'ils avaient l'un de l'autre, comme s'ils cherchaient à mettre, dans ce fugitif instant de bonheur, toute leur part de paradis sur la terre.

Quand enfin ils se désunirent un peu, Jason prit entre ses doigts le menton de Marianne et lui renversa légèrement la tête pour que la lumière des bougies jouât dans les profondeurs marines de ses yeux.

— Quel idiot j'ai été ! soupira-t-il. Comment ai-je pu imaginer, un seul instant, que je pourrais vivre ma vie à jamais loin de toi ? Mais tu fais partie de moi, comme le sang et la chair !... Comment allons-nous faire maintenant ? Je n'ai pas le droit de te garder et tu n'as pas davantage celui de rester avec moi. Il y a...

— Je sais ! fit Marianne en posant vivement sa main sur les lèvres de son ami pour l'empêcher de prononcer les noms qui eussent définitivement rompu le charme, mais ces heures ne sont qu'à nous... N'est-il pas possible d'oublier le monde et ses réalités pour quelques instants encore ?

— Comme toi je le voudrais... je le voudrais tellement ! fit-il d'un ton désespéré. Mais, Marianne, il y a cette bizarre intervention de Cranmere, cet avis mensonger... et qui t'a coûté si cher...

— L'argent n'est rien. Je ne sais plus qu'en faire.

— Néanmoins, je te le rendrai. Ce n'est pas non plus à l'argent que je pensais. Pourquoi t'avoir raconté toute cette histoire ?

Marianne se mit à rire.

— Mais justement à cause de l'argent. Tu l'as dit toi-même, il en manquait certainement et il a trouvé là un excellent moyen. La seule chose à faire est de n'y plus penser.

Tendrement, elle glissait ses bras autour du cou de son ami pour l'attirer à nouveau tout contre elle, mais Jason, doucement, dénoua la tendre étreinte et se releva :

— Tu n'entends pas ? Il y a une fenêtre qui claque sans arrêt dans la pièce à côté.

— Appelle un domestique.

— Je les ai tous envoyés se coucher bien avant que Thomas n'arrivât. Mes affaires ne regardent que moi.

Il se dirigea vers la porte qui fermait la pièce voisine et Marianne, machinalement, le suivit. Maintenant que la pluie cessait, elle aussi, et que le silence l'enveloppait, l'atmosphère de cette maison lui paraissait étrange. Elle semblait pleine de froissements de robe, de chuchotements légers qui n'étaient sans doute que les dernières gouttes d'eau dans les feuilles et sur le gravier du jardin. Le salon où battait la fenêtre, un salon presque vide, était obscur mais, à travers les vitres, Marianne crut voir dans le parc descendant jusqu'à la route de Versailles des lueurs fugitives qui, dans ces ténèbres épaisses, mettaient une note funèbre. Elle rejoignit Jason qui venait de refermer solidement la fenêtre.

— Il m'a semblé apercevoir de vagues lumières dans le parc ? Tu n'as rien vu ?

— Rien du tout. Tes yeux, en sortant de la lumière, t'ont joué un tour dans l'obscurité.

— Et ces bruits ? Tu n'entends rien ? On dirait des froissements de soie, des soupirs.

Était-ce l'effet de l'obscurité, presque totale, puisque la lumière de la pièce voisine n'apportait qu'une faible lueur par la porte entrouverte, mais Marianne sentait ses oreilles et son esprit s'emplir de bruits légers et inquiétants. C'était comme si chaque boiserie, chaque parquet, chaque meuble de la maison s'était mis à vivre... et c'était effrayant !

Inquiet du son étrange de sa voix, Jason l'enveloppa de nouveau dans ses bras, la serrant contre lui avec douceur, comme un objet fragile, puis, tout de suite, la sentant brûler, se tourmenta :

— Mais tu as de la fièvre... C'est cela qui te fait voir et entendre ce qui n'est pas. Viens, je te sens trembler... Il faut te soigner ! Mon Dieu ! Et moi qui...

Il cherchait à l'entraîner, mais elle résista, les

yeux grands ouverts sur l'obscurité qui, maintenant, lui semblait moins opaque.

— Non... Écoute ! On dirait que quelqu'un pleure. C'est une femme... Elle pleure pour avertir...

— Dans un instant tu vas me dire que tu as vu le fantôme de la pauvre princesse, toi aussi ! Assez, Marianne ! Tu te fais du mal et j'ai bien peur de ne t'en avoir fait que trop ! Ne restons pas ici.

Et sans discuter davantage, Jason enleva Marianne dans ses bras et l'emporta jusqu'au grand salon dont il referma soigneusement la porte derrière lui avant d'aller déposer son fardeau sur un petit canapé. Il commença par emballer Marianne dans sa mante de soie, glissa un coussin sous sa tête et annonça qu'il allait réveiller la cuisinière pour qu'on lui donne du lait chaud. Se dirigeant vers l'angle de la bibliothèque, il tira la sonnette qui s'y cachait. Enfouie jusqu'au nez dans la soie verte, Marianne le suivait des yeux.

— C'est inutile ! soupira-t-elle. Le mieux est que je rentre chez moi. Mais, tu sais... si je n'ai pas vu le fantôme, je l'ai entendu ! J'en suis sûre !

— Tu es folle ! Il n'y a pas de fantôme sinon dans ton imagination !

— Si... il disait qu'il fallait prendre garde.

Brusquement, la maison parut se réveiller. Il y eut des portes que l'on ouvrait et fermait violemment, puis des bruits de pas pressés qui accouraient. Avant que Jason eût seulement atteint la porte intérieure pour s'informer de ce qui se passait, celle-ci s'était ouverte, livrant passage à un valet habillé sommairement et complètement effaré.

— La police ! Monsieur ! C'est la police !

— Ici ? A cette heure ? Que viennent-ils faire ?

— Je... je ne sais pas ! Ils ont obligé le concierge à ouvrir la grille et ils sont déjà dans le parc.

Prise d'un terrible pressentiment, Marianne s'était redressée. Fébrilement, avec des mains tremblantes, elle remettait sa mante, en nouait les liens de soie, levant sur Jason un regard éperdu. L'idée lui venait que, peut-être, Francis s'était joué d'elle et avait, sans preuve aucune, dénoncé Jason comme conspirateur.

— Que vas-tu faire ? murmura-t-elle avec angoisse. Tu vois que j'avais raison de craindre.

— Il n'y a rien à craindre ! affirma-t-il fermement. Je n'ai rien à me reprocher et ne vois pas pourquoi on s'en prendrait à moi.

Puis, se tournant vers le valet qui tremblait toujours au seuil de la porte :

— Dites au chef de ces messieurs que je les attends. Il y a sans doute un malentendu. Mais tâchez qu'ils patientent un instant.

Tout en parlant, il refermait le col de sa chemise, nouait une cravate et endossait l'habit qu'il avait simplement posé sur une chaise pour avoir moins chaud tout à l'heure, puis revenait à Marianne qu'il faisait lever.

— Par où es-tu entrée ?

— Par la petite porte dans le mur de la rue de Seine. Gracchus m'y attend avec ma voiture qu'il a cachée tout près.

— Alors, il faut le rejoindre tout de suite... J'espère que le chemin est encore libre. Et, heureusement, il ne pleut plus ! Viens... Les autres doivent venir par la cour.

Mais elle s'accrocha désespérément à son cou.

— Je ne veux pas te quitter ! Si tu es en danger je veux le partager.

— Ne dis pas d'enfantillages : je ne suis pas en danger ! Mais toi, ou tout au moins ta réputation, le seras fortement si les policiers te trouvent ici. Il ne faut pas qu'on sache...

— Cela m'est égal ! s'écria Marianne farouchement. Dis plutôt que tu ne veux pas que Pilar sache...

— Pour l'amour du ciel, Marianne ! cesse de déraisonner ! Je jure qu'en te suppliant de fuir je ne pense qu'à toi.

Il s'interrompit brusquement et lâcha la jeune femme qu'il avait tenue contre lui jusque-là. Il était trop tard... La porte venait de se rouvrir pour livrer passage à un homme grand et solidement charpenté, tout vêtu de noir, boutonné jusqu'au menton et porteur d'une longue moustache à la gauloise. A la main il tenait un haut chapeau taupé, noir également et, dans la lumière des bougies, Marianne vit qu'il avait le regard le plus dur et le plus froid qu'elle eût jamais vu. Le nouveau venu salua brièvement :

— Inspecteur Pâques ! Je regrette de vous déranger, monsieur, mais nous avons reçu, ce soir, avis qu'un crime avait été commis dans cette maison et que nous y trouverions un cadavre.

— Un crime ? firent Jason et Marianne d'une même voix.

Mais, tandis que le corsaire s'avançait vers le policier, la jeune femme chercha l'appui d'une chaise car elle se sentait défaillir. L'absurdité menaçante qui avait envahi son existence depuis cette maudite soirée au théâtre semblait vouloir s'installer à demeure. Qu'était-ce encore que cette histoire de crime, de cadavre ? L'irruption de la police au beau milieu de son duo d'amour prenait l'aspect d'une mauvaise farce, d'un charivari pour jeunes mariés campagnards. La voix de Jason, cependant, s'élevait calme et un peu amusée :

— Êtes-vous sûr de votre source d'information, monsieur ? Cette maison, je le savais déjà, passe pour hantée, mais de là à ce que des cadavres s'y promènent en liberté... Je ne voudrais pas mettre en doute vos renseignements, mais vous me voyez fort étonné.

La mesure et la courtoisie du corsaire durent plaire au policier car il lui adressa un petit salut raide avant de répondre.

— J'admets volontiers, monsieur, que l'information en question nous soit parvenue sous forme anonyme mais elle était si formelle... et si grave que je n'ai pas hésité plus longtemps !

— Si grave ?... Vous savez donc quel cadavre vous devez trouver ici ?

— Non. Nous savons seulement qu'il s'agit d'un fidèle serviteur de Sa Majesté l'Empereur et... d'un homme appartenant à la haute police. Je ne pouvais d'autant moins ignorer cet avis qu'il s'agirait d'un meurtre politique.

A son tour, Jason s'inclina.

— C'est trop juste !... encore que je sois aussi stupéfait qu'intrigué ! Ma foi, monsieur, je vous livre la maison ! Cherchez !... Je vous suivrai avec intérêt, dès que vous m'aurez permis de mettre Madame en voiture. De telles affaires ne sont pas faites pour une jeune femme.

L'inspecteur Pâques, déjà tourné vers la porte pour rejoindre ses hommes, se ravisa et revint vers le couple.

— Impossible, monsieur ! Je vous prierai même de ne pas quitter cette pièce tant que la perquisition ne sera pas terminée. Madame est la princesse Sant'Anna, j'imagine ?

Cette fois, ce fut Marianne qui se chargea de répondre. Elle avait suivi avec une angoisse croissante le dialogue poli de Jason et de son visiteur inattendu, mais l'énoncé de son nom redoubla les craintes encore vagues qui l'avaient envahie. Néanmoins, ce fut avec dignité et une apparente froideur qu'elle dit :

— En effet ! Puis-je savoir comment vous me connaissez ?

— Je n'ai pas cet honneur, madame ! répondit Pâques d'un ton glacé. Mais la dénonciation portait que l'on vous trouverait auprès de M. Beaufort... dont vous êtes la maîtresse !

Marianne n'eut pas le temps de répondre. Jason s'interposa entre elle et le policier. Une colère difficilement contenue crispait ses maxillaires et enflammait ses yeux.

— Assez, monsieur ! gronda-t-il. Faites votre métier puisqu'il suffit d'une dénonciation anonyme pour que vous envahissiez une demeure respectable, mais n'insultez personne !

— Je n'insulte personne ! Je dis ce que j'ai lu.

— Si vous croyez tout ce que vous lisez, je vous plains. Quoi qu'il en soit, nous ne sommes encore, madame et moi, accusés de rien ! Alors veillez au moins, à défaut de moi-même qui n'en ai cure, à respecter une amie personnelle de l'Empereur si vous ne voulez pas que je porte plainte contre vous ! Après tout, je suis citoyen américain et, comme vous le savez peut-être...

— Brisons là ! monsieur, coupa l'inspecteur. Si j'ai commis une erreur en venant ici, je m'engage à vous faire des excuses, mais, pour le moment, je vous prie de ne pas quitter cette pièce.

Il sortit. Demeurés seuls, Marianne et Jason se regardèrent, lui avec un haussement d'épaules et un sourire qui se voulait insouciant mais n'atteignait pas ses yeux, elle avec une inquiétude qu'elle ne cherchait pas à dissimuler.

— C'est une histoire de fou ! fit Jason.

Mais Marianne hocha la tête :

— Non... mais je crains que ce ne soit une histoire de lord Cranmere. Et ce n'est pas un fou, hélas !

Jason eut un haut-le-corps et fronça les sourcils.

— Vous pensez que la lettre anonyme reçue par ce policier est son œuvre ? C'est possible mais, d'après ce qu'on nous a dit, c'est moi qu'elle vise surtout et je ne vois pas pourquoi Cranmere me voudrait du mal.

— Parce qu'il sait bien que la meilleure manière de me faire du mal c'est de vous atteindre vous ! plaida la jeune femme avec une passion née du besoin qu'elle avait maintenant de faire partager par son ami une conviction à chaque instant plus nette dans son esprit.

Tout l'y poussait, jusqu'à ces bruits étranges qu'elle seule avait perçus dans la maison grâce à l'extrême finesse de son système nerveux et à cette part anglaise de sa nature, si aisément touchée par le surnaturel.

— ... Réfléchissez, Jason ! N'êtes-vous pas frappé par la suite de circonstances qui se sont déroulées depuis que, la nuit dernière, j'ai trouvé cet homme dans ma maison ? Ce mélange de vrai et de faux qui se répète sans cesse...

— De vrai ? s'insurgea l'Américain. Que voyez-vous de vrai, en dehors de votre présence ici ce soir, dans ce maudit billet sans signature ?

— Seul, lord Cranmere savait que je devais venir.

— Peut-être, mais c'est bien tout ! Vous n'êtes pas ma maîtresse, il me semble, et quant à ce crime inventé, ce cadavre qui ne doit exister que dans l'imagination...

Le retour soudain de l'inspecteur Pâques lui coupa la parole. Cette fois, le policier reparaissait par la porte-fenêtre qui, tout à l'heure, avait livré passage à Marianne et son maintien était, s'il est possible, plus froid encore qu'à sa première apparition.

— Voulez-vous me suivre, monsieur ? Et vous aussi, madame ?

— Où cela ? fit Jason.

— Dans la salle de billard qui occupe le petit pavillon dans le parc.

Le pressentiment d'une catastrophe imminente était maintenant une certitude pour Marianne. Elle lisait un malheur sur le visage fermé de ce policier et croyait bien voir une menace dans son regard. Jason, lui aussi, avait dévisagé avec surprise la figure hermétique de Pâques, mais il ne s'émut pas pour autant. Haussant les épaules, il tendit la main pour prendre celle de Marianne et maugréa :

— Allons ! puisque vous y tenez.

On descendit dans le jardin. L'intolérable chaleur qui avait rendu si pénible la fin du jour avait fait place à une fraîcheur légère tandis que, de la terre humide, des feuilles mouillées, s'exhalaient les senteurs renouvelées de l'herbe et des plantes lavées de frais. Mais, parmi les cordons de roses qui garnissaient les trois terrasses, les silhouettes noires des policiers mettaient des taches lugubres. Avec un frisson de crainte Marianne pensa qu'il y en avait assez pour investir un village et s'étonna de ce luxe de personnel pour une simple visite domiciliaire... à moins que l'inspecteur Pâques n'ait cru avoir affaire à une bande et n'ait voulu prévenir à tout prix une fuite, toujours possible dans un jardin de cette ampleur. Ces hommes ne bougeaient pas. Certains portaient une lanterne sourde à la main, pour éclairer le chemin, mais tous avaient l'air de monter quelque garde menaçante. Peut-être Marianne trembla-t-elle un instant car elle sentit les doigts de Jason se serrer plus fermement autour de sa main et elle puisa dans ce chaud contact un peu de réconfort.

Le petit pavillon, qui servait jadis de salle de billard, s'élevait à droite de la maison. Éclairé intérieurement, il avait l'air d'une grosse lanterne jaune posée sur la nuit. Deux hommes gardaient la porte, leurs mains lourdement appuyées sur le gourdin tordu qui était, manié par eux, une arme redoutable. Ils étaient silencieux et sinistres, noirs comme les valets de la mort, et la main de Marianne se crispa nerveusement dans celle de Jason. Pâques ouvrit la porte, s'effaça pour laisser passer le couple.

— Entrez ! Voyez !

Jason entra le premier, eut un sursaut et, instinctivement, tenta de barrer le passage à sa compagne, à la fois pour lui cacher l'affreux spectacle et pour l'empêcher de marcher dans le sang qui inondait la petite pièce. Mais il était trop tard. Elle avait vu.

Un hurlement d'horreur jaillit de sa gorge. Elle vacilla sur ses jambes, se retourna brusquement pour fuir ce cauchemar et s'abattit sur la poitrine de l'inspecteur qui bouchait le seuil de la porte.

Au milieu de la pièce, les jambes passées sous un billard au drap crevé, un gigantesque cadavre gisait, la gorge tranchée, les yeux grands ouverts sur l'éternité. Mais, malgré la pâleur exsangue du visage, malgré l'effrayante fixité du regard figé dans une expression de surprise, il n'était que trop reconnaissable : l'homme qui reposait là, dans ce lieu jadis créé pour le loisir et si tragiquement transformé en abattoir, c'était Nicolas Mallerousse, l'oncle fictif de Marianne, c'était Black Fish le marin, le passeur de prisonniers évadés des pontons anglais, c'était l'homme qui avait juré sur sa vie de détruire Francis Cranmere...

— Qui est cet homme ? demanda Jason d'une voix blanche. Je ne le connais pas.

— Ah ! vraiment ? fit l'inspecteur en tentant vainement de se débarrasser de Marianne qui s'accrochait à lui convulsivement, sanglotant à perdre haleine et parvenue à l'extrême limite de la crise de nerfs. Ce sont pourtant vos initiales qui se trouvent sur le rasoir que l'on a ramassé et qui a tué Nicolas Mallerouse ! Allons, madame, allons ! Je ne suis pas là pour vous aider à passer vos nerfs !

— Laissez-la tranquille ! gronda Jason en arrachant Marianne à l'inspecteur qui avait entrepris de la secouer pour s'en libérer, personne n'a jamais songé à demander de la compassion à un policier ! Si ce malheureux est, comme vous le prétendez, Nicolas Mallerousse, cette jeune femme vient de recevoir un choc affreux et je vous prie de la laisser passer et de la faire sortir de cette boucherie, sinon je vous jure que l'Empereur entendra parler de vos procédés ! Venez, Marianne, venez dehors.

Tout en parlant, il enlevait dans ses bras la jeune femme, dont les dents claquaient, et l'emportait hors du pavillon. Pâques le laissa passer, se bornant à indiquer un banc de pierre posé au bord du chemin et d'un massif de grands lys blancs dont le parfum embaumait tout ce coin de jardin. Jason déposa son fardeau, demandant que quelqu'un allât prévenir Gracchus-Hannibal Pioche de faire avancer la voiture de Marianne et de venir chercher sa maîtresse. Mais l'inspecteur Pâques s'y opposa :

— Un instant ! Je n'en ai pas encore fini avec cette dame. Pourquoi dites-vous qu'elle a reçu un choc parce que le cadavre est celui de Nicolas Mallerousse ?

— Parce que c'était l'un de ses meilleurs amis ! Elle l'aimait beaucoup et...

— A qui ferez-vous croire cela ? Le choc est venu par la vue du sang, peut-être aussi parce qu'elle ne pensait pas être mise ainsi en face de votre ouvrage.

— Mon ouvrage ! Vous m'accusez de cette ignoble boucherie ? Et cela, uniquement parce que vous avez trouvé un rasoir à mes initiales ! Un rasoir se vole.

— Mais pas une raison de tuer ! Et vous en aviez au moins deux, excellentes.

— Deux raisons ? J'avais deux raisons de massacrer ainsi un homme que je ne connaissais même pas ?

— Au moins ! précisa Pâques. Et chacune d'elles meilleure que l'autre. Mallerousse vous filait depuis que vous êtes en France pour acquérir les preuves de l'important trafic de contrebande auquel vous vous livrez. Vous l'avez tué parce qu'il allait vous arrêter au moment où vous vous apprêtiez à quitter la France avec vos cales pleines.

— De champagne et de bourgogne ! grogna Jason avec un haussement d'épaules excédé. On ne tue pas un homme pour quelques bouteilles de vin !

— Si la lettre a dit vrai nous trouverons autre chose aussi et la preuve sera faite. Quant à la seconde raison, elle est parfaitement incarnée par madame ! C'est pour elle, pour la sauver, que vous avez tué !

— La sauver ? Mais de quoi ? Je vous répète qu'elle aimait beaucoup...

— De ceci ! Nous l'avons trouvé sur le cadavre ! Je ne doute pas qu'elle n'ait fort bien connu Mallerousse et que ce malheureux n'en ait su infiniment plus long sur son compte qu'elle ne le souhaiterait... mais je doute beaucoup qu'elle ait éprouvé un si grand amour pour un homme en possession d'un papier comme celui-ci ! Une lanterne, Germain !

Un policier s'approcha. Sa lanterne éclaira un

papier jaune dont la vue arracha brusquement Marianne à l'immense vague d'horreur et de chagrin qui venait de l'emporter durant quelques instants ! Encore secouée de sanglots, elle avait entendu, sans parvenir à se calmer assez pour intervenir, les accusations de l'inspecteur, les réponses furieuses de Jason. Mais ce papier, ce papier jaune dont elle avait déjà vu un exemplaire jumeau, un jour, sur la place de la Concorde et aux mains de son pire ennemi, lui fit l'effet d'un révulsif parce qu'il lui apportait la preuve formelle, la signature en quelque sorte, du cauchemar dans lequel Jason et elle se débattaient.

Elle tendit la main, prit le papier tenu par l'inspecteur, le déplia et le parcourut rapidement. C'était bien cela ! Le même exactement que celui qu'elle avait déjà vu, à ceci près qu'on l'avait remis au goût du jour et que « Maria-Stella » avait fait place à « la princesse Marianne Sant'Anna ». Mais, dans sa teneur, le libellé, accusant la maîtresse de l'Empereur d'être une meurtrière recherchée par la police anglaise et une espionne, demeurait fidèle à lui-même, c'est-à-dire toujours aussi infâme...

Avec dégoût, Marianne rendit, du bout des doigts, la feuille jaune au policier.

— Vous avez eu raison, monsieur, d'exiger que je reste ici. Nul mieux que moi ne peut vous dire l'histoire de ce répugnant factum qu'il m'a déjà été donné de voir. Je vous raconterai aussi comment j'ai connu Nicolas Mallerousse, quels bienfaits j'en ai reçus et pourquoi je l'aimais, quelle que puisse être l'idée que, sur la foi d'un billet anonyme et d'un libellé tout aussi discret quant à son auteur, vous ayez pu vous faire de nos relations.

— Madame, commença le policier avec impatience.

Marianne leva une main pour l'arrêter. Son regard

fier enveloppa l'inspecteur, si hautain et si clair à la fois qu'il détourna le sien.

— Permettez, monsieur ! Lorsque j'en aurai fini, vous verrez qu'il vous est impossible d'accuser plus longtemps M. Beaufort car, dans mon récit, vous trouverez les noms des véritables coupables de cette... chose atroce !

Sa voix se fêla tandis que l'infaillible enregistreur qu'était sa mémoire lui rappelait ce qu'elle venait de voir. Son ami Nicolas, si bon, si courageux, massacré d'ignoble façon par ceux-là mêmes qu'il aurait dû abattre. Marianne ne s'expliquait pas comment le crime avait pu avoir lieu dans la maison habitée par Jason, cette maison appartenant à un homme de la plus grande honorabilité. Mais elle savait, de toute la certitude clairvoyante de sa peine, de sa colère et de sa haine aussi, qui avait fait cela ! Dût-elle le crier à la face du Tout-Paris et y laisser à jamais sa réputation, elle ferait poursuivre les vrais coupables et obtiendrait justice !... L'inspecteur Pâques, cependant, marquait un léger fléchissement, une hésitation en face d'une femme parlant avec tant de fermeté et d'assurance.

— Tout cela est bel et bon, Madame la Princesse, mais il n'en demeure pas moins que le crime a bien été commis, le cadavre découvert ici...

— Le crime a été commis mais pas par M. Beaufort ! Le véritable meurtrier, c'est l'auteur de ce torchon, s'écria-t-elle en désignant le papier jaune que Pâques avait conservé entre ses doigts. C'est l'homme qui me poursuit d'une haine féroce depuis le jour fatal où je l'ai épousé. C'est mon premier mari, lord Francis Cranmere, un Anglais... et un espion.

Tout de suite, Marianne eut la sensation que Pâques ne la croyait pas. Il regardait alternativement le papier jaune et Marianne, avec un drôle d'air. Finalement, il s'en tint au papier qu'il agita doucement sous le nez de la jeune femme :

— Autrement dit : l'homme que vous avez tué ? Vous me prenez pour un imbécile, madame !

— Mais il n'est pas mort ! Il est en France, il se cache sous le nom du vicomte...

— Trouvez autre chose, madame, coupa l'inspecteur avec colère, et cessez de tenter une diversion avec des contes de bonne femme ! Il est toujours facile d'accuser les fantômes ! Je vous rappelle que cette maison passe aussi pour hantée, au cas où vous seriez à court d'imagination. Je ne crois, moi, qu'à la réalité...

Indignée, Marianne allait peut-être plaider encore, rappeler à ce fonctionnaire méfiant son influence auprès de l'Empereur, la haute position qu'elle occupait dans la Société, ses relations, jusqu'à son rôle passé dans les rangs les plus discrets des agents de Fouché, quelque honte qu'elle éprouvât encore en évoquant ces heures noires de sa vie, quand quatre policiers, deux portant des lanternes et deux maintenant solidement un grand gaillard vêtu assez pauvrement, à la manière des gens de mer, des vêtements de laine grossière, débouchèrent dans le chemin.

— Chef ! On vient de trouver cet homme dans les buissons, près du mur qui longe la route de Versailles. Il allait l'escalader pour s'enfuir, dit l'un d'eux.

— Qui est-ce ? grogna Pâques.

Mais, de la façon la plus inattendue, ce fut Jason qui répondit à la question. Il avait arraché la lanterne des mains de l'un des policiers et l'avait approchée du visage du prisonnier. Une figure osseuse, aux yeux couleur de charbon, au nez cassé, surgit à la fois de la nuit et d'un col crasseux.

— Perez ! Qu'est-ce que tu fais là ?

L'homme avait l'air affolé. Malgré son apparence vigoureuse, il tremblait si fort que, sans la double poigne qui le maintenait debout, il serait peut-être tombé à terre.

— Vous connaissez cet homme ? interrogea Pâques, fronçant déjà les sourcils.

— C'est l'un de mes hommes ! Ou plutôt, c'était un homme de mon équipage, car je l'ai chassé de mon bord en touchant terre à Morlaix... C'est une affreuse crapule ! s'écria Jason avec indignation. Je ne comprends pas ce qu'il fait ici.

L'homme poussa un beuglement de taureau assassiné et se laissa tomber à terre sans que les policiers, surpris, puissent le retenir. Sur les genoux, il se traîna vers Jason dont il agrippa le bras, gémissant et pleurant tout à la fois.

— Non, Patron... non, faites pas ça ! Pitié ! M'abandonnez pas !... Sans ça je suis perdu ! C'est pas ma faute si j'ai pas eu le temps de l'enlever... On allait le faire, Jones et moi, quand on a vu arriver ces hommes... les gens de police.

Stupéfaite, Marianne écoutait ces paroles hachées, débitées en mauvais français avec un lourd accent espagnol et apparemment sans suite logique mais qui lui paraissaient terribles. Elle comprit que le destin s'acharnait et que, plus jamais, l'inspecteur Pâques ne l'écouterait puisque, maintenant, il tenait un soi-disant témoin. Cependant, la colère emportait Jason qui venait d'empoigner l'homme par son col crasseux et le décollait de terre à la seule force de ses poignets.

— Enlever qui ? Enlever quoi ?

— Mais... le corps, patron ! Le... cadavre ! larmoya l'autre à demi étranglé ! Jones s'est enfui dès qu'il a compris qu'on était en danger... Moi, j'avais si peur que j'ai mis plus longtemps... et quand j'suis arrivé au bas du jardin... l'avait refermé la porte sur le grand chemin... Alors, j'ai essayé d'sauter l'mur ! Pitié !... Vous m'tuez, patron !

Le dernier mot ne fut qu'un râle. Fou de rage, les yeux étincelants, le corsaire serrait si fort la gorge de l'homme entre ses poings crispés qu'il était sur le point de la broyer. Son profil acéré tout près du visage congestionné du marin, il cracha :

— Menteur !... Quand t'ai-je donné un ordre quelconque depuis que je t'ai fait fouetter et chasser du navire pour vol ? Tu vas le dire, crapule ! Tu vas avouer tout de suite que tu as menti, sinon...

— Ça suffit ! ordonna sèchement l'inspecteur en se portant au secours de Perez. Laissez cet homme ! Vouloir le tuer c'est avouer qu'il dit vrai ! Holà ! vous autres !

Les quatre policiers n'avaient pas attendu cet ordre pour se jeter sur Jason. Perez, libéré d'un seul coup, tomba lourdement à terre et se mit à masser son cou douloureux en pleurnichant.

— Vouloir m'tuer ! Moi !... Après c'que j'ai voulu faire pour vous !... Si c'est pas malheureux !

Devant Jason maîtrisé, le misérable se relevait lentement, hochant la tête comme s'il était sous le coup d'une sainte et cruelle indignation :

— Toujours la même chose, les gens d'la haute !... Quand leurs coups réussissent pas, y s'en prennent toujours au pauv'monde ! A quoi qu'ça sert le dévouement...

— Mais cet homme ment ! s'écria Marianne qui considérait avec un mépris plein de dégoût l'immonde comédie que jouait cet inconnu, car ce ne pouvait être qu'une comédie, un acte de la pièce diabolique montée par Francis pour perdre Jason et la perdre avec lui. — Comment ? Par quel moyen ? Elle n'en savait rien mais son instinct, sa sensibilité aiguë de femme aimante lui criaient que tout cela avait été préparé savamment, sciemment.

— Naturellement, il ment! lança Jason froidement. Mais, apparemment, seuls les menteurs rencontrent quelque crédit cette nuit... J'ignore ce que ce misérable fait ici, mais il a certainement été acheté!

— C'est ce qu'il faudra établir! coupa l'inspecteur avec sévérité! Ce sera le travail du juge impérial! En attendant, Monsieur, au nom de Sa Majesté l'Empereur et Roi, je vous arrête!

— Non! hurla Marianne éperdue. Non! Vous ne pouvez pas! Il est innocent!... Je le sais! Je sais tout! Je vous dis que je sais tout, cria-t-elle en se lançant sur la trace de Jason que les policiers emmenaient déjà. Lâchez-le! Vous n'avez pas le droit!

Comme une furie, elle s'était retournée vers Pâques occupé à remettre Perez à l'un de ses hommes après lui avoir passé les menottes et hurlait :

— Vous entendez? Vous n'avez pas le droit! Demain j'irai aux pieds de l'Empereur! Demain il saura tout! Il m'écoutera.

La poigne brutale du policier s'abattit sur la jeune femme, serrant son bras si fort qu'elle laissa échapper un gémissement.

— En voilà assez, Madame! Taisez-vous si vous ne voulez pas que je vous embarque vous aussi! Votre complicité dans ce crime n'est pas totalement prouvée et je vous laisse en liberté, mais en liberté surveillée... et à la seule condition que vous vous taisiez! On va vous reconduire à votre voiture, puis chez vous, d'où vous ne bougerez sous aucun prétexte! Et sachez qu'on vous aura à l'œil.

Les nerfs de Marianne cédèrent d'un seul coup.

Elle se laissa tomber sur le banc de pierre et se mit à sangloter la tête dans les mains, achevant d'épuiser le peu de forces qui lui restait. Au même moment, du pavillon de billard, deux hommes sortirent portant sur une civière une grande forme inerte recouverte d'une toile déjà maculée de sinistres traînées sombres. Hébétée, Marianne, l'esprit et le regard vidés de toute pensée, les vit passer devant elle, ne sachant plus si ses larmes désespérées s'adressaient davantage à l'homme courageux et bon qui, par deux fois, l'avait sauvée et que l'on emportait maintenant, égorgé comme un pourceau, ou à l'homme qu'elle aimait de tout son être et que l'on accusait si injustement du crime d'un misérable. Car, pour elle, la culpabilité de Cranmere ne faisait aucun doute. C'était lui qui avait tout machiné, lui qui avait tendu chacun des fils ténus et gluants de la mortelle toile d'araignée, lui encore qui avait frappé Nicolas Mallerousse, faisant ainsi d'une pierre deux coups : il était débarrassé d'un ennemi gênant et il noyait dans un bain de sang la vie de Marianne comme la vie de Jason. Comment avait-elle pu être assez sotte, assez aveugle, pour croire une seule de ses paroles ? Par amour, elle s'était faite la complice d'un bandit et l'agent de mort de ceux qu'elle aimait le plus au monde.

Lentement, elle se leva et, comme une somnambule, suivit la civière, fantôme fragile dans sa robe blanche dont l'ourlet portait les sombres traces du crime. Parfois, un sanglot déchirait sa poitrine et résonnait faiblement dans la nuit maintenant douce et parfumée. Silencieusement, frappé peut-être par la douleur de cette femme dont Paris, la veille encore, admirait en les jalousant la fortune et la beauté et qui avait tellement l'air d'une orpheline parvenue au pire degré de la misère en suivant ce simulacre de convoi funèbre, l'inspecteur Pâques prit à son tour le chemin de la maison après avoir laissé la civière prendre quelques pas d'avance.

La grande maison blanche, faite pour le bonheur et la douceur de vivre et où, cependant, Marianne avait cru entendre pleurer une ombre désolée, surgit des arbres éclairée comme pour une fête, mais Marianne ne voyait rien que cette toile tachée de sang qui la précédait, n'entendait rien que les voix de son chagrin et du désespoir. Du même pas d'automate, elle traversa les groupes noirs des policiers massés sur les terrasses, monta le doux escalier comme s'il eût été l'échelle même de l'échafaud, entra dans le salon où elle avait connu un si bref et si merveilleux instant de bonheur et gagna le vestibule, obéissant machinalement à l'inspecteur dont la voix, venue de bien loin, lui indiquait que sa voiture l'attendait dans la cour.

Elle était si absente qu'elle ne tressaillit même pas quand une forme noire — une autre mais il y en avait déjà tellement eu depuis une heure ! — se dressa devant elle. C'est sans émoi, sans même se demander comment l'épouse espagnole de Jason se trouvait là elle aussi, qu'elle croisa le regard brûlant de haine de Pilar et c'est tout juste si elle prêta l'oreille aux quelques mots vengeurs que l'Espagnole y sifflait dramatiquement :

— Mon époux a tué pour toi ! Mais ce n'est pas pour cela qu'il va mourir ! C'est de toi ! De t'avoir aimée, maudite !

Sans regarder Pilar, Marianne haussa les épaules avec lassitude, ébauchant seulement un geste pour écarter l'ombre importune ! Cette femme déraisonnait ! Jason n'allait pas mourir ! Il ne pouvait pas mourir !... du moins pas sans Marianne. Dès lors, quelle signification profonde pouvait bien avoir ce mot de mort que l'on agitait devant elle comme un hochet funèbre ?

Dans la masse des policiers, des domestiques et des curieux, Marianne aperçut la ronde figure de Gracchus ravagée d'inquiétude et, dominant le tout, le toit de sa voiture. Instinctivement, elle tendit la main vers ce visage ami, vers cette île familière, appelant faiblement :

— Gracchus !...

D'un bond, bousculant irrésistiblement ce qui le séparait de sa maîtresse, le jeune garçon se jeta vers elle.

— Je suis là, Mademoiselle Marianne.

Elle s'agrippa à son bras, chuchotant :

— Emmène-moi, Gracchus... emmène-moi !

Le monde, alors, vira sur lui-même, emportant dans un maelström écœurant les visages, les arbres, la maison blanche et ses lumières. Marianne, parvenue à l'extrême limite d'elle-même, glissa dans une miséricordieuse inconscience. Elle n'entendit même pas l'apostrophe furieuse que Gracchus, avant de l'enlever de terre, lançait en pleurant et en retrouvant d'instinct l'argot de ses halles natales, à l'inspecteur Pâques médusé :

— Si tu l'as tuée, espèce de sale roussin, j'irai d'mander ta tronche au P'tit Tondu ! Et j'te fiche mon billet qu'y m'la donnera !...

8

L'ÉTAU SE RESSERRE...

Sous des dehors singulièrement rébarbatifs, dus à la fréquentation assidue des voyous, bandits, assassins et malfaiteurs de tout poil, l'inspecteur Pâques cachait une certaine dose de finesse. L'arrestation de Jason Beaufort ne fit aucunement le bruit auquel on aurait pu s'attendre. Elle n'avait eu pour témoins que quelques rares villageois de Passy attirés par le bruit et les quatre journaux de l'Empire, dûment tenus en brides par la police et par une impitoyable censure, n'en soufflèrent mot. En outre, la plus grande partie de la société quittait Paris pour ses châteaux ou pour les stations thermales à la mode et, de ce fait, n'apprit la nouvelle que beaucoup plus tard. En dehors du ministre de la Police, de la reine d'Espagne, chez qui Pilar Beaufort trouva immédiatement refuge, de Talleyrand que Marianne, éperdue, fit prévenir dès l'aube et, bien entendu, de l'Empereur, personne ne fut mis au courant.

En ce qui concernait Marianne, d'ailleurs, la consigne de silence avait été immédiate, formelle. Dès le lendemain soir, Savary, accouru chez la jeune femme, lui signifiait que, par ordre de Napoléon, ses services avaient reçu l'ordre de ne prononcer en aucun cas le nom de la princesse Sant'Anna. Cette faveur, Marianne l'admit difficilement.

— Comment pourrait-on ne pas parler de moi alors qu'un abject billet anonyme accuse M. Beaufort d'avoir tué pour moi ?

Le duc de Rovigo toussota et s'agita sur sa chaise, visiblement mal à l'aise. Il avait passé dans le cabinet de l'Empereur un de ces quarts d'heure pénibles dont Napoléon paraissait détenir le secret, et les accents irrités de la voix impériale résonnaient encore à ses oreilles.

— Sa Majesté pense que l'inculpé aurait fort bien pu tuer pour vous, princesse, mais Elle a bien voulu me tenir informé des... euh... des liens amicaux qui vous unissaient à la victime et Elle m'a déclaré que vous tenir pour responsable de sa mort, de quelque manière que ce soit, serait pure sottise !

Napoléon avait, en fait, employé un terme infiniment plus énergique et militaire, mais Savary ne pensait pas que la lettre de ces paroles, si augustes fussent-elles, eût sa place dans un salon. Marianne, cependant, s'étonnait :

— Vous en tenir informé ? Voyons, monsieur le Duc, vous êtes bien ministre de la Police ? Comment le successeur de M. Fouché peut-il ignorer qu'à mon arrivée à Paris c'est sous le nom de Marianne Mallerousse que je suis entrée comme lectrice chez Mme de Talleyrand-Périgord... et que, dans les fichiers du quai Malaquais, je portais le pseudonyme de l'Étoile ?

— Vous semblez, Madame... de même que l'Empereur, hélas, oublier que M. le Duc d'Otrante ne m'a guère laissé de matériaux valables pour reprendre sa suite et qu'il a brûlé ses dossiers et ses fiches durant trois jours... trois jours ! soupira-t-il avec accablement. Et l'Empereur me le reproche comme si j'avais pu prévoir pareille noirceur ! Il me faut tout recommencer de zéro, chercher patiemment qui travaillait pour nous, sur qui je peux encore compter.

— Pas sur moi, en tout cas ! coupa Marianne peu intéressée par les déboires du ministre et connaissant trop Fouché pour imaginer sans peine le plaisir pervers qu'il avait pu prendre à faire place nette devant son successeur. Mais là n'est pas la question : il faut que je voie l'Empereur, monsieur le duc, il le faut absolument ! Il est impensable que je laisse s'accomplir un acte aussi injuste et aussi abominable que la mise en accusation de M. Beaufort. Lui imputer un assassinat aussi sordide, alors qu'il s'est toujours comporté en ami sincère de notre pays, est une monstruosité ! M. de Talleyrand, qui le connaît aussi bien que moi, pourrait vous dire...

— Rien, Madame ! fit Savary en hochant tristement la tête. Sa Majesté a prévu que vous désireriez la voir... et Elle m'a chargé de vous dire qu'il ne saurait en aucun cas en être question !

Sous ce coup direct, administré d'une voix compatissante mais ferme, Marianne pâlit :

— L'Empereur... refuse de me voir ?

— Oui, Madame. Il m'a dit qu'il vous ferait appeler lorsqu'il le jugerait opportun, ce qui n'est pas le cas en ce moment car, d'après certaines apparences, M. Jason Beaufort serait moins notre ami que vous le pensez !

— Et même si cela était ? s'écria Marianne avec passion. Même s'il nous haïssait ? Serait-ce une raison suffisante pour le laisser sous le coup d'une accusation inique et stupide ?

— Ma chère princesse, il s'agit d'une affaire grave sur laquelle il importe de faire toute la lumière. Laissez donc à la justice le soin de rechercher la vérité totale sur le crime de Passy !

266

— Justement ! La justice ne peut que gagner à m'entendre. J'étais avec M. Beaufort tandis que le crime s'accomplissait et, de plus, je sais qui est, ou plutôt qui sont les véritables meurtriers de Nicolas Mallerousse. Donc, même si l'Empereur refuse de m'entendre, vous devez, vous, monsieur le duc, écouter ce que j'ai à dire. L'homme qui a tué, et qui a soigneusement maquillé son crime pour le faire retomber sur un autre, c'est...

Il était écrit que personne ne voudrait entendre Marianne. Dans un geste plein d'apaisement, Savary posa un court instant sa main sur la sienne tout en lui coupant la parole :

— Ma chère princesse, je vous ai dit que l'Empereur interdisait que l'on vous mêlât à cette affaire ! Faites donc confiance à mes services pour trouver le véritable meurtrier... s'il n'est pas celui que nous croyons !

— Mais, au moins, écoutez-moi ! Vous devez admettre, puisque j'étais là, puisque je sais tout, que je suis un témoin valable ! Même si cela doit rester entre nous, cela vous évitera de faire fausse route !

— Valable, peut-être... mais certainement pas impartial ! Madame, ajouta très vite Savary, coupant court ainsi à une nouvelle protestation de la jeune femme, je n'en ai pas encore fini avec les ordres de l'Empereur vous concernant !

— Les ordres ? répéta-t-elle péniblement impressionnée.

Le duc de Rovigo éluda cette demi-question qui eût amené peut-être une explication cruelle et se contenta de développer sa mission, en prenant toutefois la peine d'en adoucir les termes :

— Sa Majesté désire que vous quittiez Paris ces jours prochains pour vous rendre dans tel lieu qui vous semblera agréable.

Cette fois, Marianne se dressa, insensible à la peine prise par le ministre pour enrober la cruauté de l'ordre, car c'en était bien un.

— Brisons là, monsieur le duc : l'Empereur m'exile ? Alors, dites-le franchement.

— Nullement, madame, fit Savary avec un petit soupir qui en disait long sur son envie d'être ailleurs, nullement ! Simplement, Sa Majesté désire que vous alliez passer l'été hors de Paris, où il vous plaira, mais au moins à cinquante lieues... l'été et peut-être aussi l'automne ! Rien de plus naturel, d'ailleurs : la plupart de nos belles quittent Paris pour une ville d'eaux... ma propre femme se rend prochainement aux eaux de Plombières, vous ne ferez que suivre le mouvement général. C'est un déplacement, somme toute, très naturel si l'on considère que vous avez été gravement malade à la suite du drame de l'ambassade d'Autriche. Votre santé parfaitement rétablie, vous nous reviendrez, princesse, plus belle que jamais et nul ne sera plus heureux de vous revoir que votre serviteur.

Sourcils froncés, parfaitement insensible à cette inutile galanterie, Marianne avait écouté attentivement chacune des paroles de son visiteur. Elle ne comprenait pas ce besoin aussi subit qu'impérieux de l'envoyer aux eaux et seulement pour une période relativement courte, si l'on admettait qu'elle eût encouru la colère impériale. Quand Napoléon ordonnait à l'un de ses sujets, coupable de lui avoir déplu, de s'éloigner, c'était généralement pour beaucoup plus longtemps. Et, comme elle n'aimait pas laisser une question sans réponse quand il était possible d'en obtenir une, elle formula nettement sa pensée :

— La vérité, monsieur le ministre, je vous en prie ! Dites-moi la raison pour laquelle Sa Majesté tient tellement à ce que je prenne les eaux ?

Les yeux verts exigeaient impérieusement au moins autant qu'ils imploraient et Savary, avec un nouveau soupir, capitula :

— La vérité, la voici : l'Empereur, je vous l'ai dit, ne veut pas que votre nom soit mêlé à cette affaire. Or, suivant la tournure qu'elle prendra, il y aura ou n'y aura pas jugement pour M. Beaufort. Si procès il y a, il se déroulera sans doute vers octobre ou novembre... et l'Empereur ne veut pas vous savoir à Paris jusqu'à ce que tout ne soit terminé !

— L'Empereur veut que j'abandonne mon meilleur ami ?... Bien plus ! et vous pourrez le lui dire, monsieur le duc, car je le crois capable d'entendre cette vérité-là : l'homme que j'aime ?

— Sa Majesté s'attendait à votre réaction : c'est pourquoi Elle ordonne... et refuse de vous voir !

— Et si, moi aussi, je refuse ? s'exclama la jeune femme frémissante. Si je veux rester malgré tout ?

Le ton paisible et doucement résigné de Savary se chargea alors, subitement, d'une dureté nouvelle. Il se fit menaçant avec discrétion :

— Je ne vous le conseille pas ! Vous n'avez aucun intérêt à forcer l'Empereur à reconnaître que vous êtes impliquée dans cette affaire. Songez qu'en vous infligeant une pénitence... légère, vous ne pouvez le nier, il songe surtout à vous tenir à l'écart d'un scandale dont le nom que vous portez ne se relèverait pas ! Dois-je vous rappeler qu'outre M. Beaufort, un autre homme se trouve actuellement en prison à cause de vous ? Quand une femme, portant un grand nom, vit éloignée de son mari, on apprécie peu qu'en vingt-quatre heures deux hommes prennent, à cause d'elle, le chemin de la prison : l'un pour meurtre, l'autre à cause d'un duel scandaleux avec un officier étranger qui, par hasard, avait justement invité le premier de ces deux hommes à venir sur le terrain. Au surplus, conclut le ministre, un éclat qui contraindrait à user envers vous d'une extrême sévérité ne vous rapprocherait même pas de votre ami : la distance est grande entre la prison Saint-Lazare, où l'on met les femmes, et la Force, où M. Beaufort a été conduit ! Ne vaut-il pas mieux rester libre, même à cinquante lieues, pour lui comme pour vous ? Croyez-moi, madame, obéissez, dans l'intérêt même de votre ami.

Alors, Marianne, vaincue, baissa la tête. Pour la première fois, Napoléon la traitait en sujette et en sujette rétive. Il lui fallait obéir, s'éloigner alors qu'elle souhaitait de tout son cœur demeurer accrochée à Paris, le plus près possible des murs noircis de la vieille prison derrière lesquels Jason allait étouffer durant tant de semaines. On l'envoyait à la campagne, comme une gamine un peu folle qui a besoin de changer d'air, alors que la seule idée de Jason prisonnier la rendait malade et lui ôtait jusqu'à l'envie de respirer l'air ensoleillé de ce beau mois de juillet. « Jason des Quatre Mers et des Quatre Horizons », ainsi qu'elle l'appelait tout bas, pour elle-même, dans la chaleur tendre et fière de son amour, Jason, en qui devaient se reconnaître le puissant albatros et l'hirondelle rapide, Jason captif d'une prison crasseuse, de geôliers obtus et d'une promiscuité immonde, c'était pour Marianne comme une tache de boue sur l'azur du ciel, comme un outrage dans une prière, comme un crachat sur une étoile.

— Alors, madame ? demanda Savary.

— J'obéirai, murmura-t-elle à contrecœur.

— C'est bien. Soyez partie... disons dans deux jours ?

Allons ! Il était bien inutile de tenter la moindre défense quand le Maître ordonnait. La lourde main de l'Empereur se voulait peut-être légère et protectrice, mais, sous son étreinte, Marianne n'en sentait pas moins craquer ses os et se déchirer les fibres de son être aussi douloureusement que sur le médiéval chevalet de torture. Incapable d'endurer plus longtemps la mine solennelle et faussement compatissante du ministre, elle esquissa un rapide salut et quitta la pièce, laissant à Jérémie, son lugubre maître d'hôtel, le soin de reconduire le haut fonctionnaire à sa voiture. Elle avait besoin d'être seule, impérieusement... pour réfléchir.

Savary avait raison. Il ne servirait à rien d'entrer en rébellion ouverte. Mieux valait avoir l'air de plier, mais aucune force humaine ne pourrait lui faire abandonner le combat !

Deux jours plus tard, Marianne quittait Paris, avec Agathe et Gracchus, à destination de Bourbon-l'Archambault. Sa première idée avait été de rejoindre Arcadius de Jolival à Aix-la-Chapelle, mais la grande ville d'eaux des bords du Rhin était fort à la mode, cette année-là, et la jeune femme se sentait peu encline à voir du monde après le drame qu'elle venait de traverser et traverserait encore jusqu'à ce que Jason Beaufort fût reconnu innocent et définitivement mis hors de cause. Talleyrand, d'ailleurs, qui était arrivé chez elle sur les talons de Savary, lui avait formellement déconseillé l'antique capitale de Charlemagne.

— On y voit peut-être beaucoup de monde, mais du monde très peu réconfortant si l'on considère que la plupart des mécontents et des exilés courent s'y masser autour du roi de Hollande que l'Empereur vient de mettre, en quelque sorte, à la retraite, en annexant son royaume. Louis Bonaparte est l'être le plus gémissant que je connaisse et il se comporte comme si un conquérant cruel était venu le chasser de sa terre ancestrale. Il y a aussi Madame Mère qui prie beaucoup et fait des économies. Bien sûr, mon cher ami Casimir de Montrond a reçu permission de s'y rendre et je l'aime infiniment, mais c'est un homme qui traîne aisément les catastrophes après lui et Dieu sait que vous n'avez pas besoin d'un surcroît d'ennuis de ce genre. Non, venez plutôt avec moi.

Depuis huit années, en effet, le prince de Bénévent allait prendre les eaux de Bourbon avec une grande régularité. Sa mauvaise jambe et ses rhumatismes s'en trouvant, sinon au mieux, du moins au moins mal, aucune forme humaine, aucun cataclysme européen n'aurait pu l'empêcher d'aller, en juillet, faire sa cure en Bourbonnais. Il avait vanté à sa jeune amie les charmes de cette petite ville coquette et paisible, alléguant aussi qu'elle était infiniment moins éloignée de Paris que Aix-la-Chapelle, que soixante-dix lieues se couvraient plus aisément que cent cinquante, qu'il était de beaucoup préférable d'écrire à Jolival de venir lui aussi à Bourbon, qu'il était plus facile de se faire oublier, donc de retrouver un brin de liberté occulte, dans une bourgade que dans une cité mondaine et que, enfin, entre disgraciés on se devait aide et assistance.

— Vous ferez ma partie de whist, je vous lirai les œuvres de Mme du Deffand, nous rebâtirons l'Europe à nous deux et nous dirons du mal de tous ceux qui en disent de nous ! Ce qui fait que nous ne manquerons pas d'ouvrage, hé ?

Marianne avait accepté. Tandis qu'Agathe préparait ses coffres et que Gracchus s'occupait de la berline de voyage, elle avait écrit à son ami Jolival une longue lettre dans laquelle étaient relatés les derniers événements. En conclusion, elle lui demandait de revenir au plus vite, avec ou sans Adélaïde, et de la rejoindre à Bourbon. En effet, Marianne avait beau savoir que le vicomte-homme de lettres ne pourrait certainement pas grand-chose pour la cause de Jason, elle n'en avait pas moins l'impression que, lui étant là, les choses iraient tout de suite mieux. Elle savait trop bien qu'en sa présence le piège si bien monté par Cranmere eût certainement fonctionné avec beaucoup moins de succès car, moins naïf et surtout moins émotif que Marianne, il eût flairé le traquenard et pris des mesures en conséquence.

Mais, le mal étant fait, il fallait maintenant tout mettre en œuvre pour le réparer et pour que les vrais assassins de Nicolas Mallerousse fussent châtiés. Dans ce genre d'entreprise, Arcadius était un auxiliaire précieux, parce que nul ne connaissait mieux que lui les sinistres habitants des bas-fonds de Paris dont l'Anglais avait fait ses alliés.

La lettre avait été confiée à Fortunée Hamelin qui gagnait justement Aix-la-Chapelle en toute hâte. De même que son ami Talleyrand, la belle créole avait appris que le séduisant comte de Montrond s'y rendait pour prendre les eaux et aucune force humaine n'aurait pu détourner cette ardente amoureuse de rejoindre l'homme qui partageait, avec Fournier-Sarlovèze, son cœur incandescent. Le fait que Fournier fût encore en prison ne l'arrêtait pas.

— Au moins, pendant ce temps-là, il ne me trompera pas ! avait-elle déclaré avec son inconscient cynisme, oubliant totalement qu'elle s'apprêtait à rejoindre le rival du beau général.

Fortunée était donc partie, la veille, en jurant que la lettre serait remise à Jolival avant même qu'elle n'eût rejoint Montrond. Rassurée sur ce point, Marianne s'était mise doucement en chemin pour le pays de l'Allier. Elle devait y rejoindre Talleyrand qui, avant de se rendre à Bourbon, comptait s'arrêter un ou deux jours dans ses terres de Valençay, moitié pour saluer ses perpétuels invités forcés, les princes d'Espagne, moitié pour parler argent avec son intendant. La récente faillite de la banque Simons, à Bruxelles, avait, en effet, porté un coup sensible aux finances du prince de Bénévent.

Ce n'était pas sans douleur que Marianne quittait Paris, ce 14 juillet 1810. Outre la pensée qu'elle y laissait Jason aux mains de la police, elle éprouvait une invincible répugnance à abandonner sa chère maison. Malgré les paroles rassurantes de Savary, elle se demandait combien de temps s'écoulerait avant qu'elle ne la revît, car elle savait bien que, tôt ou tard, elle désobéirait à l'Empereur et que, si l'on jugeait Jason, si les efforts qu'elle comptait demander à Jolival demeuraient vains, aucune force au monde ne pourrait l'empêcher d'être auprès de lui à ce moment-là. Tôt ou tard, elle encourrait la colère de Napoléon... et Dieu seul pouvait dire jusqu'où irait cette colère ! L'Empereur était tout à fait capable d'ordonner à la princesse Sant'Anna de regagner la Toscane avec interdiction d'en sortir. Il pouvait la contraindre à s'enfermer dans la *villa,* si belle et si terrifiante à la fois, dont elle s'était enfuie au matin d'une nuit de cauchemar...

Cette seule idée faisait courir sur la peau de Marianne des frissons de terreur. Depuis qu'elle avait perdu son enfant, elle ne pouvait envisager sans épouvante le moment où le prince au masque blanc apprendrait que l'héritier tant attendu ne viendrait pas, ne viendrait jamais. Et, jour après jour, elle avait remis l'instant d'écrire la lettre fatale, tant elle craignait ce que serait sa réaction. Quelque chose lui disait que si, dans sa colère, l'Empereur la faisait reconduire au palais Sant'Anna, il ne lui serait plus possible d'échapper à ses maléfices. Le souvenir de Matteo Damiani n'était pas près de s'effacer de sa mémoire.

Souvent, elle s'était demandé ce qu'il était advenu de lui. Dona Lavinia, à l'heure de son départ, lui avait laissé entendre que le prince Corrado l'avait emprisonné dans la cave, qu'il s'apprêtait sans doute à le punir. Mais quelle punition avait-il pu infliger à un homme qui, durant toute sa vie, l'avait servi, avait servi sa famille avec dévouement... et surtout qui connaissait certainement son secret ! La mort ? Marianne ne parvenait pas à croire que Matteo Damiani eût été tué puisque lui-même n'avait tué personne...

Tandis que ses chevaux trottaient sur la route de Fontainebleau, où le soleil mettait de si joyeuses taches en franchissant le rideau frissonnant des feuillages, Marianne ne prêtait aucune attention au chemin qui défilait derrière les vitres de ses portières. Son esprit demeurait curieusement en arrière, soumis à un bizarre phénomène de dédoublement : une partie d'elle-même rejoignant en Allemagne son ami Jolival dont elle attendait tant et l'autre, la plus grande et la plus sensible, errant inlassablement autour de la vieille prison de la Force, qu'elle connaissait bien.

Adélaïde, en effet, un jour de nostalgie, l'avait conduite dans le vieux quartier du Marais pour lui montrer son ancienne maison, une très belle demeure Louis XIII de briques roses et de pierres blanches, voisine de l'hôtel de Sévigné, mais affreusement défigurée et dégradée par les entrepôts et ateliers du cordier qui s'en était emparé pendant la Révolution. La Force était toute proche et Marianne avait effleuré d'un regard plein de répugnance l'entrée plate et trapue sous son unique étage mansardé, ses murs lépreux mais robustes, sa porte basse lourdement armée de fer entre deux lanternes rouillées. Une porte sinistre, en vérité, rougeâtre et crasseuse, comme si elle n'avait pas encore fini d'absorber les flots de sang qui l'avaient baignée durant les massacres de septembre 1792.

Sa vieille cousine lui avait raconté ce massacre qu'elle avait vu, tapie dans une mansarde de sa maison. Elle avait dit la mort atroce de la douce princesse de Lamballe et maintenant son récit revenait à la mémoire de Marianne jusque dans ses plus affreux détails. Et la jeune femme ne pouvait s'empêcher de frémir d'angoisse en face de cette espèce de fatalité qui semblait mener inexorablement Jason Beaufort sur le chemin tragique de la princesse-martyre. Il était passé si rapidement de sa maison à sa prison ! Et Marianne n'avait-elle pas entendu pleurer son ombre dans la demeure où Mme de Lamballe était venue chercher l'oubli d'une royale ingratitude ? L'esprit impressionnable et aisément superstitieux de la jeune femme voyait là un avertissement funeste. Si Jason allait, lui aussi, ne quitter la Force que pour marcher à la mort ?...

De telles pensées, jointes à celle de son impuissance totale à secourir son ami et de ce qu'elle appelait la « cruauté de l'Empereur » n'avaient rien de réconfortant et, en arrivant à Bourbon, le surlendemain, Marianne, qui n'avait pas dormi depuis Paris et qui n'avait absorbé qu'un peu de pain trempé dans du lait, était dans un tel état de dépression qu'il fallut la mettre au lit sitôt débarquée.

Bourbon-l'Archambault était, cependant, une bien charmante petite cité. A la corne d'un grand étang traversé d'une rivière vive, ses maisons blanches et roses se tassaient à l'ombre d'un puissant éperon rocheux où se dressaient jadis les dix-sept tours orgueilleuses — désormais réduites à quatre[1] —

---

1. L'une des tours domine le village et les trois autres l'étang.

des ducs de Bourbon. La ville avait été riche, puissante et très fréquentée quand, au siècle du Grand Roi, les beaux esprits de la cour venaient y soigner leurs rhumatismes. Mais là aussi la Terreur était passée. L'ombre du poète Scarron, de Mme de Sévigné et de la marquise de Montespan qui, fièrement, y avait achevé une vie contestable, s'était fondue dans les brouillards de l'Allier tandis que tombaient les tours du château, son beau logis et sa Sainte Chapelle. Mais Marianne n'eut pas un regard pour les trois rescapées qui se miraient si joliment dans les eaux moirées de l'étang, ni pour les harmonieuses collines où se nichaient la ville, ni même pour les villageois, dans leur pittoresque et seyant costume, qui se pressaient curieusement autour de l'élégante berline et des chevaux fumants.

On l'installa au pavillon Sévigné, dans la chambre qui avait été celle de la charmante marquise, mais ni les soins d'Agathe ni la bienvenue respectueuse et pleine de rondeur de l'hôtelier ne purent vaincre l'humeur noire dans laquelle Marianne s'enfermait volontairement. Elle ne souhaitait qu'une chose : dormir, dormir le plus longtemps possible et, autant que faire se pourrait, jusqu'à ce que quelqu'un vînt lui donner des nouvelles de Jason. Hors cela, il était inutile de lui parler de quoi que ce soit ou de lui vanter les charmes du paysage. Elle était sourde, muette, aveugle pour tout ce qui l'entourait. Elle attendait.

Quinze jours passèrent ainsi. Jours assez étranges car, dans la suite, ils devaient disparaître totalement du souvenir de Marianne tant elle s'était appliquée à ne pas les vivre et à faire des heures une longue suite si unie et si monotone qu'aucune d'elles ne se distinguait de l'autre. Sa porte était condamnée, même et surtout, aux médecins de la station qui ne comprenaient rien à l'attitude bizarre d'une aussi étrange curiste.

L'arrivée de Talleyrand vint briser cette grisaille en même temps qu'elle apportait à la petite cité une toute nouvelle agitation... et à Marianne une contrariété imprévue. Elle s'était, en effet, attendue à voir le prince venir en petit appareil, avec un secrétaire et son valet Courtiade, par exemple. Or, quand la maison voisine de la sienne s'emplit d'une foule de gens, force lui fut d'admettre que Talleyrand avait, de ce que pouvait être un train princier, une idée diamétralement opposée de celle de Marianne. Là où la princesse Sant'Anna se contentait d'une femme de chambre et d'un cocher, le prince de Bénévent entraînait à sa suite une armée de valets et de marmitons, son cuisinier, ses secrétaires, sa fille adoptive Charlotte, flanquée de son précepteur, le toujours aussi myope M. Fercoc, son frère Boson de dix ans son cadet mais sourd comme un pot et, enfin, sa femme ! Parfois, d'ailleurs, il avait, en plus, des invités.

C'était encore l'arrivée de la princesse qui avait le plus étonné Marianne. Alors qu'à l'hôtel Matignon Talleyrand s'efforçait de vivre le moins possible en contact avec sa femme, alors qu'en général, dès les beaux jours revenus, il l'envoyait villégiaturer dans le petit château de Pont-de-Sains qui était à elle et où il ne mettait jamais les pieds, préférant de beaucoup la société de la duchesse de Courlande et son agréable demeure estivale de Saint-Germain, il l'emmenait toujours, régulièrement, à Bourbon.

Elle devait apprendre qu'il s'agissait là d'une tradition instituée par Talleyrand qui estimait ne pouvoir faire moins que passer trois semaines d'été en la compagnie tout à fait relative de sa femme. Au surplus, Marianne fut touchée de l'accueil de son ex-maîtresse qui l'embrassa chaleureusement dès qu'elle l'aperçut et qui montra une joie sincère de la retrouver.

— Je sais vos malheurs, mon enfant, lui dit-elle, et je veux que vous ayez entière certitude de ma compréhension et de mon appui.

— Vous êtes infiniment bonne, princesse, et ce n'est pas la première fois que je m'en rends compte ! Une présence amie est une chose précieuse.

— Surtout dans ce trou ! soupira la princesse. On y meurt d'ennui, mais le prince prétend que ces trois semaines font un bien immense à toute la maisonnée. Quand donc retrouverons-nous les étés de Valençay ! soupira-t-elle en baissant le ton pour éviter d'être entendue de son mari.

Le séjour de Valençay, en effet, lui était formellement interdit depuis que, devenu la somptueuse résidence forcée des infants d'Espagne, le château et son décor romantique avaient favorisé l'idylle de leur maîtresse et du séduisant duc de San Carlos. La chose fût peut-être passée inaperçue si Napoléon n'avait jugé bon d'avertir lui-même Talleyrand de son infortune et avec une verdeur de langage qui avait fait la joie des mauvaises langues. Le prince avait dû intervenir et la pauvre princesse « d'Inde » ne se consolait pas d'avoir perdu son paradis personnel.

Tandis qu'elle allait procéder à son installation dans un grand bruit de portes claquées, de malles traînées, de raclements de pieds et d'appels de servante, sous l'œil intéressé d'une cinquantaine de villageois rassemblés autour des berlines de voyage, Talleyrand rejoignit Marianne chez elle sous couleur de s'assurer qu'elle était bien installée. Mais à peine la porte rustique de son petit salon se fut-elle refermée que le sourire insouciant s'effaça du visage du prince et Marianne nota avec épouvante aussi bien le pli soucieux de son front que la soudaine fatigue de ses épaules. Pour vaincre l'angoisse qui lui venait, elle serra fortement les bras du fauteuil où elle était assise.

— Cela... va si mal?...

— Plus mal encore que vous ne pouvez l'imaginer! De là vient mon retard à vous rejoindre. Je voulais apprendre le plus de choses possible et, de ce fait, je n'ai fait que toucher terre à Valençay. En vérité, mon amie... je ne sais par laquelle commencer de toutes ces mauvaises nouvelles.

Avec un soupir de lassitude, il s'assit lourdement dans un autre fauteuil, étendit sa mauvaise jambe que le trajet avait ankylosée, posa sa canne contre son genou et passa sur son visage pâle une longue main blanche. Et Marianne crut voir avec horreur que cette main tremblait un peu.

— Par pitié! Dites-moi tout! Tout de suite et comme cela vous vient! Ne me ménagez pas car aucun supplice n'est pire que l'ignorance. Voilà quinze jours que je meurs de ne rien savoir! Se peut-il que l'on n'ait pas encore admis l'innocence de Jason?

— Son innocence? ricana Talleyrand avec amertume, vous voulez dire que chaque jour qui passe l'enfonce un peu plus dans la culpabilité! Si cela continue, il ne nous restera plus qu'une chose à tenter d'éviter... désespérément...

— Quoi?

— L'échafaud!

Avec un cri d'horreur Marianne s'élança de son siège comme si, tout à coup, ces bras, auxquels elle s'accrochait l'instant précédent, s'étaient mis à brûler. Portant ses mains glacées à ses joues brûlantes, elle fit deux ou trois tours dans la pièce à la manière d'une bête affolée pour venir finalement s'agenouiller, ou plutôt s'abattre, auprès du prince.

— Vous ne pouviez prononcer de mot plus

affreux, fit-elle sourdement. Le pire est dit ! Maintenant, je vous en supplie, parlez si vous ne voulez pas que je devienne folle !

Doucement, Talleyrand posa la main sur les cheveux bien lissés de la jeune femme. Il hocha la tête tandis qu'une immense pitié débordait de ses yeux pâles, ordinairement si froids et si railleurs.

— Je connais votre courage, Marianne ! Et je vais parler, mais ne restez pas ainsi. Venez... venez vous asseoir près de moi. Tenez... sur ce petit canapé, nous y serons plus près l'un de l'autre, hé ?

Quand ils furent installés côte à côte, la main dans la main, comme un père et sa fille, sur le petit canapé de paille placé près d'une fenêtre ouverte sur le parc, le prince de Bénévent commença son récit.

L'accusation de meurtre qui pesait sur Jason Beaufort, primitivement fondée sur le billet anonyme reçu par la police et sur le témoignage du matelot Ferez, qui continuait à jurer avoir reçu du corsaire l'ordre de venir enlever le cadavre de Nicolas Mallerousse pour le jeter à la Seine, se trouvait maintenant renforcée de plusieurs faits. D'abord, le matelot Jones, dont Perez affirmait qu'il devait l'aider à transporter l'homme assassiné mais l'avait abandonné à l'arrivée des policiers, avait été retrouvé deux jours plus tard dans les filets de Saint-Cloud, noyé. Comme son cadavre ne portait aucune marque de violence, la police en avait conclu que, en fuyant le parc de Passy dans la nuit noire, Jones était tombé à la Seine dont les berges avaient été rendues particulièrement glissantes par l'orage du soir et y avait trouvé la mort.

— Quelle stupidité ! protesta Marianne. N'importe quel marin, tombant accidentellement à la Seine, s'en tirerait à la nage, même en pleine nuit !... Et surtout en été !

— Perez dit que son camarade ne savait pas nager. Il est vrai que Jason, de son côté, affirme que Jones, qui était l'un de ses meilleurs hommes, nageait comme un poisson !

— Et c'est ce misérable Perez que l'on croit ?

— Un accusé a rarement le beau rôle ! soupira Talleyrand, et c'est d'autant plus dommage que le témoignage de ce Jones aurait pu, en infirmant les déclarations mensongères de Perez, sauver notre ami. Si vous voulez mon avis, Jones n'a jamais eu partie liée avec ce Perez que Beaufort affirme avoir fait fouetter et chasser. Mais ceux qui ont monté si soigneusement cette machinerie mortelle n'en sont pas à un cadavre près ! Au surplus, je n'en ai pas fini : les douaniers et les gendarmes ont perquisitionné à Morlaix, dans les cales de la *Sorcière de la Mer* et la cargaison que l'on y a découverte est venue à point nommé aggraver le cas de Jason.

Marianne haussa les épaules avec irritation.

— Une cargaison de champagne et de bourgogne ! Le beau crime, en vérité ! Il y a là, n'est-ce pas, de quoi faire tomber la tête d'un homme ! Et le sacro-saint Blocus...

— Il y a de quoi faire tomber la tête d'un homme, coupa doucement le diplomate, quand on y trouve aussi de la fausse monnaie !

— De la... Ce n'est pas vrai !

— Que ce soit Jason qui l'y ait mise, je ne crois pas, en effet, que ce soit vrai, mais qu'on l'y ait découverte... il n'y a malheureusement aucun doute ! On a trouvé environ cent mille livres sterling en billets de la Banque d'Angleterre... des billets regrettablement neufs ! Quand je vous dis que le coup a été bien monté !

— Eh bien, il faut le démonter ! s'écria Marianne. Nous savons, vous et moi, nous avons la certitude que ce crime et tout ce qui l'accompagne sont l'œuvre d'une bande que la police connaît, et qui, seule, a sans doute les moyens de se livrer à la fabrication de faux billets. Car c'est cela, alors, qu'il faut chercher : ceux qui ont fabriqué ces livres sterling ! Mais c'est à croire que les gens de police ont des yeux pour ne pas voir et des oreilles pour ne pas entendre. Quand j'ai voulu dire la vérité à cet inspecteur Pâques, c'est tout juste s'il ne m'a pas traitée de folle et, quant au duc de Rovigo, il n'a rien voulu écouter.

— Je ne connais personne de plus entêté ni de plus bête que le duc de Rovigo... si ce n'est M. Savary, hé ? fit Talleyrand qui, même dans les plus sombres circonstances, ne pouvait résister au plaisir de faire un mot, ou de le répéter car il avait déjà appliqué celui-là au duc de Bassano. Notre gendarme vit dans la crainte perpétuelle de déplaire à son idole, l'Empereur. Mais, pour une fois, je ne peux l'accabler. Songez, mon enfant, que, en face des présomptions qui pèsent sur Beaufort, vous n'avez que votre conviction intime et votre parole... et pas l'ombre d'une preuve !

— Qu'ont-ils de plus que moi ? s'insurgea Marianne. Leurs présomptions ne sont que des calomnies issues d'êtres si méprisables qu'on ne devrait même pas les entendre. Et, d'ailleurs, je ne parviens pas à comprendre que lord Cranmere et ses complices se soient donné tout ce mal simplement pour le venger de ce que je l'aie fait arrêter. D'autant plus que je ne suis touchée qu'indirectement. La victime, la vraie, c'est Jason Beaufort ! Pourquoi lui ?

— Parce qu'il est américain. Ma chère enfant, soupira Talleyrand, je suis navré de vous ôter vos illusions, mais vos démêlés avec lord Cranmere sont, dans cette affaire, tout à fait secondaires. Comme vous le dites, on ne se serait pas donné tant de mal pour se venger de vous. Mais créer un incident diplomatique avec les États-Unis, détériorer une situation, rendue délicate par le Blocus Continental mais qui, ces derniers temps, avait tendance à s'améliorer, voilà qui est important pour un espion anglais, voilà qui mérite que l'on se donne quelque peine !

La politique mêlée à ses affaires privées ? C'était bien la dernière chose à laquelle Marianne pût s'attendre. Elle leva sur son interlocuteur un regard tellement désemparé, tellement habité par l'incompréhension, qu'il eut un sourire indulgent et expliqua :

— Vous allez comprendre : depuis l'année dernière, le commerce a repris, malgré les divergences politiques, entre l'Angleterre et les États-Unis. Ces derniers, en effet, ont été fort choqués par les décrets de Berlin et de Milan pris par Napoléon, surtout celui de Milan qui considère comme part de prises les navires étrangers ayant seulement touché un port anglais ou étant entrés en contact avec un vaisseau anglais. Lord Wellesley a profité de la mauvaise humeur américaine et, au début de cette année, une énorme quantité de marchandises anglaises sont entrées aux États-Unis pour le plus grand bien du commerce anglais, lequel ne va pas au mieux. Mais le président Madison, qui est un ami de la France, souhaiterait voir de bonnes relations reprendre avec le pays de La Fayette, et il serait heureux qu'au moins, en ce qui concerne les États-Unis, le décret de Milan fût rapporté. Il a donné des ordres dans ce sens à son ambassadeur à Paris et il y a plusieurs semaines que John Armstrong y travaille. Je sais, de source sûre, qu'il a écrit récemment à Champagny, mon remplaçant aux Relations Extérieures, pour lui demander à quelles conditions les décrets de Berlin et de Milan pourraient être annulés, en ce qui concerne les États-Unis. Cette affaire de contrebande et de meurtre vise bien plus à réduire leurs efforts à néant... qu'à venger lord Cranmere. Vous êtes un prétexte, Marianne, et Beaufort un instrument.

Marianne baissa la tête. La toile d'araignée de Cranmere avait été artistement tissée. Il avait fait, à merveille, son métier d'espion anglais et de bandit de haut vol, puisqu'il avait même réussi à soutirer de l'argent à sa victime. Marianne avait payé pour rejoindre Jason au fond du piège que l'Anglais avait ouvert sous leurs pieds. Elle comprenait maintenant l'ampleur des moyens employés, l'étrange folie de ce Perez qui se livrait lui-même — sans doute après avoir été grassement payé et avoir reçu des assurances de sa sécurité — pour mieux perdre son capitaine. Du moment que des intérêts internationaux étaient en jeu, les chances de Jason s'amincissaient singulièrement.

— Mais, dit-elle, vous me parlez de l'ambassadeur américain. Ne peut-il rien pour Jason ?

— Soyez assurée que John Armstrong a déjà fait tout ce qu'il pouvait faire ! Mais si Beaufort est convaincu d'espionnage, de faux-monnayage et d'assassinat, il ne pourra que demander la clémence de l'Empereur.

— L'Empereur ! explosa Marianne. Parlons-en ! Savez-vous, au moins, pourquoi il refuse de me voir ? En quelques minutes d'audience, il aurait tout appris et Jason serait déjà libre !

— Je n'en suis pas certain, Marianne ! Dans un tel cas, l'Empereur ne peut agir qu'une fois toute la lumière faite sur l'affaire. Les intérêts engagés sont trop graves ! De plus, il ne doit pas être fâché de vous donner une leçon... et de vous punir de vous être consolée si aisément de n'être plus sa favorite. C'est un homme, que voulez-vous ! Enfin, il y a, pesant sur Beaufort, un témoignage que Napoléon ne peut pas ne pas prendre en considération à moins de se faire ouvertement l'adversaire de la simple morale, et vous savez à quel point il tient à la respectabilité de sa cour. En effet, si l'auteur de la lettre anonyme, si le matelot Perez ne sont que des misérables, pourriez-vous en dire autant de la *señora* Beaufort ?

Un silence de mort s'abattit sur la petite pièce fleurie. Mentalement Marianne se répétait avec stupeur les dernières syllabes que venait de prononcer Talleyrand, cherchant à leur appliquer un sens qui ne fût pas terrifiant. Elle n'en trouva pas et demanda, finalement, d'une voix qui se voulait encore incrédule mais qui s'enrouait :

— Cherchez-vous à me faire entendre que...

— Que la femme de Jason se retourne contre lui ? C'est bien cela, hélas ! Cette malheureuse, enragée de jalousie, croit dur comme fer que vous êtes la maîtresse de son mari. Elle n'a même pas mis en doute un seul instant la culpabilité de son époux. A l'entendre, et aucune furie n'égale sa véhémence, Beaufort est capable de tout dès qu'il s'agit de vous, même d'un crime !

— Mais... elle est folle ! Folle à lier ! Insensée !... et sa folie est criminelle ! Oserez-vous, après cela, me soutenir en face qu'elle aime Jason ?

Talleyrand eut un soupir plein de scepticisme.

— Peut-être ! Voyez-vous, Marianne, elle appartient à une race farouche et passionnée où l'offense d'amour ne s'apaise qu'avec le sang, où l'amoureuse trahie peut livrer, sans faiblir, son amant infidèle au bourreau, quitte à courir ensuite s'enterrer vivante au fond du plus impitoyable couvent pour y attendre la mort dans l'expiation ! Oui, c'est une femme terrible que Pilar et, malheureusement, elle sait que Beaufort vous aime. Elle vous a reconnue au premier coup d'œil.

— Me reconnaître ? A quoi ? Elle ne m'avait jamais vue !

— Croyez-vous ? J'ai appris que la figure de proue qui orne la *Sorcière de la Mer* a plus d'un trait commun avec vous. Il est des artisans trop habiles... et des maris maladroits ! Mais peut-être Jason pensait-il que Pilar n'aurait jamais l'occasion de vous rencontrer puisque leur séjour devait être bref, ou bien que la ressemblance ne la frapperait pas...

Un instant, Marianne regarda fixement son vieil ami. Elle était bouleversée par cette preuve d'amour inattendue et ne savait plus si elle devait se réjouir ou se désespérer davantage, mais, au fond, elle n'avait jamais douté de l'amour de Jason. Toujours elle avait su qu'il l'aimait, même quand elle l'avait chassé loin d'elle dans la nuit de Selton, et ce témoignage-là, naïf et presque enfantin, la touchait au plus profond, au plus sensible. Dire qu'elle avait détesté ce navire, qu'elle l'avait continuellement jeté à la tête de Jason parce qu'il l'avait acquis en vendant Selton ! Et voilà qu'il avait fait de lui un prolongement inattendu, une sorte d'émanation de Marianne elle-même...

Doucement, elle se leva sans que Talleyrand fît un geste pour la retenir. Il ne la regardait pas. Le menton enfoncé dans les plis immaculés de sa cravate, il suivait distraitement, du bout de sa canne, le dessin des roses naïves qui ornaient le tapis.

Le parquet craqua lorsque Marianne s'approcha de la fenêtre, ouverte sur un petit balcon, tout en enveloppant frileusement ses épaules d'une écharpe bleue qui traînait sur une chaise. Malgré le chaud soleil d'août, elle avait froid jusqu'à l'âme, mais quand elle s'appuya au fer usé de la balustrade, aucune chaleur ne la pénétra.

Au-dehors, pourtant, tout respirait la joie simple et tranquille d'un beau jour d'été. On entendait, dans la maison voisine, la voix claire de la petite Charlotte qui chantait une de ces comptines dont les enfants raffolent. En bas, près de la fontaine, trois femmes en jupes bleues et cotillons fleuris, portant allégrement le gracieux costume bourbonnais, bavardaient en patois, avec de grands éclats de rire, leurs roses figures tout illuminées de gaieté sous leurs doubles coiffures, le bonnet tuyauté supportant avec coquetterie le charmant chapeau « à deux bonjours[1] ». Sous un arbre, des enfants jouaient au palet, tandis que les valets du prince de Bénévent menaient leurs chevaux dételés à l'écurie et que, un peu plus loin, une chaise à porteurs fermée de rideaux, archaïque et attendrissante, ramenait quelque invisible curiste de la maison de bains. Sur tout cela, le soleil déversait des torrents de rayons dorés... sur tout cela sauf sur Marianne qui ne parvenait pas à comprendre pourquoi, même dans ce lieu paisible et champêtre, où chacun paraissait heureux, il lui fallait porter un tel poids de souffrance et d'angoisse. Elle croyait n'avoir à lutter que contre une poignée de misérables, la stupidité des policiers et la mauvaise humeur de Napoléon et voilà qu'elle se retrouvait au centre d'une vaste et dangereuse intrigue politique où ni Jason ni elle-même n'avaient la moindre importance. C'était un peu comme si, condamnée à une éternelle prison, elle devait regar-

1. Chapeau retroussé devant et derrière.

der le monde des vivants du fond d'une cave et derrière des barreaux. Et c'était peut-être parce qu'elle n'était pas faite pour ce monde-là ! Le sien était un univers de violence et de fureur qui ne semblait pas décidé à la laisser vivre en paix... Il fallait y retourner.

Quittant le balcon, elle revint tout à coup vers Talleyrand qui, sous ses paupières mi-closes, l'observait avec attention. Son regard chercha celui des yeux bleu pâle.

— Je vais rentrer. Il faut que je voie cette femme, que je lui parle ! Je dois lui faire comprendre...

— Et quoi ? Que vous aimez son mari autant qu'il vous aime ? Vous pensez vraiment que cela la fera changer d'avis ? C'est un mur que cette Pilar... Et vous ne pourrez même pas l'approcher. Elle a, pour la protéger, tout le corps de garde de la reine d'Espagne, cette bourgeoise de Julie Clary qui est trop heureuse de jouer à la souveraine avec la seule de ses sujettes qui réclame son aide. A Mortefontaine, Pilar est couvée, entourée, cernée de dames et de chevaliers d'honneur qui sont plus efficaces encore qu'une forteresse. Elle a demandé, et obtenu, de ne jamais être laissée seule. Aucune visite. Aucun message même à moins qu'il ne s'adresse d'abord à la reine. Croyez-vous, conclut Talleyrand avec lassitude, que je n'aie pas essayé ? Je me suis fait éconduire comme n'importe quel fâcheux ! Que serait-ce de vous ! Le moins que l'on puisse dire est que votre réputation n'est pas fameuse auprès de ces saintes femmes !

— Tant pis ! J'irai tout de même... de nuit, déguisée, au besoin en escaladant les murs, mais je veux voir cette Pilar ! Il est impensable que personne n'essaie de lui faire entendre raison, de lui faire comprendre que son attitude constitue le pire des crimes.

— Je crois qu'elle le sait parfaitement, mais cela lui est égal. Quand Jason aura expié son crime, elle expiera le sien et voilà tout !

— Le pire des crimes, pour elle, c'est la trahison envers elle-même, fit tout à coup une voix nouvelle qui venait de la porte.

D'un même mouvement, Marianne et le prince se tournèrent vers elle et, pour la première fois depuis longtemps, la jeune femme eut un cri de joie.

— Jolival ! Vous enfin !

Elle était si heureuse de retrouver son fidèle compagnon qu'impulsivement elle lui sauta au cou et l'embrassa sur les deux joues, avec de gros baisers sonores, à la manière d'une toute petite fille, et sans se soucier du fait que ces joues-là n'avaient pas vu le rasoir depuis deux jours et qu'Arcadius lui-même était sale à faire peur.

— Eh bien ! s'exclama le prince en tendant la main au nouveau venu, vous pouvez vous vanter d'arriver à point nommé ! J'étais un peu à bout d'arguments pour empêcher cette jeune dame de se lancer dans les pires folies ! Elle veut rentrer à Paris !

— Je sais ! J'ai entendu, soupira Jolival en se laissant tomber sans protocole dans un fauteuil qui gémit sous le choc. Mais il ne faut pas qu'elle rentre à Paris et cela pour deux raisons : la première est que sa maison est surveillée de près. L'Empereur la connaît bien et préfère l'empêcher de lui désobéir que d'avoir à l'en punir. La seconde est que son éloignement est le seul fait capable de calmer quelque peu les ardeurs vengeresses de l'Espagnole. La reine Julie a dû lui suggérer qu'en exilant son ex-favorite Napoléon rendait ainsi hommage à la vertu de l'épouse bafouée !

— N'importe quoi ! marmotta Marianne entre ses dents.

— Peut-être. Mais votre retour, ma chère, déchaînerait une série de catastrophes. M. Beaufort a beau être en prison, il n'en est pas moins surveillé de près par les amis de sa femme, et singulièrement par un certain don Alonso Vasquez, qui a dû entendre parler de ses terres de Floride et souhaiterait visiblement les voir entrer dans le giron espagnol.

— Seigneur! Arcadius, s'exclama Marianne, d'où savez-vous tout cela?

— De Mortefontaine, mon amie, de Mortefontaine où j'ai, sans la moindre vergogne, espionné votre ennemie tout en taillant tant bien que mal les rosiers de la reine Julie. Eh oui, pour vous, je suis resté jardinier de la reine d'Espagne trois grands jours!

— Est-ce que vous savez qu'on ne taille pas les rosiers en juillet, hé? fit Talleyrand avec un demi-sourire.

— C'est bien pourquoi je ne suis resté que trois jours! Las du massacre, le chef jardinier m'a envoyé exercer mes talents ailleurs. Mais si vous voulez que je vous en dise davantage, par pitié, faites-moi donner un bain et un repas! J'étouffe de chaleur et de poussière, tout en mourant de faim et de soif, ce qui fait que je ne sais pas lequel des deux l'emportera.

— Je vous laisse, dit Talleyrand en se levant tandis que Marianne se précipitait hors de la pièce pour donner des ordres. Au surplus, j'ai dit tout ce que j'avais à dire et il me faut rentrer chez moi. Avez-vous d'autres nouvelles? ajouta-t-il en baissant la voix.

Arcadius de Jolival hocha la tête avec tristesse.

— Guère! Les véritables auteurs du crime semblent s'être dissous dans l'air par quelque enchantement et cela ne me surprend pas. Fanchon est une vieille ficelle. Ses gens et elle, leur coup fait, ont dû filer se terrer dans quelque trou. Et quant à l'Anglais, que ce soit sous la forme du vicomte d'Aubécourt ou sous toute autre identité, il a si bien disparu qu'on pourrait croire — et c'est malheureusement ce qu'on fait ! — qu'il n'a jamais existé ailleurs que dans l'imagination de notre amie. Ah ! Les choses vont mal... très mal, même !

— Taisez-vous ! La voilà ! Elle est assez malheureuse comme cela ! A bientôt.

Une heure plus tard, Jolival, convenablement récuré et restauré, était en mesure de répondre aux questions de Marianne. Il raconta comment il avait quitté Aix-la-Chapelle dès que Fortunée Hamelin lui eut remis la lettre dont elle s'était faite la messagère. Une heure ne s'était pas écoulée qu'en compagnie d'Adelaïde d'Asselnat il reprenait à grandes guides la route de Paris.

— Adélaïde est revenue avec vous ? s'étonna Marianne. Mais alors pourquoi n'est-elle pas ici ?

Jolival expliqua que la vieille demoiselle, au récit des épreuves qui frappaient sa jeune cousine, n'avait pas eu l'ombre d'une hésitation.

— Elle a besoin de moi. Je rentre ! avait-elle déclaré dans un grand élan de générosité.

Au surplus, l'espèce d'enchantement qui l'avait poussée vers la vie de saltimbanque pour partager, un moment, l'univers du pitre Bobèche, semblait avoir beaucoup perdu de son intensité. Outre que le métier de baladin, doublé de celui d'agent secret, n'avait pas que des charmes, Adélaïde avait enfin mesuré qu'une différence d'âge de plus de dix ans avec le garçon de ses pensées était un lourd handicap. Il est vrai que la romance tout récemment entamée par Bobèche avec une fraîche bouquetière du parc thermal d'Aix était bien pour quelque chose dans cette nouvelle sagesse.

— Bien sûr, ajouta Jolival, elle est revenue un peu déçue, un peu désenchantée, un peu mélancolique mais, au fond, assez satisfaite de retrouver son rang, sa vie normale... et la cuisine française. Elle aimait Bobèche, mais elle déteste la choucroute ! Et puis, du moment que les choses vont mal pour vous, elle estime que sa place est à vos côtés. J'ajoute qu'elle est immensément fière que vous soyez princesse, encore qu'elle préférerait se faire hacher menu plutôt que l'avouer.

— Pourquoi, dans ce cas, n'être pas venue avec vous ?

— Parce qu'elle estime vous être plus utile à Paris plutôt que vous apporter ici un renfort de gémissements. On sait votre exil, chez vous, et il est bon que quelqu'un tienne la maison. Dans ce rôle, Mlle Adélaïde fait merveille et votre maisonnée file doux.

La nuit était close depuis longtemps que les deux amis parlaient encore. Ils avaient tant à se dire ! Arcadius de Jolival n'avait pas l'intention de s'arrêter longtemps à Bourbon. Il comptait repartir pour Paris dès le lendemain, sa visite n'ayant eu pour seul but qu'informer Marianne de son retour et de son aide effective. En même temps, il souhaitait entendre, de la bouche même de la jeune femme, le récit complet des événements afin d'en tirer les conséquences naturelles.

— Si j'ai bien compris, dit-il, tout en dégustant, les yeux mi-clos, son verre d'un vieil armagnac que Talleyrand avait fait porter dans la soirée à son intention, ni l'inspecteur Pâques ni Savary n'ont voulu vous écouter lorsque vous avez essayé d'accuser votre... enfin lord Cranmere ?

— C'est bien cela ! L'un m'a prise pour une folle et l'autre n'a rien voulu entendre.

— Leur conviction s'est renforcée du fait qu'il a été impossible de trouver la moindre trace de son passage. Le personnage doit être singulièrement habile dans l'art de brouiller sa piste ! Pourtant, il était bien à Paris. Il existe bien, quelque part, quelqu'un qui l'a vu.

— Il me vient une idée, s'écria soudain Marianne. A-t-on cherché chez notre voisine ? Cette Mrs Atkins, avec laquelle Adélaïde était du dernier bien et chez qui Francis logeait, doit tout de même être capable de nous dire si oui ou non il est encore chez elle et, s'il n'y est plus, combien de temps il y est resté !

— Magnifique ! s'exclama Jolival. Voilà pourquoi il fallait que je vienne. Vous n'aviez point parlé de Mrs Atkins dans votre lettre. Votre cousine, qui s'est cachée jadis chez elle, n'en aura que pour un moment de la confesser tout à fait. Son témoignage peut être d'une importance d'autant plus grande qu'elle est anglaise, elle aussi.

— Reste à savoir, fit Marianne soudain assombrie, si elle acceptera de témoigner contre un compatriote.

— Si Mlle Adélaïde n'y parvient pas, personne n'y arrivera et il faut, en tout cas, essayer. D'autre part, lord Cranmere a fait un bref séjour à Vincennes quand Nicolas Mallerousse l'avait arrêté boulevard du Temple. Il serait peut-être possible de trouver sa trace au registre d'écrou.

— Croyez-vous ? Il s'en est échappé si facilement ! Peut-être n'a-t-il même pas été inscrit ?

— Pas inscrit ? Alors que Nicolas Mallerousse en personne l'escortait ? Je vous parie bien que si ! Et cette inscription au registre, c'est la preuve formelle de la nature exacte des relations entre lord Cranmere et votre pauvre ami. Si nous pouvons faire examiner le registre, nous avons une chance d'être entendus de la police d'abord, de la Justice ensuite ! Et, au besoin, nous irons à l'Empereur. Il vous interdit de l'approcher, mon amie, mais moi il ne m'a rien interdit du tout ! Et je demanderai audience. Et il m'entendra !... Et nous aurons gain de cause !

Tout en parlant, Arcadius se laissait emporter par les espoirs tout neufs qui venaient de se lever avec les deux suggestions émises par lui et par Marianne. Ses petits yeux vifs brillaient comme des braises et les lignes bizarres de son visage, si affaissées tout à l'heure par le souci, se relevaient pour arriver presque au sourire. Pour Marianne, cet enthousiasme communicatif fut une soudaine bouffée de joie et d'espoir et fit l'effet d'un tonique. Un élan la jeta au cou de son ami.

— Arcadius ! Vous êtes merveilleux ! Je savais bien que, si je vous retrouvais, je retrouverais du même coup l'espoir et le goût de la lutte ! Grâce à vous, je sais maintenant que tout n'est pas perdu, que nous arriverons peut-être à le sauver !

— Peut-être ? pourquoi, peut-être ? renchérit Jolival chez qui l'armagnac du prince décuplait les effets de l'enthousiasme, il faut dire que nous le sauverons sûrement !

— Vous avez raison : nous le sauverons... à n'importe quel prix ! ajouta Marianne avec un accent de détermination si farouche qu'Arcadius, à son tour, l'embrassa, heureux de la voir reprendre meilleur moral.

Cette nuit-là, pour la première fois depuis son départ de Paris, Marianne se coucha sans éprouver la pénible impression d'accablement et d'impuissance qu'elle retrouvait chaque soir, plus aiguë et plus pénible quand tombait le jour. La confiance, au moins, lui était revenue et elle savait que, même éloignée de Paris, même exilée, elle pourrait désormais agir, par personne interposée peut-être mais pour le plus grand bien de Jason. Et cela, c'était la plus réconfortante des pensées.

Quand, au matin, Jolival reprit la route de Paris, avec un courage qui faisait honneur à son endurance et à ses qualités de cavalier, il emportait, outre une lettre de Marianne pour Adélaïde, tous les espoirs revenus de sa jeune amie. En revanche, il laissait derrière lui une femme qui avait repris le goût de vivre.

Les jours qui suivirent furent, pour Marianne, un bienfaisant moment de rémission. Confiante dans l'action conjuguée d'Arcadius et d'Adélaïde, elle s'accorda le loisir de subir le charme de la petite ville thermale, laissant couler paisiblement les heures à l'horloge de la tour Quiquengrogne. Elle trouva même un certain plaisir à regarder vivre, dans une bien plus grande liberté qu'à Paris, la maisonnée de Talleyrand.

Du matin au soir, elle pouvait entendre les rires et les chants de la petite Charlotte qui semblait avoir pris à tâche de donner une nouvelle jeunesse à son grave M. Fercoc et qui, pour une fois, imposait à son précepteur une loi où les jeux et les escapades en campagne avaient infiniment plus de place que le latin ou les mathématiques.

Tous les matins, de sa fenêtre, Marianne amusée assistait au départ du prince pour les bains. A la mode du pays il s'installait dans une chaise à porteurs fermée après avoir revêtu une incroyable quantité de châles, de flanelles et de lainages en tout genre qui en faisaient une sorte d'énorme et réjouissant cocon. Ce qui ne l'empêchait nullement de s'habiller comme tout le monde quand les différentes phases du rite étaient accomplies. Et il n'était plus question ni de soins ni de régime lorsque toute la société passait à table — Marianne prenait tous ses repas avec ses amis — pour déguster les merveilles que Carême parvenait à tirer d'une installation assez modeste qui, chaque été, le mettait dans un état de fureur permanent ne prenant fin qu'avec le retour aux cuisines fastueuses de Valençay ou de l'hôtel Matignon.

Il y avait aussi Boson, le frère sourd qui faisait à Marianne une cour discrète, surannée et totalement incohérente parce qu'il ne comprenait pas la moitié de ce qu'on lui disait. C'était d'ailleurs une cour intermittente, Boson passant le plus clair de son temps la tête dans l'eau, dans l'espoir — trouvé Dieu sait où ? — de venir à bout de sa surdité.

Les après-midi se passaient en promenades en voiture avec la princesse, ou en lectures avec le prince. On allait à Souvigny, ce Saint-Denis des ducs de Bourbon, admirer l'abbatiale et ses tombeaux, à travers la campagne bocagère du Bourbonnais où de grands bœufs blancs émaillaient les prairies peuplées d'arbres et bordées de haies vives. Le temps, d'une infinie douceur, donnait à cette terre puissante et riche son plein épanouissement de beauté sereine. Et il n'était jusqu'au bavardage puéril de Mme de Talleyrand qui ne parût à Marianne reposant et sain durant cette éclaircie dans les noires intrigues où elle se débattait.

Avec Talleyrand, Marianne lisait, comme il le lui avait annoncé, la Correspondance de Mme du Deffand qui amusait beaucoup le prince, parce qu'elle lui rappelait « sa première jeunesse, son entrée dans le monde et toutes les personnes qui, alors, y tenaient le haut rang ». Et la jeune femme, en sa compagnie, plongeait avec une surprise émerveillée dans ce XVIIIe siècle charmant et frivole où ses parents avaient vécu leur amour. Souvent, d'ailleurs, la lecture s'achevait sur une causerie où le prince prenait plaisir à évoquer, pour sa jeune amie, les souvenirs qu'il gardait de ce couple « le plus beau et le mieux assorti » qu'il eût connu et que leur fille, elle, connaissait si mal. A travers sa parole, qui savait se faire singulièrement prenante et tendre, Marianne croyait voir sa mère s'avancer, ravissante et blonde, en robe de mousseline blanche, une haute canne enrubannée à la main, dans les allées de Trianon, ou bien s'asseoir dans une profonde bergère, au coin de la cheminée de son salon, pour y recevoir avec grâce les hôtes qui se pressaient chez elle pour des « thés à l'anglaise » qu'elle savait rendre intimes et charmants même pour cinquante personnes. Puis Talleyrand faisait revivre un instant Pierre d'Asselnat et son altière règle de vie, vouée tout entière à deux amours : sa dévotion intransigeante à la royauté et l'ardente passion qu'il portait à sa femme. Alors, c'était le grand portrait du guerrier de la rue de Lille qui reprenait vie dans l'imagination de Marianne, émerveillée mais un peu jalouse.

« Vivre un amour comme celui-là ! pensait-elle en écoutant son vieil ami. Aimer et être aimée comme ils se sont aimés... et puis mourir ensemble, même, s'il le fallait, dans cet éclaboussement de sang et d'horreur de l'échafaud ! Mais d'abord quelques années... quelques mois au moins d'un bonheur impossible à recommencer ! »

Ah ! comme elle comprenait cet élan de sa mère qui, voyant son époux arrêté, avait revendiqué avec hauteur le droit de le suivre à la mort, refusant même de penser à l'enfant qu'elle laissait derrière elle pour vivre son amour jusqu'au bout ! Elle-même, durant ces nuits si longues qu'elle endurait depuis le drame de Passy, avait mille fois songé qu'elle ne survivrait pas à Jason. Elle avait imaginé cent fins tragiques à son pauvre roman. Elle se voyait jaillissant de la foule et se jetant devant les fusils du peloton d'exécution au moment de la salve mortelle, si Jason avait droit à la mort d'un soldat, ou encore se tranchant la gorge au pied de l'échafaud s'il était traité comme un criminel vulgaire. Mais maintenant que Jolival lui avait rendu l'espoir, elle tendait toute sa volonté vers la réalisation, envers et contre tous, de ce bonheur qui la fuyait, cependant, avec tant d'obstination. Vivre avec Jason leur amour et qu'ensuite croule le monde pourvu qu'ils en aient bu le philtre jusqu'à la dernière goutte !

Les jours s'écoulaient donc agréablement, toutes proportions gardées, mais, à mesure qu'un nouveau matin s'ajoutait au précédent, Marianne sentait revenir sa nervosité. Elle guettait le courrier, épiant même le comportement de Talleyrand pour deviner si, dans celui qu'il recevait de Paris, quelque nouvelle de l'affaire Beaufort ne s'était pas glissée.

Un matin, Marianne était allée faire quelques pas en compagnie du prince, sur la chaussée ombragée qui longeait l'étang du château. A cause de sa mauvaise jambe, les promenades à pied de Talleyrand étaient toujours assez brèves, mais il faisait si beau, le matin était si limpide et si frais, que l'envie de marcher avait été irrésistible chez l'un comme chez l'autre. La campagne embaumait le foin et le serpolet, le ciel était blanc de pigeons qui jouaient à se poursuivre autour des trois tours grises du château et l'eau calme de l'étang avait des irisations d'azur, des moirures d'argent dignes de la robe d'une fée.

Le prince et la jeune femme cheminaient doucement au bord de l'eau, jetant du pain aux canards et s'amusant du caquetage éperdu d'une mère-canard occupée à faire le compte d'une nichée particulièrement turbulente, quand un valet accourut vers eux, portant quelque chose de blanc dans ses mains gantées.

— Du courrier, hé? fit Talleyrand avec une imperceptible contrariété, il faut que ce soit bien urgent pour qu'on nous coure après!

Il y avait deux lettres, l'une pour Talleyrand, l'autre pour Marianne. Celle du prince, cachetée aux armes de la maison de l'Empereur, lui fit lever les sourcils, mais la jeune femme se jeta sur la sienne où elle reconnaissait les extravagantes pattes de mouche qui servaient d'écriture à Jolival. Elle rompit fébrilement le cachet où les merlettes de son gentilhomme-à-tout-faire prenaient leur vol et dévora les quelques lignes que contenait la lettre. Elles lui arrachèrent un cri désolé. Arcadius, en effet, lui apprenait que Mrs Atkins avait quitté sa demeure de la rue de Lille « pour la campagne », sans qu'il fût possible de savoir où se trouvait cette campagne, le jour même où Adélaïde d'Asselnat était rentrée dans l'hôtel familial. Quant aux registres du château de Vincennes, ils ne portaient d'autre trace du passage de Francis Cranmere dans la prison d'État... que les vestiges d'une page arrachée. Ceux qui avaient juré la perte de Jason et la détérioration des relations franco-américaines ne laissaient apparemment rien au hasard!

Les yeux pleins de larmes, Marianne froissait nerveusement entre ses mains la lettre de Jolival quand elle entendit son compagnon bougonner:

— Qu'a-t-il besoin de moi pour inaugurer sa fichue colonne! Voilà qui va m'obliger à interrompre ma cure! Et je n'ai pas envie du tout de rentrer à Paris, hé?

Mais de ce qu'il venait de dire, Marianne n'avait saisi que trois mots, les derniers:

— Rentrer à Paris ? Vous allez rentrer ?

— Il le faut bien ! Je dois y être pour le 15 août. C'est, vous le savez, la date anniversaire de l'Empereur. Or, cette année, pour donner plus d'éclat à cette fête, Sa Majesté a décidé d'inaugurer la colonne à la gloire de la Grande Armée qu'elle a fait ériger place Vendôme avec le bronze des quelque 1 250 canons pris à Austerlitz. Je ne sais pas si c'est une idée très brillante que cette inauguration. Elle ne va pas faire grand plaisir à la nouvelle impératrice, car une bonne moitié des canons en question étaient autrichiens. Mais l'Empereur est si content de la statue qu'on lui a faite, en empereur romain, pour orner le sommet, qu'il souhaite, je pense, la faire admirer à toute l'Europe.

Marianne, cependant, était fort loin de s'intéresser à la colonne de la place Vendôme. Elle était même au-delà de tout souci de politesse, car elle interrompit sèchement le bavardage du prince :

Si vous rentrez à Paris, emmenez-moi !

— Que je vous emmène, hé ? Mais pourquoi ?

Pour toute réponse, elle lui tendit la lettre de Jolival que Talleyrand lut avec lenteur et attention. Quand il eut fini, un pli profond s'était creusé entre ses sourcils tandis qu'il rendait le papier à la jeune femme sans rien dire.

— Il faut que je rentre, reprit-elle au bout d'un moment d'une voix enrouée. Je ne peux plus rester ici, au soleil... à l'abri, tandis que les pires menaces s'accumulent sur Jason. Je... je crois que je deviendrai folle si je reste ! Laissez-moi partir avec vous !

— Vous savez que vous n'en avez pas le droit... et que je n'ai pas celui de vous ramener ! Ne craignez-vous pas d'aggraver l'affaire de Beaufort si l'Empereur apprend que vous lui avez désobéi ?

— Il ne l'apprendra pas. Je vais laisser ici mes

gens avec mes valises et la consigne de fermer mon appartement, de dire que je suis au lit, couchée, malade... que je ne veux voir personne ! Cela ne surprendra pas : j'ai déjà mené cette vie avant votre arrivée ! On me croit dans le pays un peu folle sans doute ! Avec Gracchus et Agathe je sais que nul ne franchira mon seuil et ne découvrira ma supercherie. Pendant ce temps, je rentrerai à Paris sous un déguisement... Tenez : celui d'un garçon... je passerai pour l'un de vos secrétaires !

— Et où irez-vous, à Paris ? objecta encore le prince dont le front ne se déridait pas, votre maison, vous le savez, est surveillée par la police. Si l'on vous voit y entrer vous serez arrêtée immédiatement !

— J'avais pensé... commença Marianne avec une soudaine timidité.

— Que je vous donnerais l'hospitalité chez moi ? Moi aussi, parbleu, j'y ai pensé un instant, mais c'est impossible. Tout le monde vous connaît rue de Varenne et je ne suis pas sûr de tout ce monde. Vous risqueriez d'être trahie et cela n'arrangerait ni vos affaires... ni les miennes ! Je vous rappelle que je ne suis pas du dernier bien avec Sa Majesté... même si Elle m'invite à inaugurer sa colonne !

— Alors tant pis ! J'irai n'importe où ; à l'hôtel par exemple.

— Où votre déguisement ne tiendrait pas une heure ? Vous êtes folle, mon amie ! Non, je crois que j'ai une meilleure idée. Allez faire vos préparatifs. Nous quitterons Bourbon ce soir, à la nuit tombée. Je vous ferai tenir, en effet, un habit de garçon et vous passerez pour mon jeune secrétaire jusqu'à notre arrivée à Paris. Une fois là, je vous conduirai... mais, après tout, vous le verrez bien ! Inutile d'en parler maintenant ! Emportez tout de même une robe ou deux. Vous tenez vraiment à faire cette folie ?

— J'y tiens! affirma Marianne rose de joie devant cette aide qu'elle osait à peine espérer. Il me semble qu'en restant près de lui, j'ai quelque chance de l'aider!

— C'est lui qui a de la chance, soupira le prince avec un demi-sourire, d'être aimé de la sorte! Allons, Marianne, il est écrit que je ne saurai jamais rien vous refuser! Et puis, mieux vaut peut-être, en effet, se trouver à pied d'œuvre. Qui sait si une occasion ne se présentera pas? Vous serez, alors, à même de la saisir. Maintenant, rentrons. Allons!... Que faites-vous donc? ajouta-t-il en essayant vainement de retirer sa main que Marianne venait de porter à ses lèvres avec reconnaissance. Est-ce que vous n'êtes pas un peu ma fille élue? Nous allons essayer de nous montrer un père acceptable, tout simplement. Mais je me demande ce qu'en dirait le vôtre!

Appuyés au bras l'un de l'autre, le prince boiteux et la jeune femme reprirent lentement le chemin du village, laissant l'étang à la seule compagnie des canards et des pigeons.

11 heures sonnaient à la tour Quiquengrogne quand le cocher de Talleyrand lança ses chevaux à l'assaut de la route de Paris. Quand la voiture démarra, Marianne leva les yeux vers la fenêtre de sa chambre. Derrière les volets clos, la lueur jaune de la veilleuse apparaissait comme elle apparaissait tous les soirs depuis son arrivée. Personne n'imaginerait qu'elle veillait un lit vide au milieu d'une chambre désertée. Agathe et surtout Gracchus avaient reçu des consignes sévères qu'il avait d'ailleurs été assez difficile de faire admettre au jeune garçon, révolté de voir sa chère maîtresse se jeter dans une aventure dangereuse sans le secours de sa vigoureuse personne. Marianne avait dû promettre de le faire venir dans le plus court délai et, en tout cas, de l'appeler au moindre signe de danger.

La campagne nocturne commença de défiler derrière les vitres de la voiture dont le balancement, bientôt, eut raison de la jeune femme. Elle s'endormit, la tête contre l'épaule de Talleyrand, et rêva qu'elle allait, toute seule et de ses mains nues, ouvrir devant Jason les portes de la prison...

9

L'AMOUREUX DE LA REINE

Quand Marianne y pénétra en compagnie de Talleyrand, la maison était sombre et silencieuse. Un laquais impassible, en sévère livrée brune, armé d'un chandelier, les avait précédés dans un large escalier de marbre noir ourlé d'une très belle rampe de fer forgé doré jusqu'au palier du premier étage sur lequel ouvrait, outre plusieurs salons obscurs, une sorte de grand cabinet tellement empli de meubles, de tableaux, de livres et d'œuvres d'art de toutes sortes que, s'il n'était venu à leur rencontre, Marianne et son compagnon auraient sans doute eu quelque peine à y découvrir la silhouette lourde et la calvitie de l'Écossais Crawfurd.

— Au temps où j'habitais cette maison, avait remarqué le prince d'un ton qu'il forçait un peu à la gaieté, c'était là ma bibliothèque. Crawfurd en a fait un sanctuaire d'un tout autre ordre.

A la lumière rare de quelques chandelles, Marianne, étonnée, put voir que tableaux et œuvres d'art représentaient presque tous la même personne. En bronze, en toile, en marbre c'était, partout, le visage ravissant et altier de la reine Marie-Antoinette qui regardait les nouveaux arrivants. Les meubles, eux-mêmes, avaient dû faire partie du mobilier du Petit Trianon et presque tous les objets qui encombraient la pièce, tabatières, éventails, mouchoirs, reliures, portaient soit les armes, soit le monogramme de la souveraine. Dans des cadres d'or, quelques billets écrits de sa main alternaient, sur les murs tendus de soie grise, avec les portraits et les miniatures.

Tandis que Talleyrand serrait, à l'américaine, la main de Quintin Crawfurd, celui-ci eut un triste sourire en constatant l'étonnement visible avec lequel les yeux de Marianne faisaient le tour de la pièce. Sa voix rude où demeurait une trace de l'accent des Hautes Terres affirma avec force :

— Du jour où j'ai eu l'honneur de lui être présenté, j'ai voué à la reine martyre un culte profond. J'ai tout fait pour l'arracher à ses ennemis et lui rendre le bonheur. Maintenant je vénère son souvenir !

Puis, comme Marianne, interdite par l'étrange passion qui vibrait dans la voix de ce vieil homme, ne trouvait rien à répondre, il ajouta :

— Vos parents sont morts pour elle et, de plus, votre mère était anglaise. Ma maison sera pour vous un asile inviolable car quiconque essaierait de vous en arracher ou de vous nuire ne vivrait pas assez pour s'en vanter !

Du geste, il désignait d'énormes pistolets posés sur une table et, placée en travers d'un fauteuil, une lourde et antique claymore dont l'acier étincelant prouvait qu'on en prenait le plus grand soin et qu'on s'attendait à tout instant à s'en servir. Il y avait bien quelque chose de mélodramatique et de théâtral dans l'accueil de Crawfurd, mais Marianne ne pouvait s'empêcher de lui trouver une certaine grandeur et, en tout cas, une indéniable sincérité : cet homme se ferait tuer plutôt que livrer son hôte. Impressionnée, elle parvint, tout de même, à trouver quelques paroles courtoises pour l'en remercier, mais il coupa court :

— Du tout ! Le sang des vôtres et l'amitié du prince font que vous êtes ici doublement chez vous. Venez, ma femme vous attend pour vous installer.

A vrai dire, Marianne n'avait pas été très enthousiaste quand, en approchant de Paris, Talleyrand lui avait appris qu'il comptait demander pour elle l'hospitalité des Crawfurd. Elle gardait, du couple étrange aperçu, au soir de « Britannicus », dans la loge du prince de Bénévent, un souvenir bizarre et un peu inquiétant. C'était la femme surtout qui, tout à la fois, l'intriguait et l'effrayait un peu. Elle savait qu'avant d'épouser, d'abord le duc de Wurtemberg, morganatiquement, puis l'Anglais Sullivan, puis Crawfurd, elle avait vécu à Lucques les premières années de sa vie et qu'elle ne pouvait pas ne pas connaître les Sant'Anna. Mais, surtout, elle avait éprouvé le poids étrange du regard sombre d'Eleonora Crawfurd qui, longuement, s'était arrêté sur elle à travers la salle de la Comédie-Française. Un regard appréciateur, certes, et plein de curiosité, mais aussi un regard froidement ironique et qu'elle imaginait difficilement amical. C'était à cause de ce regard qu'elle avait conçu une bizarre répugnance quand, le 14 août au soir, la voiture de Talleyrand s'était arrêtée dans la cour de l'ancien hôtel de Créqui, rue d'Anjou-Saint-Honoré, une charmante demeure du siècle précédent qui, deux ans plus tôt, était encore la résidence de Talleyrand tandis que le riche Crawfurd habitait depuis 1806 à l'hôtel Matignon. L'échange s'était fait, moitié par convenances personnelles — Matignon était trop grand pour le ménage Crawfurd — moitié par ordre de l'Empereur qui voulait voir, à son ministre des Relations extérieures, un grand état de maison, d'ailleurs en tous points conforme aux goûts du dit ministre.

Mais Talleyrand avait gardé une certaine tendresse à son ancienne demeure de la rue d'Anjou et il n'aurait pas compris que Marianne exprimât une réticence quelconque à y demeurer sous la garde de gens qui comptaient parmi les plus anciens et les plus fidèles de ses amis. Il proclamait qu'Eleonora, autrefois sa maîtresse avant d'être celle du malheureux comte de Fersen, représentait la quintessence du charme de ce XVIIIe siècle où s'incarnait pour lui une douceur de vivre jamais retrouvée. Et cela, bien qu'elle eût commencé sa carrière aventureuse sur les planches d'un théâtre où elle exerçait son talent de danseuse. Il est vrai que le diplomate avait toujours adoré les danseuses !

Docilement et s'efforçant de penser surtout au lit qu'on allait lui offrir et dont elle avait le plus urgent besoin, elle suivit son hôte jusqu'à un salon voisin où, près d'un bouquet de longues bougies roses, Mrs Crawfurd travaillait à une tapisserie. Dans sa robe de moire noire où la lumière s'accrochait à la cassure des plis, avec le bonnet de mousseline blanche, assorti au fichu à l'ancienne mode croisé sur une poitrine encore très belle, qui auréolait ses cheveux d'argent coiffés en hauteur, avec de longues et gracieuses boucles affirmant la ligne du cou, la maîtresse de maison évoquait si fort un portrait de la Reine au Temple que Marianne s'arrêta au seuil du salon, saisie par cette apparition, comme si, tout à coup, elle se fût trouvée en présence d'un fantôme.

Mais la ressemblance s'arrêtait à cette première impression car les yeux noirs qui se levèrent sur l'arrivante, vifs et inquisiteurs, l'arc rouge et un peu cruel de la bouche n'appartenaient pas à Marie-

Antoinette, pas plus que la taille beaucoup plus frêle et plus réduite, ni les mains qui apparaissaient, maigres et osseuses malgré les mitaines de dentelle noire et les magnifiques diamants qui les couvraient.

— Voilà donc notre réfugiée ! fit Eleonora Crawfurd en se levant et en s'avançant au-devant des nouveaux venus. Je suis heureuse de vous accueillir, ma chère, et souhaite que vous considériez cette maison comme vôtre. Vous pourrez y aller et venir à votre guise car, si nous avons peu de serviteurs, nous avons en chacun d'eux une entière confiance.

La voix, un magnifique contralto où chantaient encore quelques traces d'accent toscan, était basse et chaude, singulièrement prenante. Eleonora en jouait, d'ailleurs, en véritable artiste.

— Vous êtes bonne, madame, dit Marianne qui, ne sachant comment saluer, se contenta d'un sourire et d'un petit signe de tête. (Son accoutrement de garçon eut, en effet, rendu la révérence ridicule et un salut masculin n'eût pas été plus heureux.) Je regrette seulement de vous encombrer et, peut-être, de vous faire courir un risque...

— Ta, ta, ta ! Qui parle ici de risques ? Nous en avons couru toute notre vie, Quintin et moi, et celui-ci, en admettant qu'il existât, est bien mince par comparaison. J'espère d'ailleurs que vos ennuis ne dureront pas et que vous retrouverez bientôt votre demeure. Est-ce que vous ne deviez pas effectuer seulement un... séjour estival aux eaux ? Cet automne vous serez chez vous. En attendant, il faut que vous vous sentiez bien ici et, pour commencer, venez, avec le cher prince, prendre un léger repas. Vous devez en avoir grand besoin. Ensuite, je vous montrerai votre chambre.

Le repas qui, vu l'heure tardive, fut servi sur place, était composé de pêches magnifiques, de laitage, de pâtisseries légères et d'un superbe fromage de Brie comme Talleyrand les aimait, le tout arrosé d'un vieux bourgogne particulièrement chaleureux.

Mais la fatigue des deux invités, assez évidente, fit que la conversation languit quelque peu. Elle ne s'éveilla légèrement que lorsque Crawfurd déclara, comme s'il s'agissait d'un fait sans importance :

— Il paraîtrait que Champagny a fait tenir un message à l'ambassadeur Armstrong.

Talleyrand leva un sourcil tandis que Marianne était arrachée brusquement à sa demi-somnolence par le seul nom du diplomate américain.

— Un message, hé ? fit le prince. Et que dit ce message ?

— Comment voulez-vous que je le sache ? Tout ce que j'ai appris, c'est l'arrivée d'une lettre en provenance du ministère des Relations extérieures... et aussi que le front de l'ambassadeur est un peu moins nuageux depuis cette lettre qui serait du... 5 août, je crois ?

— Moins nuageux ? Comment l'entendez-vous, Crawfurd ? Cela signifierait-il que l'Empereur est décidé à user de mansuétude à propos de l'affaire Beaufort ? Il serait simple, évidemment, de relâcher purement et simplement...

— N'en croyez rien ! L'affaire est impossible à étouffer. Le matelot Perez, qui entre nous soit dit semble singulièrement au fait de la haute politique pour un marin ignorant et grossier, proclame que Beaufort comptait relâcher à Portsmouth... pour y livrer une partie de son champagne, et, en vertu du décret de Milan, il réclame comme récompense de sa délation le tiers de la cargaison. Il est étrange, d'ailleurs, de constater combien les échos de cette affaire, qui devrait demeurer secrète en principe, s'échappent aisément de tous les bureaux intéressés. Je me demande ce qu'en pense l'Empereur.

— C'est ce qu'il faudra savoir, s'écria Talleyrand en se levant de table et en frappant avec impatience la nappe du plat de la main. En vérité, cela tourne à l'histoire de fous et l'on parle infiniment trop du matelot Perez ! N'ayez pas peur, Marianne, ajouta-t-il en voyant la jeune femme pâlir tandis que son regard agrandi devenait soudain brillant de larmes, je vais tenter de voir Sa Majesté et, si je n'y parviens pas, je lui écrirai. Il est temps que les honnêtes gens fassent entendre leur voix ! En attendant allez dormir, mon enfant, car vous ne tenez plus debout. Votre hôtesse prendra soin de vous et je ferai, dès le jour venu, prévenir les vôtres de votre présence ici.

C'était vrai. Marianne était à bout de forces. Et tandis que le prince de Bénévent regagnait sa voiture pour reprendre le chemin de l'hôtel de Matignon, elle se laissa docilement emmener par Eleonora Crawfurd jusqu'à une belle chambre tendue de perse rose, située au second étage de l'hôtel. Les deux fenêtres donnaient sur un joli jardin qui n'était pas sans analogie avec celui de Marianne.

Habilement, Mrs Crawfurd fit la couverture du lit puis alluma la lampe à huile d'une tisanière disposée sur la table de chevet.

— Un peu de camomille vous fera du bien, dit-elle. C'est souverain pour les nerfs. Voulez-vous que je vous aide à vous défaire ?

Marianne fit signe que non et remercia d'un sourire las. Elle avait hâte maintenant d'être seule, mais son hôtesse ne semblait pas pressée de la quitter. Elle faisait le tour de la chambre, redressait une fleur dans un vase, s'assurait que les rideaux glissaient bien sur leurs tringles, déplaçait un siège comme si elle cherchait à prolonger indéfiniment leur tête-à-tête. Les nerfs à vif, Marianne était sur le point de se laisser aller à la pire des impolitesses et de la prier tout uniment de la laisser seule quand, brusquement, Mrs Crawfurd se retourna vers son invitée qu'elle considéra d'un œil mi-perplexe, mi-apitoyé.

— Pauvre, pauvre enfant ! fit-elle d'un ton où la commisération parut à Marianne quelque peu forcée, j'aurais tant voulu que vous puissiez trouver le bonheur... au moins vous !

— Pourquoi : au moins moi ?

— Parce que vous êtes charmante, si fraîche, si belle, si... oh ! Dieu m'est témoin qu'en apprenant votre mariage j'ai prié, prié de tout mon cœur, pour que la malédiction qui semble s'attacher aux princesses Sant'Anna vous épargne !

— La... malédiction ? articula Marianne avec peine car, même dans l'état de dépression où elle se trouvait, le mot lui paraissait un peu trop gros. Quelle malédiction ? Si vous voulez parler de doña Lucinda qui...

— Oh ! la grand-mère de votre malheureux époux n'a fait... qu'illustrer en quelque sorte ce triste état de choses qui remonte au Quattrocento. Depuis qu'un Sant'Anna a sauvagement assassiné sa femme pour cause d'adultère, toutes les femmes de cette famille... ou presque toutes, sont mortes de mort violente ! Il faut un certain courage ou beaucoup d'amour pour accepter de porter ce grand nom... mais ne le saviez-vous pas ?

— Non ! Je ne le savais pas ! affirma Marianne qui, bien réveillée maintenant, se demandait où son hôtesse voulait en venir, car il était bien étonnant que le cardinal de Chazey lui eût caché une si tragique légende... à moins qu'en farouche ennemi des superstitions il l'eût tenue pour infantile et grotesque.

Et comme cette dernière hypothèse était sans doute la bonne, Marianne ajouta :

— L'aurais-je eu su, d'ailleurs, que cela n'aurait rien changé. Je crois aux fantômes... mais pas aux malédictions qui poursuivent des innocents. Et je n'ai même pas rencontré de fantôme à la *villa dei Cavalli*! affirma-t-elle sans se soucier d'altérer la vérité tant elle trouvait bizarre cette conversation, au débotté, et à un moment où elle ne souhaitait que dormir.

C'était, selon elle, une façon comme une autre de rompre les chiens. Mais Mrs Crawfurd n'était pas femme à se laisser décourager si facilement dans la poursuite du but, parfaitement obscur d'ailleurs, qu'elle s'était fixé en entamant la question des Sant'Anna.

— Pas de fantôme? fit-elle avec un sourire qui n'en croyait rien, vous m'étonnez! Ne serait-ce que celui de...

— De qui?

— De personne! dit soudain Eleonora en s'approchant de son invitée qu'elle baisa au front. Nous reparlerons de tout cela plus tard... nous aurons tout le temps et, pour l'heure présente, vous tombez de sommeil.

— Mais non, fit Marianne sincère cette fois et qui, maintenant, mourait d'envie d'en savoir davantage. J'aurai tout le temps de dormir après. Dites-moi...

— Rien du tout, mon enfant! C'est une longue histoire et... moi aussi j'ai sommeil. J'ai eu tort d'entamer cette affaire, mais ne me dites pas que vous ignoriez qu'à la naissance du prince Corrado, votre époux, son père, don Ugolino, a tué sa mère...

Et, aussi doucement que l'un de ces fantômes auxquels elle semblait croire, elle aussi, Eleonora Crawfurd quitta la pièce et referma silencieusement la porte, laissant Marianne en pleine déroute mais parfaitement réveillée. Elle comprenait de moins en moins cette femme. Dans quel but avait-elle mis la conversation sur ce sujet étrange alors qu'elle ne souhaitait pas s'expliquer complètement ? Si c'était pour détourner l'esprit de Marianne du souci constant, et combien pénible, que lui causait le sort de Jason, elle n'avait qu'à demi réussi car aucune histoire, si passionnée fût-elle, ne pouvait distraire la jeune femme de son angoisse d'amoureuse. Mais, si elle avait souhaité donner à Marianne un sentiment de malaise, d'incertitude et de précarité, alors elle avait parfaitement réalisé son intention. Comment ne pas penser que cette malédiction, attachée aux femmes de son nom, ne risquait pas de s'étendre à ceux qu'elle aimait ? Et quel rapport y avait-il entre le meurtre de dona Adriana, mère de Corrado, et le sort étrange que, volontairement, s'était fait le prince ?

Incapable désormais de trouver le repos, son esprit surexcité se mit à tourner et à retourner la question sous tous ses angles sans, toutefois, parvenir à une réponse satisfaisante. Ce crime semblait accréditer la version que don Corrado était un monstre... Pourtant, en retrouvant, sur la toile fidèle de sa mémoire, la silhouette élancée et puissante du cavalier nocturne, l'idée devenait aberrante. C'était le visage, alors, qui était repoussant ? Mais on ne tue pas une femme à cause d'un visage, même affreux ! On tue... par cruauté, par fureur... par jalousie aussi. L'enfant présentait-il une ressemblance frappante avec un autre homme ? Mais, en général, Marianne ne croyait guère aux ressemblances des bébés en qui, avec un peu d'imagination, on pouvait trouver des traits communs avec qui l'on voulait. Et puis, dans ce cas, pourquoi la vie cloîtrée, pourquoi le masque ? Par souci de préserver à tout jamais du moindre soupçon la mémoire d'une mère dont le prince ne pouvait guère chérir le souvenir, ne l'ayant pas connue ? Non, c'était impossible...

Quand le jour pointa, vers 4 heures du matin, Marianne, assise dans un fauteuil près de la fenêtre ouverte, n'avait pas encore fermé l'œil et pas davantage trouvé de réponse à ses questions. Elle avait mal à la tête et était lasse à mourir. Péniblement, elle se leva, se pencha au-dehors. Le quartier était tranquille. Seuls, les premiers chants des oiseaux se faisaient entendre et de petites silhouettes ailées filaient d'une branche à l'autre sans faire bouger une seule feuille. Le ciel était rose, orange, avec des reflets de corail et des traînées d'or qui annonçaient le soleil. Dans la rue, les roues ferrées d'une charrette cahotèrent sur les gros pavés ronds tandis que s'élevait la complainte nostalgique du marchand de charbon de bois. Puis, de l'autre côté de la Seine, un coup de canon tonna au moment précis où le soleil s'élançait dans le ciel, où des clochers d'églises tombaient les premiers tintements de l'Angélus.

Ce glorieux vacarme, qui allait durer toute la matinée, annonçait au bon peuple de Paris que son Empereur avait, aujourd'hui, quarante et un ans, que c'était jour de fête et qu'il fallait se comporter en conséquence.

Mais, pour Marianne, il n'était pas de fête possible et, pour être certaine de ne rien entendre de cette gaieté populaire qui, peu à peu, s'enflerait dans la capitale, elle ferma soigneusement volets et fenêtres, tira ses rideaux et, fatalement, recrue de fatigue, alla se jeter sur son lit toute habillée et s'endormit comme une masse.

L'entrevue que Marianne eut avec Arcadius, au soir de ce 15 août, tandis qu'un peu partout, sur les places publiques, on buvait et on dansait sous les lampions à la santé de Napoléon, fut presque tragique. Le visage tiré par la fatigue de plusieurs nuits sans sommeil passées à errer partout où il espérait trouver quelques indices de la présence de lord Cranmere, Jolival reprocha avec quelque amertume à Marianne ce qu'il appelait son manque de confiance :

— Qu'aviez-vous besoin de revenir ici ? Et pour quoi faire ? Pour vous enterrer dans cette maison avec ce vieux fou qui vit surtout pour se souvenir d'une reine et cette vieille intrigante qui porte le deuil de son amant massacré et de sa folle jeunesse enfuie ? Que craigniez-vous ? Que je ne fasse pas tout ce qu'il est humainement possible de faire ? Alors, rassurez-vous : je le fais. Je cherche... éperdument. Je cherche la trace de Mrs Atkins, je rôde chaque nuit à Chaillot ou au boulevard du Temple autour de l'Homme Armé et de l'Épi-Scié. J'y passe des heures, déguisé, espérant toujours voir apparaître l'un des hommes de Fanchon ou Fanchon elle-même. Mais je perds ma peine... Croyez-vous que j'avais besoin de ce surcroît d'inquiétudes : vous savoir là, cachée, à la merci d'une dénonciation ?

Marianne avait laissé passer l'orage. Elle comprenait trop bien la fatigue et le découragement de son ami pour lui en vouloir de sa colère, née d'ailleurs uniquement de son affection. Et, pour la calmer, elle se fit douce, presque humble.

— Il ne faut pas m'en vouloir, Arcadius ! Je ne pouvais plus rester là-bas, à couler des jours champêtres et paisibles tandis que vous vous battiez ici, tandis que Jason endurait Dieu sait quoi...

— La prison ! précisa Jolival sèchement. La prison politique : ce n'est tout de même pas le bagne ! Et je sais qu'il est bien traité.

— Je le sais ! Je sais tout cela... ou du moins je m'en doute, mais je devenais folle ! Et quand le prince m'a dit qu'il devait revenir à Paris, je n'ai pas pu y tenir. Je l'ai supplié de m'emmener.

— Il a eu tort ! Mais les femmes en feront toujours ce qu'elles voudront ! Qu'allez-vous faire, maintenant ? Écouter à longueur de journée Crawfurd égrener les vertus de Marie-Antoinette, vous conter par le menu les ignominies de l'Affaire du Collier ou les horreurs du Temple et de la Conciergerie ? A moins que vous ne préfériez entendre le récit complet des aventures de sa femme ?

— Certes, oui, j'entendrai ce qu'elle peut m'apprendre car elle est née à Lucques et paraît connaître mieux que personne l'histoire des Sant'Anna, mais si je suis revenue, mon ami, c'est surtout pour pouvoir apprendre les nouvelles au fur et mesure qu'elles arriveront, pour être à même de prendre telle ou telle décision qui s'imposerait... Tout va mal, selon M. de Talleyrand, et il vous dirait...

— Je sais ! Je viens de le voir. Il m'a dit qu'il demanderait une audience à l'Empereur pour tenter de faire la lumière, avec lui, sur cette sombre histoire. Mais j'ai peur qu'il n'ait du mal à se faire entendre. Sa position n'est pas des meilleures en ce moment.

— Pourquoi donc ? Il n'est plus ministre, mais il est toujours Vice-Grand Électeur ?

— Un titre pompeux complètement vide de substance ! Non, j'entends par là que le bruit de ses ennuis financiers, et surtout ce qui les a causés, est revenu aux oreilles de Napoléon. Notre prince trempait plus ou moins dans les tractations franco-anglaises de Fouché-Ouvrard-Labouchère-Wellesley. Il y a eu aussi le krach de la banque Simons,

dont la femme, l'ex-demoiselle Lange, a été longtemps son amie et où il laisse un million et demi... et
il y a surtout les quatre millions de Hambourg qui
lui ont été versés par cette ville pour qu'il lui évite
l'annexion. Or, si Napoléon poursuit son intention
de l'annexer, il faudra que Talleyrand rembourse. Je
ne vois pas, dans tout cela, de quoi être bien en
cour !

— Son effort est d'autant plus méritoire et, d'ailleurs, s'il a besoin d'argent, je lui en donnerai.

— Croyez-vous en avoir tellement ? Je ne voulais
pas vous en parler pour ne pas aggraver vos soucis,
mais voici déjà cinq jours que cette lettre est arrivée
de Lucques. Arrivée seule, d'ailleurs, sans le tri-
mestre de pension qui aurait dû, normalement,
l'accompagner. Vous me pardonnerez, j'espère, de
n'avoir mis aucun scrupule à la lire.

Pressentant de nouveaux ennuis, Marianne prit la
lettre avec quelque répugnance. Elle se reprochait de
n'avoir pas encore annoncé, elle-même, au prince,
l'accident dont l'enfant avait été victime. Elle craignait la réaction de son invisible époux sans trop
imaginer ce que pourrait être cette réaction. Et quelque chose lui disait que, dans la lettre qu'on lui
offrait, se trouvait ce qu'elle appréhendait d'instinct. .

En effet, en quelques lignes d'une politesse glacée, le prince Corrado informait Marianne qu'il
avait appris la perte de leurs espoirs communs,
s'inquiétait brièvement de sa santé et ajoutait qu'il
attendait d'elle une prochaine venue en Italie « pour
examiner ensemble la nouvelle situation créée par
cet accident et les mesures qu'elle imposait ».

— Une lettre de notaire ! gronda Marianne en
roulant le papier en boule pour le jeter furieusement
dans un coin. Examiner la situation ! Prendre des
mesures ! Que veut-il faire ? Divorcer ? J'y suis toute
préparée !

— Un Italien ne divorce pas, Marianne, fit Arcadius sévèrement, et moins encore un Sant'Anna ! De plus, j'espère que vous en avez un peu assez de changer de mari toutes les cinq minutes ! Alors, cessez de déraisonner !

— Que voulez-vous que je fasse ? Que je parte là-bas, tandis qu'ici... non ! Mille fois non ! A aucun prix !

L'explosion de colère qui la secouait cachait, en réalité, les pensées désordonnées qui lui venaient, mais pour le moment, de toutes ses forces, elle haïssait cet inconnu lointain qu'elle avait épousé, croyant, malgré tout, garder une entière liberté et qui osait, même à distance, faire entendre sa volonté de seigneur et maître et lui faire sentir la bride. Rentrer à Lucques ! Dans cette maison pleine de dangers cachés où un fou adorait une statue et lui offrait même des sacrifices humains, où un homme bizarre ne s'accommodait que de la nuit et d'un masque ? Ce n'était, en tout cas, pas le moment ! Pour la tâche passionnée qui la retenait ici, il était certain que cette façon de lui couper les vivres était plus que menaçante et plus que gênante ! Pour cela non plus ce n'était pas le moment alors que peut-être il lui faudrait acheter des consciences, des hommes, des armes... une armée peut-être pour arracher Jason à l'inique jugement qui l'attendait... De plus, cette lettre, la première qu'elle eût reçue du prince Sant'Anna, présentait un autre danger : si, par hasard, elle avait été ouverte par le Cabinet Noir de l'Empereur et si celui-ci avait connaissance de ses termes, elle pouvait lui donner une trop bonne idée : celle de mettre définitivement Marianne à l'écart de l'affaire Beaufort en la renvoyant dans ses lointains foyers. Que pourrait-elle y faire d'ailleurs ?... et c'était là surtout qu'elle trouvait à cette lettre quelque chose d'effrayant. Quelles pouvaient être ces « dispositions » que le prince entendait prendre ? Prétendait-il l'obliger à redevenir la maîtresse de Napoléon pour obtenir à tout prix l'enfant désiré ? C'était à priori la seule solution puisqu'il n'était pas possible au prince de divorcer et puisque, s'il avait souhaité s'occuper lui-même de sa descendance, on pouvait imaginer qu'il n'eût pas attendu si longtemps. Alors ? Pourquoi cette lettre, pourquoi cet ordre à peine dissimulé de revenir à Lucques ? Et pour y faire quoi ?

Une idée terrifiante traversa Marianne. Le prince Corrado entendait-il lui faire subir ce qui était, selon Eleonora Crawfurd, le sort commun des princesses Sant'Anna ? Une mort violente qui le vengerait de ce qu'il pouvait appeler, sans manquer à la logique, un marché de dupe ? Était-ce... pour l'exécuter qu'il l'appelait... Afin que fût respectée la tradition tragique de sa famille ?

D'une voix blanche, elle dit, pensant tout haut :

— Je ne veux pas y retourner... parce que j'ai peur de ces gens-là !

— Personne ne vous le demande, du moins par pour le moment ! J'ai déjà répondu que, demeurée fragile par suite de votre accident, vous aviez dû, par ordre de l'Empereur, vous rendre aux eaux de Bourbon où l'on ne soigne pas que les rhumatismes mais aussi les maladies féminines. Il nous reste à espérer, maintenant que vous avez eu la bonne idée d'en revenir, que l'on n'enverra pas s'assurer que vous y êtes bien. Mais là n'est pas la question : je voulais seulement vous faire entendre que vous n'avez pas d'argent à distribuer inconsidérément et que, si vous n'êtes pas, et de loin, dans la misère, il vous faut tout de même faire un peu attention et ne pas jeter par les fenêtres ce que vous possédez. Sur ce, ma chère amie, je vous fais mes adieux.

320

— Vos adieux ? s'écria Marianne alarmée. Vous ne voulez pas dire que... vous me quittez ?

Ce n'était pas possible ! Son vieil Arcadius ne pouvait pas être fâché au point de l'abandonner ? Il ne lui en voulait pas à ce point-là de son équipée ? Elle était si pâle, tout à coup, que, voyant en outre des larmes emplir ses grands yeux clairs, Jolival ne put s'empêcher de sourire. Gentiment, il se pencha, prit sa main et posa dessus un baiser plein d'affection.

— Où est votre clair jugement, Marianne ? Je vous quitte... pour quelques jours seulement et pour votre service. Il m'est apparu que le citoyen Fouché pourrait beaucoup, s'il voulait se donner la peine de témoigner et si l'Empereur voulait l'entendre, pour éclairer ses anciens administrés du quai Malaquais. Et comme je n'ose confier, à la poste, une lettre qui n'arriverait sans doute pas, je m'envoie moi-même.

— Vous allez où ?

— A Aix-en-Provence, où notre duc d'Otrante purge son exil dans sa sénatorerie. Et là, j'ai bon espoir. En dehors du fait qu'il avait sûrement pour vous quelque amitié, il sera enchanté de jouer un mauvais tour à Savary. Alors, attendez-moi gentiment, soyez bien sage... et surtout pas de folies !

— Des folies ? Ici ! Je ne vois pas bien quelle sorte de folies je pourrais faire ?

— Qui sait, fit Arcadius avec une grimace. Par exemple... forcer la porte de l'Empereur !

Marianne secoua la tête et, gravement tout en glissant son bras sous celui de son ami pour le raccompagner jusqu'à la porte :

— Non ! Cette folie-là, je vous promets de ne pas la commettre... pas maintenant tout au moins ! En échange, vous, promettez-moi de faire vite... très vite ! Et j'aurai tous les courages, toutes les patiences, car je suis certaine que vous rapporterez ce témoignage. Je serai sage. J'attendrai seulement...

Mais ce fut infiniment plus difficile que Marianne ne l'imaginait. A peine Jolival eut-il quitté Paris, tandis que les gerbes multicolores des feux d'artifice embrasaient le ciel, que, insidieusement, l'angoisse revint, à pas de loup, reprendre possession de la jeune femme, comme si la présence de son ami possédait, seule, la vertu d'écarter les démons et d'exorciser le malheur. Et ce fut pire à mesure que le temps passait.

Enfermée dans la maison de Crawfurd, avec pour seule distraction la visite détaillée de la galerie de tableaux, à vrai dire très belle, de son hôte et les promenades mélancoliques où, durant des heures, elle tournait en rond dans le jardin comme une prisonnière dans la cour de Saint-Lazare, Marianne voyait ses rêves se dissoudre peu à peu en fumée au vent amer des mauvaises nouvelles.

Elle apprit d'abord que l'Empereur, comme d'ailleurs il le craignait, n'avait pas consenti à recevoir le Vice-Grand Électeur et qu'il fallait attendre le résultat de la lettre, très « diplomatique », que celui-ci avait envoyée aussitôt. Ensuite, on sut que le procès de Jason Beaufort s'ouvrirait dans les premiers jours d'octobre devant la Cour d'Assises de Paris. Et ce n'était pas bon non plus que l'on eût déjà pris date...

— Les juges, commenta le prince de Bénévent, semblent pressés de traiter cette affaire sans avoir à se préoccuper du nouveau Code Pénal, décrété le 12 février de cette année, mais qui ne sera applicable qu'en janvier prochain.

— Autrement dit, le procès sera bâclé et Jason est condamné d'avance ?

Talleyrand avait haussé les épaules.

— Peut-être pas !... mais ces messieurs trouvent

l'ancien code infiniment plus confortable, comme disent les Anglais. C'est toujours tellement ennuyeux de s'imprimer de nouveaux textes dans l'esprit !

Dans ces conditions, il était aisé de comprendre que Marianne, peu à peu, se mît à étouffer en la compagnie des pensées lugubres qu'elle pouvait échanger seulement contre celles de deux vieillards vivant exclusivement dans le passé. En effet, comme l'avait prévu Jolival, elle était devenue, pour ses hôtes, la confidente idéale de leurs drames anciens puisqu'elle-même en vivait un.

Néanmoins, si elle ne trouvait que peu d'intérêt à entendre évoquer le souvenir de Marie-Antoinette, hormis en ce qui touchait la période terrible où ses parents avaient trouvé la mort pour elle, Marianne écoutait volontiers les histoires d'Eleonora qui lui parlait exclusivement de Lucques et de l'étrange famille où le destin l'avait fait entrer.

Curieusement, cette femme étrange qui, de son sang italien, tirait un goût prononcé pour le bavardage, gardait un silence profond sur tout ce qui avait été sa vie intime et, singulièrement, sur l'homme qu'elle avait aimé plus que tous les autres, ce Fersen en qui tant de femmes, sans compter la reine, avaient reconnu l'image même de leurs rêves. La seule manifestation d'émotion que se permit Mrs Crawfurd se bornait à un froncement de sourcils et à une légère crispation de la bouche quand son mari, au cours de l'un de ses interminables récits en forme de monologues, évoquait l'élégante silhouette du comte suédois, mort tragiquement deux mois plus tôt. Mais lorsqu'elle entamait le chapitre des Sant'Anna, Eleonora se montrait intarissable et retrouvait toute sa faconde. Et telle était la puissance d'évocation de sa parole colorée que Marianne, pelotonnée durant des heures au creux d'une bergère près de la tapisserie où s'attardaient les mains de la vieille dame, croyait voir les personnages surgir l'un après l'autre, à sa voix, des ombres du salon.

Marianne apprit ainsi qu'Eleonora était née dans les dépendances mêmes de la *villa* Sant'Anna. Son père était chef des palefreniers du prince, sa mère femme de chambre de la princesse, comme l'était, d'ailleurs, la mère de dona Lavinia, sa contemporaine à quelques mois près, actuellement femme de charge du domaine et que Marianne connaissait bien. Elle n'avait aucun effort à faire pour retrouver le beau et doux visage, si triste sous ses cheveux gris, et qui semblait porter en lui toute la mélancolie latente dans la demeure. Lavinia, apparemment, n'avait pas changé au cours des années : elle avait toujours été silencieuse, mélancolique et parfaite femme d'intérieur.

Bien entendu, Eleonora et Lavinia avaient été amies d'enfance, mais il en allait autrement avec celui que Marianne avait connu comme l'intendant Matteo Damiani, l'inquiétant adorateur de statues qui, voyant ses secrets diaboliques découverts par elle, avait voulu la tuer, au cours d'une nuit maudite. Eleonora avait dix ans lorsque Matteo était né, mais, précoce comme toutes les filles du Midi, elle sut immédiatement que le dangereux sang des Sant'Anna coulait dans les veines du nouveau-né que sa mère, un soir d'hiver, avait apporté à la *villa* dans les plis de son manteau.

— Le prince Sebastiano, grand-père de votre époux, l'avait eu de la Fiorella, une pauvre mais jolie fille de Bagni di Lucca, qui, à peine l'enfant mis au monde, est allée se noyer dans le Serchio. La Fiorella était un peu folle, mais elle semblait aimer la vie et personne n'avait compris son geste de désespoir... à moins qu'il n'eût pas été tout à fait involontaire !

— Vous pensez... qu'on l'aurait aidée ?

Mrs Crawfurd eut un geste évasif.

— Qui peut savoir ? Don Sebastiano était un homme terrible... et j'imagine que vous n'avez pas été sans entendre parler de sa femme, la célèbre Lucinda, la sorcière, la Vénitienne, celle dont l'ombre malfaisante doit encore planer sur le domaine ?

La voix calme de la vieille dame s'était chargée, tout à coup, de tant d'effroi et de haine que Marianne crut, un instant, revoir en elle la petite paysanne crédule et superstitieuse qu'elle avait dû être jadis. Mais elle-même ne put retenir un frisson en évoquant le temple et la sensuelle statue qui régnait sur ses ruines. Instinctivement, elle baissa le ton pour demander, avec une irrésistible curiosité qui n'était cependant pas exempte de crainte :

— Vous l'avez connue, cette Lucinda ?

Mrs Crawfurd fit signe que oui et ferma un instant les yeux, comme pour mieux rappeler ses souvenirs.

— Elle est même la seule princesse Sant'Anna que j'aie connue. Quant à l'oublier... Je crois que, même s'il m'était donné de vivre plusieurs existences, il ne me serait pas possible de l'effacer de ma mémoire ! Vous ne pouvez avoir aucune idée de ce qu'était cette femme ! Quant à moi, jamais je n'ai vu de beauté comparable à la sienne... aussi étrange et aussi parfaite... aussi diaboliquement parfaite ! Dieu sait que vous êtes belle, ma chère, mais auprès d'elle vous auriez disparu ! lança brutalement la vieille dame. Quand elle était là, on ne voyait qu'elle. Vénus elle-même aurait eu l'air d'une fille de ferme à côté de cette splendeur !

— Vous l'aimiez ? souffla Marianne trop dévorée

par sa soif de savoir pour songer même un instant à s'offenser de l'espèce de dédain avec lequel Eleonora venait de parler de son propre physique.

La réponse arriva comme un boulet de canon.

— Je la haïssais ! Dieu ! Comme je l'ai haïe ! Et je crois bien, après tant d'années, que je l'exècre encore ! C'est à cause d'elle que, à quinze ans, j'ai fui la maison de mes parents avec un danseur napolitain venu avec sa troupe donner une représentation à la *villa*. Mais, lorsque j'étais petite fille, je me cachais derrière les massifs du parc pour la regarder passer, toujours vêtue d'un blanc éclatant, toujours couverte de perles ou de diamants, toujours suivie de son esclave, Hassan, portant son écharpe, son ombrelle ou le sac dans lequel se trouvait le pain qu'elle donnait aux paons blancs du parc...

— Elle avait un esclave ?...

— Oui, un gigantesque Guinéen que don Sebastiano avait ramené d'Accra, sur la Côte des Esclaves. Lucinda en avait fait son garde du corps, son chien et, je l'ai su plus tard... son exécuteur !

La voix de Mrs Crawfurd fléchit comme une lampe qui manque d'aliment. La vieille dame, alors, fouilla dans le réticule de soie noire toujours pendu à son fauteuil, prit une pastille dans une bonbonnière d'argent et la suça longuement, les yeux mi-clos, tandis que Marianne retenait son souffle pour ne pas troubler sa méditation. Au bout d'un moment, elle reprit avec plus de vigueur :

— En ce temps-là, je croyais que je l'aimais parce qu'elle m'éblouissait ! Mais ensuite...

— Comment était-elle ? chuchota Marianne à qui cette question brûlait les lèvres depuis un moment. Je n'ai vu d'elle qu'une statue...

— Ah ! La fameuse statue ! Elle existe donc toujours ? Et, certes, elle reproduit parfaitement ses traits et la forme de son corps, mais la couleur, les nuances de la vie, elle n'en donne aucune idée !... Si je vous disais que Lucinda était rousse, vous seriez déçue. Ses cheveux, c'était de l'or liquide et de la flamme, de même que ses immenses yeux noirs étaient velours et braise et sa peau ivoire et pétales de roses. Sa bouche avait l'air d'une blessure où se cacheraient des perles. Non, personne ne lui ressemblait ! Et pas davantage, d'ailleurs, pour la dépravation et la cruauté. Quiconque, gens ou bêtes, lui déplaisait était en danger. Je l'ai vue faire abattre froidement la plus belle jument de l'écurie parce qu'elle en était tombée, faire fouetter au sang par Hassan une chambrière coupable d'avoir roussi une dentelle en la repassant. Ma mère ne l'approchait jamais sans serrer, au fond de la poche de son tablier, son chapelet entre ses doigts. Et son mari lui-même, le prince Sebastiano, qui, plus âgé qu'elle d'une trentaine d'années, l'avait aimée et l'aimait encore passionnément, ne trouvait que dans la fuite le repos et la paix du cœur. D'où les nombreux voyages qui, les trois quarts de l'année, l'éloignaient de Lucques.

— Pourtant, dit Marianne, il en a bien eu au moins un enfant ?

— Oui, et elle l'a accepté car elle admettait qu'il lui fallait continuer la race, mais lorsqu'elle s'est trouvée enceinte, son humeur est devenue si noire que son mari s'est absenté une fois de plus, la laissant seule maîtresse du domaine. Une maîtresse que, durant sept mois, personne n'a vue.

— Personne ? Mais... pourquoi ?

— Parce qu'elle ne voulait pas que quiconque pût constater qu'elle était un peu moins belle. Tous ces mois elle les a passés enfermée dans son appartement, sans sortir, sans laisser approcher quiconque autre que ma mère, Anna Franchi, et Maria, la mère de Lavina, ses caméristes. Encore leur adressait-elle à peine la parole ! Et je me souviens encore d'avoir entendu ma mère raconter à voix basse à mon père que, la nuit venue, dona Lucinda faisait fermer soigneusement portes et fenêtres après avoir ordonné d'allumer toutes les chandelles de tous les candélabres sans que l'on puisse deviner la raison de cette illumination nocturne qui durait autant que les bougies.

« Un soir, la curiosité a été plus forte que moi. J'avais dix ans et j'étais aussi alerte et aussi souple qu'un chat. Je suis sortie par la fenêtre de ma chambre, une fois mes parents endormis, et j'ai couru, pieds nus, jusqu'à la maison. Une fois là, les plantes grimpantes m'ont permis d'escalader sans trop de difficultés le balcon de dona Lucinda. Mon cœur sautait comme un cabri dans ma poitrine car j'étais persuadée que mes parents ne me reverraient pas vivante si j'étais surprise. Mais je voulais savoir... et j'ai su !

— Que faisait-elle ?

— Rien ! Par une fente d'un rideau, je l'ai aperçue. Les chandeliers étaient posés par terre, en cercle, et elle était debout au milieu, en face de la statue que vous avez vue et aussi nue qu'elle. Les miroirs devaient refléter à l'infini la double silhouette, la blanche, la rose, et Lucinda demeura là des heures, traquant sur son propre corps les moindres déformations dues à la grossesse, se comparant avec son double de marbre, les cheveux épars et les joues ruisselantes de larmes... Et ce spectacle, croyez-moi, avait quelque chose de si hallucinant que jamais plus je n'ai recommencé cette expédition ! D'ailleurs, quand vinrent les dernières semaines, il ne fut plus question d'allumer quoi que ce soit. Par son ordre, on voila les miroirs, et l'obscurité régna jour et nuit chez la princesse...

Un peu haletante, Marianne avait suivi, les yeux agrandis, le bizarre récit de son hôtesse.

— Elle était folle, non? dit-elle enfin.

— Folle d'elle-même, oui, sans doute! Mais hormis cela, hormis cette passion insensée qu'elle portait à sa propre beauté, elle agissait à peu près normalement. Ainsi la naissance de son fils, don Ugolino, fut marquée par des fêtes sans fin. Un véritable flot d'or et de vin déferla sur les serviteurs et sur les paysans d'alentour. Visiblement, dona Lucinda rayonnait au moins autant d'avoir retrouvé sa silhouette d'antan que d'avoir un héritier d'ailleurs! Un moment, nous avons tous cru qu'une ère de bonheur s'ouvrait enfin pour la maison. Mais... trois mois après, le prince Sebastiano repartait pour je ne sais quelle terre lointaine où il devait trouver la mort. La construction du petit temple a commencé aussitôt après son départ. Il y avait un peu plus d'un an que Matteo Damiani avait été apporté à la *villa*...

— Dona Lucinda supportait sa présence?

— Non seulement elle la supportait, mais, quand son enfant fut né, elle cessa pratiquement de s'en occuper et se mit à marquer une étrange préférence pour le petit bâtard. Elle jouait avec lui comme avec un jeune chiot, s'occupait de la façon dont il était traité, vêtu, mais surtout elle prenait une sorte de plaisir pervers à développer les instincts sauvages de l'enfant qu'elle caressait et tourmentait tour à tour, cherchant à éveiller en lui le goût de la cruauté et du sang. Ce n'était d'ailleurs pas bien difficile; le terrain était tout préparé. Je peux vous dire qu'à cinq ans, lorsque j'ai quitté la *villa,* Matteo était déjà une sorte de jeune démon joignant la ruse à la brutalité... D'après ce que j'ai pu apprendre, il n'a fait que développer ces deux traits de son caractère. Mais, s'il vous plaît, voulez-vous sonner, petite, pour que l'on nous apporte le thé ! Ma gorge est sèche comme un parchemin et, si vous voulez que je parle encore...

— Oui ! Vous m'avez dit tout à l'heure que dona Lucinda était cause de votre départ.

— Je n'aime guère évoquer cette histoire, mais vous occupez désormais sa place. Vous avez le droit de savoir ! Néanmoins... le thé d'abord, s'il vous plaît ?

Ce fut dans un profond silence que les deux femmes prirent le thé chinois qu'un valet discret vint leur servir avec rapidité et sans faire le moindre bruit. Marianne, comme sa compagne, le but avec plaisir parce que, dans cette pièce élégante et douillette, l'odorant breuvage apportait avec lui un peu du parfum du passé. Elle se revoyait, petite fille, puis jeune fille, assise sur un tabouret aux pieds de sa tante Ellis pour sacrifier avec elle à ce rite sacré que, pour rien au monde, lady Selton n'eût négligé. Cette vieille femme en bonnet d'autrefois, ces meubles du siècle passé, jusqu'à l'odeur des roses qui entrait par la fenêtre ouverte, tout rappelait à Marianne les tendres heures de son enfance et elle éprouva, pour la première fois depuis bien des jours, une sensation de détente et d'apaisement comme elle en éprouvait jadis quand, au plus fort d'un chagrin ou d'une colère, tante Ellis venait caresser ses cheveux en lui disant de sa voix bourrue :

— Allons, Marianne ! Tu devrais savoir qu'il n'est rien, en ce monde, dont on ne vienne à bout avec du courage et de la persévérance... principalement soi-même !

L'effet était magique et il était à la fois étrange et réconfortant de le retrouver au fond d'une tasse de thé servie dans une demeure étrangère ! En reposant sur le plateau d'argent la porcelaine fleurie, les yeux de Marianne rencontrèrent ceux de Mrs Crawfurd qui l'observait.

— Qu'est-ce qui vous faire sourire, ma chère ? Je croyais pourtant bien vous raconter de sombres choses !

— Ce n'est pas cela, madame... C'est simplement qu'en prenant le thé, ici, avec vous, j'ai cru un instant me retrouver dans la maison de mon enfance, en Angleterre ! Mais, je vous en supplie, continuez, s'il vous plaît !

Un moment, le regard sombre de la vieille dame s'attarda sur la jeune femme qui crut y voir apparaître une douceur et une sympathie qu'elle n'y avait encore jamais lues. Mais Eleonora Crawfurd n'en exprima rien et, détournant les yeux vers la fenêtre, elle n'offrit plus à Marianne qu'un profil perdu voilé par le volant de mousseline de son bonnet. Elle reprit alors son récit mais d'une voix si sourde que Marianne, d'abord, eut peine à saisir les premiers mots.

— Il est étrange de constater combien les souvenirs d'un premier amour peuvent demeurer vivaces... et douloureux malgré tant d'années écoulées ! C'est une chose que vous saurez quand, à votre tour, vous vieillirez ! Pour moi, lorsque je pense à Pietro, il me semble que c'était hier que je courais le retrouver, près de la chapelle San Cristoforo, dans le crépuscule mauve et dans l'odeur du foin coupé... Je venais d'avoir quinze ans et je l'aimais. Lui en avait dix-sept. Il était beau et fort... Il habitait le village de Capanori où il vivait seul depuis la mort de son père qui était chaudronnier... Il voulait m'épouser et, chaque soir, nous nous retrouvions... jusqu'à ce soir où il n'est pas venu. Un soir... deux soirs !... personne au village n'a pu me dire où il était allé, mais moi, tout de suite, j'ai eu peur sans bien savoir pourquoi... peut-être parce qu'il ne m'avait jamais rien caché !... La troisième nuit, incapable de trouver le repos, j'ai erré dans le parc, sans autre but que chercher à éteindre mon angoisse. Il faisait une chaleur de four. Même l'eau des bassins était tiède et dans les écuries les chevaux ne bougeaient plus... C'est alors, en passant près de la nymphée, que j'ai entendu chanter... si cela peut s'appeler chanter ! C'était plutôt, rythmée sur un roulement de tambour bas et syncopé, comme une plainte monotone, avec parfois une sorte d'appel. Jamais je n'avais rien entendu de semblable, mais pour oser me promener si près de la maison, et surtout si près de la nymphée qui était interdite aux serviteurs, il fallait que je ne fusse plus dans mon état normal... Quel instinct m'a poussée alors sur le chemin défendu de la clairière et du petit temple ? Je l'ignore toujours. Néanmoins, j'y suis allée, à tâtons et à pas de loup, les mains collées au rocher, m'aplatissant si fort contre lui que j'aurais pu, moi aussi, devenir pierre... Et quand la lumière du temple a frappé mon visage, je me suis reculée, d'instinct, puis, tout doucement, à nouveau, j'ai avancé la tête... alors j'ai vu !

De nouveau le silence. Le cou tendu, Marianne osait à peine respirer de crainte de faire évanouir l'espèce d'enchantement à travers lequel parlait Eleonora. Elle se souvenait trop bien de sa terreur à elle, quand elle avait découvert les ruines et la statue que Matteo Damiani étreignait. Mais elle devinait que l'épreuve subie par cette femme était pire que la sienne et tout doucement elle souffla :

— Vous avez vu...

— Hassan d'abord ! C'était lui qui chantait ainsi. Il était accroupi sur les degrés de marbre, une sorte de petit tambour en forme de calebasse entre les genoux. Ses grandes mains noires y accompagnaient sa mélopée. La tête levée, il semblait poursuivre dans les étoiles quelque songe morne, mais les torches qui éclairaient l'intérieur du temple faisaient luire comme du bronze sa peau noire et rougissaient le pagne doré et les bijoux barbares qui l'habillaient. Il tournait le dos au temple à travers les colonnes duquel je pouvais voir un lit doré, tendu de velours noir... Un lit sur lequel deux corps se livraient à l'amour... La femme, c'était Lucinda... et l'homme, c'était Pietro !... Mon Pietro !... Je ne sais pas encore, maintenant, comment je ne suis pas morte sur place... Comment j'ai pu trouver la force de m'enfuir !... Mais je sais que, jamais, je n'ai revu Pietro vivant ! Le lendemain, on découvrait son corps, pendu à une branche d'arbre, dans la colline. Et, trois jours plus tard, je partais avec les baladins !...

Cette fois, Marianne laissa s'écouler un long moment sans souffler mot. Elle connaissait si bien le domaine dont elle portait le nom que, ce dramatique récit, elle croyait presque, sinon l'avoir vécu, du moins en avoir vu, de ses yeux, se dérouler les péripéties. Et elle ne s'étonna pas de voir la vieille dame écraser une larme furtive du bout de son doigt. Simplement, quand elle eut l'impression que sa compagne était un peu remise, elle prépara une nouvelle tasse de thé et la lui offrit avant de demander :

— Vous n'y êtes jamais retournée ?

— Si, en 1784, pour voir mourir ma mère qui, elle, n'a jamais quitté le domaine. Elle m'avait pardonné depuis longtemps ma fuite. Au fond, elle avait été heureuse que j'échappe à cette maison maudite où elle avait été le témoin de tant de drames. C'était elle qui avait élevé le prince Ugolino. Elle avait connu aussi l'incendie du temple dans lequel Lucinda avait trouvé une mort atroce autant que volontaire. Pourtant, elle avait espéré, à ce moment-là, en un avenir meilleur puisque le démon familier du domaine avait enfin disparu. Et, un temps, les faits avaient paru lui donner raison. Un an après sa mort, son fils Ugolino épousait la charmante Adriana Malaspina. Il avait dix-neuf ans, elle en avait seize et, depuis longtemps dans la région, l'on n'avait vu couple mieux assorti ni plus amoureux. Pour Adriana qu'il adorait, Ugolino maîtrisait sa violence naturelle et son caractère difficile. Il ressemblait beaucoup à sa mère, hélas, mais, de loup qu'il était, se faisait agneau pour sa jeune femme. Certes, ma mère a cru, vraiment, que le temps des malheurs était révolu...

Lorsque, après un peu plus d'un an de mariage, Adriana s'est trouvée enceinte, Ugolino l'a entourée de tous les soins imaginables, veillant sur elle jours et nuits, poussant l'attention jusqu'à faire emmailloter les sabots des chevaux pour que leur bruit ne troublât point son repos. Et puis l'enfant est né... et le malheur est revenu. Ma mère, au moment de mourir, a voulu décharger un peu son cœur du poids qui l'étouffait et, avant d'être entendue par le prêtre, avant de recevoir les derniers sacrements, elle m'a avoué le double drame du printemps 1782...

— Un... double drame ?

— Oui. Au moment de la naissance du prince Corrado, deux femmes seulement se trouvaient auprès de dona Adriana : ma mère et Lavinia. Mais ne croyez pas, ajouta-t-elle en voyant une lueur s'allumer dans les yeux de Marianne, que ma mère m'ait révélé le secret de cette naissance. Ce secret n'était pas le sien et, sur la croix, elle avait dû jurer de ne jamais le révéler, même en confession. Ce qu'elle m'a dit, c'est que, durant la nuit qui a suivi la naissance, Ugolino a étranglé sa femme. Mais il n'a pas pu toucher à l'enfant : Lavinia, craignant pour sa vie, l'avait emporté et caché. Deux jours plus tard, on retrouvait le prince Ugolino, couché dans une stalle de l'écurie, le crâne fracassé. La mort, bien entendu, fut attribuée à un accident mais, en fait, c'était un meurtre...

— Qui avait tué ?

— Matteo ! Depuis qu'elle était devenue la femme d'Ugolino, dona Adriana avait éveillé chez Matteo un amour passionné. Il ne vivait plus que pour elle et il a tué son maître pour venger celle qu'il aimait. A dater de ce jour, il a veillé sur l'enfant avec un soin jaloux en compagnie de Lavinia...

Une idée soudain traversa l'esprit de Marianne. Malgré ce que venait de dire Eleonora de son amour pour son époux, se pourrait-il que dona Adriana eût... répondu à la passion de Matteo ? L'enfant, peut-être, était sien et c'était une ressemblance qui avait déchaîné la fureur du mari ? Mais, dans ce cas, pourquoi n'aurait-il pas tué d'abord Matteo ?

Elle n'eut pas le temps de formuler son ultime question. La porte du salon venait de s'ouvrir pour livrer passage à Quintin Crawfurd accompagné de Talleyrand et les ombres tragiques des Sant'Anna reculèrent brusquement devant les soucis de l'heure présente. Car si l'Écossais, qui étayait sur deux cannes un pied superbement pansé et une magistrale crise de goutte, offrait un spectacle plutôt amusant, la mine sombre du prince de Bénévent laissait présager qu'une fois de plus les nouvelles étaient mauvaises.

Il salua, en effet, les deux femmes sans un mot puis tendit à Marianne une lettre tout ouverte sur laquelle s'étalait, menaçante, la signature en éclair de Napoléon.

« Monsieur le prince de Bénévent, écrivait l'Empereur, j'ai reçu votre lettre. Sa lecture m'a été pénible. Pendant que vous avez été à la tête des Relations extérieures, j'ai voulu fermer les yeux sur beaucoup de choses. Je trouve donc fâcheux que vous ayez fait une démarche que je désirais et que je désire oublier... »

La lettre était datée de Saint-Cloud et de la veille, 29 août 1810. Sans un mot, Marianne la rendit à son destinataire.

— Vous voyez, fit amèrement celui-ci en repliant le papier, je suis si mal en cour que l'on m'impute à crime d'oser tenter la défense d'un ami étranger ! Je suis navré, Marianne, sincèrement navré...

— Il désire oublier ! gronda la jeune femme, les dents serrées par la colère. Il désire sans doute m'oublier aussi, moi ! Mais il n'aura pas raison si facilement ! Je ne le laisserai pas détruire Jason ! Qu'il le veuille ou non, je le verrai, je forcerai ses portes, même si l'on doit m'emprisonner ensuite, mais, sur l'honneur de ma mère, je jure que Sa Majesté l'Empereur et Roi m'entendra ! Et pas plus tard que...

— Non, Marianne ! intervint Talleyrand qui retint au passage la jeune femme prête à se jeter hors de la pièce, non ! Pas maintenant ! Si j'en juge les dispositions actuelles de l'Empereur vous condamneriez Beaufort plus sûrement !

— Préférez-vous que j'attende, calmement... en buvant du thé, qu'on me le tue ?

— Je préfère que vous attendiez, au moins, qu'on le juge. Suivant le verdict, il sera temps d'agir ! Croyez-moi ! Vous savez bien que je souhaite autant que vous libérer notre ami ? Alors, je vous en conjure, calmez-vous et attendez !

— Et lui ? Avez-vous songé à ce qu'il peut penser, dans sa prison ? Y a-t-il seulement quelqu'un
qui, une seule fois, lui ait conseillé d'attendre, de
prendre courage ? Il est seul, ou il le croit, aux prises
avec une affaire diabolique ! Alors je veux au moins
qu'il sache que, tant que je vivrai, je ne l'aban-
donnerai pas !... Soit, j'accepte de renoncer... très
momentanément à voir Napoléon, mais je veux voir
Jason, je veux entrer à la Force !

— Marianne ! s'écria Talleyrand alarmé par l'état
d'excitation où il voyait son amie, comment voulez-
vous ?...

— C'est la chose du monde la plus facile ! coupa
la voix tranquille de Crawfurd. Il y a beau temps que
j'ai, à gages, un ou plusieurs geôliers dans toutes les
prisons de Paris !

— Vous ? s'écria Talleyrand sincèrement surpris.

Crawfurd haussa ses lourdes épaules tout en s'installant avec un soupir de soulagement dans le fauteuil que Marianne avait quitté et en tirant à lui un
petit tabouret pour y établir son pied douloureux.

— Une précaution utile, fit-il avec un petit rire,
quand on a eu, qu'on a et qu'on aura des amis sous
les verrous. Il y a beau temps que j'ai commencé ce
genre de politique ! Mes premiers... clients furent
deux geôliers du Temple puis... de la Conciergerie !
Depuis, je n'ai jamais cessé d'entretenir ce genre de
relations ou d'en faire de nouvelles. C'est si facile,
avec de l'or ! Vous voulez voir votre ami, petite
princesse ? Eh bien, moi, Crawfurd, je vous promets
que vous le verrez !

Marianne, tremblante de joie, ne parvenait pas à
croire à cette espèce de miracle dont on lui parlait :
voir s'ouvrir devant elle les portes de la prison, retrouver Jason, lui parler, le toucher, lui dire... Oh !
Elle avait tant de choses à lui dire.

— Vous feriez cela pour moi ? demanda-t-elle, comme pour se convaincre elle-même, d'une voix que l'émotion enrouait.

Crawfurd leva sur elle ses yeux bleus couleur de porcelaine et sourit :

— Vous avez écouté si patiemment toutes mes histoires, mon enfant, que vous méritez une récompense ! Et puis, je n'oublie pas ce que ma Reine devait aux vôtres ! C'est une façon comme une autre de payer un peu sa dette ! Laissez-moi arranger cela ! Bientôt, vous entrerez à la Force !...

10

UN CURIEUX PRISONNIER

Le fiacre quitta la rue Saint-Antoine et tourna, à angle droit, dans un court tronçon de rue — trente pas de long, dix de large — que semblait barrer sur toute sa largeur un bâtiment bas et lugubre, simple rez-de-chaussée surmonté d'un toit mansardé à peu près aussi élevé que le bâtiment, mais derrière lequel une haute construction apparaissait. La nuit rendait sinistres les quelques maisons lépreuses qui formaient ce boyau, appelé la rue des Ballets. Une lanterne blafarde, accrochée au-dessus d'une grosse borne ronde ceinturée de fer à l'angle le plus éloigné de cette rue, presque en face de l'entrée de la prison, faisait luire les gros pavés ronds rendus gras par toutes les boues et toutes les immondices que la pluie, venue vers la fin du jour, avait fait renaître de la poussière. Un profond caniveau, creusé en plein milieu de la ruelle, était censé drainer les eaux et les ordures, mais il ne faisait que rendre plus dangereux le moutonnement inégal des pavés. La voiture se mit à pencher. Le cocher arrêta son cheval près de la grosse borne ronde, sous la lanterne, et, d'un geste las autant qu'automatique, se pencha sur son siège pour ouvrir la portière qui était celle du côté de Marianne.

Mais, vivement, Crawfurd retint cette portière du bec de sa canne.

— Non ! grogna-t-il. Vous descendrez de mon côté ! Laissez-moi passer le premier.

— Pourquoi ? Cette borne doit être commode...

— Cette borne, coupa froidement le vieil homme, est celle sur laquelle les massacreurs de Maillard ont dépecé le corps de Mme de Lamballe ! Vous saliriez vos gants !

Avec un frisson d'horreur, Marianne se détourna de la pierre usée et prit la main que lui offrait son compagnon pour l'aider à descendre en prenant soin de ne pas trop peser sur cette main. La crise de goutte de Crawfurd était à peu près passée, mais il marchait encore avec peine.

Voyant des gens descendre de ce fiacre, le factionnaire qui somnolait, son fusil entre les jambes, dans la guérite crasseuse posée près de la porte, se leva, assurant son shako.

— Que voulez-vous ? Passez au large !

— Allons, militaire, murmura Crawfurd qui, à la grande surprise de Marianne, prit instantanément l'accent normand, ne criez pas si fort ! Le concierge Ducatel est mon « pays » et on vient, ma fille Madeleine et moi, faire chez lui un petit souper.

Une grosse pièce d'argent qui brilla un instant à la lueur pauvre de la lanterne déclencha aussitôt un brillant égal dans l'œil du factionnaire qui eut un gros rire, tendit la main et empocha la pièce.

— Fallait le dire tout de suite, bourgeois ! Le père Ducatel est un brave homme et, depuis le temps qu'il est là, il a eu le temps de se faire des amis. J'en suis. On va vous ouvrir.

D'un poing vigoureux, il frappa à la porte basse surmontée d'une imposte à gros barreaux qui s'élevait sur deux marches usées.

— Hé! Père Ducatel! Y a du monde pour vous...

Tandis que le cocher de fiacre faisait tourner son cheval dans l'étroite rue du Roi-de-Sicile, pour aller attendre près de Saint-Paul, la porte s'ouvrit sur un bonhomme coiffé d'un bonnet de laine brune qui tenait une chandelle à la main. Il éleva cette chandelle jusque sous le nez de ses visiteurs puis, ayant sans doute reconnu à qui il avait affaire, s'exclama :

— Ah! cousin Grouville! Tu es en retard! On allait passer à table sans toi! Entre donc, ma petite Madeleine! Que te voilà grande et belle!

— Bonjour, cousin, ânonna Marianne en s'efforçant d'avoir l'air aussi provincial que possible.

Tout en continuant à se livrer à ses effusions familiales, Ducatel assura le factionnaire qu'on lui enverrait « une bonne pinte de calvados » pour le payer de son amabilité et lui tenir compagnie, puis referma la porte. Marianne vit qu'elle se trouvait dans une entrée exiguë terminée par un guichet. A gauche, c'était le corps de garde dont la porte entrebâillée montrait l'intérieur éclairé par deux quinquets à la lumière desquels quatre soldats jouaient aux cartes en fumant la pipe. Toujours parlant haut, Ducatel conduisit ses « pays » vers le guichet, le leur fit franchir. Il ouvrait sur une autre pièce obscure au bout de laquelle il y avait un second guichet. Ducatel s'arrêta avant de le franchir.

— Mon logement donne sur la rue du Roi-de-Sicile, chuchota-t-il. J'vais vous y conduire, M'sieur, et on fera un peu d'bruit pour que les sentinelles n'doutent pas d'notre souper. J'vous aurais bien fait entrer par ma porte particulière, mais vaut toujours mieux avoir l'air d'agir au grand jour.

— J'irai bien tout seul, mon bon Ducatel, marmotta Crawfurd qui approuva de la tête. Menez plutôt Madame chez le prisonnier que vous savez.

Ducatel fit signe qu'il avait compris et ouvrit le guichet.

— Par ici, alors... Comme c'est un prisonnier de marque, on n'l'a pas mis dans le bâtiment neuf. Il est avec les gens « bien » dans la chambre Condé... et presque tout seul...

Tout en parlant, Ducatel allait ouvrir une quatrième porte donnant, cette fois, sur une cour qu'il fit traverser à Marianne tandis que Crawfurd prenait à gauche vers la cour que l'on appelait cour de la Cuisine, ainsi que la puissante odeur de graillon le prouvait surabondamment, et sur laquelle ouvrait le logis du concierge.

Tout en suivant le geôlier, Marianne regardait avec répugnance les bâtiments bas entourant cette cour, aux dalles disjointes, sans un arbre mais au-delà de laquelle s'ouvrait la prison proprement dite : de hauts murs sinistres décrépis et vermoulus, troués de fenêtres bâillonnées, derrière lesquels se faisaient entendre des grognements, des gémissements de cauchemar, d'affreux rires gras et des ronflements, les bruits d'une humanité sordide et dangereuse parquée là par le crime et par la peur. Quatre étages d'escrocs, de voleurs, de banqueroutiers, de forçats évadés et repris, d'assassins, tout ce que la pègre de Paris et d'ailleurs avait vomi dans les filets de la police. Ce n'était pas la rudesse féodale, mais somme toute encore propre de Vincennes, ce n'était pas la prison d'État où l'on entrait pour crime politique. C'était la geôle ignoble et vile où l'on s'entassait dans une affreuse promiscuité.

— On a eu du mal à le mettre dans un coin à peu près tranquille, confia Ducatel à Marianne tout en la guidant le long d'un escalier dont la rampe forgée disait que, au temps du duc de la Force, il avait dû être noble et beau mais dont les marches cassées et

342

glissantes rendaient l'escalade périlleuse... Faut vous dire que la prison est bourrée ! D'ailleurs, elle désemplit jamais ! Tenez, c'est là... ajouta-t-il en montrant une porte bardée de fer apparue dans un profond renfoncement.

Par le guichet que le concierge ouvrit, un peu de lumière glissa dans le couloir.

— Du monde, M'sieur Beaufort ! dit-il dans l'ouverture avant de tirer les verrous.

Puis, tout bas, pour Marianne :

— Faut pas m'en vouloir, m'dame, mais j'peux pas vous laisser plus d'une petite heure. J'viendrai vous chercher avant la ronde.

— C'est très bien et je vous remercie.

La porte s'ouvrit presque sans bruit et Marianne se coula dans l'ouverture, un peu étonnée du spectacle qui s'offrait à sa vue. Assis de part et d'autre d'une mauvaise table, deux hommes jouaient aux cartes à la lueur d'une chandelle. Dans un coin, roulé en boule sur l'une des trois couchettes, quelque chose qui pouvait être un autre homme dormait d'un sommeil agité. L'un des deux joueurs était Jason. L'autre un personnage d'environ trente-cinq ans, grand, brun et d'apparence vigoureuse avec un visage assez beau, des traits réguliers, une bouche moqueuse et des yeux noirs vifs et inquisiteurs. Voyant entrer une femme, il se leva aussitôt tandis que Jason, trop surpris de cette arrivée, ne songeait même pas à en faire autant et demeurait assis, les cartes en main.

— Marianne ! s'exclama-t-il. Vous, mais je croyais...

— Je croyais, moi, que tu étais bien élevé, camarade ! ironisa son compagnon. On ne t'a jamais appris à te lever pour recevoir une dame ?

Machinalement, le jeune homme se mit debout et,

à peine sur ses pieds, reçut dans ses bras une Marianne qui se jetait contre lui, riant et pleurant tout à la fois.

— Mon amour ! Je n'en pouvais plus ! Il fallait que je vienne !...

— C'est de la folie ! Tu es exilée, recherchée peut-être...

Il protestait, mais ses mains, déjà, avaient saisi le visage de la jeune femme pour le rapprocher du sien. Dans la figure, trop tannée par tous les vents de l'océan pour que quelques semaines de réclusion eussent réussi à la pâlir, ses yeux bleus brillaient d'une joie que sa bouche semblait refuser à admettre. Son expression, poignante chez un homme aussi fort, était celle-là même d'un enfant malheureux qui n'attend rien et que, cependant, un Père Noël anonyme vient de combler avec le plus beau des jouets. Il regardait Marianne sans pouvoir articuler une parole de plus et, soudain, l'écrasant contre lui, il se mit à l'embrasser avec une ardeur affamée. Quant à la jeune femme, elle s'abandonnait, les yeux clos, heureuse à en mourir. Elle était bien incapable de s'apercevoir que l'homme qui la tenait dans ses bras était sale à faire peur, mal rasé, car le barbier n'officiait pas tous les jours, tant s'en fallait, dans cet affreux hôtel, et qu'il régnait dans la cellule une odeur pénible. Pour elle, visiblement, le paradis n'avait rien de plus merveilleux à offrir aux mortels.

Debout, l'un près de la porte, l'autre à côté de la table, Ducatel et le prisonnier, retenant leur souffle et en quelque sorte fascinés, regardaient en souriant cette scène d'amour inattendue. Mais, comme elle semblait devoir se prolonger, le second haussa les épaules, jeta ses cartes sur la table et déclara :

— Bon ! Je suis de trop ! Ducatel, tu m'invites à souper ?

— Pour sûr, mon gars ! Ton couvert est déjà mis !

Cet échange de paroles eut pour effet de dénouer instantanément l'étreinte des deux amoureux qui, un peu gênés tout de même d'avoir si vite oublié le reste du monde, regardèrent les deux autres d'un air si penaud que le prisonnier se mit à rire.

— Allons ! Ne faites pas cette tête-là ! On sait ce que c'est que l'amour et on en a vu d'autres !

Mais Marianne, vexée, foudroya le rieur du regard et s'indigna à l'adresse du concierge.

— Était-il indispensable d'imposer, par surcroît, à M. Beaufort la promiscuité de gens...

— De gens comme moi ? Que voulez-vous, Madame, la prison est pleine et l'on ne choisit pas ! Mais nous ne faisons pas si mauvais ménage, n'est-ce pas, l'ami ?

— Non, fit Jason qui ne put s'empêcher de sourire devant la mine indignée de Marianne, cela pourrait être tellement pire ! Je vais même te présenter...

— Laisse ! coupa le prisonnier. J'entends le faire moi-même. Vous voyez devant vous, belle dame, un authentique gibier de galères comme on en rencontre bien peu dans les salons : François Vidocq, d'Arras, déjà trois fois condamné au bagne, et en passe d'y retourner ! Je vous offre mes hommages... et sors par le fond comme on dit au théâtre ! Viens, Ducatel ! J'ai faim.

— Et celui-là ? lança Marianne furieuse et désignant le paquet noir qui s'agitait toujours sur son lit en poussant des grognements indistincts, vous ne l'emmenez pas ?

— Qui ? L'abbé ? Il est à moitié fou et ne parle que l'espagnol. Il ne vous gênera pas ! Et puis ce serait dommage de le réveiller : il fait de si beaux cauchemars ! A tout à l'heure !

Et, escorté presque respectueusement par le

concierge, l'étrange prisonnier, qui semblait être tout à fait chez lui, quitta la cellule pour aller souper chez son geôlier comme si c'eût été la chose la plus naturelle du monde.

— Voilà qui est fort! s'écria Marianne qui avait contemplé cette sortie avec stupeur. Mais qui est cet homme?

— Il te l'a dit, fit Jason en la reprenant dans ses bras. C'est un habitué du bagne, perpétuellement évadé, perpétuellement repris, ce qu'on appelle ici un cheval de retour.

— C'est un... assassin?

— Non, un voleur simplement. L'assassin, ici, c'est moi! dit Jason tristement. Quant à lui, c'est un curieux garçon, mais je lui dois la vie!

— Toi?

— Mais oui... Tu ne sais pas ce que c'est que cette prison! C'est un enfer habité par des démons! Tout ce qui est lâche, cruel, ignoble est enfermé là-dedans et la loi qui y règne est celle du plus fort. J'étais un étranger... un homme bien vêtu, cela suffi- sait pour qu'on me prît en grippe dès l'abord! On m'aurait assassiné sournoisement sans François. Il m'a pris sous sa protection et, ici, sa réputation est grande. Il a la manière de dompter ces fauves. Et tiens, ce pauvre diable qui dort là, si mal, lui doit aussi d'exister toujours! Ah, c'est quelque chose d'être un maître de l'évasion! Même les geôliers le respectent: tu l'as vu toi-même.

Marianne comprenait, bien mieux que Jason ne l'imaginait, le danger qu'il avait couru à son arrivée à la Force. L'unique nuit passée jadis à la prison Saint-Lazare lui avait laissé un souvenir ineffaçable et parfois, dans ses mauvais rêves, elle revoyait l'affreux visage de la Tricoteuse, la fille qui avait tenté de la tuer simplement parce qu'elle était jeune et belle. Elle revoyait ses yeux jaunes, son sourire sinistre et le grossier couteau qu'elle maniait si bien.

Soudain, sur le grabat, le paquet noir qui était un abbé sursauta avec un cri et se dressa assis sur son séant. Marianne put voir une figure hâve mangée de barbe, deux yeux affolés qui la regardèrent avec terreur.

— *Tranquilo!* souffla Jason très vite, *es un'amiga!*

L'abbé hocha la tête, poussa un soupir et, docilement, se recoucha, tournant carrément le dos aux deux jeunes gens.

— Voilà, fit Jason gaiement, il ne bougera plus! C'est un homme bien élevé, lui... mais laissons tout cela, viens t'asseoir près de moi! Laisse-moi te regarder! Tu es si belle!... Ne parlons pas!

Il l'entraînait vers une sorte de planche tout juste recouverte d'une couverture mitée et la fit asseoir tout en la dévorant des yeux. A vrai dire, la modeste robe de percale fleurie, aussi provinciale que possible et bien montante, qui habillait Marianne, ne justifiait guère son enthousiasme; mais jamais, alors même qu'elle portait des robes de fée et des joyaux de rêve, Jason ne l'avait regardée ainsi. C'était à la fois merveilleux et intensément troublant, si troublant même que Marianne tenta de réagir. Doucement, elle posa un baiser sur la joue rugueuse.

— C'est que, justement, je suis venue pour parler! Et nous avons si peu de temps...

— Non. Tais-toi! Je ne veux pas gâcher ces minutes-là avec des paroles parce que, cet instant, nous ne le retrouverons peut-être jamais... et il y a trop longtemps que je supplie le ciel de permettre que je te retrouve... au moins une fois!

Il voulut enfouir son visage dans son cou, mais, alarmée, elle le repoussa.

— Que veux-tu dire ? Pourquoi ne nous reverrions-nous pas ? Ce procès...

— Je n'ai aucune illusion sur ce procès, expliqua-t-il avec une patience qu'il était bien loin d'éprouver. Je serai condamné...

— A quoi ? Pas à...

Elle ne put prononcer le mot qui, dans cette prison, prenait quelque chose d'affreusement tangible. Mais Jason hocha la tête.

— C'est possible ! Et même, il faut s'y attendre... non, ne crie pas ! ajouta-t-il en étouffant vivement sous sa main sa protestation véhémente. Il vaut toujours mieux regarder les choses en face ! Toutes les preuves sont contre moi. A moins, ce qui est improbable, que l'on ne retrouve le vrai coupable, les juges me condamneront, je le sais !

— Mais enfin, c'est fou ! c'est insensé ! Tout n'est pas perdu, Jason ! Arcadius est parti pour Aix, auprès de Fouché afin d'invoquer son témoignage. Fouché peut dire quelles relations existaient entre moi et Black Fish.

— Mais il ne peut pas affirmer que je ne l'ai pas tué ! Vois-tu, cette affaire est le résultat d'une dangereuse combinaison politique. Je suis pris comme dans une nasse.

— Alors, il faut que ton ambassadeur te défende !

— Il ne le fera pas ! Il me l'a dit lui-même, Marianne, ici même, parce que me défendre serait un sûr moyen de faire échouer les négociations en cours entre le président Madison et la France pour que les décrets régissant le Blocus Continental soient révoqués envers les États-Unis. C'est assez compliqué...

— Non, coupa Marianne farouchement, je sais ! Talleyrand m'a parlé des décrets de Berlin et de Milan.

— Quel homme précieux ! fit Jason avec un demi-sourire. Eh bien, les conditions de la France sont les suivantes : mon pays doit obtenir de l'Angleterre, avec laquelle nous sommes assez mal, qu'elle révoque ce que l'on appelle ses « ordres en conseil », autrement dit sa riposte aux décrets... et, bien entendu, la première condition est que les États-Unis n'entravent en rien l'action de la justice en ce qui me concerne, car cette affaire de faux billets est trop grave. Le duc de Cadore a écrit dans ce sens à John Armstrong. Celui-ci est désolé... mais il ne peut rien faire. Il est presque aussi prisonnier que moi. Tu comprends ?

— Non, fit Marianne têtue, je ne comprendrai jamais que l'on te sacrifie, car c'est bien cela, n'est-ce pas ?

— C'est bien cela ! Mais si l'on songe que mon pays ira jusqu'à faire la guerre à l'Angleterre, afin de prouver sa bonne foi à Napoléon si les « ordres en conseil » ne sont pas révoqués, tu imagines bien que ma vie, à moi, n'a plus la moindre importance. Et que, d'ailleurs, je ne voudrais pas qu'elle en eût. Vois-tu, mon amour, chacun sert comme il peut... et j'aime mon pays plus que tout au monde.

— Plus que moi, n'est-ce pas ? murmura Marianne prête à pleurer.

Mais Jason ne répondit pas. Ses bras se refermaient sur la jeune femme dont, à nouveau, il cherchait les lèvres. Son cœur battait si fort qu'il avait l'air de battre dans la poitrine même de Marianne. Elle sentait trembler contre le sien le grand corps de son ami et elle sentait aussi qu'il ne pouvait plus maîtriser le désir trop longtemps contenu qu'il avait d'elle. D'ailleurs, quittant un instant la bouche qu'il meurtrissait dans l'intensité de sa passion, il implora :

— Je te supplie, ma douce !... Ce sera peut-être la seule fois... Maintenant, c'est moi qui te demande de me laisser t'aimer.

Le cœur de Marianne bondit. Doucement, elle le repoussa encore et, comme il avait une plainte douloureuse, elle murmura :

— Un instant, mon amour, rien qu'un instant.

Alors, soulevée hors d'elle-même par un amour plus fort que toute retenue et que toute pudeur, debout à quelques pas de ce prêtre inconnu qui, endormi ou non, leur tournait le dos, les yeux rivés à ceux de Jason, à demi agenouillé, qui la regardait intensément, Marianne vivement fit tomber sur le dallage souillé robe, chemise et pantalon, puis, avec une orgueilleuse impudeur, vint offrir son corps nu aux mains qui se tendaient vers lui. Et la planche sordide et rugueuse qui servait de lit à Jason se mua instantanément pour Marianne en une couche si somptueuse et si douce qu'aucune autre ne pouvait lui être comparée, pas même celle du palais princier où elle avait dormi ses nuits solitaires. Mais la jeune femme bénit la semi-obscurité de la prison, car Jason avait soufflé la chandelle et la lumière ne venait plus que d'un faible rayon de lune, qui lui permit de dissimuler à son amant la cicatrice encore rouge de la brûlure que lui avait infligée Tchernytchev. Elle ne voulait ni être obligée de lui mentir ni donner une explication qui eût amoindri la joie ardente que Jason mettait à la posséder. A cette minute unique, où Marianne, éperdue, comprit enfin ce que cela signifiait de ne plus former qu'une seule chair, il fallait que le passé s'abolît tout entier et que l'avenir menaçant fît trêve.

Quand la porte se rouvrit, un moment plus tard, la chandelle était rallumée et Marianne, avec l'aide de Jason, achevait de remettre sa robe. Mais ce ne fut pas Ducatel qui parut. Le prisonnier nommé François Vidocq s'arrêta sur le seuil et, s'appuyant nonchalamment d'une épaule au chambranle de la porte, jeta un bref coup d'œil à l'abbé qui s'était mis à ronfler comme un tuyau d'orgue puis regarda les deux jeunes gens d'un air amusé.

— Vous devez être quelqu'un de bien, madame! remarqua-t-il à l'adresse de Marianne. Vous lui avez apporté la seule chose qui pouvait faire remonter son moral!

— De quoi vous mêlez-vous? riposta la jeune femme d'autant plus furieuse qu'il avait deviné plus juste. (Elle se sentit rougir jusqu'à la racine des cheveux et, fidèle à son vieux principe qui consistait à chercher dans la colère un bon palliatif à tout sentiment de gêne, elle s'emporta aussitôt :) Vous ne savez même pas ce que vous dites! ajouta-t-elle. La seule chose qui pourrait faire « remonter son moral », comme vous dites, serait la reconnaissance de son innocence et, accessoirement, le recouvrement de sa liberté!

— Nous sommes tous dans la main de Dieu! affirma Vidocq un peu trop pieusement peut-être pour être vraiment pris au sérieux. Nul ne peut savoir de quoi demain sera fait et, comme dit le poète, « patience et longueur de temps font plus que force ni que rage! ».

— Et « tant va la cruche à l'eau qu'à la fin elle se casse »... Croyez-vous que je sois venue ici pour entendre des proverbes? Jason, s'écria-t-elle en se retournant fougueusement vers son ami, Jason, dis-lui que tu es perdu, que tu n'as plus d'espoir... qu'en l'évasion! Et s'il est à la fois ton ami, comme il le prétend, et le roi dans l'art d'échapper à la police, il faut qu'il comprenne...

Un long, un insolent bâillement de l'étrange prisonnier vint mettre fin brutalement à l'invocation de Marianne qui, son élan coupé net, le foudroya d'un regard meurtrier, tandis qu'il ajoutait, un pouce tourné vers la porte ouverte :

— Je ne voudrais pas jouer les trouble-fête, mais Ducatel vous attend, belle dame... et la ronde passe dans cinq minutes !

— Il faut partir, Marianne, dit gravement Jason tandis que, dans un geste instinctif, elle se serrait contre lui. Et il faut être raisonnable ! Tu m'as donné... le plus grand bonheur ! Je ne cesserai pas de penser à toi. Mais il faut nous dire adieu !

— Adieu ? Jamais !... Au revoir, tout au plus ! Je reviendrai et...

— Non. Ce ne serait pas prudent et je te le défends ! Tu oublies que tu es toi-même proscrite ! J'ai besoin, au moins, d'être tranquille sur ton sort !

— Tu ne veux pas me revoir ? gémit-elle prête à pleurer.

Doucement, il embrassa le bout de son nez, puis ses yeux, puis ses lèvres.

— Sotte ! Je n'ai qu'à fermer les yeux pour te revoir... et tu ne me quittes pas ! Mais il faut que je sois sage pour deux... au moins maintenant parce qu'il y va peut-être de ta vie !

— Plus que quatre minutes ! chuchota le geôlier dont la tête effarée apparut par l'entrebâillement de la porte. Il faut faire vite, m'dame !

Alors courageusement, sur un dernier baiser, Marianne s'arracha enfin de Jason. Elle allait s'élancer vers la porte quand Vidocq la retint par le bras et murmura :

— Connaissez-vous les poètes persans, madame ?

— N... on ! Mais...

— L'un d'eux a écrit : « En pleine angoisse ne perds jamais l'espérance, car la moelle la plus exquise est dans l'os le plus dur »... Filez maintenant !

Elle lui jeta un regard incertain puis, avec un dernier baiser envoyé du bout des doigts, elle courut rejoindre Ducatel qui tournait devant la porte comme un ours en cage.

— Vite ! souffla-t-il en refermant précipitamment la porte. Nous n'avons plus que trois minutes ! Prenez ma main ! Il faut que nous courions.

Tous deux s'élancèrent vers l'escalier tandis que le lointain des couloirs résonnait déjà du pas cadencé des gendarmes de ronde. En même temps, la prison parut s'éveiller au raclement des lourds souliers à clous. D'un peu partout jaillirent des jurons, des injures, des cris horribles qui donnaient vraiment l'impression que derrière chacune de ces portes crasseuses s'agitait un enfer en miniature. L'odeur, déjà pénible dans la prison de Jason, était franchement insoutenable en passant devant certaines geôles et Marianne, en retrouvant l'air frais de la nuit dans la cour du Greffe, respira à longs traits. Elle et son compagnon avaient repris une allure normale et le concierge, lâchant la main de la jeune femme, remarqua :

— Je crois qu'un verre de quelque chose nous fera du bien à vous comme à moi, m'dame ! Vous étiez toute pâlotte en sortant, et moi j'ai eu une belle peur !

— Pardonnez-moi ! Mais, dites-moi, ce François Vidocq, c'est vraiment... un forçat évadé ?

— Pour sûr ! Les argousins peuvent s'arranger comme ils veulent, ils arrivent jamais à le garder. Chaque fois il leur file entre les doigts. Seulement il est incorrigible et il y a toujours une bêtise qui le ramène ici. Mais faut pas confondre ! C'est pas un escarpe, il a jamais tué personne ! Alors on le ren-

voie au bagne. Il les connaît tous : Toulon, Rochefort, Brest... Oh! j'crois pas qu'il aye de préférences! Cette fois, ça s'ra comme les autres : on
l'expédiera... et il se tirera au bout d'un moment,
comme d'habitude! Et on remettra ça : prison, jugement, chaîne et, au bout, le « pré » jusqu'à ce qu'un
argousin nerveux en ait assez et l'assomme pour le
compte!... Ce sera dommage, d'ailleurs! C'est pas
le mauvais cheval!

Mais Marianne ne l'écoutait plus. Elle pesait, au
fond de son esprit, chacune des paroles que lui avait
murmurées l'étrange prisonnier. Il avait parlé
d'espérance... et c'était le seul mot qu'elle eût vraiment besoin d'entendre alors que Jason ne l'avait
pas prononcé. Bien plus, il était résigné, presque
froidement ou, tout au moins, avec un calme qui
épouvantait, à subir le dernier supplice puisque
c'était pour le bien de son pays natal.

« Il ne mourra pas! gronda-t-elle intérieurement.
Je ne veux pas qu'on me le tue et il ne mourra pas!
Si les juges osaient le condamner, l'Empereur
m'entendrait, de gré ou de force, et il faudrait bien
qu'il m'accorde sa vie. »

C'était la seule chose qui importait. Même si la
vie sauve signifiait cette mort lente que l'on appelle
le bagne. Jusque-là, elle avait considéré que c'était
une sorte d'antichambre de l'enfer d'où l'on ne sortait pas vivant. Mais cet homme, ce Vidocq, était
l'illustration vivante du contraire. Et elle savait bien
que, tant que Jason vivrait, elle, Marianne, consacre-
rait chaque instant de sa vie à l'arracher au sort
injuste qui s'apprêtait. De toutes ses forces, maintenant, elle repoussait la peur, l'angoisse, mais surtout
l'adieu! Il n'était pas un atome de son être qui
n'appartînt à Jason Beaufort, mais, en revanche, elle
considérait que désormais Jason lui appartenait et

354

n'appartenait qu'à elle seule. Aussi n'avait-elle jamais éprouvé pareille ardeur combative, même quand, l'épée à la main, elle sommait Francis Cranmere de lui rendre raison pour son honneur avili. L'ardeur du vieux sang d'Auvergne et l'implacable ténacité du sang anglais qui se rejoignaient en elle lui rendaient toutes les vertus guerrières de ces femmes dont elle était issue et qui avaient jalonné l'histoire de leurs amours, de leurs vengeances et de leurs passions : Agnès de Ventadour partie en croisade pour se venger d'un amant infidèle, Catherine de Montsalvy qui, par amour pour son époux, avait risqué cent fois la mort, Isabelle de Montsalvy, sa fille, qui à travers les horreurs de la guerre des Deux Roses était parvenue à trouver le bonheur, Lucrèce de Gadagne, bataillant les armes à la main pour reprendre de force son fort château de Tournoel, Sidonia d'Asselnat qui s'était battue comme un homme mais avait aimé comme dix femmes durant la Fronde, et tant d'autres ! Aussi loin que Marianne pouvait remonter l'histoire des femmes de sa famille, elle retrouvait une trame analogue : les armes, la guerre, le sang, l'amour. Seul le destin changeait le dessein des vies. Mais, en suivant le concierge de la Force à travers le couloir humide qui menait à sa loge, elle sentait qu'elle acceptait enfin le poids écrasant de cet héritage, qu'elle se reconnaissait fille et sœur de toutes ces femmes parce que enfin elle avait trouvé « sa » raison de lutter et, surtout, de vivre. Aussi, aucune tristesse en elle, aucune douleur mais plutôt un exaltant sentiment de bonheur et de triomphe puisé dans les minutes ardentes qu'elle venait de vivre et, surtout, une grande paix intérieure. Tout était devenu si simple !... Elle et Jason n'étaient plus qu'un seul cœur, qu'une seule chair. Si l'un mourait, l'autre l'accompagnerait... et tout serait dit !

En quittant la prison, elle remercia chaleureusement le concierge et glissa dans sa main quelques pièces d'or qui lui mirent le sang aux joues puis, reprenant son rôle de petite provinciale qui vient de faire un bon souper et qu'un doigt de vin a mise en joie, elle se suspendit au bras de Crawfurd pour parcourir le court chemin qui les séparait de l'église Saint-Paul où l'Écossais avait ordonné au cocher de fiacre d'aller les attendre afin que la voiture stationnant devant la prison n'attirât pas l'attention. La sentinelle leur cria un joyeux « Bonne nuit ! » puis tous deux s'éloignèrent à petits pas prudents pour ne pas buter contre les pavés.

— Je sens que vous êtes heureuse ! murmura Crawfurd comme ils atteignaient la rue Saint-Antoine. Je me trompe ?

— Non ! C'est vrai, je suis heureuse ! Pourtant, Jason ne m'a guère encouragée à l'espoir. Il s'attend à être condamné et, ce qui est pire, il y est résigné parce que la politique de son pays l'ordonne.

— Cela ne m'étonne pas ! Ces Américains sont encore à l'image de leur magnifique pays : simples et grands. Fasse Dieu qu'ils ne changent jamais ! Néanmoins, s'il est résigné ce n'est pas une raison pour que tout le monde le soit, hé ? comme dirait notre ami Talleyrand.

— C'est aussi mon avis. Mais ce que je voudrais vous dire...

Quintin Crawfurd ne devait pas entendre de sitôt les remerciements de Marianne. En effet, comme ils avançaient vers les quelques ormes qui ombrageaient le petit parvis de la vieille église des jésuites, l'Écossais serra brusquement la main posée sur son bras :

— Chut ! fit-il. Il y a quelque chose...

Un peu de vent s'était levé chassant au ciel de

gros nuages de pluie. L'un d'eux venait d'absorber la lune qui ne donnait plus qu'une vague lueur à laquelle, néanmoins, les arbres dont on approchait prenaient d'étranges formes flottantes, comme si des hommes enveloppés de manteaux que la brise soulevait étaient cachés derrière. Près de l'église, on apercevait bien la silhouette carrée du fiacre, mais le cocher n'était pas sur le siège. Alertée par un hennissement, Marianne tourna la tête vers la droite. Dans un renfoncement, plusieurs chevaux étaient rassemblés. Elle n'eut pas besoin de paroles ni du geste très lent que fit Crawfurd pour tirer le pistolet caché sous son habit pour flairer l'embuscade, mais elle n'eut pas davantage le temps de se demander qui était là.

Les arbres parurent se mettre en marche et, en un clin d'œil, les deux promeneurs furent entourés d'un cercle de formes noires et silencieuses, hommes vêtus de grandes capes et coiffés de larges chapeaux, parfaitement sinistres. Quintin Crawfurd braqua son pistolet.

— Que voulez-vous ? Si vous êtes des malandrins nous n'avons pas d'or.

— Rentrez votre arme, *señor,* fit l'une des ombres avec un fort accent espagnol, d'autres plus puissantes sont braquées sur vous ! Et nous ne voulons pas d'or.

— Que voulez-vous alors ?

Mais dédaignant de lui répondre, l'Espagnol dont il était impossible de voir le visage, masqué sous son chapeau à larges bords, fit un signe et aussitôt l'Écossais se retrouva ligoté et bâillonné. Puis l'homme se tourna vers son voisin :

— C'est bien elle ? demanda-t-il.

Le voisin, qui était beaucoup plus petit et paraissait plus frêle, fit deux pas en avant. Une lanterne sourde sortit de sous son manteau et il en fit glisser le volet de fer tout en l'approchant du visage de Marianne qui, à la même lumière, s'aperçut que l'inconnu était une femme et que cette femme était Pilar.

— C'est elle ! s'écria-t-elle d'un ton triomphant. Merci de toutes vos veilles, mon cher Vasquez ! J'étais certaine que, tôt ou tard, elle viendrait à la prison.

— Vous voulez dire, fit dédaigneusement Marianne, que ce personnage a fait le guet devant la prison pendant des semaines uniquement dans l'espoir de vous procurer cette agréable rencontre ?

— C'est bien ce que je veux dire. Voilà plus d'un mois que nous vous attendons ! Exactement depuis que nous avons appris, de Bourbon-l'Archambault, que le prince de Talleyrand avait regagné Paris... et que la princesse Sant'Anna était si malade qu'elle ne sortait plus de chez elle. Alors, don Alvaro a loué une maison dans la rue des Ballets et y a établi un service de veille. Nous savions que vous n'étiez pas chez le prince ni chez vous. Il fallait bien que vous fussiez quelque part. Surveiller la prison était le seul moyen de vous prendre !

— Compliments ! fit Marianne. Je ne vous savais pas si intelligente... ni si bavarde ! Et... que comptez-vous faire de nous ? Nous tuer ?

Le visage pâle de Pilar s'approcha tout près du sien. Une haine profonde faisait luire ses yeux noirs, mais Marianne considéra froidement ce visage beau et pur qu'une fureur désespérée avait déjà raviné. Si jamais elle avait vu sa mort inscrite sur des traits humains c'était bien sur ceux-là, mais elle se sentait si forte, dans son amour comblé, qu'elle n'en éprouva aucune peur. D'ailleurs Pilar grinçait :

— Ce serait trop facile ! Non, nous allons seulement vous emmener avec nous, vous garder soigneusement afin de vous empêcher de commettre la moindre folie. Il ne faut à aucun prix qu'une démarche inconsidérée de votre part vienne entraver le cours de la justice. J'avais d'abord songé à vous remettre à la police mais il paraît que votre Napoléon a un faible pour vous !

— Si j'étais vous, je prendrais ce faible en considération. Il n'aime pas que l'on enlève ni surtout que l'on séquestre ses amis !

— Il ne le saura pas. N'êtes-vous pas... toujours en exil ? Allons, messieurs, bâillonnez madame car, dans une seconde, elle va se mettre à crier...

C'était vrai. Marianne gonflait déjà ses poumons pour hurler de toutes ses forces afin d'alerter au moins les gens des maisons voisines, mais elle n'eut pas le temps de passer aux actes. Une seconde plus tard, elle était solidement bâillonnée puis ligotée et emportée dans le fiacre où l'on avait déjà hissé Crawfurd. L'un des hommes en manteau noir sauta sur le siège du cocher mais Pilar et Vasquez montèrent avec les deux prisonniers. A peine assise en face de son ennemie, la *señora Beaufort* fronça les sourcils :

— Il vaudrait mieux leur bander aussi les yeux, mon ami... Je ne tiens pas à ce qu'ils sachent où nous les conduisons.

L'Espagnol s'exécuta et Marianne, rendue muette et aveugle, n'eut plus d'autre ressource que ses pensées devenues tout à coup singulièrement moins optimistes. Les choses, en effet, n'étaient plus si simples qu'elle l'imaginait. Depuis l'instant où elle avait quitté Jason, elle s'était bercée d'une bien réconfortante illusion propre à éteindre toute angoisse : elle partait décidée à tout faire pour arracher son amant à la mort et lui rendre la liberté, une liberté qu'elle entendait bien, dès lors, partager. Ou bien, en cas d'échec, elle s'était promis de mourir, sinon avec lui, du moins en même temps que lui, afin d'entamer ensemble, et la main dans la main, une éternité d'amour. Elle avait même été jusqu'à imaginer la lettre qu'elle laisserait à Jolival afin qu'il fît réunir leurs deux corps dans le même tombeau et, à la manière des enfants grondés qui souhaitent mourir pour punir leurs parents, elle avait même pris un certain plaisir à prévoir les remords et les regrets de Napoléon quand il saurait que sa dureté avait poussé son « Rossignol » à la mort... Dans tout cela, il lui fallait bien admettre avec amertume qu'elle avait totalement oublié la réalité désagréable que constituait Pilar.

Jusque-là, elle l'avait considérée comme une femme bigote et sauvage incapable d'avoir deux idées vraiment saines, mais surtout soucieuse de tirer sa propre épingle du jeu en se faisant dorloter par l'étrange reine d'Espagne qui régnait à Mortefontaine. Elle l'avait jugée folle et haineuse, vile aussi puisque, pour assouvir une basse vengeance, elle allait jusqu'à charger son époux devant la police. Mais elle n'aurait jamais imaginé que cette haine pût être aussi cruellement agissante. Qu'avait dit cette folle ? Qu'il ne fallait pas que ses initiatives vinssent entraver l'action de la justice ?... En d'autres termes, elle enlevait Marianne afin qu'elle ne pût rien faire pour sauver Jason !... Un instant, la prisonnière crut entendre Talleyrand :

« Pilar est d'une race farouche. L'amoureuse trahie y peut sans faiblir livrer son amant infidèle au bourreau, quitte à s'enterrer toute vivante ensuite dans quelque couvent pour expier son crime d'amour... »

C'était cela, c'était bien cela ! On allait enfermer

Marianne dans quelque trou dont elle ne pourrait sortir qu'une fois Jason exécuté. Peut-être alors lui ferait-on la grâce de la tuer, elle aussi ? Le chemin de l'expiation en serait sans doute grandement facilité pour la pieuse Pilar !

« A sa place, songea Marianne, je tuerais sans doute ma rivale, mais pour rien au monde je ne toucherais à l'homme que j'aime. »

Ses liens lui faisaient mal et son bâillon l'étouffait. Elle s'agita pour trouver une position plus confortable.

— Restez tranquille ! fit la voix froide de Pilar. Dans un instant, nous allons changer de voiture.

On avait roulé assez peu de temps avec le fiacre et, en effet, l'on s'arrêtait. Plusieurs mains saisirent Marianne sans la moindre douceur pour la faire descendre, mais elle eut à peine le temps de toucher terre. Aussitôt descendue, on la hissa de nouveau et elle se retrouva assise sur des coussins infiniment plus moelleux que les précédents. Ses coudes touchèrent un velours soyeux. Mais elle eut immédiatement la certitude que ce n'était plus Quintin Crawfurd qui était assis auprès d'elle. C'était Pilar. L'odorat très fin de Marianne avait reconnu aussitôt son parfum, assez lourd, de jasmin et d'œillet. Personne d'autre, d'ailleurs, ne monta dans la voiture et la prisonnière commença de s'inquiéter sérieusement pour son compagnon dont elle entendait, assez loin d'elle, les grognements étouffés par le bâillon. Quelqu'un dit, près de la portière :

— Qu'est-ce que nous faisons de l'autre ?

— Je vous ai déjà dit de le conduire où vous savez, répondit Pilar. Je vous assure que la police ne viendra pas le chercher là, en admettant qu'elle le cherche.

— Soyez certaine qu'elle n'y manquera pas,

doña Pilar. Lorsque sa femme s'apercevra qu'il n'est pas rentré, elle remuera certainement ciel et terre !

— Ce n'est pas sûr ! Il faudrait alors qu'elle avoue avoir donné asile à une exilée. L'important, d'ailleurs, est qu'il ne puisse rien révéler avant la date que nous avons fixée. Ensuite, nous le relâcherons. Traitez-le bien, d'ailleurs. Il n'est pas un ennemi pour nous. Au fait, vous avez payé le cocher de fiacre ?

La voix gutturale de l'homme appelé Vasquez fit entendre pour toute réponse un rire bas que Marianne, révulsée, jugea sinistre. Pilar d'ailleurs protestait :

— Vous n'auriez pas dû !... Nous ne sommes pas chez nous ici.

— Bah ! Cela fera toujours un maudit Français de moins ! Partez maintenant ! Trois des nôtres vous accompagnent et nous nous retrouverons là-bas ! Mais... puis-je vous suggérer qu'il vaudrait mieux que l'on ne puisse apercevoir votre compagne ? Et si vous permettez...

A nouveau, Marianne fut empoignée, roulée dans quelque chose de chaud et de rugueux qui sentait le cheval et qui devait être une couverture d'écurie puis, sans ménagement, on la coucha par terre.

— Je pensais faire cela avant d'arriver, fit Pilar.

— Vous avez de la bonté de reste ! L'aimez-vous donc tant que cela, cette p... qui vous a volé votre mari ?

— Comme vous me comprenez, don Alonso ! susurra Pilar d'une voix dont le son séraphique donna aussitôt à Marianne une furieuse envie de mordre. Merci ! Mille mercis ! Grâce à vous, ce voyage sera très agréable... pour moi tout au moins !

La prisonnière, couchée sur le tapis de la voiture

et parfaitement incapable de bouger, comprit aussi-tôt à quel point ce serait agréable pour elle en sentant les deux pieds de son ennemie se poser sur sa poitrine. Mais, pour ne pas ajouter à son plaisir, elle retint le hurlement de fureur qui lui venait.

« Tu me paieras ça ! gronda-t-elle intérieurement. Tu me le paieras au centuple, avec tout le reste ! Espèce d'immonde mule !... Le jour où tu me tomberas dans les mains, je te montrerai ce que je sais faire, moi aussi, démon ! meurtrière !... »

La suite des insultes que, dans sa rage impuissante, Marianne appliqua à Pilar, était d'une tenue infiniment moins raffinée. Elles étaient toutes empruntées au répertoire du vieux Dobs, le palefrenier de Selton, qui avait appris à Marianne à se tenir en selle. Elle ne comprenait d'ailleurs pas très bien ce que cela voulait dire, mais trouvait une espèce de soulagement à s'en servir, aucune injure ne lui paraissant assez basse pour une femme qui, froidement, laissait sacrifier un innocent cocher de fiacre, sans parler de l'acharnement avec lequel elle poussait Jason vers le bourreau.

Furieuse, déjà meurtrie et à demi étouffée, Marianne sentit que la voiture partait au grand trot. On fut cahoté un moment sur les pavés parisiens puis, du fond de sa couverture, elle eut l'impression que l'on passait un corps de garde, car elle entendit un cliquetis d'armes et un commandement bref. Elle pensa que l'on venait de franchir l'une des barrières de Paris, bien que la voiture n'eût même pas ralenti. Au contraire, le cocher lançait maintenant ses chevaux au galop sur une route assez plane où les cahots se firent plus rares.

Au-dessus d'elle, Marianne entendit Pilar pousser un soupir de soulagement, puis elle sentit que l'on écartait la couverture de son visage.

— Je ne souhaite pas que vous mouriez étouffée, fit la *señora* avec une insultante sollicitude, ce serait vraiment trop rapide !... D'ailleurs, vous devriez essayer de dormir, ma chère. Nous en avons bien pour deux heures.

Les pieds de l'Espagnole reprirent leur position, mais Marianne avait réussi à rouler sur elle-même afin de ne plus les avoir juste sous le nez. Elle y gagna d'être encore un peu moins bien, mais du moins fut-elle dispensée de contempler la mine satisfaite de son ennemie. Elle put ainsi penser plus librement.

Deux heures ? Du train où allaient les chevaux et en tenant compte du fait que l'on relayerait certainement si Pilar entendait soutenir cette allure rapide, cela signifiait un trajet d'environ sept lieues ; mais connaître la distance du lieu où on allait l'enfermer ne lui apprendrait pas grand-chose sur ce lieu lui-même puisqu'elle ignorait par quelle porte l'on avait quitté Paris. Néanmoins, elle savait que, si elle parvenait à s'enfuir, il lui faudrait ou bien voler un cheval ou bien se résigner à faire la route à pied... ce qui d'ailleurs n'était pas fait pour l'effrayer. S'il s'agissait d'échapper à ces gens-là et de voler au secours de Jason, elle était prête à couvrir, sans même une plainte, la distance de Marseille à Paris.

Pour ne pas user vainement son énergie, Marianne s'efforça de se détendre autant qu'il était possible dans sa position inconfortable. Les conseils du vieux Dobs lui revenaient maintenant, peut-être parce qu'elle l'avait évoqué tout à l'heure :

— Détendez-vous, miss Marianne. C'est l'un des meilleurs secrets d'un bon escrimeur comme d'un bon tireur. Cela protège les nerfs, cultive le sang-froid. Il faut apprendre à vos muscles à se reposer.

Le vieil homme lui avait enseigné comment

décontracter ses bras, ses jambes, comment respirer à fond et, malgré ses liens, Marianne s'efforça de mettre ses anciennes leçons en pratique. En même temps, elle essayait de faire le vide dans sa tête, chassant jusqu'au souvenir des minutes merveilleuses qu'elle avait vécues à la Force parce qu'elles agissaient sur ses nerfs à la manière d'un révulsif. Et elle réussit tellement bien qu'elle finit par s'endormir profondément.

Elle fut réveillée par le choc mou de la couverture rejetée sur son visage. Presque aussitôt, il y eut le grincement d'une grille et, à nouveau, un cliquetis d'armes, comme si l'on était devant un corps de garde. Puis, la voiture se mit à rouler sur quelque chose de doux et d'uni ; les allées bien sablées d'un parc peut-être... Le chemin se poursuivit encore un moment. Sous sa couverture rabattue trop serrée, Marianne n'entendait plus rien et cherchait l'air désespérément... Heureusement l'attelage s'arrêta enfin.

La jeune femme pensait qu'on allait la détacher, enlever ce bâillon, ce bandeau, mais il n'en fut rien. Deux paires de mains la tirèrent hors de la voiture. Il y eut un clapotis, un bruit de chaîne, puis un choc sourd qui lui parut celui d'une barque contre un pieu ou contre un ponton. D'ailleurs, le bois résonna sous les pas de ceux qui la portaient et, aussitôt, elle sentit le balancement léger d'un bateau sur le fond duquel on la déposa. Sans doute allait-on lui faire passer une rivière... à moins que... L'idée qui lui vint fut terrifiante mais ne dura qu'un instant. Depuis son enlèvement, Pilar lui avait répété qu'on ne la tuerait pas, pas maintenant tout au moins parce qu'elle devait souffrir plus longtemps...

Quelqu'un prit les rames et le bateau se mit à avancer. Il n'y avait pas de vagues. La surface de l'eau devait être lisse et sans rides. Un lac peut-être, ou un étang? Les nerfs tendus, Marianne épiait chaque bruit, chaque indice, mais, hormis le léger clapotis, dû au maniement des rames, et la respiration plus forte de celui qui ramait, elle n'entendit rien d'autre que le cri d'une chouette dans les lointains.

La barque toucha un fond mou et s'immobilisa. De nouveau, les mains saisirent Marianne, mais cette fois ce fut pour la hisser sans ménagement sur un dos particulièrement dur, comme si elle était un simple sac de farine; ses bras furent maintenus solidement par une main gantée, mais qui semblait en fer, et elle se retrouva pliée en deux sur une épaule qui lui entrait dans l'estomac, la tête ballant en avant.

L'homme qui la transportait sentait furieusement l'écurie et ces relents se rejoignaient à une bizarre odeur d'huile rance qui n'avait rien d'agréable. Marianne n'eut pas le temps d'analyser davantage ses sensations car on se mit à gravir quelque chose qui devait être une échelle ou un escalier particulièrement rudimentaire. Les degrés, en effet, criaient à faire frémir, et cette ascension parut durer une éternité avant que l'on ne se remît à marcher sur un plan horizontal. En même temps, une odeur assez agreste, paille et foin mélangés à de la poussière, emplit ses narines, luttant victorieusement contre les relents de l'homme... qui, brutalement, la laissa choir dans quelque chose qui ne pouvait être qu'un tas de foin. Presque en même temps, les liens qui ligotaient Marianne tombèrent. Le bâillon s'envola ainsi que le bandeau de ses yeux.

A la lumière de la lanterne sourde que portait l'un des hommes, Marianne vit, debout devant elle, une sorte de géant dépeigné qui soufflait comme un phoque et qui, de toute évidence, était son porteur. L'autre homme avait toujours son grand chapeau, sa cape et son masque noir. Enfin, dans une étroite ouverture qui semblait pratiquée au moyen de deux épaisses planches enlevées dans une cloison, elle vit entrer Pilar. Le décor, ainsi que Marianne l'avait imaginé, était celui d'un grenier mansardé aux trois quarts rempli de foin.

— Vous voilà chez vous ! dit l'homme. Vous n'y serez pas trop mal. Il y fait sec et le foin vaut bien les planches d'une prison !

— Je devrais vous remercier, peut-être ? lança Marianne qui s'efforçait de maîtriser sa fureur. J'ai toujours aimé l'odeur du foin coupé, mais j'aimerais tout de même savoir combien de temps vous avez l'intention de me garder ici.

L'homme allait répondre quand Pilar le tira en arrière et lui fit signe de se taire, tandis qu'elle se chargeait de répondre.

— Vous le savez déjà : je veux vous empêcher de nuire à l'action de la justice. Vous resterez ici jusqu'à ce que certain verdict soit rendu... et certaine sentence exécutée !

— Et vous vous prétendez une femme ? s'écria la prisonnière incapable de contenir plus longtemps son indignation. Vous osez vous dire « sa » femme, alors que vous n'êtes qu'une vulgaire meurtrière, une menteuse et une fanatique à moitié folle ! Est-ce ainsi que vous payez Jason du bien qu'il vous a fait ? Car je n'ignore pas la raison pour laquelle il vous a épousée : il voulait sauver votre vie, menacée à cause des sympathies pro-américaines de votre défunt père !

— Les sympathies de mon père n'allaient pas où vont les miennes. J'aurais su faire entendre ma bonne foi à mes compatriotes. Je n'avais pas besoin que le *señor* Beaufort m'épousât pour cela !

— Alors, pourquoi l'avez-vous épousé ? Dites-le si vous en avez le courage ! Non, vous n'osez pas ? Alors je vais vous le dire : Vous vous êtes fait épouser, en jouant la fille persécutée, vous avez imploré sa protection parce que c'était pour vous la seule chance de l'avoir à vous ! Vous en étiez folle, n'est-ce pas ?... Mais vous saviez parfaitement qu'il ne vous aimait pas !

Le pied de Pilar, chaussé d'un escarpin pointu, vint frapper douloureusement les côtes de Marianne qui, sous la douleur, eut un hoquet vite réprimé... Instantanément, elle se ramassa sur elle-même pour bondir sur son ennemie toutes griffes dehors, mais elle réussit seulement à tomber dans les bras des deux hommes qui s'étaient jetés en avant. Pilar eut un petit rire :

— Je vous avais dit qu'elle était dangereuse ! N'oubliez pas que c'est une meurtrière qui a déjà tué une femme et vous voyez que j'ai eu raison de prévoir une installation solide. Attachez-la, Sanchez...

Le géant s'empara d'une seule main des deux bras de Marianne et la traîna sur la paille jusqu'à une énorme poutre dans laquelle une chaîne toute neuve était rivée. Cette chaîne, trop courte pour permettre un rayon d'action de plus de deux mètres, se terminait par un bracelet de fer dont la clôture était assurée au moyen d'un solide cadenas. En un rien de temps, le bras droit de Marianne fut emprisonné dans le bracelet qui s'ajustait étroitement à son poignet, et le déclic du cadenas joua.

— Voilà ! fit Pilar avec satisfaction. Ainsi, il sera possible de converser avec vous sans craindre vos attaques. Mais vous ne serez tout de même pas trop gênée dans vos mouvements et vous pourrez attendre sagement la fin de cette belle aventure.

— Converser avec vous ? gronda Marianne avec

mépris, perdez cet espoir, señora, car vous n'entendrez plus de moi une seule parole hormis celle-ci : comme vous le dites si bien, j'ai tué une femme parce qu'elle m'insultait, de même que j'ai provoqué et vaincu en duel un homme qui m'avait offensée. Vous avez osé m'enlever, me maltraiter pour m'empêcher de sauver l'homme que vous savez innocent et auquel devant Dieu vous avez juré fidélité...

— Il a rompu le serment le premier... en oubliant que je suis sa femme et en devenant votre amant ! C'est lui le parjure !

— C'est affaire entre vous et votre conscience... et je ne connais pas de couvent assez profond, assez obscur ni assez sourd pour étouffer les cris d'une conscience martyrisée. Mais l'unique chose que j'entends vous dire est celle-ci : prenez garde, car je vous échapperai... et je saurai tirer une vengeance éclatante de vous ! Maintenant... faites-moi donc la grâce de vous en aller et de me laisser dormir. J'ai sommeil !

Comme si, en effet, ses ravisseurs avaient perdu soudain tout intérêt à ses yeux, Marianne se mit à bâiller outrageusement puis, disposant le foin autour d'elle de façon à s'installer aussi confortablement que possible, elle se roula en boule à la façon d'un chat et, glissant un bras sous sa tête, ferma les yeux... Elle entendit alors l'homme au chapeau chuchoter :

— Il vaut mieux rentrer maintenant, *doña* Pilar. On pourrait s'étonner... Avez-vous encore quelque chose à dire à cette femme ?

— Non, plus rien. Vous avez raison, rentrons ! Mais veillez bien sur elle !

— Soyez sans crainte, Sanchez va s'installer dans le grenier voisin. Et, attachée comme elle est, je ne vois pas comment elle pourrait s'enfuir.

Marianne crut que ses persécuteurs allaient enfin la laisser, mais, au moment de s'éloigner, Pilar se ravisa et, désignant à l'énorme Sanchez la prisonnière qui faisait mine de dormir :

— Un moment ! Allez lui enlever toutes les épingles de sa coiffure ! Rien n'est utile comme une épingle à cheveux pour ouvrir un cadenas.

— Vous pensez vraiment à tout, *doña* Pilar, admira l'homme au chapeau avec un rire servile. Je suis profondément heureux que vous soyez des nôtres désormais.

Bon gré mal gré, il fallut que Marianne, étouffant de rage rentrée, laissât les lourdes pattes de Sanchez fourrager dans sa chevelure à la recherche de la moindre épingle, mais, fidèle à la promesse qu'elle venait de faire de ne plus adresser la parole à Pilar, elle ne broncha pas. En quelques secondes ce fut fini. Les trois personnages, emportant la lanterne sourde, franchirent de nouveau l'étroite porte de planche derrière laquelle Marianne entendit claquer des verrous et assujettir une lourde barre de fer comme dans une véritable prison. Puis il y eut un bruit de froissement sec comme si, devant la porte, on avait tiré des balles de paille. C'était même certainement cela, car elle entendit l'homme au chapeau approuver.

— C'est bien ainsi ! La porte est parfaitement invisible. Mais fais bonne garde tout de même, Sanchez ! Personne ne vient jamais ici avant l'hiver, m'a-t-on dit, pourtant, on ne sait jamais...

Du fond de sa couche odorante et, somme toute, assez moelleuse, Marianne bénit silencieusement la mémoire de sa tante Ellis qui avait insisté pour qu'elle apprît plusieurs langues étrangères. Ce soir, sa connaissance de l'espagnol lui était d'autant plus précieuse qu'il n'était pas certain que Pilar se rappelât qu'elle parlait un castillan aussi pur que le sien et qu'elle avait ainsi compris les paroles que ses ravisseurs avaient échangées dans leur langue à diverses reprises. Une chose était certaine : on l'enfermait dans un lieu où apparemment personne ne risquait de la découvrir, mais on semblait avoir pris toutes sortes de précautions pour que tout le monde, hormis ceux qui avaient participé au rapt, ignorât sa présence dans ce grenier. Restait à savoir qui était « tout le monde » en l'occurrence ? Dans l'esprit surchauffé de Marianne une idée cheminait depuis déjà un moment, après avoir pris naissance dans certaines remarques qu'elle avait faites sur la longueur du trajet d'abord, qui devait mettre à environ sept lieues de Paris cette prison champêtre, puis sur ces claquements d'armes quand on avait franchi la grille, ensuite sur les dimensions de ce parc où l'on avait roulé un moment avant de prendre la barque, enfin sur les précautions que l'on semblait prendre pour dissimuler sa présence... Si l'on y ajoutait les confidences, de Talleyrand et de Jolival touchant l'hospitalité donnée à Pilar par la reine d'Espagne et les assiduités d'un certain Alonso Vasquez auprès de la jeune femme, il devenait irrésistible d'imaginer qu'on l'avait conduite à Mortefontaine, dans le vaste domaine où vivait l'épouse de Joseph Bonaparte, tandis que son époux s'efforçait de régner à Madrid. Certes, transformer une dépendance de la demeure d'un Bonaparte en prison était faire preuve d'une belle audace et d'un certain sansgêne, mais Marianne était persuadée que ni Pilar ni ses complices n'en manquaient. De plus, la cachette était idéale ! Quel policier aurait assez d'audace pour venir fureter sur les terres du frère aîné de Napoléon ? Seul Fouché en eût été capable, mais Fouché était loin et, pour la première fois, Marianne en éprouva un véritable regret.

Dans les épaisses ténèbres qui l'enveloppaient et auxquelles ses yeux n'étaient point encore habitués, Marianne sentit que, avec ces regrets stériles, une angoisse insidieuse revenait et elle s'efforça de la repousser. Il ne fallait pas qu'elle songeât trop à l'aggravation de danger que représentait pour Jason son enlèvement. Il fallait, au contraire, qu'elle gardât la tête froide, les idées claires pour mieux lutter. Et d'abord, qu'elle prit un peu de repos... Il fallait dormir. Son corps moulu, ses yeux que la fatigue brûlait le lui disaient, impérieusement...

Marianne s'enfonça plus profondément dans le foin et ferma de nouveau les paupières s'efforçant, comme elle le faisait autrefois quand, petite fille, elle avait peur de quelque chose, de retrouver les prières de son enfance pour conjurer les ombres inquiétantes de la nuit, mais son esprit revenait irrésistiblement à Jason, à ces minutes qu'ils avaient vécues ensemble, au plaisir violent, à égale distance de l'extase et de la douleur, qu'elle avait connu dans ses bras et qu'il avait partagé, à la douceur de ses baisers quand l'apaisement était venu, un apaisement qui n'avait été que le prélude au déchaînement renouvelé de leur désir commun, puis au déchirement de la séparation finale... Ils avaient eu si peu de temps ! Libres, ils auraient pu s'aimer durant des jours et des nuits, s'anéantir dans le bonheur pour renaître juste assez pour goûter la perfection de leur amour et encore mourir de plaisir...

Et, malgré la menace qui pesait sur elle, malgré ses fers, ce fut avec un sourire d'enfant comblée que Marianne enfin s'endormit en murmurant :

— Je t'aime, Jason... je t'aime, je t'aime, je t'aime...

11

DE L'UTILISATION RATIONNELLE DU FOIN
ET DE CE QUE L'ON Y TROUVE...

Le jour revenu permit à Marianne d'examiner plus complètement son domaine restreint. Le grenier à foin occupait le haut d'un toit en forte pente. Il devait être très vaste si l'on considérait la longueur de la poutre maîtresse et l'imposante toile d'araignée de bois que formait la charpente. Mais il était plus qu'aux trois quarts empli d'énormes balles de foin qui ne devait pas être de la dernière récolte, car il était bien sec et bien craquant. Au moindre contact avec une flamme, cela s'embraserait d'un seul coup et Marianne comprit qu'on ne lui laissât pas la moindre lumière durant la nuit.

Le jour, on y voyait assez clair grâce à une longue fente creusée dans le mur du fond, une sorte de meurtrière qui permettait d'en mesurer l'épaisseur. Il y avait aussi, dans la pente du toit, une petite lucarne, fermée par un châssis, mais qui n'offrait aucune possibilité d'évasion car il devait être tout juste possible d'y passer la tête. Et encore en courant le risque de demeurer coincée... Néanmoins, la longueur de la chaîne qui reliait Marianne à la charpente lui permettait d'approcher aussi bien de la fente que de la lucarne. Le verre était sale, très poussiéreux ; cependant, elle put tout de même apercevoir, dominant de grands arbres, les hauts toits d'ardoise, les nobles cheminées et les girouettes dorées d'un grand château. Sur une tour claquait un drapeau aux couleurs de l'Espagne et elle comprit qu'elle avait deviné juste : elle était à Mortefontaine. Plus loin encore, vers la droite, des fumées nombreuses signalaient un gros village.

La fente par laquelle l'air frais du matin entrait agréablement révéla pour sa part une large étendue d'eau dont le dessin semblait s'arrondir et sur laquelle apparaissaient de petites îles boisées où l'approche de l'automne mettait des moirures blondes. Dans la lumière neuve, l'eau, d'où montait une légère brume, prenait des tons d'opale et les troncs sveltes des grands peupliers bruissants, les fûts argentés des bouleaux couronnés d'or pâle semblaient garder quelque domaine enchanté. Tout autour, ce n'était que collines chevelues, doux vallonnements, et Marianne, le front collé à la pierre, se dit qu'elle avait rarement vu paysage aussi beau, aussi poétique. Si ce domaine était celui de la reine Julie, elle comprenait qu'elle fût peu pressée de le quitter pour les austères splendeurs de Madrid et l'aridité des sierras. C'était là un lieu privilégié où la vie devait être douce... et il fallait posséder un esprit singulièrement tortueux et cruel pour y introduire la violence et l'arbitraire.

Quant à son grenier, il devait être situé en haut d'un bâtiment assez élevé, une grange peut-être, elle-même bâtie sur une île, puisqu'il avait fallu prendre une barque pour y entrer.

En dehors de la montagne de foin, l'ameublement du logis de Marianne était des plus sommaires. Dans le coin le plus obscur, il y avait une cuvette de fer, un grand pot de terre ébréché qui devait contenir de l'eau, un pain de savon noir, deux torchons à peu près propres, mais effrangés, promus sans doute pour la circonstance au rang de serviettes de toilette, et un grand seau pour les eaux usées. Encore la prisonnière devait-elle s'estimer satisfaite que ses geôliers eussent pensé qu'elle souhaiterait pouvoir se laver un peu.

Vers le milieu du jour, le gros Sanchez vint apporter le ravitaillement qui se composait de viande froide, de pain rassis, d'un fromage si dur qu'à moins de posséder une hache d'abordage il devait être impossible à entamer, et de quelques fruits qui avaient dû quitter leur arbre originel depuis quelque temps. Malgré tout, Marianne, affamée, attaqua ce repas à belles dents, tandis que Sanchez faisait le ménage. En d'autres termes, il alla vider le seau, renouvela l'eau du pot et jeta, pour conclure, un regard féroce à la prisonnière en déclarant, un doigt noueux tendu vers sa nourriture :

— Tout pour le jour... moi reviens demain !

Ce qui était une manière comme une autre de lui conseiller de faire durer ses provisions jusqu'au lendemain. Mais, tout compte fait, c'était plutôt une bonne nouvelle, puisque ainsi Marianne était à peu près certaine de ne voir surgir son geôlier qu'une fois par jour. Cela lui laissait du temps pour songer à la manière de s'échapper. Restait à savoir, évidemment, si Pilar ou ses acolytes ne viendraient pas de temps en temps lui tenir compagnie.

Pour reconquérir sa liberté, la première chose à faire était de se débarrasser de la chaîne, mais, malgré les longs efforts de Marianne pour faire glisser sa main, cependant étroite et longue, hors du bracelet de fer, elle ne parvint qu'à se meurtrir suffisamment pour que, le soir venu, sa main enflée eût doublé de volume, malgré l'aide puissante du savon noir dont elle l'avait abondamment enduite dans l'espoir qu'elle glisserait mieux. La seule possibilité de se libérer était de réussir à ouvrir ce cadenas qui retenait solidement la fermeture. Mais comment ? Avec quoi ?... Cette désolante évidence amena une crise de larmes qui eut au moins l'avantage de détendre les nerfs de la jeune femme et de lui faire voir les choses sous un angle un peu plus optimiste. Il y avait maintenant vingt-quatre heures qu'elle et Crawfurd avaient été enlevés. Très certainement Eleonora devait avoir alerté Talleyrand, sinon la police. A eux deux, ils devaient chercher ce qu'ils étaient devenus et Talleyrand n'ignorait pas où Pilar avait trouvé refuge. Mais imaginerait-il seulement que l'enlèvement était dû à cette jeune femme taciturne et sombre qui semblait n'avoir eu d'autre préoccupation que se mettre à l'abri des ennuis et s'assurer une puissante protection ? Plus certainement, il penserait que Crawfurd avait surestimé la puissance de ses relations geôlières et que les deux imprudents visiteurs avaient été reconnus, arrêtés et incarcérés. Comme Marianne était rentrée en fraude à Paris, il était assez difficile d'aller la réclamer hautement à Savary. Quant à Napoléon, sa récente et désagréable missive au prince de Bénévent rendait inutile d'avance tout recours à lui. Restait Jolival... mais il ne rentrerait pas avant de longs jours et, même s'il se lançait à sa recherche à peine descendu de cheval, combien de temps s'écoulerait avant qu'il ne trouvât la moindre piste ? Enfin, en admettant que la piste arrivât jusqu'à Mortefontaine, comment obtenir de fouiller le domaine d'une reine d'Espagne ? En vérité, les plans de Pilar étaient habiles et ses mesures convenablement prises... Aussi la logique de ses raisonnements vint rapidement à bout de l'optimisme passager de Marianne et ce fut en ruminant les idées les plus sombres qu'elle s'endormit enfin...

Plusieurs jours passèrent ainsi, désespérément semblables et mornes. Régulièrement Sanchez venait faire son service auprès d'elle mais il ne restait que quelques minutes et Marianne d'ailleurs ne souhaitait pas sa présence. Il semblait n'avoir pas deux idées à lui et, quand elle essayait de lui adresser la parole, n'obtenait de lui que des grognements inintelligibles. Quant à Pilar et ses complices, aucun d'eux ne prit la peine de venir voir comment elle se comportait et la prisonnière en tira une singulière et contradictoire sensation de soulagement et d'abandon mélangés.

A mesure que le temps passait, d'ailleurs, l'espoir l'abandonnait. Elle n'avait aucun moyen de se libérer seule et il ne fallait pas compter sur l'aide de son geôlier. En même temps, les spéculations de son esprit enfiévré l'amenaient peu à peu à un curieux état mental fait de fatalisme et de résignation. Elle était désormais rayée du nombre des vivants et, certainement, Jason le serait aussi avant peu... Il ne lui resterait, le jour où Pilar, triomphante mais ensevelie sous des voiles de deuil de la tête aux talons, viendrait lui annoncer la mort de Jason, qu'à exciter suffisamment la colère de la vindicative Espagnole afin qu'elle ne retardât pas sa propre mort plus longtemps. Du fond de son cachot, Marianne n'avait plus d'espoir qu'en une vie meilleure...

Malgré tout et sans même qu'elle en eût nettement conscience, son cerveau travaillait. Dans ce grenier, il y avait quelque chose d'anormal et elle fut quelque temps avant de se rendre compte de ce que c'était. En fait, ce quelque chose résidait dans la taille des énormes balles de foin dont certaines étaient encore liées d'osier.

A considérer ces balles et les dimensions plus que réduites de la porte par laquelle apparaissait Sanchez, il devint évident pour Marianne que le foin n'avait pas été engrangé par cette issue-là et que fatalement, il devait y en avoir une autre, constituée sans doute par une trappe découpée dans le sol du grenier.

Bien sûr, et même si elle découvrait cette trappe, elle ne pourrait espérer se libérer car la chaîne était toujours là et la hauteur du grenier devait rendre un saut impossible, mais c'était tout de même, sinon un véritable espoir, du moins une occupation et, dans la marge de liberté que lui laissait sa chaîne, elle se mit à déblayer le foin pour atteindre le plancher, empilant d'un côté ce qu'elle retirait d'un autre puis recouvrant l'endroit exploré s'il ne présentait aucune apparence d'ouverture.

Ce fut un travail long et pénible qui souleva beaucoup de poussière et causa beaucoup de fatigue, mais, le troisième jour, Marianne vit apparaître dans le bois deux grosses charnières, preuves irréfutables de la présence d'une trappe.

L'heure de la visite de Sanchez était proche et la jeune femme se hâta de recouvrir sa trouvaille puis, haletante, alla se jeter dans son coin habituel et fit semblant de dormir. Le geôlier espagnol vaqua comme d'habitude à ses occupations, puis se retira. Marianne, alors, dévora un morceau de pain, une tranche de viande, but un coup d'eau et retourna à son travail. Peu à peu, la trappe apparut. C'était, en vérité, une large découpure qui expliquait parfaitement l'importance des paquets de foin... Mais la prisonnière ne put retenir un gémissement de désespoir en s'apercevant que la longueur de sa chaîne ne lui permettait pas de la déblayer complètement.

Accablée par sa découverte, elle se laissa tomber à genoux et se mit à pleurer, brisée par ce travail inutile. Elle avait beau savoir que la chaîne la rivait au grenier, elle avait un espoir absurde dans cette trappe. Bien sûr, elle existait... mais elle était tellement inutile !... Le dos douloureux, les mains souillées et écorchées par les échardes du bois, elle se mit néanmoins, machinalement, à recouvrir le plancher. C'est alors que ses doigts sentirent quelque chose de dur rouler sous eux...

Fébrilement, elle fouilla le foin, ramena une longue pointe de fer qu'elle regarda d'un air incrédule : c'était une branche de fourche cassée qui avait dû tomber dans le grenier quand on avait engrangé le foin et que le moissonneur n'avait pas jugé bon de récupérer... un outil inespéré !...

Fermant les yeux, Marianne adressa au ciel une prière pleine de gratitude. Avec ce fer solide il lui serait sans doute possible de venir à bout du cadenas puisque Pilar avait craint une simple épingle à cheveux.

Elle allait expérimenter sans plus tarder sa pointe de fourche quand des bruits de pas se firent entendre de l'autre côté de la cloison. Sanchez revenait mais, cette fois, il ne revenait pas seul. Comme de coutume, Marianne entendit glisser les balles de paille de l'autre côté des planches et, rapidement, elle se mit en devoir de cacher son outil sous le foin après avoir vivement dissimulé de nouveau la trappe. Pour plus de sûreté, elle s'assit sur le tas de foin où elle avait caché la pointe et, le cœur battant d'une joie qu'elle espérait bien n'être pas trop visible sur sa figure, elle se mit à mâchonner une brindille. Ce fut Pilar qui entra.

L'épouse de Jason était toute vêtue de noir, ce qui d'ailleurs n'avait rien de très extraordinaire car elle était toujours habillée ainsi ou, si elle se permettait une couleur quelconque, cette couleur s'accompagnait invariablement de dentelle ou d'accessoires obscurs. Mais, cette fois, elle portait un grand chapeau cabriolet d'où tombait, en guise de voile, une très belle dentelle de Chantilly. Elle alla jusqu'à Marianne qui ne tourna même pas la tête à son approche.

— Alors, ma chère ? Comment vous sentez-vous après tous ces jours de réflexion ?

Fermement décidée à ne pas articuler un seul mot, Marianne ne broncha pas. Pilar reprit alors, comme si cette entrevue eût été la chose la plus naturelle du monde :

— J'espère que vous ne manquez de rien. D'ailleurs, votre mine est bonne et Sanchez m'a dit que vous étiez fort calme. Néanmoins, j'ai tenu à venir vous faire mes adieux...

Cette fois, Marianne eut besoin de tout son empire sur elle-même pour ne pas trahir au moins la surprise. Pilar partait ? C'était peut-être une bonne nouvelle et, après tout, il était possible que ce jour fût son jour de chance ? Mais elle continua de mâchonner sa brindille aussi sereinement que si Pilar n'eût pas existé. Tout ce qu'elle souhaitait, c'était que cette femme s'en allât et la laissât préparer une évasion qui, maintenant, devait être possible. Pilar, cependant, ne semblait pas pressée. Elle sortit de son réticule un mouchoir inondé de jasmin et le tint devant son visage comme si les odeurs du grenier l'incommodaient.

— Vous savez, j'imagine, que nous sommes le 1er octobre et que, cet après-midi, le procès de... M. Beaufort a dû commencer. Je me rends donc à Paris où, demain, je dois être entendue comme témoin.

La main de Marianne se crispa sur une poignée de foin. Malgré ses résolutions, elle dut lutter contre l'envie sournoise de se ruer sur cette femme glacée qui parlait du procès de son mari comme de la plus agréable réunion mondaine. Avec quelle joie sauvage elle eût enfoncé dans ce cœur cuirassé d'orgueil et de cruauté la pointe de fourche dont elle attendait la liberté ! Mais Sanchez se tenait debout près de la porte, les bras croisés sur sa poitrine, l'œil aux aguets, et Marianne n'eût pas pesé lourd entre ses grosses pattes...

Pilar maintenant gardait le silence, épiant sans doute sur le visage détourné de son ennemie l'effet de ses paroles, mais Marianne, avec un parfait naturel, bâilla ostensiblement et lui tourna le dos. Elle avait déjà, la nuit de son enlèvement, expérimenté l'effet de cette muette insolence et elle espérait que le résultat serait identique. En effet, Pilar ne put retenir une exclamation de fureur et se dirigea vivement vers la porte.

— A votre aise ! s'écria-t-elle d'une voix que la colère faisait trembler. Nous verrons si vous conserverez cette belle impassibilité quand je viendrai vous apprendre que la tête de votre amant a roulé sur les planches de l'échafaud et quand je vous mettrai dans les mains un mouchoir taché de son sang !

Les dents serrées, Marianne, les yeux clos, priait de toutes ses forces pour que l'indignation ne vînt pas à bout de sa volonté :

« Par pitié, Seigneur ! Faites qu'elle se taise ! Faites qu'elle s'en aille ! Par pitié !... Donnez-moi le courage de ne pas l'injurier ! Permettez que je me taise encore ! Je la hais !... Je la hais tellement ! Aidez-moi... »

Son esprit affolé courait dans tous les sens à la recherche du seul secours vraiment efficace ! Jamais elle n'avait subi tension pareille à celle que lui imposait cette créature implacable qui venait détailler sadiquement le danger mortel que courait Jason.

Comme si elle avait vraiment besoin qu'on lui rappelât cette affreuse menace qui, depuis des semaines, n'avait cessé de la hanter!... Elle mourait d'envie de dire à cette femme ce qu'elle pensait de son mélodramatique discours, mais elle entendait demeurer fidèle à sa décision de silence.

Cependant, comme Pilar, dans son désir cruel de constater l'effet de ses paroles, se rapprochait d'elle, Marianne leva sur elle un regard glacé puis, délibérément, cracha dans la direction de son ennemie. Pilar s'arrêta net et, un instant, Marianne put croire qu'elle allait lui sauter dessus tant les traits de sa figure s'étaient convulsés. Elle attendit l'attaque avec une joie sauvage, bien décidée à mettre en morceaux ce visage buté. Mais, près de la porte, la voix lourde de Sanchez se fit entendre :

— La *señora* va gâter sa toilette! Et la voiture attend...

— Je viens! Mais demain, Sanchez, et aussi après-demain, tu oublieras de lui apporter à manger ou à boire! Tu ne lui donneras rien jusqu'à ce que je revienne! Compris?

— C'est compris!

Cette fois, le couple disparut salué par un dédaigneux haussement d'épaules de la prisonnière. Demain, si Dieu était avec elle, Marianne serait loin... Néanmoins, elle eut la sagesse de ne pas bouger avant d'avoir entendu le bruit de chaîne qui annonçait que l'on détachait la barque. Pilar s'éloignait. Elle partait pour Paris, pour la vengeance, et Sanchez ne reviendrait pas avant... eh mais! pas avant deux ou trois jours puisque Pilar avait décidé que Marianne aurait faim!

Quand elle fut certaine d'être bien seule, la jeune femme sortit sa pointe de fourche et attaqua son cadenas, en espérant qu'il serait possible de faire jouer le déclic, sinon il lui faudrait s'en prendre à la poutre dans laquelle la chaîne était attachée par un anneau, afin d'arracher celui-ci. Patiemment, lentement, en s'efforçant au calme pour empêcher ses mains de trembler, Marianne fouilla de sa pointe de fer la serrure du cadenas. Ce n'était pas facile et, durant un long moment, elle crut qu'elle n'y parviendrait pas car si la chaîne était neuve, le cadenas ne l'était pas. Pendant des minutes qui lui parurent interminables, elle s'escrima... Enfin, le bienheureux déclic se fit entendre, salué par une exclamation de joie. Le cadenas s'ouvrait...

Le dégager des mâchoires du bracelet, enlever celui-ci, ce fut l'affaire d'un instant et Marianne, massant son poignet enflé et douloureux, se retrouva libre. Elle en éprouva une telle joie que, comme une gamine, elle se mit à se rouler dans le foin avec ravissement, heureuse de détendre enfin ses muscles et ses nerfs maintenus depuis tant de jours dans une inaction forcée. Quand elle se releva, elle avait chaud mais son sang coulait vif et plein d'énergie dans ses veines. Il fallait maintenant ouvrir la trappe et voir comment il allait être possible de sortir de cette grange tant qu'il y avait encore un peu de lumière car le jour, avec l'automne tout proche, baissait plus vite chaque soir.

Rapidement, elle se mit à dégager la trappe qui apparut bientôt, large et solide. Elle devait être lourde, mais un gros anneau de corde, passé dans deux trous, servait à la soulever. Marianne le saisit, rassembla toutes ses forces et tira... La trappe résista, mais, possédée d'une force nerveuse décuplée par l'aiguillon de la liberté, la prisonnière banda ses muscles, serra les mâchoires et maintint son effort sans souci des morsures du chanvre, rugueux dans la paume fragile de ses mains. Lentement, lentement, la trappe se leva jusqu'à la verticale puis retomba dans le foin avec un bruit sourd, découvrant un trou béant au bord duquel Marianne s'agenouilla...

Au-dessous d'elle s'étendait une vaste grange, si haute qu'un léger vertige passa devant ses yeux. Elle avait espéré qu'une échelle serait accrochée sous la trappe et qu'ainsi la descente serait facile. Mais il n'y avait rien... et il ne fallait pas songer sauter sans risque de se rompre les os.

Le cœur battant la charge, Marianne s'assit sur ses talons, cherchant fébrilement une corde... quelque chose qui lui permît de descendre. Hélas, la chaîne qui l'avait retenue si longtemps était bien trop courte et les liens d'osier qui liaient les balles de foin beaucoup trop fragiles pour supporter le poids de son corps ! Mais la captive voulait passionnément sortir de sa prison et l'idée libératrice arriva : ce foin que l'on avait monté ici, elle allait le jeter en bas jusqu'à ce qu'il formât un matelas assez épais pour qu'elle pût se laisser tomber dessus...

Hâtivement, car le jour baissait de plus en plus, elle se mit à faire glisser le foin dans l'ouverture béante, cassant, au moyen de sa pointe de fourche, les brins d'osier afin de libérer les grosses balles. En un instant, le grenier fut transformé en une véritable tempête de brindilles et de poussière, le déplacement de certaines balles en faisant rouler d'autres. Dix fois, Marianne faillit être précipitée dans le trou, mais, peu à peu, sur le sol de la grange, un gros tas de foin s'élevait...

Quand elle le jugea suffisant, Marianne, la gorge en feu, vida le peu d'eau qui restait dans sa cruche, mangea sa dernière pomme. Puis elle alla s'asseoir au bord de la trappe et se laissa glisser...

En arrivant en bas, elle rebondit comme une balle

mais sans se faire aucun mal et, aussitôt, roula jusqu'au pied du tas. Cette fois, elle était à terre. Restait à savoir si cette porte de grange s'ouvrirait facilement ou s'il lui faudrait encore avoir recours à sa pointe que, pour plus de sécurité, elle avait jetée à terre avant de s'élancer. Mais, soit confiance dans la prison qu'ils avaient préparée pour elle, soit prudence envers les paysans du domaine qui pouvaient s'étonner de trouver si bien fermée une grange à peu près vide, au cas où ils auraient voulu y entrer, les ravisseurs de Marianne n'avaient pas fermé la porte avec autre chose qu'un loquet.

Avec précaution, Marianne entrouvrit le vantail qui ne grinça qu'à peine et jeta au-dehors un coup d'œil circonspect. Autant qu'elle pouvait en juger, dans la nuit presque totale, il n'y avait pas une âme au-dehors mais, là-bas, au-delà de l'eau qui s'étendait devant elle et enfoui parmi les arbres, le grand château devait briller de toutes ses lumières si l'on en jugeait par les points lumineux qui ponctuaient l'obscurité dense de la végétation. En même temps, elle s'aperçut qu'il pleuvait, chose dont elle ne s'était pas encore avisée avec tout ce qui avait retenu son attention depuis le matin.

Il faisait aussi infiniment plus froid qu'au grenier. Octobre était venu et le beau soleil qui avait brillé durant tout le mois de septembre venait de céder le pas à un temps avant-coureur de l'hiver. Dans sa robe de percale, Marianne eut un frisson, mais il lui fallait quitter cet endroit au plus vite et, courageusement, elle s'élança au-dehors pour faire le tour de la grange. Ainsi qu'elle l'avait pensé, cette remise s'élevait bien dans une île, assez vaste d'ailleurs, et la fugitive se mit à suivre le bord, à la recherche d'une barque. Hélas, à part la grange, des arbres et des fourrés, il n'y avait absolument rien et surtout aucune barque.

« Il va falloir nager, pensa Marianne avec un frisson. Le tout est de trouver l'endroit le plus étroit, en espérant qu'il sera aussi le plus éloigné du château. »

Elle avait bien songé un moment à s'y rendre audacieusement, dans ce château, à se nommer et à demander hautement la protection de la reine Julie quitte à ce que la police la réclamât aussitôt comme son bien. Pilar était partie pour Paris. Une attitude semblable pouvait donner de bons résultats.

Mais Marianne réfléchit aussi que la plupart de ses ravisseurs devaient appartenir à l'entourage royal et que, sous couleur de la défendre, rien ne leur serait plus facile que s'assurer de nouveau de sa personne, cette fois sans espoir d'évasion. De toute façon, avec une robe sale et déchirée et dans l'état où elle se trouvait, elle serait très certainement prise pour une folle et les valets l'éconduiraient sans même lui laisser entrevoir la reine. Le mieux était donc de s'éloigner discrètement et de regagner Paris par ses propres moyens, même s'ils étaient misérables, en évitant les gendarmes et tous ceux dont la méfiance pouvait être éveillée à la vue d'une femme aux allures de vagabonde.

Bien persuadée maintenant qu'il lui faudrait se mettre à l'eau pour quitter son île, Marianne choisit un endroit qui lui parut assez facile à traverser puis, sans hésiter, elle se déshabilla, ôtant tous ses vêtements dont elle fit un paquet. Au moyen de sa ceinture, elle l'attacha sur sa tête.

La pluie avait déjà mouillé sa robe, mais elle serait tout de même plus sèche ainsi qu'après un séjour dans l'eau. De plus, elle savait combien les vêtements pouvaient entraver la nage. Enfin, cet endroit semblait si désert et la nuit si noire qu'elle ne risquait pas beaucoup d'être vue dans un aussi simple appareil. D'ailleurs, à peine dévêtue, elle descendit dans les roseaux qui ceinturaient l'île, écartant avec ses mains les épaisses feuilles charnues des nénuphars. Ses pieds s'enfoncèrent dans une vase gluante qui la fit frissonner mais le sol présentait une déclivité rapide et, tout de suite, il se déroba sous elle. La fugitive, alors, s'étendit sur l'eau et se mit à nager doucement, évitant de faire le moindre bruit. L'eau était froide, mais moins qu'elle ne l'avait cru quand elle y était entrée et elle éprouva un plaisir inattendu à la sentir glisser sur son corps nu après tous ces jours de poussière.

Il y avait longtemps que Marianne n'avait nagé, mais ses bras et ses jambes retrouvèrent d'instinct les mouvements souples et aisés que lui avait enseignés le vieux Dobs. La seule chose vraiment désagréable, dans cet exercice imprévu, était l'odeur de vase que dégageait cet étang. Il y avait aussi le contact furtif des couleuvres d'eau qui frôlaient sa peau nue et qui la révulsaient. Mais la traversée fut courte et, bientôt, les pieds de la jeune femme touchèrent un fond de sable, dur et résistant. La berge était assez haute à cet endroit, et se couvrait de grands arbres, mais, en s'accrochant aux feuilles épaisses des lys d'eau, puis aux branches basses d'un saule, Marianne parvint à la gravir, non sans secouer sur elle une pluie de gouttelettes. Parvenue en haut de la pente, elle remit en frissonnant ses vêtements humides, se rechaussa et partit à l'aventure, dans la profondeur du bois.

La nuit était trop obscure pour qu'elle pût espérer s'orienter, mais ce qu'elle cherchait surtout c'était s'éloigner le plus possible du château. L'immensité du domaine et la sauvagerie de ce bois plein de fourrés et de ronces où elle se déchirait à l'aveuglette lui faisaient espérer qu'il n'y aurait pas, du moins, de mur de clôture à escalader.

Marchant droit devant elle, passant tour à tour d'un spongieux tapis de feuilles à des ornières boueuses, Marianne finit par trouver un sentier. Ses yeux étaient maintenant habitués à l'obscurité et lui permettaient d'avancer en évitant les obstacles les plus pénibles. La pluie ne cessait pas, mais, dans ce bois touffu, elle tombait moins dru que sur les terres à découvert. Longtemps, la fugitive marcha, sans trop savoir où elle allait, cherchant avant tout quelque hutte de charbonnier où s'abriter et se reposer un peu... Elle était transie de froid et tombait de sommeil. Tout ce qu'elle trouva, ce fut un gros rocher en surplomb dont la base offrait un trou peu profond que l'on ne pouvait guère décorer du nom de grotte. Si précaire que fût cet abri, Marianne s'y glissa, se pelotonna comme un chat dans les feuilles sèches et s'endormit comme une masse.

Quelque chose de froid et d'humide qui se promenait sur sa figure l'éveilla en sursaut. Elle se trouvait nez à nez avec un gros chien de chasse qui la reniflait avec application. Plus loin, il y avait une paire de jambes habillées de houseaux de toile et chaussées de gros sabots. En levant la tête, elle vit que le tout appartenait à un jeune garçon qui, une vieille pétoire en travers des épaules, la regardait d'un air perplexe. Il faisait grand jour et la pluie avait cessé.

Voyant que la dormeuse se redressait, il rappela son chien.

— Ici, Briquet !... Laisse !...

Docilement, le chien vint s'asseoir aux pieds de son maître qui, se penchant, tendit une main à Marianne pour l'aider à se relever.

— Bonjour, fit-il aimablement. Je suis content de vous voir éveillée. Quand Briquet vous a trouvée j'ai cru un moment que...

Il n'osa pas le mot, ce fut Marianne qui compléta sa pensée :

— Que j'étais morte ? J'ai si mauvaise mine que ça ?

— Vous êtes si pâle !...

— C'est que j'ai froid...

C'était vrai. Dans l'air vif du matin, Marianne tremblait comme feuille au vent et sa peau meurtrie avait des bleuissures qui ajoutaient à son air lamentable. Vivement, le garçon ôta de ses épaules une espèce de cape en laine et la jeta sur celles de Marianne.

— Venez à la maison. Ma grand-mère prendra soin de vous... Nous habitons tout près. Tenez, le premier toit que vous apercevez entre les arbres, à l'entrée du village.

Marianne constata, en effet, qu'elle était presque sortie de la forêt et qu'un village fumait à quelques toises de là. Elle se sentait si mal en point qu'elle accepta volontiers l'invitation de son nouvel ami, se bornant, avant de le suivre, à demander :

— Ce village, qu'est-ce que c'est ?

— Loisy ! Vous n'êtes pas de la région ?

— Est-ce que... c'est loin de Mortefontaine ?

— Oh non ! Une petite lieue à l'est.

Pas plus ? Elle eut du mal à cacher sa déception. Elle avait l'impression d'avoir tant marché qu'elle espérait bien avoir couvert un beaucoup plus long chemin. Sans doute, dans son ignorance des alentours, avait-elle tourné en rond. Vivement, elle regarda son compagnon. Il ressemblait un peu à Gracchus-Hannibal Pioche. C'étaient les mêmes cheveux blond paille, les mêmes yeux bleus qui regardaient droit, mais les traits de celui-là étaient plus fins, sa silhouette plus étirée. L'ensemble lui plut et elle décida de lui faire confiance.

— Il faut que vous sachiez ! Je me suis enfuie d'une grange du château de Mortefontaine où des gens de l'entourage de la reine d'Espagne me rete-naient prisonnière. Mais je vous jure que je ne suis pas une criminelle ni une voleuse.

Le garçon eut un bon sourire.

— Vous n'en avez pas l'air ! Et puis, si vous étiez l'une ou l'autre, on vous aurait mise dans une pri-son... pas dans une grange ! Venez, vous raconterez votre histoire à ma grand-mère. Elle aime tellement les histoires !

Chemin faisant, Marianne apprit que son compa-gnon se nommait Jacques Cochu, qu'il avait un peu de terre sur le village voisin et qu'il y vivait seul avec sa grand-mère, mais qu'il allait se marier dans quelques jours.

— J'aurais bien attendu le printemps, lui confia-t-il, mais grand-mère tient à ce que je sois marié avant pour échapper à la conscription. J'ai déjà eu de la chance que, cette année, à cause de son mariage, l'Empereur ne lève pas de troupes... Alors, je vais épouser Étiennette.

— Vous n'avez pas envie de vous battre ? demanda Marianne un peu déçue, car, avec sa belle imagination, elle avait déjà habillé son sauveur aux couleurs de sa chevalerie personnelle.

Jacques lui offrit un sourire plein de franchise et de naïveté.

— Si, j'aurais aimé ! Quand j'entends les anciens raconter Valmy, ou l'Italie, ça me donne des fourmis dans les jambes ! Seulement, si je m'en vais, qui donc cultivera la terre ? Et qui fera vivre ma grand-mère... et Étiennette ? Ses parents sont morts l'an passé ! Alors, il faut que je reste.

— Bien sûr ! fit-elle gentiment. C'est vous qui avez raison ! Mariez-vous vite et soyez très, très heu-reux !

Tout en bavardant, ils étaient arrivés à une petite

ferme d'une scrupuleuse propreté au seuil de laquelle une vieille femme droite comme un I les attendait, les bras croisés sur son fichu de laine, l'air pas trop content d'ailleurs de voir son petit-fils revenir avec une inconnue en haillons. Mais, très vite, Jacques expliqua les circonstances de leur rencontre et comment il avait ramené Marianne pour qu'elle reprît quelques forces. Aussitôt, la belle hospitalité des gens du Valois s'offrit à elle. La vieille femme l'installa auprès du feu, lui donna un grand bol de soupe chaude, tailla pour elle une large tranche de pain et un gros morceau de lard puis se mit à la recherche de vêtements secs tandis que Marianne racontait son histoire... ou plutôt l'histoire qui lui semblait convenir aux circonstances. Il lui était pénible de mentir à ces braves gens qui l'accueillaient avec tant de chaleur et de générosité, mais elle se voyait mal déclinant sa pompeuse identité de princesse italienne. Aussi, pour un temps, préférat-elle redevenir Marianne Mallerousse.

— Mon oncle vient d'être tué au service de l'Empereur, confia-t-elle à ses nouveaux amis, et moi j'ai été enlevée par ses meurtriers afin que je ne puisse pas les trahir. Mais il faut que je rentre à Paris le plus vite possible. Je veux venger... mon oncle et j'ai des révélations importantes à faire.

Un moment, elle se demanda si, même ainsi édulcorée, son histoire n'était pas un peu forte, mais ni la grand-mère ni Jacques ne marquèrent la moindre surprise. Même, la vieille femme approuva, hochant la tête.

— Tous ces gens à figure jaunâtre que l'on voit rôder par ici, depuis que l'Empereur a fait un roi d'Espagne de son frère, ne m'ont jamais paru valoir grand-chose. On était bien plus tranquilles avant ! Ce n'est pas un mauvais homme, le Joseph ! Toujours aimable et plutôt généreux ! On l'aimait bien, dans la région, et on regrette qu'il soit parti chez les sauvages ! Quant à vous, ma petite demoiselle, on va faire de son mieux pour vous aider à rentrer chez vous aussi discrètement que possible.

— Mais, coupa Jacques, pourquoi ne pas aller tout droit à la police ?

Aïe ! La question était insidieuse et Marianne s'efforça de réfléchir vite, très vite pour que sa réponse eût l'air suffisamment naturelle.

— C'est bien mon intention, affirma-t-elle, mais c'est le ministre en personne qu'il me faut voir. Ces gens qui m'avaient prise appartiennent à la cour de la reine Julie et ils ont le bras très long. Ils ont fait courir le bruit que j'étais responsable de la mort de mon oncle. On me recherche... il faut que je puisse apporter mes preuves. Et mes preuves sont à Paris.

L'explication donnée, elle s'accorda un léger soupir de soulagement en espérant s'être montrée suffisamment convaincante. Jacques et sa grand-mère s'étaient retirés au fond de la cuisine et tenaient, à voix basse, un conciliabule des plus animés qui, d'ailleurs, ne dura pas plus de quelques secondes. Quand ce fut fini, le jeune garçon revint vers Marianne :

— Le mieux, dit-il, est que vous preniez un peu de repos ici, bien à l'abri des recherches. Dans l'après-midi, je vous conduirai à Dammartin-en-Goële, chez mon oncle Cochu. C'est le maire du pays et il envoie régulièrement à Paris, tous les trois jours, une charrette de choux et de raves. Il y en a justement une qui part demain matin. Avec des habits de paysanne, vous pourrez rentrer à Paris sans crainte de la police ou de vos ravisseurs. Et vous y serez demain soir.

Demain soir ? Dans son esprit, Marianne calculait

que le procès de Jason s'était ouvert la veille, qu'il se déroulait sans doute alors qu'elle restait là à discuter avec ces braves gens et que le temps était précieux. Timidement, elle objecta :

— Est-ce qu'il ne serait pas possible d'aller... plus vite ? J'ai tellement hâte d'arriver !

— Plus vite ? Comment voulez-vous ? Bien sûr, vous pourriez prendre demain, à Dammartin, la diligence de Soissons... mais vous ne gagneriez que quelques heures... et vous seriez bien moins en sécurité !

C'était l'évidence même. Naturellement, elle aurait voulu trouver un cheval, mais où ? mais comment ? Elle n'avait pas un sou sur elle puisque, avant son enlèvement, elle avait laissé le contenu de sa bourse dans les mains de Ducatel, le geôlier de Jason. La sagesse lui souffla de se montrer raisonnable. L'important était qu'elle rentrât et, avec le moyen proposé par Jacques, elle rentrerait sans risquer d'être reprise. Mieux valait arriver tard que pas du tout et un procès de cette importance durerait certainement plusieurs jours... En conclusion, elle offrit à ses hôtes un sourire reconnaissant.

— J'accepte, dit-elle gentiment, et je vous remercie de tout mon cœur ! J'espère pouvoir, un jour prochain, vous prouver ma gratitude !...

— Ne dites donc pas de sottises ! coupa la grand-mère Cochu d'un ton bourru. Si on ne s'aide pas entre pauvres gens, on n'a pas le droit de se dire chrétien ! et, la reconnaissance, ça se garde dans le cœur ! Venez vous étendre un peu maintenant. La terre mouillée de la forêt ne devait pas faire un lit bien douillet ! Pendant ce temps, j'irai jusque chez Étiennette, la promise à Jacques, pour lui emprunter un cotillon et un caraco ! Vous êtes à peu près de sa taille.

Vers la fin du jour, Marianne, habillée d'une jupe de grosse laine rouge et d'un corsage noir, empaquetée dans un châle de laine noire qu'elle devait à la générosité de Mme Cochu, les pieds dans des sabots trop grands et la tête enfouie sous une immense coiffe de toile bise, s'installait en croupe derrière Jacques sur le gros cheval de labour qui servait aussi bien pour la culture que pour les déplacements. Devant les genoux du jeune homme, deux grands paniers pleins de pommes tardives étaient accrochés à l'encolure de l'animal.

On arriva en pleine nuit à Dammartin, une cité en hauteur ceinturée de remparts, et Jacques remit Marianne aux mains de son grand-oncle, Pierre Cochu, un beau vieillard sec comme un sarment, qui la reçut sans poser de questions indiscrètes, avec cette générosité pleine de noblesse des gens de la terre. Elle passait pour une cousine d'Étiennette qui voulait se rendre à Paris pour travailler comme blanchisseuse chez une lointaine parente. Aussi, quand vint le moment de faire à Jacques ses adieux, les gens de la maison trouvèrent-ils tout naturel qu'elle sautât au cou du garçon et l'embrassât sur les deux joues. Mais personne ne devina l'immense reconnaissance qu'elle mettait dans ce geste, ni d'ailleurs pourquoi Jacques devint si rouge en recevant ces marques d'affection. Afin de cacher sa gêne, il se mit à rire nerveusement puis déclara :

— On se reverra bientôt, cousine Marie ! Étiennette et moi, on ira vous voir à Paris, après notre mariage ! Ça nous fera plaisir à tous !...

— Surtout à moi, Jacques ! Dites à Étiennette que je ne vous oublierai ni les uns ni les autres.

Elle éprouvait une sorte de peine à le quitter. Bien qu'elle les eût connus si peu de temps, sa grand-mère et lui s'étaient montrés si bons, si amicaux que

Marianne avait l'impression de les avoir toujours eus comme amis. Ils lui étaient soudain devenus chers et elle se promit, si des temps meilleurs revenaient pour elle, de leur prouver qu'ils n'avaient pas obligé une ingrate. Mais à peine le jeune homme eut-il disparu que l'esprit de Marianne revint, irrésistiblement, à son obsession incessante : le sort de Jason qui se jouait tandis qu'elle se donnait tant de peine pour revenir vers lui.

Après une nuit brève mais confortable passée dans une petite chambre fleurant bon la cire et la citronnelle, Marianne s'installa, à l'aube, aux côtés d'un valet taciturne qui ne devait pas prononcer dix paroles au cours du trajet, sur le siège d'une grande charrette pleine de choux, et l'on prit paisiblement le chemin de Paris. Trop paisiblement même pour le goût de Marianne qui pensa, tout au long de l'interminable route, mourir cent fois d'impatience.

Heureusement, il ne plut pas. Le temps était froid mais sec. La route de Flandre était monotone et plate. Pourtant, Marianne ne réussit pas à imiter son compagnon qui somnola une bonne partie du chemin à la grande fureur de sa passagère. Quand elle voyait dodeliner la grosse tête du garçon, Marianne luttait de toutes ses forces contre l'envie de prendre les rênes et de lancer l'attelage au grand galop sur ce chemin qui n'avait pas de fin, au risque de perdre en route tous ses choux. Mais c'eût été une bien mauvaise manière de remercier ceux qui l'avaient aidée. Et la jeune femme rongea son frein en silence.

Néanmoins, quand les clochers de Paris surgirent de la brume automnale, elle faillit bien se mettre à crier de joie et quand, en atteignant le village de la Villette, la carriole franchit les travaux du canal Saint-Denis en construction, elle se retint de sauter à bas de la voiture pour courir plus vite ; mais il valait mieux jouer le jeu jusqu'au bout.

La profonde puanteur de la Grande Voirie, dont on côtoyait les approches, parut tirer le conducteur de sa torpeur. Il ouvrit un œil, puis l'autre et tourna la tête vers Marianne, mais si lentement qu'elle se demanda s'il n'était pas mû par un mouvement d'horlogerie réglé sur les semaines.

— Où' s'qu'elle loge, vot' cousine la blanchisseuse ? demanda-t-il. Not' maître m'a dit comme ça d'vous mettre au plus près. Mais j'vais aux Halles !...

Tout au long de cette interminable route, Marianne avait eu tout le loisir de songer à ce qu'elle ferait en arrivant à Paris. Retourner chez Crawfurd, il n'y fallait pas songer et il pouvait être aussi dangereux de rentrer chez elle. L'idée, alors, lui était venue que peut-être Fortunée Hamelin serait enfin rentrée d'Aix-la-Chapelle. La saison des eaux était terminée. La créole devait avoir regagné son cher Paris... à moins qu'elle n'eût sacrifié ce grand amour pour suivre à Anvers son autre amant préféré, Casimir de Montrond, qui était en résidence surveillée dans la cité flamande. S'il en était ainsi, Marianne attendrait qu'il fît nuit noire et tenterait de regagner discrètement son hôtel de la rue de Lille. Aussi répondit-elle à son compagnon :

— Elle habite près de la barrière des Porcherons.

L'œil atone du garçon s'éclaira fugitivement.

— C'est point trop à l'écart d'mon chemin. J'vous laisserai donc aux Porcherons !

Et, sur ces paroles définitives, il parut se rendormir tandis qu'apparaissaient, au bord d'un large bassin d'eau claire, l'élégante rotonde de Ledoux et les guinguettes aux treilles rouges de la barrière de la Villette.

Bien à l'abri sous son déguisement, Marianne laissa sans broncher les hommes de l'octroi faire leur travail, puis on repartit en longeant le mur des Fermiers généraux jusqu'à la barrière de la Chapelle où, cette fois, l'attelage s'engagea dans le faubourg Saint-Denis. Une fois à destination, on se quitta sans un mot et Marianne, tremblant d'émotion de se retrouver enfin à Paris, se mit à courir vers la rue de la Tour-d'Auvergne comme si sa vie en dépendait. C'était un exercice assez rude, car les pentes qui montaient au village de Montmartre étaient plutôt pénibles. Pour courir plus à l'aise, elle avait ôté ses sabots trop larges qui la gênaient et auxquels ses pieds ne pouvaient s'habituer. C'est donc pieds nus qu'elle arriva enfin, rouge, décoiffée et hors d'haleine, devant la maison blanche où elle avait toujours trouvé un accueil si chaud, tremblant seulement de voir les volets clos et cet aspect morne et rébarbatif des maisons vides. Mais non : les volets étaient ouverts, les cheminées fumaient et l'on apercevait un vase de fleurs à travers les vitres du vestibule.

Cependant, quand Marianne franchit la grille et voulut traverser la cour, elle vit le concierge accourir vers elle de toute la vitesse de ses petites jambes, les bras écartés afin de barrer un passage bien trop large pour leur dimension. A sa grande déception, elle vit que c'était un nouveau et qu'elle ne le connaissait pas.

— Hé! là! Vous, la fille, où est-ce que vous allez?

Marianne s'arrêta et attendit le bonhomme qu'elle faillit recevoir dans ses bras.

— Voir Mme Hamelin! dit-elle calmement. Elle m'attend!

— Madame ne reçoit pas des gens comme vous! D'ailleurs elle est sortie! Allez-vous-en!

Il la tirait par le bras pour l'entraîner au-dehors mais elle se débarrassa de lui d'une secousse.

— Si elle n'est pas là, allez me chercher Jonas ! Il n'est pas sorti, lui ?

— Plus souvent que j'irai le chercher pour une vagabonde ! Dites seulement votre nom si vous voulez que j'y aille.

Marianne hésita imperceptiblement. Mais Jonas était un ami et il était assez habitué à la voir sous des aspects inattendus.

— Dites « Mademoiselle Marianne » !

— Marianne quoi ?

— Ça ne vous regarde pas ! Allez le chercher tout de suite et méfiez-vous que Jonas ne se fâche si vous me faites attendre.

De mauvaise grâce, le concierge s'éloigna vers la maison marmottant des choses peu aimables sur les filles de mauvaise vie qui cherchent à s'introduire dans les maisons honnêtes, mais, quelques secondes plus tard, Jonas jaillit littéralement de la porte vitrée. Un immense sourire fendait en deux la bonne figure noire du majordome de Fortunée.

— Mademoiselle Ma'ianne ! Mademoiselle Ma'ianne ! C'est pas Dieu possible !... Ent'ez ! Ent'ez vite ! Seigneu'. Mais d'où venez-vous faite comme voilà ?

Marianne se mit à rire, heureuse de cet accueil familier qui ravivait son courage. Ici, enfin, elle atteignait le port du salut !

— Mon pauvre Jonas, il est écrit que vous me verrez arriver neuf fois sur dix faite comme une voleuse ! Madame est sortie ?

— Oui, mais elle va 'eveni' bientôt ! Venez vous eposer !

Renvoyant d'un geste superbe le concierge à sa loge, Jonas entraîna Marianne dans la maison en lui confiant le souci que sa maîtresse avait d'elle depuis son retour des eaux.

— Elle vous c'oyait mo'te ! Quand Monseigneu'
de Bénévent lui a dit que vous aviez dispa'u, j'ai c'u
qu'elle allait deveni' folle, pa'ole d'honneu' !... Oh !
Tenez ! La voilà !

En effet, Jonas venait tout juste de refermer la
porte quand le coupé de Fortunée entra dans la cour,
décrivit une courbe gracieuse autour de la fontaine
et s'arrêta enfin devant le perron. La jeune femme
en descendit, mais elle semblait triste et, pour la première fois depuis qu'elle la connaissait, Marianne
vit qu'elle était vêtue d'un sévère velours violet, très
sombre. Autre étrangeté, elle était à peine maquillée
et, sous sa voilette relevée, ses yeux rougis disaient
assez qu'elle avait pleuré... Mais déjà Jonas s'était
précipité :

— Ma'ame Fo'tunée ! Mademoiselle Ma'ianne
est là ! 'ega'dez !...

Mme Hamelin leva les yeux. Une lueur de joie
brilla dans son regard sombre et, sans un mot, elle se
jeta dans les bras de son amie qu'elle étreignit farouchement tout en se remettant à pleurer. Jamais
Marianne n'avait vu l'insouciante créole dans un
pareil état et, tout en lui rendant ses baisers, elle supplia, contre son oreille :

— Fortunée, par pitié, dis-moi ce qu'il t'arrive !
As-tu vraiment eu si peur pour moi ?

Brusquement, Fortunée repoussa son amie puis, la
tenant à bout de bras, ses deux mains posées sur les
épaules de la jeune femme, elle la regarda au fond
des yeux avec une telle expression de pitié que
l'épouvante se glissa dans les veines de Marianne
qui demeura sans voix.

— J'arrive du palais de justice, Marianne, dit
Mme Hamelin aussi doucement qu'elle le put. Tout
est fini...

— Que... veux-tu dire ?

— Il y a une heure, Jason Beaufort a été condamné à mort !

Le mot entra dans Marianne comme une balle. Elle vacilla sous le choc. Mais il y avait tant de jours qu'elle l'attendait qu'une inconsciente préparation s'était faite en elle et que la blessure était déjà passée à l'état de cicatrice. Elle « savait » qu'il lui faudrait un jour entendre cette phrase horrible et, à la manière d'un corps humain qui incube une maladie et prépare obscurément sa lutte pour la vie, son esprit s'était armé contre la souffrance qu'il sentait venir. Devant le danger menaçant il n'y avait plus de temps pour les faiblesses, pour les larmes et pour les craintes.

Fortunée avait tendu machinalement les bras, s'attendant à voir Marianne glisser à terre sans connaissance, mais ses bras retombèrent tandis qu'elle regardait avec stupeur la femme inconnue qui lui faisait face et qui braquait sur elle un regard devenu aussi dur que la pierre. D'une voix glacée, Marianne demanda :

— Où est l'Empereur ? A Saint-Cloud ?

— Non. Toute la cour est à Fontainebleau, pour les chasses. Que veux-tu faire ? Tu ne songes pas...

— Si, justement, j'y songe ! Crois-tu donc qu'il me restera quelque chose à regretter sur terre quand Jason n'y sera plus ? J'en ai fait serment sur la mémoire de ma mère : si on me le tue, je me poignarderai au pied de son échafaud. Alors, que m'importent les colères de Napoléon ? Qu'il le veuille ou non, que cela lui convienne ou non, il m'entendra ! Ensuite, il fera de moi ce qu'il voudra ! Pour ce que cela aura comme importance !

— Ne dis pas cela ! supplia Fortunée en se signant précipitamment pour conjurer le mauvais sort, il y a nous tous qui t'aimons et qui tenons à toi !

400

— Il y a lui, que j'aime et sans qui je refuse de vivre ! Je ne te demande qu'une chose, Fortunée : prête-moi une voiture, des vêtements, un peu d'argent et dis-moi où je peux me rendre à Fontainebleau pour ne pas être arrêtée avant d'avoir atteint l'Empereur. Tu connais bien la région, je crois. Si tu fais cela, je te bénirai jusqu'à mon dernier souffle et...

— En voilà assez ! s'emporta la créole. Vas-tu cesser de parler de ta mort ? Te prêter de l'argent, ma voiture... tu rêves !

— Fortunée ! protesta Marianne avec une douloureuse surprise.

Mais déjà son amie l'entourait d'un bras chaleureux et l'entraînait en murmurant affectueusement :

— Folle que tu es ! Nous y allons ensemble, bien sûr ! J'ai là-bas une maison, une espèce d'ermitage près de la Seine, et je connais tous les détours de la forêt. Cela nous sera utile si tu ne parviens pas à franchir les grilles du château... encore que Napoléon déteste que l'on vienne couper sa chasse. Mais s'il n'y a pas d'autres moyens...

— Je ne veux pas, Fortunée ! Tu te compromettrais gravement peut-être... Tu risques l'exil...

— Et alors ? J'irai retrouver Montrond à Anvers et nous y mènerons joyeuse vie ensemble ! Viens, mon cœur ! De toute façon je ne serai pas fâchée de savoir pour quelle raison Sa Majesté corse a laissé ses juges rendre une pareille sentence contre un homme aussi extraordinairement séduisant... et aussi visiblement incapable de commettre les crimes dont on l'accuse ! Un meurtre crapuleux ? De la fausse monnaie ? Avec cette mine fière et ce regard d'aigle des mers ? Quelle absurdité !... Jonas ! Tout de suite ma femme de chambre avec un bain pour Mlle Marianne et des vêtements ; dans une demi-heure un solide repas et dans une heure une chaise de poste dans la cour ! Compris ? Au trot !

Et tandis que son majordome se ruait dans l'escalier en hurlant pour appeler Mlle Clémentine et lui donner des ordres, Fortunée entraîna son amie par le même chemin, mais avec moins de précipitation.

— Tu vas avoir tout le temps, maintenant, de me dire où tu étais passée, ma belle...

12

LA CHASSE DE L'EMPEREUR

Mme Hamelin retint son cheval et l'arrêta auprès d'une croix de pierre usée et mangée de mousse qui s'élevait à l'ombre d'un grand chêne, à la croisée des chemins.

— C'est ici la croix de Souvray, dit-elle en désignant le calvaire du bout de sa cravache. Nous y serons à merveille pour attendre que la chasse commence. Je sais que le déjeuner a lieu à moins d'une demi-lieue d'ici, au carrefour de Recloses, mais j'ignore quelle direction prendront les chasseurs.

Tout en parlant, elle mettait pied à terre, attachait son cheval un peu plus loin au tronc svelte d'un pin sylvestre puis, retroussant la longue traîne de son amazone de drap couleur de feuille morte, elle alla tranquillement s'asseoir sur les marches de la vieille croix, tandis qu'à son tour Marianne sautait sur le sol et venait lier sa monture au même arbre avant de rejoindre son amie.

Le carrefour était désert. On n'y entendait guère que le murmure d'un filet coulant quelque part dans l'épaisseur d'un taillis et, sur l'épais tapis de feuilles craquantes qui s'étendait sous la futaie, la fuite rapide d'un lièvre dérangé. Mais un peu plus loin vers le sud, la forêt était toute bruissante de cette rumeur si particulière que fait une foule joyeuse. S'y mêlaient des aboiements de chiens, des appels de trompe et de lointains roulements de voitures.

— Comment se passe une chasse impériale ? demanda Marianne en s'installant auprès de son amie et en arrangeant autour de ses jambes les plis de sa robe vert sombre, je n'en ai jamais vu et n'en ai donc aucune idée.

— Oh ! C'est assez simple à ceci près que toute la cour est censée y participer, alors qu'en fait l'Empereur chasse à peu près seul, à l'exception de son Premier Écuyer, le général de Nansouty, de M. d'Hannecourt qui commande la vénerie, d'un écuyer-veneur et de Roustan, son mameluk, qui le suit partout. Tant que Savary n'était pas chargé de la police, il y était aussi, mais depuis, force lui est de veiller de plus loin sur la personne de son maître. Quant au cérémonial, le voici : tout le monde, hommes et femmes, y compris Sa Majesté, part du château en voiture. On se rend à un point décidé d'avance où l'on sert un copieux déjeuner. Ensuite, tandis que sa cour paresse, digère ou rentre paisiblement, Napoléon se met en chasse. Voilà tout !

— J'ignorais qu'il fût un chasseur si ardent ! Il ne m'en a jamais parlé.

Fortunée se mit à rire :

— Ma chère enfant, notre Empereur est un homme qui s'entend comme personne à soigner son décor et sa mise en scène. Au fond, il n'a pas grand goût pour la chasse. Et d'autant moins qu'il n'est pas un fameux cavalier. Si on ne lui dressait pas ses chevaux avec un soin extraordinaire, il aurait certainement à son actif un nombre respectable de chutes. Mais pour ce qui est de la chasse, il pense qu'elle fait partie des obligations d'un souverain français. Tous les rois, qu'ils soient Capétiens, Valois ou Bourbons, ont été des veneurs impénitents. Il doit au moins cela à la mémoire de son « oncle Louis XVI » ! Allons, ne fais pas cette mine longue : tu as là ta meilleure chance de l'approcher à peu près sans témoins.

Pour faire plaisir à Fortunée, Marianne esquissa un pâle sourire, mais l'angoisse qui lui serrait le cœur était trop forte pour qu'elle pût trouver le moindre plaisir aux boutades de son amie. Des instants qui allaient venir dépendait la vie de Jason et, depuis trois jours qu'elle s'était installée dans la charmante maison de La Madeleine qui servait de thébaïde à la jolie créole, c'était une pensée qui ne l'avait quittée ni jour ni nuit.

A peine arrivée, en effet, Mme Hamelin s'était précipitée au palais de Fontainebleau pour y voir Duroc et, par lui, obtenir audience de l'Empereur. Le duc de Frioul toujours serviable, avait transmis la demande à son maître, mais Napoléon avait fait savoir qu'il ne souhaitait pas voir Mme Hamelin et qu'il lui conseillait de profiter à loisir des charmes de sa propriété sans tenter de s'approcher pour le moment de sa personne. En apprenant la nouvelle, Marianne avait senti son cœur se serrer.

— Ma pauvre Fortunée ! Te voilà englobée dans ma disgrâce ! Napoléon ne veut pas te voir parce qu'il te sait mon amie.

— Il le sait si bien que c'est lui qui nous a jetées l'une vers l'autre, mais, en l'occurrence, je croirais plutôt que c'est mon amitié pour Joséphine qui le pousse à m'éloigner. On dit notre Majesté danubienne effroyablement jalouse de tout ce qui touche, ou a touché, de près ou de loin à notre chère Impératrice. Au surplus, je ne m'attendais guère à être reçue. Je m'y attendais même si peu que j'ai pris mes renseignements : après-demain, l'Empereur chasse en forêt. Tu t'arrangeras pour te trouver sur son chemin à un moment ou à un autre. Il sera probablement furieux sur l'instant, mais je serais fort étonnée qu'il ne t'écoutât point.

— Il faudra qu'il m'écoute ! Même si je dois me jeter sous les pieds de son cheval.

— Ce serait une grande folie ! Il est tellement maladroit qu'il serait capable de t'abîmer... et ta beauté, ma chère, demeure toujours ta meilleure arme.

L'expédition forestière avait donc été décidée. Marianne avait compté les heures et les minutes qui l'en séparaient, mais maintenant que le moment fatidique approchait, l'excitation du combat qu'elle sentait venir se mêlait en elle à une vague crainte. Elle savait, par expérience, combien les colères de Napoléon étaient redoutables. S'il allait l'empêcher de parler, la rejeter loin de lui sans vouloir même l'entendre ?

Fortunée, qui avait tiré de la poche de son amazone un morceau de chocolat, en tendit un bout à Marianne :

— Prends ! Tu as besoin de forces et il fait plutôt frais dans ces bois. Le déjeuner ne devrait pas s'éterniser.

Un vent léger mais aigre s'était, en effet, levé, balayant les feuilles sur les côtés de la Route Ronde qui, depuis Louis XIV, ceinturait Fontainebleau et une large zone de forêt pour la commodité des voitures de chasse. Dans le ciel gris pâle, à peine teinté de bleu, les nuages couraient à la poursuite d'un vol noir d'hirondelles en route vers les terres du soleil. En regardant les oiseaux fuir, si libres et si rapides, Marianne sentit sa gorge se serrer en évoquant Jason, cet oiseau de mer qu'une cage ignoble retenait en attendant que le poing stupide d'une justice esclave vînt l'écraser sans lui permettre de revoir, même un seul jour, l'immense et pur océan...

L'appel d'une trompe dans les profondeurs de la forêt vint l'arracher à sa triste méditation. Elle savait la chasse depuis trop longtemps pour ne pas reconnaître le départ des chasseurs et, vivement, elle se leva, défroissant d'un geste machinal la jupe de son amazone.

— En selle ! s'écria-t-elle. Ils partent !

— Un instant ! fit Fortunée avec un geste apaisant. Il faut d'abord savoir de quel côté ils se dirigent.

Immobiles, les deux femmes écoutèrent un moment, cherchant à démêler l'écho des aboiements et des sonneries des trompes. Puis Mme Hamelin gratifia son amie d'un sourire triomphant :

— Magnifique ! Nous allons pouvoir leur couper la route. Ils remontent vers la Haute Borne ! En avant ! Je te montre le chemin, ensuite tu iras seule. Je resterai un peu en arrière... puisque Sa Majesté ne veut pas me voir ! En avant !...

D'un même élan les deux jeunes femmes s'enlevèrent en selle puis, excitant leurs montures d'un coup de cravache, partirent au galop à travers la forêt, se guidant sur les appels de trompe. Elles suivirent d'abord un layon qui trouait les fourrés, se courbant sur l'encolure des chevaux pour éviter d'être giflées par les branches basses. Le parcours, semé de rochers, escaladant des buttes pour redescendre dans des fonds tapissés de bruyères et de hautes fougères fanées, était difficile mais toutes deux, surtout Marianne, étaient d'excellentes cavalières et elles savaient, sans rien perdre de leur vitesse, éviter les obstacles. En temps normal, Marianne eût pris un plaisir violent à cette chevauchée rapide à travers l'une des plus belles forêts d'Europe, mais l'enjeu en était trop grave et trop lourd de conséquences tragiques. Courant ainsi après la vie de Jason Beaufort, elle savait parfaitement qu'elle courait aussi après sa propre vie.

On galopa longtemps. La bête de chasse semblait prendre plaisir à changer ses voies et il s'écoula près d'une heure avant qu'à travers les branches dépouillées n'apparût la tache fulgurante et blanche de la meute lancée ventre à terre. Les chiens donnaient de la voix sans pour autant ralentir leur course. Depuis longtemps, les sonneries des veneurs avaient appris à Marianne que la bête était un sanglier et, dans l'état d'extrême sensibilité où se trouvaient ses nerfs, elle s'en était réjouie n'ayant jamais trouvé le moindre plaisir à traquer le cerf, le daim ou le chevreuil dont la beauté et la grâce l'émouvaient toujours.

La voix de Fortunée qui retenait maintenant son cheval lui parvint dans le vent :

— Va seule, maintenant... Ils sont là.

En effet, Marianne pouvait distinguer le sanglier, énorme et noir boulet hirsute lancé à travers bois, la meute le talonnant de près, puis les chevaux gris de deux piqueurs en vestes rouges qui sonnaient de la trompe à s'arracher la gorge... L'Empereur ne devait pas être loin. D'un cri et d'un coup de talon, elle précipita l'allure de son cheval, fonça à travers une futaie, sauta un gros arbre abattu et un fourré... et arriva comme une bombe droit sur Napoléon lui-même en plein galop.

Pour éviter la collision, les deux montures, avec un bel ensemble, se cabrèrent brutalement mais, tandis que Marianne, parfaitement maîtresse de son cheval, demeurait en selle, l'empereur des Français, pris par surprise, vida les étriers et se retrouva assis dans la mousse.

— Mille tonnerres ! hurla-t-il. Quel est l'imbécile...

Mais déjà Marianne était à terre et tombait à genoux auprès de lui, épouvantée de ce qu'elle avait fait.

— C'est moi, Sire... ce n'est que moi ! Oh ! par pitié, pardonnez-moi ! Je ne voulais pas... mon Dieu, vous n'avez rien ?

Napoléon lui décocha un regard furibond et vivement se releva, arrachant des mains de Marianne son chapeau qui était tombé dans la chute et qu'elle venait de ramasser.

— Je croyais vous avoir exilée, madame ! gronda-t-il d'une voix si froide que la jeune femme sentit un frisson courir le long de son dos. Que faites-vous ici ?

Sans même songer à se relever, elle lui adressa un regard implorant :

— Il fallait que je vous voie, Sire, que je vous parle... à n'importe quel prix !...

— Même au prix de mon dos ! ricana-t-il. (Puis il ajouta avec impatience :) Mais relevez-vous donc ! Nous sommes ridicules ainsi et vous voyez bien que l'on vient...

En effet, trois hommes, que l'Empereur avait dû distancer, arrivaient en trombe. Le premier portait le fastueux uniforme de général des hussards, le second l'habit vert de la vénerie impériale et le troisième, le seul que Marianne connût, était Roustan, le mameluk. En une seconde le général fut à terre.

— Sire, s'enquit-il avec inquiétude, vous est-il arrivé quelque chose ?

Mais ce fut Marianne qui répondit avec un sourire insouciant :

— C'est à moi, général, qu'il est arrivé quelque chose ! Mon cheval s'était emballé et je suis arrivée ici juste au moment où Sa Majesté y arrivait elle-même. Nos bêtes se sont cabrées et la mienne m'a jetée à terre. L'Empereur a eu la bonté de me porter secours... Je l'en remerciais.

A mesure qu'elle débitait son petit mensonge diplomatique, elle voyait se détendre la mâchoire crispée de Napoléon et s'adoucir le reflet glacé de son regard. D'un geste désinvolte, il secouait un pan de sa redingote grise où s'attachait une feuille morte.

— Ce n'est rien ! jeta-t-il. N'en parlons plus et rentrons ! Je suis las de cette chasse, d'ailleurs manquée ! Rappelez vos piqueurs et vos chiens, monsieur d'Hannecourt, nous regagnons le château. Quant à vous, madame, vous nous suivrez : j'ai à vous parler, mais vous entrerez par le jardin anglais. Roustan vous conduira...

— C'est que, Sire, je ne suis pas seule dans ce bois. Une amie...

L'œil gris-bleu de Napoléon se chargea d'un éclair qui, pour une fois, n'était pas féroce mais dénotait un léger amusement.

— Eh bien ! Récupérez votre amie, madame, et venez ! Il y a des gens dont on ne se débarrasse pas facilement, à ce que l'on dirait ! ajouta-t-il d'un ton railleur qui fit comprendre à Marianne qu'il n'ignorait pas l'identité de l'amie en question.

Vivement, elle s'inclina puis, galamment aidée par le général de Nansouty qui offrit sa main gantée pour qu'elle y posât le bout de sa botte, elle s'enleva en selle avec une aisance qui arracha un sourire discret à l'officier de hussards. Il s'y connaissait trop en cavaliers pour être dupe du mensonge courtisan de Marianne. Si quelqu'un était tombé, ce n'était sûrement pas cette irréprochable amazone... mais, sachant son monde, Nansouty se borna à ce sourire.

Il ne fallut à Marianne que quelques secondes pour retrouver Fortunée, quelques autres pour lui raconter ce qui venait de se passer et la chance inattendue, l'espoir nouveau qui en avaient résulté pour elle.

— S'il te reçoit, c'est le principal ! commenta Mme Hamelin. Tu vas passer, sans doute, un bien mauvais quart d'heure, mais l'important, est d'être entendue. Tu as une chance de gagner la partie.

Sans plus s'attarder, les deux femmes rendirent la main à leurs montures et s'élancèrent dans la direction prise par l'Empereur. A la première croisée des chemins elles trouvèrent Roustan qui les attendait, immobile statue équestre de sultan plantée sous un pin sylvestre. Après leur avoir fait signe de le suivre, il piqua des deux vers le château, non sans effectuer un léger détour destiné à éviter que les deux amazones se trouvassent mêlées aux gens de la cour.

Une demi-heure plus tard, par le jardin anglais, l'étang des Carpes et la cour de la Fontaine, Marianne entrait dans ce palais de Fontainebleau, dont elle avait désespéré de forcer l'entrée, n'ayant croisé que des serviteurs. Au rez-de-chaussée, Roustan, après avoir installé Fortunée dans un petit salon désert, ouvrit devant Marianne la porte d'une grande pièce donnant sur un jardin, s'inclina et, de la main, lui indiqua un fauteuil. Une fois de plus, elle se trouvait dans le cabinet de Napoléon. C'était le quatrième dont elle faisait ainsi connaissance, mais, malgré son décor Louis XVI et ses meubles Empire, la pièce, grâce à l'habituel désordre de papiers, de cartes, d'objets personnels et de portefeuilles en maroquin rouge, lui parut tout de suite familière. Comme aux Tuileries, à Saint-Cloud et à Trianon, il y avait la tabatière ouverte, la plume d'oie jetée n'importe où, la grande carte déployée et le chapeau posé sur une console. Cela la réconforta et, avec l'impression d'être un peu chez elle, tant la puissante personnalité de l'Empereur s'entendait à recréer partout son atmosphère, elle attendit avec plus de confiance ce qui allait venir.

Cela vint avec le cérémonial habituel : pas rapides sur les dalles de la galerie, porte claquée, traversée en trombe de la pièce, mains au dos, jusqu'à la grande table de travail, vif coup d'œil pour apprécier la révérence de cour et, finalement, entrée en matière sans nuances.

— Alors, madame ? Quelle raison impérieuse vous a poussée à enfreindre mes ordres et à venir m'importuner jusqu'ici ?

Le ton agressif, volontairement blessant, eût amené, chez une Marianne dans son état normal, une réaction du même ordre. Mais elle comprenait que, si elle voulait sauver Jason, il lui fallait fouler son orgueil aux pieds, se faire petite et humble, surtout en face d'un souverain qui, un moment auparavant, avait mordu la poussière à cause d'elle.

— Sire, reprocha-t-elle doucement, c'est la première fois que Votre Majesté me dit que je l'importune. A-t-elle donc oublié qu'elle a en moi une sujette fidèle et soumise ?

— Fidèle, je l'espère, mais soumise, en aucun cas ! Vous êtes un vrai trublion, madame, et si je n'y mettais bon ordre vous décimeriez ma grande armée tout entière. Quand on ne se bat pas en duel à cause de vous, on tue pour vous !...

— Ce n'est pas vrai ! s'écria Marianne emportée par une indignation plus forte que sa résolution d'humilité. Personne n'a jamais tué pour moi et ceux qui l'ont prétendu...

— Ne se sont pas tellement trompés car, en admettant même qu'aucun crime n'ait été commis en votre honneur, j'espère que vous n'oserez pas nier que, dans la même nuit, deux hommes se sont provoqués et que deux autres se sont battus pour vous.

— Pas deux autres, Sire : un autre, le même homme, était à l'origine des deux duels.

Du plat de la main, Napoléon frappa la table qui résonna.

— Ne coupez pas les cheveux en quatre, madame ! Je n'aime pas cela ! Une chose est certaine : mes gendarmes ont pris deux duellistes en flagrant délit chez vous. L'un a fui, l'autre n'a pas pu. Depuis quand êtes-vous la maîtresse de Fournier-Sarlovèze ?

— Je ne suis pas sa maîtresse, Sire, expliqua Marianne avec lassitude, je ne l'ai jamais été ! Et Votre Majesté le sait très bien puisqu'elle n'ignore pas les liens très forts qui l'attachent à Mme Hamelin, mon amie... Au surplus, je supplie l'Empereur d'abandonner cette malheureuse affaire. Ce n'est pas d'elle que je suis venue l'entretenir.

— Mais c'est de celle-là qu'il me plaît de parler car je veux en connaître le fin mot. En prison, le général Fournier a toujours refusé de s'expliquer là-dessus, s'en tenant à sa stupide version d'un assaut d'armes amical avec un camarade étranger. Comme si c'était vraisemblable, alors que Tchernytchev, chargé par le prince Kourakine d'une mission urgente auprès du Tzar, avait dû renoncer à se battre avec ce maudit Beaufort ! Ce n'était, certes, pas le moment de faire des armes !

Ainsi, les gendarmes qui avaient envahi son jardin, la nuit du duel, avaient reconnu l'attaché russe et le geste chevaleresque de Fournier avait été vain ? Elle hocha la tête.

— Votre Majesté sait donc qu'il s'agissait du comte Tchernytchev ?

Napoléon lui décocha un sourire moqueur que la jeune femme jugea aussitôt cruel et diabolique.

— Je m'en doutais... mais, en fait, madame, c'est vous qui venez de me l'apprendre !

— Sire ! s'insurgea Marianne. Plaider le faux pour savoir le vrai est indigne !

— C'est à moi, madame, de juger ce qui est indigne ou non ! Et je vous prie de baisser le ton si vous voulez que je vous écoute jusqu'au bout ! Maintenant, ajouta-t-il après un court silence qu'il employa à scruter le visage rougissant de la jeune femme, maintenant j'attends de vous le récit complet... et véridique, de ce qui s'est passé chez vous cette nuit-là ! Vous entendez ? Je veux la vérité, toute la vérité ! Et ne vous avisez pas de mentir car je vous connais trop pour ne pas le sentir immédiatement.

Le regard de Marianne s'effara devant la perspective qui s'ouvrait devant elle. Raconter ce qui s'était passé dans sa chambre ? Évoquer devant cet homme, qui avait été pour elle le plus passionné des amants, la scène dégradante que lui avait infligée Tchernytchev ? C'était une épreuve qui lui paraissait au-dessus de ses forces. Mais, déjà, Napoléon quittait sa table de travail et, en faisant le tour, venait s'y adosser, bras croisés, debout devant la jeune femme qu'il enveloppa d'un regard impérieux.

— Allons, madame, j'attends !...

Une idée soudaine traversa l'esprit de Marianne. Il voulait savoir « tout » ce qui s'était passé chez elle cette nuit-là ? Mais alors, c'était l'occasion rêvée, inespérée de lui raconter d'abord l'odieux chantage qui avait préludé à la machination dont Jason avait été la victime ! Dans ces conditions qu'importaient sa pudeur et son amour-propre... Courageusement, elle releva la tête, plantant son regard fier dans celui de Napoléon.

— Vous voulez tout savoir, Sire ? Je vais tout vous dire et, sur la mémoire de ma mère, je vous jure que ce sera la vérité entière.

Et Marianne parla. Avec peine d'abord, s'efforçant de trouver des mots qui fussent simples et convaincants. Puis, peu à peu, elle se prit à son propre drame. L'horreur de cette nuit de juillet s'empara d'elle de nouveau, précipitant les mots, leur conférant tout leur poids d'angoisse et de honte. Elle dit tout : le marchandage avec Francis Cranmere, ses fausses confidences, la peur qu'elle avait éprouvée pour la vie de Jason, puis l'intrusion du Russe, ivre au point d'être retourné à la sauvagerie la plus primitive, le viol et le supplice qu'il lui avait infligés, enfin l'intervention quasi miraculeuse de Fournier-Sarlovèze, le duel, l'arrivée des gendarmes et l'aide que le général avait apportée à son adversaire pour que sa fuite évitât un regrettable incident diplomatique. Pas une seule fois l'Empereur ne l'interrompit, mais, à mesure qu'elle parlait, elle voyait se crisper sa mâchoire et son regard gris-bleu prendre la teinte sinistre de l'acier.

Quand ce fut fini, à bout de forces, Marianne cacha son visage dans ses mains qui tremblaient.

— Vous savez tout, maintenant, Sire ! Et j'affirme qu'il n'est pas un seul mot de ce récit qui ne soit véridique ! J'ajoute, fit-elle très vite en laissant retomber ses mains, que la visite de lord Cranmere a marqué le début de ce drame pour lequel...

— Un moment ! Nous n'en sommes pas là ! coupa sèchement Napoléon. Vous avez juré que ceci était l'expression même de la vérité...

— Et je le jure encore, Sire !

— Inutile ! Si les choses se sont passées ainsi que vous l'avez dit, vous devez en porter la preuve sur vous : montrez-la-moi !

Marianne rougit brusquement jusqu'à la racine de ses cheveux noirs et son regard s'affola.

— Vous voulez dire... cette brûlure ? Mais, Sire, elle se trouve... sur ma hanche !

— Eh bien ? Déshabillez-vous !

— Ici ?...

— Pourquoi non ? Personne n'entrera ! Et ce ne sera pas la première fois, il me semble, que vous abandonnerez vos vêtements devant moi ? Le temps n'est pas si éloigné où vous y preniez même un certain plaisir.

Les larmes montèrent aux yeux de Marianne à l'entendre évoquer, si froidement et avec un ton sarcastique, des instants qui comptaient toujours parmi ses plus chers souvenirs mais qui, désormais, lui semblaient faire partie d'une autre vie.

— Sire, dit-elle faiblement, ce temps-là est plus éloigné que Votre Majesté ne l'imagine...

— Je ne partage pas cette manière de voir ! Et si vous voulez que je vous croie, madame, il faut m'apporter vos preuves. Sinon, vous pouvez partir : je ne vous retiens plus...

Lentement, Marianne se leva. Dans sa gorge, une boule allait et venait, lourde d'angoisse et de chagrin, insupportable... L'avait-il donc si peu aimée qu'il exigeât d'elle ce sacrifice de sa pudeur et de leurs amours passées ? Il avait raison quand il disait que, naguère encore, elle aimait offrir son corps à ses regards parce que alors ses regards étaient autant de caresses. Mais il la regardait maintenant aussi froidement qu'un marchand d'esclaves évaluant une pièce de cheptel humain. Et puis il y avait, à présent, un abîme entre la femme du Butard et de Trianon et celle qui, sur la planche d'une prison, s'était donnée si passionnément à l'homme qu'elle aimait et dont la vie dépendait peut-être de ce naufrage intime...

Détournant les yeux, elle commença à ouvrir le spencer de drap vert qui serrait son buste. Ses doigts tremblaient sur les brandebourgs de soie noire mais la courte veste tomba sur le tapis. La longue jupe d'amazone glissa sur ses hanches puis la chemise dont Marianne dégagea ses épaules. Voilant sa poitrine de ses deux bras croisés, elle tourna légèrement sa hanche blessée.

— Voyez, Sire, dit-elle d'une voix blanche.

Napoléon se pencha. Mais, quand il se redressa, son regard assombri s'enfonça dans celui de la jeune femme et le retint prisonnier durant un instant de silence.

— Faut-il que tu l'aimes ! murmura-t-il enfin.

— Sire !...

— Non ! Tais-toi ! C'est cela, vois-tu, que j'ai voulu savoir. Tu ne m'aimes plus, n'est-ce pas ?

Cette fois, ce fut elle qui chercha son regard.

— Si ! Je jure que je vous aime toujours. Mais... différemment !

— C'est bien ce que je disais. Tu m'aimes... bien !

— Mais vous-même, Sire ? Vos sentiments envers moi sont-ils demeurés les mêmes ? Et l'Impératrice n'est-elle pas... très chère à votre cœur ?

Il eut l'un de ses rares et si charmants sourires.

— Si ! Tu as raison ! Néanmoins... je crois qu'il me faudra de longues années avant de pouvoir te contempler sans émotion. Rhabille-toi !...

Tandis qu'avec des gestes, fébriles maintenant, elle remontait sa chemise, sa jupe et réendossait son spencer, Napoléon se mit à fourrager dans les papiers qui encombraient son bureau, cherchant quelque chose. Finalement, il sortit une grande feuille de papier, couverte d'une écriture fine et déjà revêtue du grand sceau impérial, et la tendit à Marianne :

— Tiens ! dit-il, c'est cela, n'est-ce pas, que tu es venue me demander au risque de nous rompre le cou à tous deux : la grâce de Jason Beaufort ? Tu vois que je ne t'avais pas attendue pour y penser. Elle est prête.

La joie frappa Marianne en plein cœur et fut presque aussi pénible qu'une douleur tant elle fut violente.

— Vous faites grâce, Sire ?... Mon Dieu ! Quelle joie vous me donnez !... Ainsi, le cauchemar est fini ? Il va être libre ?...

Napoléon fronça les sourcils et reprit l'acte de clémence. Brusquement, l'ami disparut et l'Empereur se montra de nouveau.

— Je n'ai pas dit cela, madame. J'ai fait grâce de la vie à votre pirate américain parce que je sais... sans d'ailleurs en avoir la preuve formelle... qu'il n'a pas tué Nicolas Mallerousse. Mais le fait de contrebande demeure, ainsi que ces fausses livres anglaises, d'autant plus que toutes les chancelleries en parlent, et je ne peux passer l'éponge sur d'aussi graves accusations. Beaufort ne montera donc pas à l'échafaud... mais il ira au bagne !

La flamme de bonheur baissa dans l'âme de Marianne jusqu'à n'être plus qu'une pâle lueur.

— Sire, murmura-t-elle, je peux vous affirmer que, de cela comme du crime, il est innocent.

— Votre parole est une faible défense contre des évidences accablantes.

— Si vous vouliez me laisser vous expliquer, vous dire comment, selon moi, les choses se sont passées, je suis certaine...

— Non, madame ! N'en demandez pas davantage ! Il est hors de mes moyens de vous l'accorder ! Contentez-vous que j'aie sauvé sa tête ! J'admets que le bagne ne soit pas un lieu de délices, tant s'en faut, mais on y vit... et parfois on en revient !

418

« Ou l'on s'en évade ! » pensa Marianne en évoquant soudain la silhouette désinvolte du curieux compagnon de cellule de Jason. Mais l'Empereur reprenait :

— Quant à vous, bien entendu, vous pouvez désormais rentrer chez vous tranquillement. Votre cousine vous y attend et aussi ce bizarre personnage dont vous avez fait une sorte d'oncle à la mode de Bretagne et que vous aviez expédié chez M. Fouché ! Je vous informe qu'il en est revenu ! Inutile, donc, de continuer à vous cacher... A ce propos, où donc étiez-vous passée depuis... que vous avez choisi de vivre en recluse à Bourbon-l'Archambault ?

Délivrée de sa plus lourde angoisse, Marianne se permit un sourire.

— Y a-t-il, Sire, quelque chose que vous ne sachiez pas ? dit-elle.

— Il y en a beaucoup trop !... surtout depuis que j'ai dû me séparer de M. le duc d'Otrante. Ainsi de vous. Quel refuge aviez-vous trouvé !

— Ce n'était pas un refuge, Sire, c'était une prison, affirma la jeune femme bien décidée à cacher, autant que faire se pourrait, le rôle joué par Crawfurd et sa femme, de même que celui de Talleyrand. La femme de Jason Beaufort, qui a trouvé refuge chez Sa Majesté la Reine d'Espagne, m'avait fait enlever et me retenait captive dans une grange située dans une île du domaine de Mortefontaine. Grâce à Dieu, j'ai pu lui échapper...

Subitement, Napoléon se mit en colère. Son poing s'abattit sur un guéridon qui émit, sous le choc, un craquement sinistre.

— Ce n'est pas la première fois que j'entends suggérer que la résidence de ma belle-sœur sert, à son insu, de repaire à toutes sortes de gens ! Elle est bonne au point d'en être sotte et il suffit de savoir la prendre pour qu'elle ouvre sa porte et sa bourse ! Mais, pour le coup, c'en est trop et je vais y mettre bon ordre ! Vous pouvez vous retirer, maintenant, madame la princesse, ajouta-t-il en tirant sa montre de son gousset et en y jetant un coup d'œil rapide. Je donne audience dans un instant à Mme de Montesquiou qui va être investie de la charge de gouvernante du roi de Rome... ou de la princesse de Venise. Allez rejoindre votre amie et attendez mes ordres, désormais. J'espère vous revoir très bientôt.

L'entrevue était terminée. Protocolairement, Marianne plongea, sous l'œil approbateur du maître, dans une révérence si profonde qu'elle était presque un agenouillement. Puis elle se dirigea vers la porte, à reculons comme le prescrivait l'étiquette, tandis que l'Empereur agitait une sonnette pour appeler Roustan.

Elle allait atteindre le seuil quand il l'arrêta sur place d'un geste vif.

— A propos ! Votre ami Crawfurd est, lui aussi, rentré au bercail ! On l'avait enfermé dans une ferme abandonnée du côté de Pontoise et on l'a relâché sans autre mal que l'obligation de rentrer chez lui à pied ! Un exercice plutôt pénible pour un goutteux.

Embarrassée, Marianne ne sut que dire sur le moment. Le visage de Napoléon était sévère, mais ses yeux riaient. Sur un nouveau geste qui, cette fois, la congédiait :

— Vous avez, apparemment, le talent de vous faire des amis fidèles, madame, même parmi ceux dont la fidélité n'est pas la principale vertu comme ce filou de « Taillerand ». Conservez-le ! Ce n'est pas une mince victoire non plus qu'avoir séduit ce vieux hibou de Crawfurd ! Avant votre arrivée il ne vivait que dans le culte de notre pauvre tante Marie-

Antoinette, mais vous lui avez rendu un instant le goût de la jeunesse et des aventures. Gardez ces amitiés-là, madame ! Elles nous seront peut-être utiles un jour.

— Je ferai de mon mieux, Sire !...

A nouveau un geste vers la porte, mais il était écrit que, ce jour-là, Napoléon n'en finirait pas facilement avec Marianne car il la retint encore :

— J'allais oublier ! Vous pourrez dire à cette envahissante personne qui se morfond dans le salon jaune que, depuis un mois, son cher Fournier a retrouvé, en Espagne, son commandement ! Ceci afin qu'elle ne soit pas trop tentée par un séjour hivernal à Anvers ! Enfin... et en ce qui concerne le comte Alexandre Tchernytchev, je saurai, lorsqu'il reviendra en France, lui faire entendre ce que je pense de lui ! Vous avez ma parole !... Je n'ai jamais toléré que l'on fasse du mal à ceux que j'aime ! Ce n'est pas avec vous que je vais commencer.

— Sire, balbutia Marianne émue jusqu'aux larmes par cette ultime et tellement inattendue preuve d'affection, comment vous dire...

— Ne cherchez pas ! Je vous salue, madame la princesse !

Cette fois, c'était fini. La porte, de nouveau, était close entre Napoléon et la princesse Sant'Anna, mais, au moins, Marianne emportait un grand sentiment de réconfort né, d'abord, de la certitude que Jason vivrait, ensuite de l'assurance d'avoir retrouvé, sinon l'amour dont elle n'aurait eu que faire désormais, du moins l'amitié de l'Empereur. Cela lui rendait une entière liberté d'action dont elle entendait bien profiter.

— Alors ? demanda anxieusement Fortunée Hamelin quand son amie la rejoignit dans le petit salon où elle se morfondait.

— La grâce de Jason était déjà toute prête ! L'Empereur le sait innocent de la mort de Black Fish, mais il y a toujours cette histoire de fausse monnaie. Il... ira au bagne !

La créole fronça les sourcils, réfléchit un instant puis haussa les épaules.

— Une épreuve cruelle mais dont on peut sortir vivant quand on est bâti comme lui ! Sais-tu où on l'envoie et pour combien de temps ?

Non, Marianne ne savait pas. Dans son désarroi, elle n'avait même pas pensé à s'informer de ces deux renseignements cependant élémentaires, tout au moins pour le premier. Car, pour le second, peu importait que Jason fût condamné à dix, vingt, trente ans ou à perpétuité, puisqu'elle était décidée à tout tenter pour le faire évader. Elle se contenta d'entraîner son amie, à la suite d'un valet subitement apparu pour les guider, dans la cour de la Fontaine où attendaient les chevaux.

— Sortons d'ici ! dit-elle seulement. Nous parlerons plus aisément chez toi... J'ai des choses à te dire.

Déjà, tandis que, dans le soir tombant, elle trottait aux côtés de son amie vers la Madeleine, Marianne voyait se dérouler dans son imagination les jours à venir. D'abord, regagner Paris au plus vite ! Elle avait hâte, maintenant, de rentrer chez elle depuis qu'elle avait appris que Jolival l'y attendait avec Adélaïde. C'était sur lui, et sur lui seul qu'elle comptait, sur son esprit inventif et sa profonde connaissance des choses et des gens pour bâtir le plan d'évasion qui libérerait Jason. Depuis qu'elle avait la certitude que son amant ne mourrait pas, elle voyait les choses peintes aux couleurs de rose d'un optimisme peut-être un peu excessif et que Fortunée, inquiète, s'appliqua à ralentir. Car Marianne semblait penser que tout serait aisé maintenant, ce qui était une attitude dangereuse.

— Il ne faut pas t'imaginer que l'évasion sera facile, Marianne, lui dit-elle doucement. Les gens que l'on mène au bagne sont solidement gardés. Pareille opération se prépare longuement, soigneusement si l'on veut mettre autant de chances que possible de son côté.

— Cet homme que j'ai vu à la Force, François Vidocq, s'est déjà enfui je ne sais combien de fois ! Ce ne doit pas être si compliqué !

— Il s'est enfui, en effet... mais n'a-t-il pas été repris chaque fois ? La seule chance qu'ait Beaufort, si tu parviens à l'arracher à ses gardiens, est de s'embarquer immédiatement, sur l'heure, pour son pays. En mer, les gendarmes ne courent guère... Il faut donc tout préparer, à commencer par un bateau.

— Ce sont là des détails que nous réglerons au dernier moment. Je soutiens que ce qu'a fait ce Vidocq, Jason peut le faire aussi.

— Marianne ! Marianne ! gronda la créole, tu raisonnes pour le moment comme une petite fille. Je t'accorde que le plus important est la vie sauve, mais prends garde qu'au bagne la moindre erreur peut être fatale et que le sort de ce Vidocq, un habitué des prisons qui doit y avoir nombre d'intelligences, ne sera pas le même que celui de Jason Beaufort ! Prends garde à ne pas commettre de maladresse.

Trop heureuse pour se laisser ainsi démonter, la jeune femme se contenta de hausser les épaules avec insouciance, persuadée que l'avenir s'ouvrait tout grand devant elle et devant son ami. Elle imaginait maintenant le bagne sous les couleurs d'une prison maritime où les détenus travaillent tout le jour en plein air et où, avec de l'argent, il est toujours possible d'obtenir des gardiens adoucissements et complaisances. Ce dernier point, l'argent, ne la troublait même pas : si son lointain mari lui avait coupé les vivres, elle possédait toujours des joyaux fabuleux dont elle se séparerait sans regret pour libérer son ami.

Néanmoins, quand, le lendemain soir, après les effusions des retrouvailles, elle entendit Arcadius lui tenir à peu près le même langage, elle commença à sentir l'inquiétude lui revenir. Arcadius montra une joie véritable de savoir Jason hors de danger immédiat, mais ne cacha pas à Marianne qu'une condamnation au bagne était presque aussi grave et pouvait signifier la mort à brève échéance.

— Le bagne est un enfer, Marianne, lui dit-il, et le chemin qui y mène un affreux calvaire ; la mort y trouve cent occasions de frapper : l'épuisement, la maladie, la haine des autres, les punitions, le travail dangereux. Commuer la peine de mort en condamnation au bagne est à peine une grâce et, si nous voulons tenter de monter une évasion, il faudra nous montrer d'une infinie prudence, d'une extrême patience, car un prisonnier de cette valeur sera gardé plus attentivement que les autres et un échec de notre part pourrait lui être fatal. Vous me laisserez prendre la tête des opérations...

Marianne avait constaté avec étonnement que ces quelques semaines de séparation avaient vieilli Jolival. Son visage toujours si joyeux s'était creusé, tandis que ses cheveux noirs montraient aux tempes quelques fils argentés. De son voyage à Aix, il avait rapporté une plus amère connaissance des hommes et une déception car, en opposition avec ce qu'il avait espéré, le duc d'Otrante avait catégoriquement, obstinément, refusé de se mêler en quoi que ce soit de l'affaire Beaufort. Il avait allégué, assez grossièrement, que, n'étant plus rien, les gens de l'entourage de l'Empereur n'avaient qu'à se débrouiller avec son successeur. Il avait même émis sur Marianne elle-même une opinion que Jolival se garda bien de lui faire entendre.

— Princesse ou pas, cette femme possède un visage et un corps dont on ne doit pas se lasser facilement. Tant qu'elle saura éveiller le désir de Napoléon, elle en tirera ce qu'elle voudra, même maintenant qu'il est en puissance d'épouse ! En me mêlant de cette histoire, je risquerais tout juste d'aggraver ma disgrâce.

Et Arcadius, désolé, avait repris, bredouille, le chemin de Paris pour y apprendre la disparition de Marianne. Durant des jours et des jours, avec l'aide de Talleyrand et d'Eleonora Crawfurd, il avait cherché à savoir ce qu'étaient devenus la jeune femme et son vieux compagnon. L'enquête les avait menés à la Force, mais pas au-delà. Les gens de la prison avaient vu le faux Normand et sa pseudo-fille s'éloigner paisiblement, bras dessus bras dessous, dans la rue des Ballets, tourner le coin de cette rue... puis ils avaient disparu aussi totalement que s'ils s'étaient soudain évanouis dans l'air. Tout ce que l'on avait retrouvé c'était, dans la Seine, le cadavre égorgé du cocher.

— Nous vous avons crue morte ! ajouta Adélaïde dont les yeux, encore rougis, portaient les traces de son angoisse. Comment ne pas imaginer que vous n'aviez pas reçu même traitement ? Et nous avons eu peur... si peur jusqu'au jour, qui se situe mardi dernier, où M. Crawfurd est enfin revenu chez lui et nous a appris votre enlèvement par une femme et des Espagnols masqués. Il savait, pour l'avoir entendu dire, que l'on ne vous tuerait pas... tout au moins pas tout de suite, que l'on attendrait l'issue du procès.

— La condamnation nous a rendus à moitié fous ! reprit Jolival. Pensant que, peut-être, cette Pilar avait osé vous emmener à Mortefontaine, je suis retourné là-bas, j'ai cherché... sans résultat. D'ailleurs, vous étiez déjà enfuie puisque tout cela est arrivé cette semaine.

Navrée de lire sur leurs visages les marques des transes par lesquelles ils étaient passés à cause d'elle, Marianne se reprocha de les avoir un peu laissés de côté. Bien sûr, en regagnant Paris, après sa fuite, elle aurait pu, elle aurait dû, au moins, faire prévenir Adélaïde, mais, quand elle avait appris que Jason était condamné, elle n'avait plus eu qu'une seule idée en tête : l'arracher à la mort. Tout le reste du monde s'était, d'un seul coup de gomme, effacé pour elle.

Elle mit pour s'expliquer et s'excuser tant de douceur et d'affection qu'ils ne la laissèrent pas aller bien loin sur ce chemin. Arcadius conclut l'affaire en peu de mots.

— Vous êtes là, vous êtes entière et nous avons la certitude que Beaufort ne montera pas à l'échafaud. C'est déjà ça ! Se plaindre du ciel, dans de telles circonstances, serait de la simple ingratitude ! Nous allons boire à votre retour, Marianne ! ajouta-t-il joyeusement en sonnant Jérémie pour qu'il apporte du champagne.

— Croyez-vous que nous puissions faire de ce jour une fête, fit observer Marianne, alors que, vous me l'avez dit vous-même, la mort guette toujours Jason ?

— Aussi n'est-ce pas une fête mais simplement un instant de répit avant de plonger tête la première dans de nouveaux ennuis. Autant vous le dire tout de suite : une nouvelle lettre est arrivée de Lucques ! Votre époux exige votre retour immédiat sous peine de porter sa plainte à l'Empereur et de réclamer de lui l'aide séculaire du suzerain au vassal pour vous faire ramener à Lucques !

Marianne se sentit pâlir. Elle ne s'était pas attendue à une aussi brutale mise en demeure et les récits d'Eleonora Crawfurd lui revenaient en mémoire, apportant à cet ultimatum une nuance singulièrement menaçante. De toute évidence le prince la prenait pour une aventurière et entendait lui faire payer sa déception, peut-être au prix du sang.

— Qu'il fasse ce qu'il veut, je n'irai pas ! L'Empereur lui-même ne pourra me contraindre. D'ailleurs, dans peu de temps sans doute, j'aurai quitté Paris.

— Encore ? gémit Mlle d'Asselnat. Mais, Marianne, où voulez-vous aller ? Moi qui pensais que nous allions enfin vivre en paix, ici... dans cette maison et au milieu de tout ce qui s'y rattache.

Pour sa cousine, Marianne eut un sourire affectueux, un regard apitoyé et un geste plein de tendresse. L'aventure qu'elle venait de vivre, et où elle avait dû laisser quelques lambeaux de son cœur, semblait avoir profondément affecté la vieille demoiselle. La belle vitalité qui ne l'avait pas quittée durant plus de quarante années d'épreuves et de lutte semblait éteinte, ou tout au moins en sommeil. Elle devait être immensément avide de silence, de tranquillité et le regard qu'elle posait sur les meubles et les objets raffinés qui composaient ce salon élégant se teintait d'avidité pour se charger d'un appel au secours lorsqu'il atteignait, au-dessus de la cheminée, le grand portrait du marquis d'Asselnat.

— Vous ne me suivrez pas, Adélaïde. Vous avez besoin de repos, de calme et cette maison a besoin d'une maîtresse un peu plus sédentaire que je ne suis. Je vais partir, en effet, une fois de plus, et vous

vous en doutez. Le bagne n'est pas à Paris et je veux, désormais, suivre Jason pas à pas. Au fait, ajouta-t-elle en se tournant vers Arcadius, sait-on où il sera conduit ?

— Brest, très certainement !

— C'est une bonne nouvelle. Je connais bien la ville. C'est là que j'ai vécu quelques semaines avec le pauvre Nicolas Mallerousse, dans sa petite maison de Recouvrance. Si, durant le voyage, je ne parviens pas à le faire évader, je pense que j'aurai plus de facilité à Brest qu'à Toulon ou à Rochefort où je n'ai jamais mis les pieds.

— Nous aurons plus de facilité, rectifia Jolival en appuyant intentionnellement sur le « nous ». Je vous ai déjà demandé de me donner la direction des opérations.

— Vous allez donc me laisser seule ? gémit Adélaïde d'une voix de fillette grondée. Mais que ferai-je de ces gens, les messagers du prince votre époux, s'il en envoie ici ? Que leur dirai-je ?

— Ce que vous voudrez ! Que je suis en voyage est la meilleure réponse. Au surplus, je vais écrire moi-même et alléguer que... disons pour le service de l'Empereur, je dois me rendre en quelque lieu éloigné... mais qu'ensuite je ne manquerai pas de me rendre à... l'invitation de mon époux, fit Marianne, pensant tout haut et composant à mesure sa lettre prochaine.

— C'est insensé ! Vous avez dit, tout à l'heure, que vous ne vouliez pas retourner à Lucques.

— Et je n'y retournerai pas non plus ! Comprenez-moi, Adélaïde, ce que je veux, c'est gagner du temps... le temps d'arracher Jason aux gardes-chiourme. Ensuite, je partirai, je le suivrai dans son pays, pour y vivre auprès de lui, dans son ombre, dans une cabane s'il le faut et dans la misère, mais je ne veux plus jamais, jamais, en être séparée !

Brusquement, Jolival intervint. Ses petits yeux noirs plongèrent dans le regard dilaté de Marianne.

— Vous nous abandonneriez donc ? demanda-t-il doucement.

— Aucunement. Vous aurez le choix : demeurer ici, dans cette maison que je vous donnerai... ou me suivre là-bas, avec tout ce que cela comporte d'aléas.

— Avez-vous songé que Beaufort est toujours marié à cette harpie ? Que ferez-vous d'elle ?

— Arcadius, répondit Marianne avec une soudaine gravité, quand cette femme osait me réduire à l'état de simple tabouret et, surtout, quand je l'ai entendue me dire sa froide et impitoyable résolution d'envoyer son mari à l'échafaud, j'ai juré qu'un jour elle me le paierait. Si elle ose revenir vers Jason, je n'aurai aucun scrupule à la faire disparaître. Rien ! ajouta-t-elle passionnément. Je ne reculerai plus devant rien pour l'avoir à moi seule et le garder ! Pas même devant un crime qui ne serait, après tout, qu'une exécution. J'ai provoqué en duel l'homme qui m'avait avilie, j'ai tué la femme qui m'avait insultée... Je ne laisserai pas une épouse criminelle détruire l'unique amour de ma vie !

— Vous êtes devenue une femme terrible, Marianne ! s'écria Mlle d'Asselnat avec un effroi qui n'était pas dépourvu d'admiration.

— Je suis votre cousine, ma chère ! Avez-vous oublié que nous avons fait connaissance une nuit où vous vouliez mettre le feu à cette maison pour la punir d'appartenir à une créature que vous jugiez indigne ?

L'entrée de Jérémie, portant des flambeaux allumés, interrompit la conversation. Emportés par l'ardeur de leur discussion, les trois personnages ne s'étaient pas aperçus que la nuit tombait rapidement.

Les ombres avaient envahi les coins éloignés du salon, se faisant plus noires sous les rideaux, les tentures et dans les hauteurs du plafond. Seul, le feu qui flambait dans la cheminée éclairait encore.

Silencieusement, ils laissèrent le majordome disposer les bouquets de bougies qui habillèrent toutes choses d'une chaude lumière dorée. Quand il eut effectué sa sortie après avoir annoncé d'un ton lugubre que le souper serait servi dans un instant, Adélaïde, pelotonnée au fond d'une bergère, un grand châle de laine blanche sur les épaules, tendit vers le feu ses mains maigres et, un moment, contempla les flammes dansantes. Enfermés dans leurs pensées respectives, Marianne et Arcadius, l'une assise sur un coussin devant le feu, l'autre accoudé à la cheminée, gardèrent un moment le silence, comme s'ils attendaient, des bruits familiers de la maison, une réponse à toutes ces questions qu'ils se posaient sans oser les formuler pour ne pas influencer, si peu que ce fût, les décisions d'avenir des autres.

Finalement, Adélaïde leva les yeux vers Jolival et frotta doucement ses mains l'une contre l'autre.

— On dit que l'Amérique est un pays magnifique, dit-elle tranquillement tandis que revenait dans ses yeux gris un peu de la petite flamme ardente d'autrefois. On dit aussi que, dans ces terres du Sud, il ne fait jamais froid ! Il me semble que j'aimerais n'avoir plus jamais froid. Et vous, Jolival ?

— Moi aussi, répondit gravement le vicomte, je crois que j'aimerais...

La porte s'ouvrit à double battant.

— Son Altesse Sérénissime est servie ! clama Jérémie du seuil.

Gentiment, Marianne glissa un bras sous celui de

Jolival, l'autre sous celui d'Adélaïde et partagea entre eux un sourire plein de reconnaissance :

— Je suis, en effet, servie bien au-delà de ce que je mérite, conclut-elle.

LES FORÇATS

13

LA ROUTE DE BREST

L'aube était grise et sale, une aube pluvieuse de novembre, transpercée d'un crachin glacial qui pénétrait tout et qui, depuis plusieurs jours déjà, noyait Paris. Dans la brume jaunâtre du petit matin, le vieil hospice de Bicêtre, avec ses grands toits, son haut portail et ses bâtiments bien équilibrés, retrouvait le fantôme de son ancienne élégance. Le brouillard masquait les lézardes des murs, les pignons écornés, les fenêtres aux vitres brisées ou sans vitres du tout, les coulées noires qui marbraient les pierres tombant des gouttières éventrées par le gel, toute cette lèpre d'un édifice, autrefois royal et destiné à la plus haute charité, désormais voué aux plus basses œuvres de la Justice depuis qu'en 1796 on y avait transféré, venant de la Tournelle, le Dépôt des galériens. C'était là le dernier relais des réprouvés, l'antichambre ultime de l'enfer, que ce soit celui de la Conciergerie qui menait à l'échafaud, ou celui du bagne qui menait à une mort moins sûre mais plus sordide parce que la dignité de l'homme s'y perdait autant que la vie.

Ordinairement, le sinistre hôtel, abandonné sur sa colline au milieu de terrains vagues, ne connaissait guère que le silence et la solitude, mais, ce jour-là, malgré l'heure matinale, une foule houleuse et bruyante battait les murs lépreux, grosse d'une joie immonde et d'une curiosité malsaine, la foule toujours semblable qui se retrouvait là, quatre fois l'an, pour assister au départ de la « Chaîne ». C'était la même tourbe humaine qui, prévenue par on ne sait quels signes mystérieux, se pressait toujours autour de l'échafaud, les jours d'exécutions, même les plus discrètes, une assemblée de connaisseurs, venus là comme à un spectacle de choix, et qui ne cachait pas son plaisir. Elle battait les portes closes de l'hospice comme, au théâtre, les spectateurs impatients tapent des pieds pour que l'on commence. Cette foule affreuse, Marianne la regardait avec horreur.

Enveloppée de la tête aux talons dans une grande mante noire à capuchon, elle se tenait auprès du mur croulant d'une masure, dont les vestiges s'élevaient encore au bord du chemin, les pieds dans la boue, le visage mouillé, son vêtement déjà lourd de pluie. A côté d'elle, Arcadius de Jolival, la figure sombre et les bras croisés sur sa poitrine, attendait, lui aussi, mâchant sa moustache.

Il aurait voulu éviter à Marianne le spectacle tragique qui se préparait et, jusqu'à la dernière minute, il avait tenté de l'en dissuader. Vainement. Obstinée dans son pèlerinage d'amour, la jeune femme voulait suivre, pas à pas, le calvaire de l'homme qu'elle aimait, répétant sans cesse qu'une occasion pouvait se présenter au long de la route et qu'il ne fallait pas la laisser passer.

— Tant que la chaîne est en route, avait expliqué inlassablement Arcadius, les chances d'évasion sont nulles. Ils sont enchaînés tous ensemble, par fournées de vingt-quatre, et ils sont fouillés à la première étape afin de s'assurer qu'au départ personne n'a pu leur faire passer un moyen de briser leur chaîne.

Ensuite, la surveillance est des plus étroites et, si un homme tente de s'échapper contre toute logique, il est abattu sur place.

Durant les longs jours qui avaient précédé ce départ, Arcadius s'était renseigné, avec un soin minutieux, sur tout ce qui touchait au bagne, la vie que l'on y menait, les coutumes et les modalités du voyage par lequel on y arrivait. Déguisé en truand, il avait fréquenté les pires bouges de la Cité et de la barrière du Combat, payant à boire souvent, parlant peu et écoutant beaucoup. Et, comme il en avait déjà averti Marianne, il avait acquis la certitude qu'une évasion devait se préparer avec un soin extrême et dans ses plus petits détails. Il n'avait d'ailleurs pas caché à sa jeune amie qu'il redoutait beaucoup son émotivité en face des brutales réalités qui attendaient Jason et, un instant, il avait espéré lui en cacher la plus grande partie, lui conseillant d'aller l'attendre à Brest pour commencer d'y prendre certaines mesures, tandis que lui-même suivrait la chaîne tout au long de son parcours. Mais Marianne n'avait rien voulu entendre : dès l'instant où Jason aurait quitté Bicêtre, elle voulait le suivre pas à pas... Rien ne pouvait l'en faire démordre !

Avec humeur, Jolival embrassa du regard le paysage désolé où les cheminées des rares maisons commençaient à fumer. A l'écart de la foule, quelques silhouettes sombres, groupées par deux ou trois ou isolées, se tenaient au bord du chemin, avec l'attitude craintive et misérable de ceux qui souffrent : des parents, des amis, des femmes de ceux qu'on allait emmener. Certains pleuraient, d'autres, comme Marianne elle-même, le visage tendu vers l'hospice, les yeux grands ouverts, les traits figés par le gel des larmes qui ne peuvent plus couler, attendaient...

Soudain, la foule hurla. Avec un grincement énorme, les grandes portes s'ouvraient... Des gendarmes à cheval parurent, le dos rond sous l'averse qui mettait des rigoles aux pointes de leurs bicornes, repoussant du poitrail de leurs chevaux et du fourreau de leurs sabres la foule qui, déjà, se ruait. Marianne eut un frémissement de tout son être, fit un pas en avant... Vivement, Jolival saisit son bras, le retint fermement.

— Restez là ! fit-il avec une involontaire dureté. N'approchez pas !... Ils vont passer devant vous.

En effet, saluée par l'explosion d'une joie féroce, par des cris, des insultes, des quolibets, la première charrette apparut... C'était un long véhicule, porté par deux énormes roues ferrées et partagé sur toute sa longueur par une double banquette de bois sur laquelle les prisonniers étaient assis dos à dos, douze d'un côté, douze de l'autre, les jambes pendantes, retenus à hauteur de l'estomac par une grossière ridelle. Tous ces hommes étaient enchaînés par le cou. Ils portaient un carcan de fer triangulaire riveté à la masse et qui, au moyen d'une chaîne trop courte pour qu'ils pussent sauter à terre en marche, les reliait chacun à la grosse et longue chaîne, courant tout le long de la banquette et dont un argousin debout, le fusil à la main, tenait le bout sous son pied.

Il y avait cinq chariots comme celui-là. Aucune protection, pas même la plus grossière bâche, ne défendait les prisonniers contre la pluie qui, déjà, collait leurs habits. Pour le voyage, on leur avait ôté l'uniforme de la prison, un sarrau de toile mi-partie gris et noir, et rendu leurs propres habits, mais lacérés de telle sorte que, en cas de fuite, quiconque rencontrant l'un de ces hommes sût qu'il avait affaire à un forçat. Les habits n'avaient plus de col, les bas des manches étaient découpés en lanières et les chapeaux, pour ceux qui en avaient, étaient privés de bord.

Le cœur serré, Marianne vit défiler devant elle des visages blêmes, mangés de barbe, des yeux pleins de haine, des bouches qui criaient des injures ou chantaient des chansons obscènes. Tous ces hommes enchaînés avaient l'air d'autant de loups parvenus au plus extrême degré de misère. Ils grelottaient sous la pluie glacée. Certains, très jeunes, retenaient des larmes qui coulaient, soudain, quand de cette brume grisâtre ils voyaient surgir le visage douloureux de l'un des leurs.

Dans la première charrette, elle reconnut, drapé dans une indifférence méprisante qui, auprès des blasphèmes et des gémissements des autres, avait quelque chose de superbe, le forçat François Vidocq. Il posait sur la foule excitée un regard tellement dédaigneux qu'il en paraissait vide, mais qui, apercevant la pâle figure de Marianne, s'anima d'un seul coup. Elle vit un bref sourire jouer sur la bouche mal rasée tandis que, d'un signe de tête, Vidocq lui désignait la charrette suivante. Au même instant, Jolival serra son bras qu'il n'avait pas lâché :

— Le voilà ! souffla-t-il. Le quatrième en partant des chevaux.

Mais Marianne avait déjà vu Jason. Assis parmi les autres, il se tenait très droit, les yeux mi-clos, les lèvres serrées en un pli farouche. Silencieux, les bras croisés sur sa poitrine, il paraissait insensible à tout ce qui se passait autour de lui. Son attitude était celle d'un homme qui refuse de voir et d'entendre et qui se renferme en lui-même pour mieux conserver ses forces vives et son énergie. Son habit au col déchiré et les lambeaux de sa fine chemise de batiste couvraient mal ses larges épaules et, par de nombreux accrocs, montraient sa peau brune, mais il ne paraissait sentir ni le froid ni la pluie. Au milieu de cette meute hurlante où les poings se tendaient en geste d'impuissante menace, où les bouches se tordaient en invectives furibondes, il semblait aussi absent qu'une statue de pierre. Et Marianne, dont la bouche s'ouvrait déjà pour crier son nom, se tut quand il passa devant elle sans la voir mêlée à cette foule.

Pourtant, elle ne put retenir un cri d'horreur. Las du vacarme que menaient les condamnés, les argousins avaient tiré les fouets, des chambrières à longues mèches, et en cinglaient indifféremment les épaules, les dos soudain arrondis et les têtes que l'on tentait de protéger sous les bras repliés. Les cris se turent, la charrette s'éloigna.

— Bande de salopards !... Sont contents d'pouvoir cogner sur un gars comme lui ! gronda derrière Marianne une voix furieuse qu'elle connaissait bien.

En se retournant, elle vit que c'était Gracchus. Le jeune cocher avait dû abandonner sa voiture sur la place du village de Gentilly où Marianne et Arcadius l'avaient laissé, pour voir, lui aussi, passer les forçats. Il se tenait là, tête nue sous la pluie, les poings serrés, de grosses larmes roulant sur ses joues, mêlées à l'eau du ciel tandis que, du regard, il suivait la charrette et Jason qui s'éloignaient. Quand elle eut disparu dans la brume, tandis que les autres s'éloignaient à leur tour et que passait, dans un grand bruit de ferraille, la carriole transportant les chaudrons de cuisine et les chaînes de rechange, Gracchus regarda sa maîtresse qui pleurait contre l'épaule de Jolival.

— On ne va pas le laisser là-dedans ? grommela-t-il entre ses dents serrées.

— Tu sais très bien que non, répondit Jolival, et que non seulement nous le suivons, mais nous allons tout faire pour le délivrer.

440

— Alors, qu'est-ce qu'on attend ? Sauf votre respect, mademoiselle Marianne, c'est pas en pleurant que vous f'rez fondre ses chaînes. Y'a mieux à faire ! C'est quoi la première étape ?

— Saint-Cyr ! fit Arcadius. C'est là qu'a lieu la dernière fouille.

— On y sera avant eux ! Allons-y !

La voiture, une berline de voyage discrète, dépourvue de toute marque extérieure de luxe et attelée de vigoureux postiers, attendait, lanternes allumées, sous les arbres près du pont de la Bièvre. Avec le jour, les tanneries qui bordaient la rivière, entretenant une puanteur puissante dans ce site, joli cependant, que dominait la tour carrée de l'église, commencèrent à s'éveiller. Silencieusement, Marianne et Jolival prirent leurs places tandis que Gracchus, d'un vigoureux coup de reins, escaladait son siège. Sur un claquement de langue, le fouet décrivit dans l'air un gracieux paraphe qui vint frôler les oreilles des chevaux et, avec un grincement d'essieux, la voiture s'ébranla. Le long voyage vers Brest était commencé.

La joue appuyée contre le drap rugueux du capitonnage, Marianne laissait couler ses larmes. Elle pleurait sans bruit, sans sanglots, et cela lui faisait du bien. C'était comme si ses yeux se lavaient des images affreuses qu'ils venaient d'emmagasiner. Au fur et à mesure, s'installaient plus fermement, dans l'âme de la jeune femme, le courage et la volonté de réussir. Assis auprès d'elle, Arcadius le comprenait si bien qu'il se garda de tenter d'endiguer le flot bienfaisant et d'offrir la moindre consolation. Qu'aurait-il pu dire d'ailleurs ? Il fallait que Jason endurât ce calvaire qu'était le voyage vers le bagne, mais aussi vers la mer où il puisait toujours le meilleur de ses forces.

C'était exempte de regrets que Marianne quittait Paris sans esprit de retour, ou tout au moins sans autre regret que celui des rares amis qu'elle y laissait : Talleyrand, les Crawfurd et surtout la chère Fortunée Hamelin. Mais la belle créole avait refusé l'émotion. Encore que ses yeux fussent pleins de larmes quand elle avait embrassé une dernière fois son amie, elle s'était écriée avec son enthousiasme communicatif de fille du soleil :

— Ce n'est qu'un au revoir, Marianne ! Quand tu seras devenue américaine, j'irai là-bas, moi aussi, voir si les hommes y sont aussi beaux qu'on le prétend. A en juger d'après ton corsaire, ce doit être vrai !...

Talleyrand s'était borné à lui affirmer, calmement, qu'ils ne pouvaient pas ne pas se retrouver un jour, quelque part dans le vaste monde. Eleonora Crawfurd avait approuvé Marianne de songer à mettre un océan entre elle et son inquiétant mari. Enfin, Adélaïde, installée désormais dans l'hôtel familial en dame-maîtresse, s'était bornée à des adieux empreints de la plus grande philosophie. Pour sa part personnelle, aucun des événements à venir ne pouvait être inquiétant : si Marianne ne parvenait pas à faire évader Jason du bagne, elle reviendrait fatalement reprendre sa place à la maison et si, l'évasion réalisée, elle gagnait avec Jason l'État de Caroline, Adélaïde n'aurait plus qu'à faire ses paquets, à mettre la clef sous la porte et à s'embarquer par le premier bateau pour une existence dont la nouveauté et le parfum d'aventure la séduisaient à l'avance. Tout était donc pour le mieux dans le meilleur des mondes !

Avant de quitter Paris, d'ailleurs, Marianne avait reçu de son notaire une nouvelle singulièrement agréable dans la conjoncture actuelle : le pauvre

Nicolas Mallerousse l'avait instituée sa légataire universelle lors du séjour qu'elle avait fait chez lui, à Brest, après sa fuite du manoir de Morvan. La petite maison de Recouvrance et les quelques biens qui s'y rattachaient étaient désormais sa propriété personnelle « en souvenir, avait écrit Nicolas sur son testament, de ces jours où, grâce à elle, il avait eu l'illusion d'avoir de nouveau une fille... ».

Ce legs avait touché Marianne au plus sensible. C'était comme si, par-delà la mort, son vieil ami lui faisait signe et l'assurait de sa tendresse. Elle voyait là, en outre, le doigt de la Providence et une sorte d'accord tacite de sa part. Quelle chose, en effet, pouvait lui être plus utile, dans les jours qui allaient venir, que la petite maison sur la colline d'où l'on découvrait, d'un côté la mer infinie et de l'autre les bâtiments de l'Arsenal avec, au milieu d'eux, le bagne ?

Tout cela berçait la rêverie de la jeune femme tandis que les chevaux trottaient sans effort vers le relais suivant. Le temps était toujours aussi gris mais la pluie avait cessé. Elle était malheureusement remplacée par un vent aigre qui devait être pénible à ceux qui l'affrontaient à découvert dans des vêtements mouillés. Cent fois, tandis que l'on roulait, Marianne se retourna pour voir si la chaîne n'apparaissait pas, mais, bien entendu, toujours en vain. Même au simple trot, une berline allait tout de même plus vite que les sinistres charrettes.

Comme l'avait prévu Jolival, on arriva à Saint-Cyr bien plus tôt que le cortège, ce qui permit au vicomte de retenir pour Marianne et pour lui-même des chambres dans une auberge modeste mais convenable. Encore dut-il bagarrer avec sa compagne dont le premier soin avait été de s'enquérir de l'endroit où s'arrêtaient les galériens. On lui avait indiqué une vaste grange en dehors du bourg et Marianne refusait énergiquement l'auberge, alléguant qu'elle pouvait très bien dormir dans la voiture ou même en plein champ. Pour le coup, Arcadius s'était fâché :

— Que cherchez-vous au juste ? A prendre froid ? Tomber malade ? Cela nous simplifierait tellement les choses d'être obligés de rester huit jours dans un endroit quelconque pour vous soigner !

— Même si je grelottais de fièvre, il n'en serait pas question ! Mourante, à toute extrémité, j'irais quand même avec lui, à pied s'il le fallait !

— Cela vous ferait une belle jambe, si j'ose dire ! grogna Jolival furieux. Bon sang, Marianne, cessez de jouer les héroïnes de roman ! Que vous attrapiez la mort sur cette damnée route n'aiderait en rien Jason Beaufort, bien au contraire ! Et si vous cherchez uniquement à vous mortifier pour faire, avec lui, assaut de souffrances, alors, ma chère, le mieux serait encore de vous enfermer dans le plus inexorable couvent que nous trouverons : vous y jeûnerez, y dormirez sur la pierre et vous y ferez donner la discipline trois fois par jour si cela vous chante ! Mais, au moins, vous ne serez pas une entrave quand une possibilité d'évasion se présentera !

— Arcadius ! s'écria Marianne choquée. Comme vous me parlez !

— Je vous parle comme je dois le faire ! Et, si vous tenez à le savoir, je trouve idiot que vous vous obstiniez à suivre vous-même la chaîne !

— Je vous ai déjà répété cent fois que je ne veux pas me séparer de lui. S'il lui arrivait quelque chose...

— Je serais là pour m'en apercevoir ! Vous nous auriez été cent fois plus utile en courant la poste jusqu'à Brest, en vous installant dans votre héritage, en y établissant un peu vos habitudes et en commençant à prendre langue avec les gens du pays ! Avez-vous oublié qu'il nous faut de l'aide, un bateau avec un équipage capable de traverser un océan ? Mais non ! Vous préférez, telles les saintes femmes sur le chemin du Calvaire, vous traîner à la suite des condamnés, dans l'espoir de jouer les « Madeleine », ou encore d'essuyer, de votre voile, telle sainte Véronique, la face douloureuse de votre ami ! Mais sacrebleu, s'il y avait eu la moindre chance de sauver Jésus, je vous affirme que les saintes femmes n'auraient pas été perdre leur temps dans les vieilles ruelles de Jérusalem ! Vous tenez vraiment à ce que l'Empereur apprenne rapidement que la princesse Sant'Anna lui désobéit une fois de plus et suit la chaîne de Brest ?

— Il n'en saura rien. Nous voyageons discrètement et je passe pour votre nièce.

C'était vrai. Pour plus de sûreté, Jolival avait fait, grâce à Talleyrand, délivrer un passeport à son nom comportant, à ses côtés, la présence de sa nièce Marie. Mais le vicomte haussa furieusement les épaules.

— Et votre figure ? Croyez-vous que personne ne la remarquera ? Mais, malheureuse, avant trois jours, les argousins d'escorte vous auront repérée ! Alors, je vous en supplie, pas de comportement spectaculaire, pas de gestes capables de vous faire remarquer : que vous le vouliez ou non, vous dormirez comme tout le monde dans une auberge !

Matée quoique mécontente, Marianne avait fini par céder, mais en précisant qu'elle ne gagnerait l'auberge qu'une fois les bagnards parvenus à leur triste destination. Il lui était impossible de renoncer à une seule occasion d'apercevoir Jason.

— On ne me remarquera même pas ! dit-elle. Il y a déjà tellement de monde qui attend.

Cela aussi était vrai. On savait, dans les campagnes, les dates, toujours les mêmes, du passage des chaînes et elles étaient toujours d'un attrait extraordinaire pour les paysans. Ils accouraient, de plusieurs lieues parfois, aux endroits où la chiourme faisait halte et, souvent, l'escortaient un bout de chemin. Certains d'entre eux, dans une intention charitable, pour donner à l'un ou à l'autre un pain, un peu de nourriture, un vêtement usagé ou quelque menue monnaie. Mais la plupart venaient là pour se divertir et trouver, à leurs ennuis confortables d'honnêtes gens, un réconfort puissant dans la vue du châtiment des mauvais garçons et d'une misère que même les plus pauvres ne connaîtraient jamais.

La petite cité était pleine de monde, mais les plus malins, ou les mieux renseignés, avaient déjà pris place près de la grange. En effet, avant le repos du soir, les forçats devaient subir une fouille aussi complète que minutieuse qui faciliterait, plus tard, la surveillance. On se contenterait aux autres étapes d'une vérification des fers et d'un palpage rapide. Marianne se glissa au milieu de la foule, un Jolival toujours aussi réprobateur sur les talons.

On entendit, de loin, venir la chaîne. Le vent apportait une rumeur terrible de hurlements et de chants qui, dans la traversée de Saint-Cyr, se doublèrent des huées des bonnes gens. Puis, franchissant les dernières maisons, l'on vit apparaître deux gendarmes à cheval, la poitrine barrée par la croix blanche de leurs baudriers. La mine sombre, ils ne regardaient rien tandis que les argousins qui les suivaient souriaient à la foule comme s'ils eussent été les héros d'un spectacle particulièrement bien joué. Derrière, la première charrette apparut.

Quand les cinq véhicules furent rangés, l'un après l'autre, dans un champ, l'on fit descendre les prisonniers et la fouille commença tandis que, brusquement et comme si elle avait obéi à une sorte de signal, la pluie se remettait à tomber.

— Vous tenez vraiment à rester là ? souffla Jolival dans l'oreille de Marianne. Je vous avertis que ce n'est pas un spectacle pour vous et il vaudrait mieux...

— Une fois pour toutes, Arcadius, je vous prie de me laisser tranquille. Je veux voir ce qu'on lui fait.

— A votre aise ! Vous allez voir ! Mais je vous aurai prévenue...

Avec colère, elle haussa les épaules. Évidemment, quelques instants plus tard, elle baissait la tête et détournait les yeux, affreusement gênée. En effet, malgré le froid et la pluie, les prisonniers avaient dû se dépouiller entièrement de tous leurs vêtements. Pieds nus dans la boue, vêtus seulement du carcan de fer de leur cou, ils durent subir de la part de leurs gardiens une fouille trop avilissante pour n'être pas une punition supplémentaire. Tandis qu'un argousin visitait les vêtements, les bas, les souliers, un autre explorait la bouche, les oreilles, les narines et même certains endroits plus secrets. Les bagnards, en effet, étaient habiles à dissimuler, dans de minces étuis, de petites limes ou des ressorts de montre qui, en moins de trois heures, savaient couper les fers.

Rouge jusqu'à la racine des cheveux, Marianne tenait son regard obstinément baissé sur ses pieds et la touffe d'herbe pourrissante où ils posaient. Mais, autour d'elle, on s'amusait ferme et les femmes, de solides commères pour la plupart, détaillaient l'anatomie des prisonniers avec une verdeur de langage que n'eût pas désavouée un grenadier. Éperdue, Marianne voulut reculer et elle se retourna pour prier Jolival de l'emmener mais une bousculade de la foule parvenue à un extrême degré d'excitation la sépara de lui et, sans savoir comment, elle se retrouva au premier rang des spectateurs. Dans la presse, le capuchon qui couvrait ses cheveux et retombait sur son visage fut rejeté en arrière et, soudain, elle vit Jason juste en face d'elle.

La distance, entre eux, n'était pas telle qu'il ne pût la reconnaître et, de fait, elle vit instantanément son visage se décomposer. La peau devint grise tandis que les yeux, emplis de colère et de honte mélangées, devenaient effrayants. Il eut un geste violent pour la chasser et cria, sans souci du fouet qui instantanément s'abattit sur son dos :

— Va-t'en !... Va-t'en immédiatement !...

Marianne voulut répondre, lui dire qu'elle avait seulement souhaité souffrir avec lui, mais déjà une main de fer s'emparait de son bras et la tirait en arrière, irrésistiblement, sans se soucier de la meurtrir. Il y eut une brusque et brutale bousculade puis Marianne se retrouva derrière les dos de tous ces gens qui hurlaient, en face d'un Jolival vert de fureur :

— Alors ! Vous êtes contente ? Vous l'avez vu ? Et surtout vous lui avez bien montré que vous étiez là à une minute où il aurait cent fois préféré mourir qu'être vu par vous ! C'est ça que vous appelez partager son épreuve ? Vous trouvez qu'il n'en subit pas assez !

Ses nerfs tendus lâchèrent d'un seul coup et elle éclata en sanglots presque convulsifs :

— Je ne savais pas, Arcadius ! Je ne pouvais pas savoir... pas deviner cette infamie ! La foule en s'agitant... m'a poussée en avant... alors que je n'osais même plus regarder...

— Je vous avais prévenue ! fit Jolival impitoyable. Mais vous êtes plus entêtée qu'une mule ! Vous ne voulez rien entendre, rien écouter ! On croirait, ma parole, que vous vous plaisez à vous torturer !

Pour toute réponse, elle se jeta à son cou en pleurant de plus belle et si désespérément qu'il se radoucit. Sa main caressa les cheveux humides de pluie.

— Là... là ! Calmez-vous, mon petit ! Et pardonnez-moi ma colère... mais j'enrage quand je vous vois ajouter sans cesse à vos peines !

— Je sais... mon ami... Je sais ! Oh ! j'ai honte !... vous ne savez pas combien j'ai honte ! Je l'ai blessé... Je lui ai fait mal... moi... moi qui donnerais ma vie...

— Ah non ! Ne recommençons pas ! protesta Jolival en détachant la jeune femme de son épaule. Je sais tout ça depuis longtemps et, si vous ne vous calmez pas tout de suite, si vous ne cessez pas immédiatement de retourner sans cesse le couteau dans votre plaie, je vous jure sur mon honneur que je vous gifle comme si vous étiez ma fille ! Venez, maintenant, rentrons à l'auberge.

La saisissant de nouveau par le poignet il l'entraîna au pas de charge en direction du village sans se soucier de ses faibles protestations et des efforts qu'elle faisait encore pour se retourner vers la grange. C'est seulement en atteignant les premières maisons qu'il la lâcha.

— Maintenant, vous allez me promettre de rentrer à l'auberge, tout de suite et sans vous retourner !

— Que je rentre... toute seule ? Mais Arcadius...

— Pas de « mais Arcadius ! ». J'ai dit rentrez ! Moi je retourne là-bas !

— Mais... pour quoi faire ?

— Pour voir si, avec un peu d'argent glissé à un argousin, je ne pourrais pas arriver à lui dire deux mots ! Et aussi pour lui donner ça !

Écartant son grand manteau, Jolival montra un

pain qu'il avait tenu jusque-là logé sous son bras gauche. Marianne regarda tour à tour le pain et les yeux trop brillants de son ami. Elle avait envie de pleurer encore mais ce n'était plus pour la même raison et, cette fois, elle parvint à sourire. Un pauvre petit sourire, bien sûr, mais qui essayait d'être courageux.

— Je rentre ! Je vous le promets.

— A la bonne heure ! Vous voilà enfin raisonnable.

— Seulement...

— Quoi encore ?

— Si vous lui parlez... demandez-lui pardon pour moi... et dites-lui que je l'aime.

Jolival haussa les épaules, leva les yeux pour prendre le ciel à témoin d'une telle simplicité d'esprit puis, refermant son manteau, s'éloigna à grandes enjambées en criant dans le vent :

— Vous ne croyez pas que c'est superflu ?

Fidèle à sa promesse, Marianne se mit à courir elle aussi vers l'auberge dont un valet allumait la grosse lanterne à huile, au-dessus de la porte-charretière. La nuit venait. La pluie, de nouveau, faisait trêve, mais les nuages qui s'amoncelaient à l'horizon n'étaient pas tous avant-coureurs de l'obscurité. La jeune femme s'efforça de fermer les oreilles au vacarme sauvage qui venait encore jusqu'à elle et s'engouffra dans l'auberge comme on se sauve. Elle gagna aussitôt sa chambre. Il y avait beaucoup de monde dans la salle commune, des hommes surtout qui buvaient du vin chaud en commentant ce qu'ils venaient de voir et elle ne voulait rencontrer personne.

Quand Arcadius la rejoignit, une heure plus tard, elle était assise au coin du feu, sur une chaise de paille, les mains abandonnées sur ses genoux, si tranquille qu'elle en paraissait privée de conscience. Mais elle leva les yeux au bruit qu'il fit et son regard ne fut qu'interrogation.

— J'ai pu lui faire passer le pain ! fit Arcadius en haussant les épaules, mais il était impossible de lui parler, les forçats étaient trop excités. La fouille les a rendus presque fous... Aucun argousin n'aurait pris le risque d'aller rompre un moment une chaîne, même pour de l'or. Je reviendrai à la charge plus tard. Maintenant, Marianne, voulez-vous m'écouter ?

Tirant une chaise près du feu il s'installa en face d'elle, les coudes aux genoux, ses petits yeux noirs bien plantés dans ceux de sa compagne. Sans répondre, elle fit signe que oui. Il précisa :

— M'écouter... calmement ? En fille raisonnable ?

Et comme elle acquiesçait, de nouveau, silencieusement, il continua :

— Demain matin, vous partirez, sans moi, avec la voiture et Gracchus qui est une protection tout à fait suffisante. Ce garçon se ferait hacher menu pour vous ! Non, laissez-moi parler, ajouta-t-il en voyant les yeux de Marianne s'agrandir et sa bouche s'entrouvrir pour une protestation, si vous continuez à suivre la chaîne, il faudra vous cacher, non seulement des gardiens qui vous repéreraient vite comme je vous l'ai prédit, mais encore de Jason lui-même. Votre présence ajoute à son martyre ! Aucun homme, digne de ce nom, ne souhaite être vu par celle qu'il aime ravalé à l'état de bête de somme ! Vous allez donc prendre les devants, tandis que je suivrai à cheval, pour commencer à préparer son évasion...

— Je sais ! soupira Marianne avec lassitude, vous voulez que j'aille à Brest, que je commence...

— Non ! Vous n'y êtes pas ! Je veux que vous alliez à Saint-Malo !

— A... Saint-Malo? Pour y faire quoi, grands dieux?

Jolival eut un petit sourire où trouvaient place la pitié, le scepticisme et l'ironie.

— Ce qu'il y a de déprimant en vous, Marianne, c'est l'aisance avec laquelle vous oubliez les relations qui peuvent vous être les plus utiles. Je croyais que vous aviez pour ami un certain Surcouf... et même que vous lui aviez sauvé la vie?

— C'est vrai, mais...

— Le baron Surcouf, ma chère, n'est plus corsaire, mais c'est un puissant armateur. Voulez-vous me dire, ajouta Jolival avec une infinie douceur, où nous aurons le plus de chances de trouver un bateau solide et un équipage sûr, sinon auprès de ce seigneur de la mer? Vous allez donc, dès demain, courir la poste jusqu'à Saint-Malo et me faire le siège en règle de cet homme-là! Il nous faut un bon navire et un équipage vigoureux... capable de nous aider à arracher un prisonnier au bagne de Brest.

Cette fois Marianne ne trouva rien à dire. Les paroles de Jolival venaient de faire lever au fond de son esprit une immense perspective au milieu de laquelle, rassurante, se dressait la silhouette énergique du baron-corsaire! Surcouf! Comment n'y avait-elle pas pensé plus tôt? Comment avait-elle pu, quand il s'agissait de sauver un marin, négliger le marin par excellence qu'il était? S'il acceptait de l'aider, la délivrance de Jason était acquise d'avance! Mais... accepterait-il de l'aider?

— Votre idée est bonne, Arcadius, dit-elle au bout d'un moment, pourtant vous oubliez que l'Empereur n'a pas de sujet plus fidèle que Surcouf... et que Jason n'est plus qu'un condamné de droit commun! Il refusera!

— Possible, après tout! Mais cela vaut tout de

même la peine d'essayer car je serais fort étonné qu'il n'acceptât pas, au moins, de nous donner un léger coup de main, ou alors la légende et le bonhomme sont choses fort différentes ! De toute façon vous pouvez au moins lui proposer d'acheter navire et équipage. Si les brigands ne vous en délestent pas sur la route, vous avez dans cette cassette de quoi acheter un royaume ! conclut le vicomte en tendant un long index maigre vers l'un des coffres de Marianne.

Le regard de Marianne suivit le doigt et se mit à briller. En quittant son hôtel, elle avait emporté les bijoux des Sant'Anna avec l'intention arrêtée de s'en servir, si besoin était, pour réaliser ses plans. Si elle parvenait à gagner l'Amérique avec celui qu'elle aimait, alors elle était décidée à renvoyer à Lucques le précieux coffre, ou tout au moins ce qu'il en resterait, quitte à rembourser, par la suite, le montant de ce qu'elle aurait dépensé. En tout cas, il était bien vrai qu'elle avait là de quoi acheter non seulement un mais plusieurs vaisseaux.

Attentivement, Jolival suivait, sur le visage mobile de son amie, le cheminement de la pensée. Quand il lui parut qu'elle avait suffisamment médité sa proposition, il demanda, très doucement :

— Alors ? Vous partirez ?

— Oui ! Vous avez gagné ! Je partirai, Arcadius.

Quand la voiture de Marianne s'engagea sur la chaussée du Sillon, l'étroite bande de terre transformée en digue, qui reliait Saint-Malo au continent, le vent soufflait en tempête et Gracchus avait toutes les peines du monde à contenir ses chevaux que les gerbes d'écume, sautant le parapet, venaient frapper de plein fouet et affolaient. De l'autre côté de la chaussée, dans le port cependant bien protégé, la masse enchevêtrée des mâtures de navires se courbait sous les rafales. Tout au bout, la ville-corsaire apparaissait, massive comme un énorme pâté de granit gris dans le corset de ses remparts à la Vauban au-dessus desquels pointaient les toits bleus des maisons, les flèches des églises et les énormes tours médiévales du château.

Cette mer, qui battait le Sillon, verdâtre et bondissante avec de grands éclats neigeux, lançait sur la cité des hommes ses blanches cavales en folie, Marianne la reconnaissait. Elle était bien la même qui l'avait emportée, voici tant de mois, dans son tourbillon forcené, qui l'avait battue, malmenée, qui avait détruit le navire de Black Fish avant de les jeter tous, nus et à moitié morts, sur les feux trompeurs des naufrageurs. C'était celle qui battait le domaine de Morvan : une mer frénétique et rusée, irascible et sournoise qui savait, lorsque échouait l'assaut brutal de sa puissance, susciter l'embuscade mortelle de ses hauts-fonds, de ses écueils sous-marins et de ses traîtres remous. Le vent hurlait, apportant à travers les minces interstices des vitres de la voiture, l'âpre senteur marine, chargée de sel et d'algues.

Les chevaux ruisselants s'engouffrèrent sous la voûte grondante de l'immense porte Saint-Vincent et, tout de suite, ils se calmèrent. La furie de la mer et du vent ne pouvait franchir les grands remparts. Derrière eux, régnait une paix relative et Marianne, un peu étonnée, vit que les gens de la cité vaquaient à leurs occupations aussi naturellement que par grand beau temps. C'est tout juste si l'on fit attention à son arrivée en trombe. Seul, l'un des soldats qui près de l'entrée montaient une garde débonnaire ôta sa pipe en terre de sa bouche et jeta à Gracchus qui secouait l'eau de son chapeau trempé :

— Fait un peu frisquet, hein, mon gars ? C'est l'vent d'noroît !... Les chevaux l'aiment guère !

— Je m'en suis aperçu ! répondit le jeune homme avec bonne humeur, et je suis bien content de savoir que c'est le vent de noroît, mais, si c'était un effet de votre obligeance, j'aimerais mieux apprendre où c'est qu'habite M. Surcouf !

Il s'était adressé au factionnaire, mais à peine le nom eut-il pris le vent qu'il y eut, autour de la voiture, un petit rassemblement de gens parlant tous à la fois : femmes en bonnet qui posaient leurs paniers pour faire de grands gestes, marins en chapeau de toile cirée, vieux pêcheurs en bonnets rouges si chevelus et si barbus que l'on ne voyait guère de leurs visages qu'un nez rouge et une pipe. Tous s'offraient à indiquer la route. Debout sur son siège, Gracchus tentait d'orchestrer le vacarme.

— Pas tous à la fois !... Par pitié !... C'est par là qu'il habite ? ajouta-t-il en constatant que tous les bras se tendaient dans la même direction.

Mais personne ne consentait à se taire. Fataliste, Gracchus s'apprêtait à se rasseoir pour attendre que la révolution soit finie, quand deux hommes plus décidés que les autres saisirent les chevaux par la bride et conduisirent tranquillement l'attelage le long de la profonde rue creusée entre le rempart et les hautes maisons. La tête passée par la portière, Marianne regardait sans comprendre.

— Qu'est-ce qu'il se passe ? On nous arrête ?

— Non, mademoiselle Marianne, on nous conduit ! J'ai comme une idée qu'ici M. Surcouf est une espèce de roi et que tous ces gens-là ne vivent que pour lui rendre service.

La promenade dura un petit moment. On passa devant deux autres portes puis, toujours suivant le rempart, on prit à droite et, finalement, le cortège s'arrêta en face d'une grande et sévère maison de granit gris dont le seuil blasonné, les hautes fenêtres et la porte ornée d'un dauphin de bronze avaient de la noblesse. Avec ensemble, l'escorte bénévole de Marianne déclara en chœur que « c'était là » et il ne resta plus à Gracchus qu'à distribuer quelques piécettes pour que les plus assoiffés de ses guides allassent boire un coup à la santé du baron Surcouf et de ses amis.

L'attroupement se dispersa joyeusement et les vieux marins prirent leur course vers le plus proche cabaret pour y boire une bolée de cidre chaud qui est bien, comme chacun le sait, la boisson la plus réconfortante quand souffle le noroît. Pendant ce temps, Gracchus allait soulever le dauphin de bronze et demandait gravement à un vieux valet qui ressemblait de façon frappante à un marin en retraite si son maître voulait bien recevoir Mlle d'Asselnat. Des nombreux noms que portait ou avait portés Marianne, c'était celui-là que le corsaire connaissait le mieux.

Le jeune cocher apprit que « M. Surcouf » était pour l'heure présente au bassin de radoub, mais qu'il ne tarderait guère et que « la demoiselle pouvait, si elle le voulait, attendre un brin dans son carré ». Langage qui confirma l'opinion de Marianne sur la profession initiale de ce vieux serviteur. Par ses soins, elle fut introduite dans un vestibule dallé de noir et blanc et lambrissé de vieux chêne qui ne montrait, pour tout mobilier, qu'une console antique supportant, entre deux chandeliers de bronze, la maquette, superbe, voiles déployées, d'une flûte armée en guerre, sabords ouverts, canons pointés. Deux fauteuils de chêne à dossier élevé montaient auprès une garde sévère.

La maison tout entière embaumait la cire fraîche et la visiteuse en conclut que la baronne devait être une fière ménagère. D'ailleurs, dans cette maison, tout reluisait de propreté et l'on eût, en vain, même avec des gants blancs, cherché un grain de poussière. C'en était impressionnant et même un peu réfrigérant.

Le « carré » de Surcouf, où on l'introduisit peu après, avait plus d'humanité, si le décor de bois sombre était semblable à celui du vestibule. Cela sentait l'homme d'action, la mer, l'aventure et le bouillonnement de la vie. Un joyeux désordre mélangeait, sur le bureau, les compas, les cartes, les papiers, les pipes et les plumes d'oie autour d'une lampe-bouillotte et d'une bougie verte dans le bougeoir de laquelle reposaient les pains de cire à cacheter. Posée à même le parquet miroitant, que réchauffaient par endroits des tapis barbares aux couleurs vives, une énorme mappemonde jouait à l'aise entre un équatorial et un méridien de cuivre. Aux murs, disposés en belles rosaces, des armes étranges et des pavillons, qui avaient visiblement subi le feu des canons, encadraient un grand portulan tandis qu'un peu partout, sur tous les meubles, sauf sur la bibliothèque ventrue de livres, des longues-vues tenaient compagnie à des boîtes de pistolets et à des instruments de marine.

Marianne eut à peine le temps de prendre place dans le fauteuil, aussi raide que ses frères du vestibule, que le vieil homme lui indiquait, qu'il y eut un bruit de bottes, un claquement de porte, et, aussitôt, la pièce parut s'emplir d'une grande bouffée d'air marin chargé d'iode et d'embruns, tandis que Surcouf pénétrait en trombe dans son domaine privé. Cette impression était tellement semblable à celle qu'éprouvait Marianne chaque fois qu'elle se trouvait en présence de Jason qu'elle sentit l'émotion lui tordre l'estomac. Il y avait, entre ces hommes de mer, d'étranges signes communs, une sorte de similitude qui rejoignait la fraternité. Il fallait maintenant savoir jusqu'où allait cette fraternité...

— En voilà une surprise ! tonna le corsaire. Vous, à Saint-Malo ? Je n'arrive pas à en croire mes yeux !

— Je suis pourtant une réalité ! répondit Marianne en se laissant embrasser vigoureusement, sur les deux joues, à la mode paysanne. C'est bien moi ! J'espère que je ne vous dérange pas ?

— Me déranger ? Pensez donc ! Ce n'est pas tous les jours que l'on a l'honneur d'embrasser une princesse ! Et comme c'est bougrement agréable, je recommence !

Tandis que le corsaire joignait le geste à la parole, Marianne se sentir rougir. Elle s'était annoncée sous son nom de jeune fille.

— Mais... Comment savez-vous que je suis...

Surcouf se mit à rire de si bon cœur que les pendeloques de cristal du lustre en tremblèrent et rendirent un tintement frêle.

— Princesse ? Ah, ma chère enfant, vous vous imaginiez que nous sommes tellement encroûtés, nous autres Bretons, que nous ne savons les nouvelles de Paris qu'avec trois ou quatre ans de retard ? Que nenni ! Nous sommes au courant de la ville et de la cour ! Surtout, conclut-il en riant de plus belle, quand on a pour intime ami le baron Corvisart. Il vous a soignée il n'y a pas si longtemps et, par lui, j'ai eu de vos nouvelles, voilà tout le mystère. Maintenant, asseyez-vous et dites-moi quel bon vent vous amène ! Mais, d'abord, un doigt de vin de Porto pour fêter dignement votre arrivée.

Tandis que Marianne se remettait de sa surprise dans le fauteuil qu'elle avait rejoint, Surcouf atteignait, dans un coffre de bois sculpté, un flacon de verre de Bohême d'un rouge chaud et de longues flûtes assorties qu'il emplit aux trois quarts d'un liquide brun doré. Déjà réconfortée par la personnalité incroyablement tonique du marin, Marianne le regardait aller et venir avec amusement.

Surcouf était toujours semblable à lui-même. Son large visage encadré de favoris avait toujours sa belle couleur cuivrée et ses yeux bleus regardaient toujours aussi droit. Il avait peut-être un peu engraissé et son torse épais emplissait, à faire craquer les coutures, son éternelle redingote bleue, tiraillant les énormes boutons dorés qui, d'ailleurs, n'étaient autres, et Marianne le constata avec stupeur, que des doublons d'or espagnols que l'on avait percés à cet usage.

On trinqua, rituellement, à la santé de l'Empereur, puis l'on but le porto en silence tout en grignotant des biscuits au gingembre, parfaitement aériens, qui parurent à la voyageuse la meilleure chose du monde. Après quoi, Surcouf saisit une chaise, s'installa dessus à califourchon et considéra sa jeune amie avec un sourire encourageant.

— Je vous ai demandé quel bon vent vous amenait mais, à voir votre mine, j'ai plutôt l'impression que c'est un petit grain ! Je me trompe ?

— Dites une tempête et vous serez près de la vérité ! Au point même que je me reproche d'être venue jusqu'ici. J'ai peur, maintenant, de vous gêner... ou encore que vous me jugiez mal !

— Ça, c'est impossible ! Et quel que soit le motif qui vous amène, je vous dis tout de suite que vous avez eu raison de venir ! Vous avez trop de délicatesse pour me dire en face que vous avez besoin de moi, mais moi je n'ai aucune honte à me rappeler que je vous dois la vie ! Alors parlez, Marianne ! Vous savez très bien que vous pouvez me demander n'importe quel service !

— Même... de m'aider à faire évader un forçat du bagne de Brest ?

Malgré sa maîtrise sur lui-même, il eut tout de même un haut-le-corps qui traduisait une réticence et la jeune femme sentit son cœur trembler. Il répéta, détachant bien les mots :

— Le bagne de Brest ? Vous avez des connaissances dans ce ramassis de forbans ?

— Pas encore. L'homme que je veux sauver fait route vers le bagne, à l'heure qu'il est, avec la chaîne de Bicêtre. Il vient d'être condamné pour un crime qu'il n'a pas commis... Il était même condamné à mort, mais l'Empereur a fait grâce, parce qu'il est sûr qu'il n'a pas tué... et peut-être aussi parce qu'il s'agit d'un étranger ! C'est une histoire difficile... compliquée ! Il faut que je vous explique...

Déjà en déroute, elle s'embrouillait. La fatigue et l'émotion rendaient sa parole difficile et elle n'osait même plus regarder Surcouf en face. Mais d'un geste, il l'interrompait, interrogeait d'une voix rude :

— Un moment ! Un étranger ? Quel genre ?

— Un Américain ! Il est marin, lui aussi.

Le poing du corsaire s'abattant sur le dossier de la chaise, qui en craqua, lui coupa la parole.

— Jason Beaufort ! Tonnerre de sort ! Vous ne pouviez pas le dire tout de suite ?

— Vous le connaissez ?

Il se leva si brusquement que la chaise tomba à terre sans qu'il daignât la ramasser.

— Je dois connaître tous les capitaines et tous les vaisseaux dignes de ce nom des deux hémisphères ! Beaufort est un bon marin et un homme courageux ! Son procès a été une honte pour la Justice française ! J'ai, d'ailleurs, à ce sujet, écrit une lettre à l'Empereur !

— Vous ? s'écria Marianne suffoquée. Et... que vous a-t-il répondu ?

— De me mêler de ce qui me regarde ! Ou à peu près... Vous savez qu'il ne s'embarrasse pas de périphrases ! Mais vous, ce garçon, d'où le connaissez-vous ? Je vous croyais... euh... assez bien avec Sa Majesté ? Au point que j'ai songé un moment à vous écrire pour vous demander d'intervenir, mais l'affaire de faux billets m'a fait reculer, j'ai craint de vous gêner ! Or, voilà que vous venez me demander de vous aider à faire évader Beaufort, vous...

— Vous, la maîtresse de Napoléon ! acheva Mariane tristement. Les choses ont changé depuis notre dernier revoir, mon ami, et je ne suis plus si bien en cour.

— Et si vous me racontiez ça ? suggéra Surcouf en récupérant sa chaise qu'il remit sur ses pieds avant de retourner vers son coffre-cabaret. J'aime les histoires comme un vrai Breton que je suis !

Encouragée par un nouveau verre de vin généreux et une nouvelle ration de biscuits, Marianne entreprit le récit un peu embrouillé de ses relations avec Jason et de ses démêlés avec l'Empereur. Mais le porto mettait une bonne chaleur dans ses veines et elle se tira honorablement de l'épreuve à laquelle Surcouf apporta une conclusion bien dans sa manière :

— C'est vous qu'il aurait dû épouser, cet imbécile ! Au lieu de cette fille de Floride sans tripes ! Celle-là, sa mère a dû l'avoir avec un Séminole nourri à la viande d'alligator ! Vous, vous serez une vraie femme de marin ! J'ai vu ça tout de suite quand ce vieux diable de Fouché vous a tirée de la prison Saint-Lazare.

Marianne se garda bien de lui demander à quoi il avait « vu ça », mais elle prenait cette déclaration pour un grand compliment et c'est d'une voix plus assurée qu'elle demanda :

— Alors... vous voulez bien m'aider ?

— Ça ne se demande même pas ! Encore un peu de porto ?

— Ça ne se demande même pas ! riposta Marianne qui sentait une joie de vivre inattendue revenir peu à peu en elle.

Avec enthousiasme, les deux amis burent à la réalisation d'un projet dont ils n'avaient même pas encore posé le premier jalon, mais si Marianne sentait une douce euphorie l'envahir, il fallait un peu plus de trois verres de porto pour amoindrir les qualités manœuvrières de Surcouf. Le verre vidé jusqu'à la dernière goutte, il informa sa visiteuse qu'il allait la conduire dans la meilleure auberge de la ville pour y prendre un repos bien gagné, tandis qu'il verrait à s'occuper de leur « affaire ».

— Je ne peux vous garder ici, expliqua-t-il. Je suis à peu près seul dans cette maison. Ma femme et mes enfants se trouvent près de Saint-Servan, dans notre maison de Riancourt... et il est inutile de vous faire faire tout ce chemin. D'ailleurs, Mme Surcouf est une brave femme, mais vous ne la trouveriez pas très amusante. Elle est un peu sévère, un peu rude de langage...

« Une pimbêche ! » pensa Marianne qui, tout haut, assura son hôte de sa préférence marquée pour l'auberge. Elle souhaitait passer aussi inaperçue que possible et, voyageant incognito, il eût été gênant qu'elle fût reçue dans la famille du corsaire. Elle n'ajouta pas qu'elle n'avait aucune envie de jouer les bêtes curieuses pour une bande de mioches et d'écouter les confidences amères d'une parfaite ménagère sur le prix du blé et les difficultés de ravitaillement en denrées coloniales dues au blocus. La solitude d'une bonne chambre d'auberge lui paraissait bien plus tentante !...

On se sépara sur cet accord. Surcouf confia

Marianne au vieux Job Goas, son serviteur, qui était, en effet, un ancien marin. Job reçut l'ordre de conduire la jeune femme à l'auberge de la Duchesse-Anne, la meilleure de la ville, qui servait d'ailleurs de maison de poste, et de l'y recommander chaudement. Il promit de s'y rendre lui-même, plus tard dans la soirée, quand il aurait trouvé « l'homme qu'il nous faut! ».

Peut-être à cause des vertus euphorisantes du vin portugais, mais peut-être aussi à cause de la joie qu'elle éprouvait de s'être acquis si aisément un allié d'un tel poids, Marianne trouva l'auberge charmante, sa chambre confortable à souhait et les odeurs qui montaient de la grande salle commune aussi appétissantes que possible. Pour la première fois, depuis bien longtemps, elle trouvait à la vie quelques couleurs agréables.

Autour de la ville close et sur le rempart le vent soufflait avec une violence accrue. La nuit qui venait serait une nuit de tempête et, dans le port, les hautes enfléchures des navires sur lesquels s'allumaient les fanaux dansaient comme des marins ivres. Mais dans la chambre de Marianne, défendue par des murs épais et les solides petits carreaux sertis de plomb de sa fenêtre, il faisait chaud, rassurant. Le lit avec ses matelas superposés couronnés d'un énorme édredon rouge sentait bon la lessive séchée au soleil sur les buissons de genêts de la lande. Lassée par une longue route dans le mauvais temps, Marianne eut envie de s'y étendre tout de suite, mais les biscuits au gingembre et le porto lui avaient ouvert l'appétit. Elle se sentait une faim de loup, encore aiguisée par les fumets de cuisine qui envahissaient toute la maison. Et puis Surcouf lui avait conseillé de se faire servir dans la grande salle, afin qu'il n'eût pas à se faire conduire à sa chambre quand il arriverait avec l'homme qu'il était allé chercher. C'était d'ailleurs une auberge des plus convenables où une dame pouvait souper sans crainte d'être importunée, mais, pour plus de sûreté, Marianne décida que Gracchus souperait avec elle afin d'être à même de la défendre des fâcheux toujours possibles, tandis qu'elle attendrait Surcouf et son ami.

Installés à une petite table, non loin de l'énorme cheminée où une servante, portant le gracieux hennin de dentelle des femmes de Pléneuf, faisait sauter des crêpes au moyen d'une poêle à long manche, la princesse Sant'Anna et son cocher se régalèrent sans remords d'huîtres de Cancale, de gros crabes « dormeurs » servis avec du beurre salé et d'une vaste cotriade aux herbes qui embaumait. Les traditionnelles crêpes dorées et du cidre mousseux complétèrent ce repas.

Marianne et Gracchus en étaient à déguster un odorant café tandis qu'un peu partout, autour d'eux, s'allumaient les pipes bourrées de fin tabac de Porto Rico, quand la porte basse s'ouvrit sous la main vigoureuse de Surcouf. Un tonnerre d'acclamations joyeuses salua son entrée, mais Marianne n'y prit pas garde. Toute son attention était retenue par l'homme qui venait derrière le corsaire. Le caban, au col relevé, qui l'empaquetait cachait en partie son visage, mais ce visage, elle le connaissait trop pour ne pas en deviner le propriétaire, même s'il avait porté fausse barbe et chapeau à large bord, ce qui n'était pas le cas. L'homme « qu'il nous faut », c'était Jean Ledru !

14

LA NEUVIÈME ÉTOILE...

Dans la petite maison de Recouvrance, qui avait été celle de Nicolas Mallerousse, Marianne avait commencé son attente. Elle espérait deux choses : la chaîne des forçats, d'abord, dont le voyage de plus de vingt jours devait tirer à sa fin, ensuite le *Saint-Guénolé,* le chasse-marée de Jean Ledru qui, en longeant la côte, devait, depuis Saint-Malo, gagner d'abord le petit port du Conquet, où il stationnerait, puis la rade de Brest.

Malgré le mauvais temps, le jeune marin avait pris la mer avec un équipage de dix hommes solides, le matin même où, devant l'auberge de la « Duchesse-Anne », Surcouf avait mis Marianne en voiture avec de vigoureux souhaits de bon voyage.

Mais la veille, en le voyant resurgir dans sa vie, Marianne avait mis un moment à décider si elle était contente ou pas de remettre le sort de Jason entre les mains du garçon auquel elle devait sa première et désagréable expérience amoureuse, plus quelques ennuis d'autre sorte. Alors, devant la mine anxieuse de Marianne, Surcouf s'était mis à rire tout en poussant Ledru vers la jeune femme.

— Il est revenu chez moi en mars dernier avec une lettre personnelle de l'Empereur qui me deman-

465

dait de le reprendre... à votre requête. Alors, on s'est raccommodés, nous deux, et, depuis, on n'a jamais cessé de vous en être reconnaissants. La guerre d'Espagne, malgré la belle conduite qu'il y a eue, n'était pas pour Jean parce que sur terre il n'est pas chez lui. Et moi, j'ai été content de retrouver un bon marin !

Un peu gênée à cause du caractère volcanique dont leurs relations passées avaient toujours été marquées, Marianne avait tendu la main à son ancien compagnon d'infortune.

— Bonjour, Jean, cela me fait plaisir de vous revoir.

Il avait pris la main offerte sans sourire. Ses yeux clairs, qui avaient l'air de deux fleurs de myosotis sous leurs paupières aux cils décolorés par la mer, demeuraient méditatifs dans ce visage resté familier avec sa peau tannée et sa courte barbe blonde et Marianne, un instant, s'était demandé comment il allait réagir. Lui en voulait-il toujours ? Et puis, d'un coup, le visage immobile s'était mis à vivre tandis qu'entre barbe et moustache éclatait un sourire franc.

— A moi aussi ça fait plaisir, dame oui ! Et plus encore si je peux vous rendre ce que vous avez fait pour moi.

Allons ! Tout irait bien ! Elle avait voulu, alors, le mettre en garde contre le danger grave qu'il allait courir en tentant de s'opposer ainsi à la justice impériale, mais, comme Surcouf, il n'avait rien voulu entendre.

— L'homme qu'il faut sauver est un marin et M. Surcouf dit qu'il est innocent. Je n'en demande pas plus, ça me suffit et la question est réglée. Reste à savoir, maintenant, comment nous allons nous y prendre...

Durant deux longues heures, les trois hommes et la jeune femme, accoudés à une table autour d'un pot de café et d'une pile de crêpes, établirent les grandes lignes de leur plan, qui comportait une large part d'audace. Mais si l'inquiétude et le doute apparaissaient de temps à autre dans les yeux verts de Marianne, dans les yeux également bleus des deux Bretons et du Parisien dansaient seulement les flammes de l'enthousiasme et l'excitation de l'aventure, si brillantes que la jeune femme avait bientôt cessé toute objection. Elle s'était contentée d'en présenter une, ultime, quand il avait été question du chasse-marée *Saint-Guénolé*.

— Ces chasse-marée sont de petits bateaux, il me semble, trop petits pour gagner l'Amérique. Ne croyez-vous pas qu'un navire plus grand...

Elle avait alors rappelé, offre que Surcouf avait déjà repoussée avec un superbe dédain, sa proposition d'acheter un bateau. Mais, une fois encore, le roi des corsaires lui avait gentiment fait comprendre qu'elle n'y entendait rien.

— Pour passer inaperçus et pour faire quitter Brest rapidement à quelqu'un de particulièrement pressé, ce type de navire, qui navigue très près du vent et tient bien la mer, sera l'idéal, surtout dans les parages difficiles du Fromveur et de l'Iroise. La suite me regarde! Soyez tranquille, il y aura un bateau en temps voulu pour l'Amérique.

Il avait bien fallu que Marianne se contentât de cette affirmation et l'on s'était séparés pour prendre un peu de repos. Tout le temps qu'avait duré cette longue conversation, Marianne avait observé Jean Ledru, cherchant à deviner sur ses traits peu mobiles s'il était enfin guéri de l'amour, destructeur et néfaste pour tous deux, qu'il lui avait porté. Elle n'avait rien pu lire mais, au moment de se séparer, c'était lui-même qui, avec un sourire moqueur, l'avait renseignée. En se levant pour rendosser son caban, il avait déclaré, s'adressant apparemment à Surcouf, mais, en réalité, à la jeune femme :

— Vous rentrerez bien tout seul, cap'taine ? Si je mets à la voile avec la marée, faut que j'aille dire adieu à Marie-Jeanne ! Dame, j'ignore combien de temps ça va nous prendre, cette affaire, et un marin ne doit jamais partir sans embrasser sa promise.

Le coup d'œil qui avait accompagné la phrase était plein de malice et visait Marianne. Il signifiait, clair comme le jour : « Pas la peine de vous tourmenter ! Nous deux c'est bien fini. Il y a une autre femme dans ma vie... » Elle en éprouva tant de joie que ce fut avec un grand sourire qu'elle serra, bien franchement, la main calleuse du garçon. Et ce fut pleinement rassurée sur la suite de leurs relations qu'elle reprit, avec Gracchus, sous une pluie qui semblait ne vouloir jamais cesser, la route de Brest.

Depuis qu'elle était arrivée dans le grand port de guerre, elle s'était efforcée de passer aussi inaperçue que possible. Gracchus avait dirigé sa voiture directement vers la maison de poste des Sept-Saints et l'y avait laissée. C'était une voiture de louage qui retournerait vers Paris avec un prochain voyageur. Puis, les bagages chargés sur une brouette, lui et Marianne, vêtus modestement, étaient descendus jusqu'à la grève, devant le château, pour y prendre le bac de Recouvrance. Le chemin, que Marianne connaissait depuis son séjour chez Nicolas, était ainsi beaucoup plus court que par le pont qui les eût obligés à longer la Penfeld jusqu'à l'Arsenal, en passant non loin des grands murs tristes du bagne et des ateliers de corderie.

Un pêcheur, portant le bonnet bleu des hommes de Goulven, avait abandonné le filet qu'il raccommodait pour les passer dans sa barque. Il faisait presque beau, ce jour-là. Un vent froid mais pas trop violent gonflait les voiles rouges des barques de pêche qui se dirigeaient vers le Goulet et faisait claquer les étendards sur les grosses tours rondes du château. Au plein du courant, le passeur avait scié des deux avirons pour laisser passer une grosse chaloupe remorquant une frégate aux voiles ferlées qui rentrait, hautaine dans son éclat guerrier. Sous les sifflets des comites, les rameurs tiraient farouchement sur leurs pelles. Tous étaient des forçats en veste et bonnet rouge. Certains même portaient avec une sorte d'orgueil le bonnet vert des « perpétuité » sur lequel, comme pour les « à temps », une plaque de fer indiquait leur numéro matricule. Et Marianne, assise sur le banc de bois rugueux, les avait regardés passer avec un sentiment bizarre d'angoisse et de répulsion. Les galères n'existaient peut-être plus, mais ces hommes-là étaient encore des galériens, et Jason allait bientôt prendre sa place parmi eux. Il avait fallu que Gracchus l'arrachât à sa lugubre songerie.

— Ne les regardez donc pas, mademoiselle Marianne ! Vous n'en serez pas plus heureuse !

— Dame non ! avait opiné le passeur en remettant sa barque en mouvement, c'est point un spectacle pour une jeune dame ! Seulement, ici, la chiourme elle fait tout ! Ceux qui ne s'occupent pas du chargement des navires travaillent à la corderie ou à la voilerie. Y en a d'autres qui enlèvent les ordures, d'autres qui trimbalent les boulets et les tonneaux de poudre. On n'voit guère qu'eux ici, dame oui !... Vous finirez par n'plus seulement les r'marquer !

Cela, Marianne en doutait, même si elle devait rester dix ans !

Dûment rétribué, le bonhomme leur avait souhaité

le bonsoir et leur avait assuré qu'il serait toujours à leur service.

— Mon nom, c'est Conan, avait-il ajouté. Y a qu'à m'appeler depuis ce rocher et j'arrive.

Suivie de Gracchus, qui avait chargé une malle sur son épaule, et d'un gamin qui transportait deux sacs de voyage, Marianne s'était engagée dans les ruelles en escalier de Recouvrance, en direction de la tour de la Motte-Tanguy. Il y avait plus d'une année maintenant qu'elle avait quitté Brest par la malle-poste, mais elle retrouvait son chemin aussi aisément que si elle était partie la semaine précédente.

Du premier coup d'œil, non loin de la tour, elle reconnut la petite maison de Nicolas avec son chaînage de granit, ses murs blanchis à la chaux, sa haute lucarne triangulaire et son petit jardin de curé d'où l'hiver avait chassé les fleurs. Rien n'avait changé. Pas davantage, d'ailleurs, la bonne Mme Le Guilvinec, la voisine qui, depuis des années, tenait le ménage de l'agent secret sans avoir jamais rien soupçonné de ses activités réelles.

Prévenue par lettre, la digne femme avait surgi de sa maison dès que Marianne et son escorte étaient apparus dans son champ de vision, les bras ouverts et la joie peinte sur sa longue figure un peu masculine que surmontait d'étrange façon la coiffe traditionnelle des femmes de Pont-Croix, une sorte de menhir de dentelle solidement attaché sous le menton. Et les deux femmes s'étaient embrassées en pleurant, chacune d'elles évoquant la lourde silhouette de l'homme qui, une fois déjà, les avait réunies.

Une étrange impression de retour au bercail s'était emparée de Marianne quand elle avait franchi le seuil de la petite maison de Nicolas. Les vieux meubles bien cirés, les cuivres étincelants, la collection de pipes, les petites statuettes des Sept-Saints disposées sur une étagère, les bouquins usagés et, pendue à une poutre du plafond bas, une petite galère construite dans une grosse bouteille, tous ces objets lui étaient familiers. Elle s'y installa plus aisément encore qu'elle ne l'avait fait dans les splendeurs rénovées de l'hôtel d'Asselnat, passant le plus clair de ses heures dans le jardin dépouillé, lorsque le temps le permettait, enveloppée d'un grand châle noir, à surveiller la rade et les quais de la Penfeld.

Elle n'avait rien à faire qu'à attendre puisque la question du navire avait été réglée une fois pour toutes par Surcouf. Gracchus, qu'elle avait présenté comme son jeune valet sans lui attribuer une quelconque spécialité, n'avait pas grand-chose pour s'occuper dans une si petite maison. Et, tout le jour, il courait la ville, errant interminablement autour du bagne et dans le quartier misérable de Keravel dont les masures et les ruelles tortueuses s'étendaient entre la riche et commerçante rue de Siam et les murs rébarbatifs du pénitencier. Aussi, la compagnie de Marianne, en dehors des heures où Mme Le Guilvinec venait s'installer en face d'elle, pour tricoter interminablement au coin du feu, se bornait-elle à celle du chat de l'excellente femme qui avait adopté la solitaire et aimait à s'installer en rond sur la pierre de l'âtre pour y dormir.

Le temps paraissait arrêté. Décembre était commencé et les grandes tempêtes secouaient jusqu'à l'intérieur du Goulet les flots gris de la rade. Les soirs où le vent soufflait avec plus de rage encore que de coutume, Mme Le Guilvinec délaissait ses pelotons de laine et prenait son chapelet qu'elle égrenait sans bruit à l'intention des pêcheurs et des marins au péril de la mer. Pensant alors au chasse-marée de Jean Ledru, Marianne, elle aussi, priait...

Un soir où le furtif soleil d'hiver disparaissait dans la brume vers les îles, la ville s'emplit d'une rumeur si forte qu'elle domina les bruits du port, les sifflets des comites et les manœuvres lancées à pleine gorge dans les porte-voix. Marianne réagit à ce brouhaha confus avec la promptitude d'un cheval de bataille qui entend la trompette. Saisissant sa grande mante à capuchon, elle s'élança au-dehors sans rien entendre de ce que lui criait sa voisine. Sautant de pierre en pierre, elle dégringola les petites rues tracées entre les jardinets jusqu'à la grève et arriva juste à temps pour voir la première charrette déboucher de la rue de Siam et tourner sur le quai en direction du bagne.

Malgré la distance, elle reconnut aussitôt les uniformes des gardes-chiourme et les longs véhicules à grosses roues sur lesquels les hommes semblaient plus tassés et plus misérables encore qu'au départ. Mais les ombres du soir se faisaient déjà denses et bientôt le lamentable cortège disparut dans les écharpes de brouillard qui montaient de la rivière. Frissonnante sous l'ample cape de laine épaisse qu'elle serrait étroitement autour d'elle, Marianne rentra chez elle pour y attendre Arcadius. Puisque la chaîne était là, le vicomte ne devait plus être loin. Un instant, elle avait été tentée d'aller jusqu'au pont de Recouvrance pour l'y guetter mais s'il prenait le bac comme elle l'avait fait elle-même, elle attendrait en vain.

Il arriva, guidé par Gracchus qu'il avait trouvé à la porte même du bagne, au moment où Mme Le Guilvinec fermait les volets, tandis que Marianne, penchée sur la marmite pendue dans l'âtre, remuait doucement une épaisse soupe au lard qui embaumait.

— Voilà enfin mon oncle qui arrive de Paris,

madame Le Guilvinec, dit seulement la jeune femme pendant que la Bretonne s'affairait au-devant du voyageur. Il a fourni une longue route. Il doit être bien las !

Arcadius, en effet, montrait un visage tiré par la fatigue dans lequel le regard, assombri, alerta tout de suite Marianne. Son silence, aussi, était inquiétant. Il s'était contenté de remercier la brave femme de son accueil, puis il était allé s'asseoir sur la pierre de l'âtre où le chat s'était poussé pour lui faire place et il avait tendu ses mains aux flammes sans plus rien dire.

Tandis que Marianne, soucieuse, le regardait en silence, Mme Le Guilvinec se précipitait pour mettre la table, mais Gracchus, au passage, l'arrêta.

— Laissez, madame. Je ferai ça moi-même.

Peu bavards, les Bretons sont rarement indiscrets. La veuve de Pont-Croix comprit que ses voisins avaient besoin d'être seuls et elle se hâta de leur souhaiter la bonne nuit en prenant pour prétexte qu'elle voulait aller entendre le salut à la chapelle proche. Saisissant son chat par la peau du cou, elle disparut dans la nuit. Déjà, Marianne était à genoux auprès de Jolival qui avait laissé tomber sa tête dans ses mains avec lassitude.

— Arcadius ! Qu'y a-t-il ? Vous êtes malade ?...

Il releva la tête et lui adressa, pour la rassurer, un pâle sourire qui ne fit qu'aggraver ses craintes.

— Il est arrivé quelque chose à Jason ? demanda-t-elle soudainement ravagée d'angoisse, ils me l'ont...

— Non, non... Il est vivant ! Mais il est blessé, Marianne, et assez sérieusement !

— Blessé ? Mais comment ? Pourquoi ?

Arcadius, alors, raconta ce qui s'était passé. A la halte de Pontorson, l'un des compagnons de chaîne de Jason, un jeune garçon de dix-huit ans qui avait pris la fièvre, réclamait de l'eau pour étancher la soif qui le brûlait. L'un des argousins, pour s'amuser, lui avait déversé un pot d'eau sur la tête avant de lui allonger des coups de pied dans les côtes. Ce spectacle avait mis Jason en fureur. Il s'était élancé sur l'homme et l'avait jeté à terre à coups de poing. Puis, le maintenant au sol sous son genou, il avait entrepris de l'étrangler mais les camarades de l'argousin étaient accourus à la rescousse. Les fouets étaient entrés en danse et l'un des gendarmes avait tiré son sabre.

— Il a été blessé à la poitrine, ajouta Jolival. Ces brutes l'auraient tué si, à la voix d'un des condamnés, un certain Vidocq, les autres forçats n'avaient fait masse autour de lui et ne l'avaient protégé. Mais le reste du voyage a été un véritable enfer...

— Est-ce... qu'on ne l'a pas soigné ?

Jolival fit signe que non, puis il ajouta :

— Aux haltes seulement, ses compagnons faisaient de leur mieux mais, pour les punir, on les a obligés à faire deux étapes... à pied. J'ai cru qu'il n'arriverait pas vivant.

— C'est horrible ! balbutia Marianne d'une voix blanche.

Assise sur ses talons, tout le corps affaissé, elle regardait sans le voir le décor familier. Ce qu'elle voyait, c'était une route battue par la pluie et le vent où un homme blessé et chargé de chaînes se traînait, soutenu par un ou deux autres fantômes humains aussi épuisés que lui-même. Elle ajouta :

— Il n'y résistera pas ! Ils vont le tuer ! Y a-t-il seulement un hôpital pour ces malheureux ?

Ce fut Gracchus qui répondit :

— Il y en a un au bagne. Mais je croyais que la chaîne, avant d'arriver, subissait une visite médicale au lazaret de Pont-à-Lézen, tout près d'ici ?

— Ses gardiens n'ont pas voulu l'y laisser. On s'évade assez facilement du lazaret. Et l'homme qu'il a attaqué s'est opposé à ce qu'il reste là-bas. Il dit qu'on le soignera suffisamment au bagne pour qu'il puisse supporter la punition qu'il réclamera contre lui... Cet homme n'est qu'une brute haineuse. Il ne sera satisfait que lorsqu'il aura obtenu gain de cause.

— La punition ? Quelle punition ?

— La bastonnade et le cachot où Jason peut être condamné à demeurer plusieurs mois si le bâton ne l'assomme pas ! Et l'on ne s'évade pas d'un cachot.

L'épouvante avait remplacé chez Marianne l'attente qui avait été relativement paisible grâce aux espoirs solides qu'elle avait emportés de Saint-Malo. Mais elle comprenait maintenant que Jason était prisonnier d'une machine effrayante et inexorable, à laquelle il serait difficile de l'arracher, et qui menaçait de le broyer. Son état actuel interdisait toute tentative d'évasion et il ne guérirait, s'il guérissait, que pour tomber dans un état pire encore.

Tandis qu'elle rêvait ainsi lugubrement, Gracchus, avec un juron, rendossait le caban de marin qu'il avait acheté pour se confondre mieux avec la population du grand port, enfonçait jusqu'aux oreilles son bonnet de laine brune. D'un pas rapide, il se dirigea vers la porte.

Marianne d'un mot l'arrêta :

— Où vas-tu à cette heure ?

— A Keravel. Il y a, près des portes du bagne, un cabaret où vont boire les gardes-chiourme. J'y vais souvent et je m'y suis fait une connaissance, un certain sergent La Violette qui n'aime rien tant que la bouteille. Avec un boujaron de rhum, j'en tire les renseignements que je veux... et je veux savoir ce qu'il est advenu de M. Jason.

A ces paroles, un éclair s'alluma dans le regard découragé de Jolival.

— Voilà une connaissance utile. Tu as bien travaillé, mon gars ! Va seul pour ce soir, mais demain j'irai t'aider à abreuver ce militaire.

Lorsque le jeune garçon revint, deux heures plus tard, Marianne et Jolival étaient toujours dans la salle commune. Lui fumait en silence auprès du feu et elle, incapable de tenir en place, achevait de ranger la vaisselle pour tromper son énervement. Les nouvelles que le sergent La Violette avait extraites de son gobelet de rhum confirmaient en tous points celles de Jolival, mais avec quelque amélioration : l'un des condamnés, blessé, avait été hospitalisé immédiatement. Par chance pour lui, le jeune chirurgien affecté à la surveillance médicale du bagne se trouvait encore là au moment de l'arrivée de la chaîne. Un récidiviste de l'évasion, que l'on ramenait au bagne et qui le connaissait, l'avait alerté et il avait tout de suite examiné le prisonnier blessé.

« François Vidocq, songea Marianne. Encore lui ! »

Mais c'était avec gratitude maintenant qu'elle évoquait la nonchalante silhouette du curieux prisonnier qui l'avait tellement exaspérée à la Force. Pour un peu, elle l'eût hébergé dans ses prières puisque Jason lui devait d'être encore en vie à l'heure présente. Mais pour combien de temps ? La haine de cet homme qu'il avait frappé devait l'envelopper d'une garde vigilante et, durant les jours à venir, elle allait entretenir dans l'âme de la jeune femme une crainte imprécise mais perpétuelle.

Ces jours-là, un observateur extérieur les eût trouvés calmes et semblables les uns aux autres jusqu'à la monotonie rythmée par les cloches des églises et le canon du château. Les occupants de la petite maison vivaient en gens rangés, chacun vaquant à de menues occupations ménagères coupées de promenades où l'on voyait l'oncle et la nièce marcher gravement, bras dessus, bras dessous, dans les rues de la ville ou sur l'esplanade du château, visitant le port et les vieux quartiers. Le jeune valet, en dehors de son service, musait longuement, le nez en l'air, comme il convenait à un garçon de son âge. Il restait des heures sur les quais de la Penfeld, regardant les forçats charger les boulets et les grenades à bord des vaisseaux de guerre, ou bien enrouler les cordages neufs qui sortaient des mains de leurs camarades, travailler aux navires que l'on radoubait ou empiler, près du chantier maritime, les énormes pièces de bois fraîchement taillées qui apportaient l'odeur de leurs forêts natales. Mais toutes ces promenades apparemment innocentes avaient un double but ; apprendre le plus de nouvelles possible et surtout guetter l'arrivée du *Saint-Guénolé*.

Le chasse-marée avait un retard inexplicable. D'après les calculs de Jolival, il aurait dû faire son apparition depuis au moins une semaine et ce délai qu'elle supportait mal inquiétait Marianne. La mer avait été si dure, ces temps derniers ! Qui pouvait dire si le petit navire avait pu franchir sans encombre la passe du Fromveur que l'on disait si dangereuse, doubler le promontoire de Saint-Mathieu et atteindre le petit port du Conquet sans que la tempête l'eût drossé sur les rochers ? Les pêcheurs eux-mêmes ne sortaient guère et l'on disait, sur les quais et dans les cabarets, que, depuis quinze jours, aucune nouvelle n'était arrivée des îles. La mer sauvage, comme elle le faisait souvent l'hiver, avait coupé Molène et Ouessant du continent...

Pourtant, quand la porte et les volets de la maison

étaient bien clos, ses occupants se livraient à des tâches moins innocentes. Jolival avait passé des heures à découper soigneusement de gros sous de bronze, larges et épais à souhait, et à les reconstituer après avoir caché à l'intérieur des pièces d'or, la possession d'une certaine somme étant pour le bagnard une arme indispensable. Il avait aussi reproduit, en acier tranchant, la plaque-matricule en laiton que chaque forçait portait à son bonnet, après avoir appris, du sergent La Violette, le numéro sous lequel était enregistré Jason. Cette plaque, grâce à des dents de scie minuscules, était désormais capable de scier les fers. Quant à Marianne, elle avait appris à cuire le pain et deux grosses miches étaient déjà parties pour le bagne, toujours grâce à La Violette. Dans chacune d'elles, une pièce de vêtement civil était dissimulée...

Le soir venu, Jolival et Gracchus se glissaient hors de la maison et gagnaient le cabaret de la « Fille de la Jamaïque » à Keravel où ils étaient désormais considérés comme des habitués. Les nouvelles qu'ils rapportaient étaient d'ailleurs encourageantes : le blessé se rétablissait lentement mais sûrement. Sa jeunesse et sa vigoureuse constitution prenaient le dessus. Le danger d'infection était écarté. De plus, selon Arcadius comme d'ailleurs selon le chirurgien du bagne, la proximité de la mer était excellente pour la guérison des blessures. Mais Marianne n'imaginait tout de même pas sans frissonner le mince lit de varech sur lequel reposait, toujours enchaîné, car les forçats ne quittaient jamais leurs entraves, l'homme qu'elle aimait.

Le jour de Noël approchait, il tombait cette année-là un mardi. Aussi, le vendredi précédent, qui, comme tous les vendredis, était jour de marché à Brest, Marianne accompagna-t-elle Mme Le Guilvinec rue de Siam pour y faire les emplettes nécessaires à la préparation de ce grand jour de fête, le plus cher peut-être au cœur des Bretons. Il eût paru suspect que la nouvelle habitante de Recouvrance agît autrement que ses voisins.

Il faisait un temps doux mais brumeux. Le brouillard jaune enveloppait toutes choses et l'animation toujours très vive, rue de Siam, les jours de marché, en recevait une impression d'étrangeté. Les costumes rayés des marins en chapeaux de cuir verni et les riches costumes des paysannes si vivement colorés et si différents suivant leur village d'origine y devenaient comme irréels. Les filles du Léon, coiffées de hennins et envcloppées jusqu'aux talons de longs châles à franges, y prenaient une allure de magiciennes de légende et celles de Plouaré, couvertes de broderies rouge et or, paraissaient autant de vierges d'église descendues de leurs niches. Il n'était jusqu'aux plus vieilles, dans leurs atours sombres, qui n'en fussent idéalisées comme des formes surnaturelles venues du fond des âges. Les hommes, en gilet brodé, larges braies plissées et chapeaux ronds, étaient aussi joyeusement colorés.

Tandis que, sur les pas de Mme Le Guilvinec, Marianne errait d'un étal d'huîtres à un monticule de choux, elle vit venir au-devant d'elle un tombereau chargé de détritus. Quatre forçats, dont un coiffé du bonnet vert des irréductibles, le poussaient ou le tiraient sous l'œil amorphe d'un garde-chiourme qui les suivait nonchalamment en habitué, le nez en l'air et les mains au dos, sans souci de son sabre qui lui battait les mollets. Personne ne faisait attention au groupe. Pour les gens de Brest, des forçats au travail, c'était le pain quotidien. Certains même leur montraient quelque cordialité, comme à de vieilles connaissances.

C'était apparemment le cas de l'homme au bonnet vert, car, au passage, un shipchandler qui fumait sa longue pipe en terre, au seuil de sa boutique, lui adressa un signe amical. Le bagnard répondit d'un geste de la main et Marianne, tout à coup, reconnut Vidocq. Il était maintenant tout proche. Attirée comme un aimant, elle ne put résister au désir de capter son attention. Mme Le Guilvinec venait de s'arrêter sous le parapluie d'un maraîcher pour causer avec une vieille coiffée d'un menhir, semblable au sien, et ne s'occupait pas de sa compagne. Marianne leva la main.

Le regard vif du forçat accrocha le sien aussitôt. Il eut un demi-sourire, montrant qu'il l'avait reconnue et, d'un signe de tête, il lui désigna le coin de la prochaine rue où un tas d'immondices attendait qu'on l'enlevât. Puis tournant la tête vers le comite qui bâillait derrière le tombereau, il fit avec un caillou le geste de faire sauter une pièce dans sa main. Marianne comprit qu'il lui donnait rendez-vous auprès du tas d'ordures et que, moyennant une obole, elle pourrait échanger quelques mots avec lui.

Vivement, elle se glissa entre deux groupes sans être vue de sa compagne, courut vers le coin de la ruelle et attendit que le tombereau arrivât à sa hauteur. Alors, tirant une pièce d'argent de sa bourse, elle la mit dans la main du gardien en murmurant qu'elle voulait dire un mot à l'homme au bonnet vert.

L'homme haussa les épaules et eut un petit rire égrillard.

— Sacré Vidocq ! Il les aura donc toutes, alors ! Allez-y la belle, mais faites vite, vous avez une minute... pas plus !

L'entrée de la ruelle était sombre. Ce n'était qu'un étroit boyau que le brouillard emplissait de nuages. Marianne y entra tandis que le forçat, avec un sinistre bruit de chaîne, s'adossait à la muraille d'ardoises, à demi caché par un petit calvaire de bois qui ornait l'angle de la maison. Haletante, comme si elle avait longtemps couru, Marianne demanda :

— Avez-vous des nouvelles ?

— Oui. Je l'ai vu ce matin. Il va mieux, mais il n'est pas encore guéri.

— Combien de temps encore ?

— Au moins une semaine, dix jours peut-être.

— Et après ?

— Après ?

— Oui... On m'a dit qu'il devait... subir un châtiment.

Le forçat haussa les épaules d'un geste lourd de fatalisme.

— Il aura sûrement droit à la bastonnade ! Tout dépend de l'homme qui la lui appliquera... S'il va doucement, il peut la supporter.

— Mais moi, je ne peux même pas en supporter l'idée ! Il faut qu'il s'évade... avant ça ! Sinon, ensuite, il sera estropié, peut-être, ou peut-être pire !

Preste comme un serpent, la main du bagnard quitta la poche de sa veste de toile rouge et vint s'abattre sur le bras de la jeune femme.

— Plus bas, donc ! gronda-t-il. Vous parlez de ça comme s'il s'agissait d'aller à la messe ! On y pense, soyez tranquille ! Avez-vous un bateau ?

— J'en aurai un... enfin, je crois ! Il n'est pas encore arrivé et...

Vidocq fronça les sourcils.

— Sans bateau ce n'est pas possible. A peine l'alerte est-elle donnée au bagne que tous les gens d'alentour se lancent à la curée. Faire reprendre un « fagot en cavale » ça rapporte cent francs... et il y a, près du bagne, un campement de bohémiens qui ne sont là que pour ça ! De vrais molosses ! Dès que le canon donne l'alerte, ils prennent des faux et des fourches et courent à la chasse.

Le tombereau avait fini de charger son tas de détritus que les forçats avaient dû tasser tant bien que mal et le comite passait la tête derrière la croix.

— C'est fini, Vidocq ! On y va...

L'homme obéit, quitta sa pose de repos et gagna le coin de la rue.

— Quand votre bateau arrivera, faites-le dire à Kermeur, le cabaretier de la « Fille de la Jamaïque ». Mais tâchez que ce soit dans dix jours au plus tard... une semaine au plus tôt !... *Kenavo*[1].

Sans plus s'occuper de Mme Le Guilvinec, qui d'ailleurs avait disparu et devait la chercher quelque part dans le marché, Marianne redescendit vers l'esplanade du château. Elle voulait rentrer tout de suite à Recouvrance pour raconter à Jolival ce qui venait de se passer. Malgré la pente de la rue et les galets ronds qui la pavaient et que l'humidité rendait glissants, elle courait presque tandis que les paroles de Vidocq tournaient dans sa tête : « Dans dix jours au plus tard, une semaine au plus tôt. » Et Ledru n'était pas là... et il ne viendrait peut-être jamais !... Il fallait, dès maintenant, faire quelque chose, trouver un bateau... Il n'était plus possible d'attendre davantage ! Il avait dû arriver quelque chose au Malouin et d'autres dispositions urgentes s'imposaient...

Heureusement, le vieux Conan, le passeur, était de ce côté-là de la rivière, fumant sa pipe, assis sur un rocher aussi placidement que par le plus beau soleil et crachant dans l'eau de temps en temps. S'il avait été de l'autre côté, Marianne, hors d'elle-

1. Adieu.

même, aurait été capable de se jeter à l'eau pour passer plus vite. Elle sauta dans la barque avant même que le bonhomme n'eût remarqué qu'il avait une cliente.

— Vite ! ordonna-t-elle. Faites-moi passer !

— Bah ! fit le bonhomme en haussant les épaules, vous prendrez bien le temps de mourir ? Ces jeunesses ! Faut toujours que ça coure...

Mais il manœuvra ses avirons plus énergiquement que d'habitude et, quelques instants plus tard, Marianne, lui jetant une pièce au vol, sautait sur les rochers et prenait sa course vers sa maison. Elle s'y engouffra en trombe mais à peu près hors d'haleine. Debout près de la table, Jolival causait avec un pêcheur qui avait posé sur la table un plein panier de maquereaux à reflets bleus. L'odeur du poisson frais emplissait la pièce mêlée à celle du feu de bois.

— Arcadius ! lança Marianne, il faut trouver un bateau tout de suite. J'ai vu...

Elle n'alla pas plus loin. Les deux hommes s'étaient retournés vers elle et elle s'apercevait que le pêcheur n'était autre que Jean Ledru.

— Un bateau ? fit-il de sa voix tranquille. Pour quoi faire ? Le mien ne vous suffit pas ?

Les jambes coupées, elle se laissa tomber sur le banc, dégrafa sa mante qui l'étouffait et rejeta en arrière le bonnet de linon qui couvrait ses cheveux.

— J'ai cru que vous ne viendriez plus, qu'il vous était arrivé quelque chose... je ne sais trop quoi ! soupira-t-elle.

— Non, tout s'est bien passé ! Seulement j'ai dû relâcher quelques jours à Morlaix. L'un de mes hommes... était malade.

Il avait hésité sur l'explication, mais Marianne était trop heureuse de le voir pour s'attacher à une impression aussi mince.

— Peu importe puisque vous voilà, dit-elle. Le bateau est ici ?

— Oui, près de la tour de la Madeleine. Mais je repars dans un moment pour le Conquet.

— Vous repartez ?

Du geste, Jean Ledru désigna le panier de maquereaux.

— Je suis un simple pêcheur qui vient vendre son poisson et je n'ai, apparemment, rien à faire dans le port de Brest en dehors de mon métier. Mais soyez sans crainte, je reviens demain. Tout est-il prêt, ainsi que nous l'avions décidé à Saint-Malo ?

En quelques mots, Arcadius d'abord, Marianne ensuite le mirent au courant de tout ce qui s'était passé et qu'il ignorait encore : la blessure de Jason, l'impossibilité où il était de fournir, avant une semaine, l'effort nécessaire à sa libération et aussi la menace qui pesait sur lui dès qu'il serait à peu près guéri et qui laissait une si étroite marge de temps pour le tirer du bagne. Jean Ledru écouta tout cela sourcils froncés, mâchonnant avec une irritation croissante les pointes de sa moustache. Quand Marianne eut fini de relater sa récente conversation avec Vidocq, il frappa la table du poing, si violemment que les poissons sautèrent hors de leur prison d'algues et de joncs.

— Vous n'oubliez qu'une chose, qui cependant a son importance : la mer. On n'en fait pas ce que l'on veut et, dans une semaine, le temps sera si mauvais que l'Iroise deviendra impraticable. Il faut qu'avant cinq jours le prisonnier soit à bord du navire qui viendra le prendre au Conquet.

— Un navire ? Quel navire ?

— Que vous importe ? Celui qui doit lui faire passer l'océan, bien sûr ! Il sera à Ouessant dans trois jours et il n'est pas question qu'il s'y maintienne longtemps sans que les gardes-côtes le repèrent. Nous partirons la nuit de Noël.

Marianne et Jolival se regardèrent, interdits. Ledru devenait-il fou ou bien n'avait-il rien compris à ce qu'on lui avait dit ? Ce fut la jeune femme qui se chargea, doucement, de répéter :

— Jean, nous vous avons dit qu'avant une semaine au moins Jason n'aurait pas la force nécessaire à grimper le long d'une corde ou à escalader un mur ou à faire aucun des gestes violents que nécessite une évasion.

— Il a au moins la force de scier la chaîne qui l'attache à son lit, j'imagine ? Surtout si, comme vous me l'avez dit, vous lui avez fait parvenir les outils nécessaires et l'argent qui a dû lui permettre une nourriture un peu meilleure.

— Nous avons fait tout cela, coupa Jolival. Mais c'est tout à fait insuffisant. Que voulez-vous faire, vous ?

— L'enlever, tout simplement ! Je sais où se trouve l'hôpital du bagne : tout au bout des bâtiments, presque en dehors. Les murs sont moins hauts, plus faciles à escalader. Nous sommes douze hommes habitués à courir dans les vergues au milieu d'une tempête. Entrer dans l'infirmerie, en arracher votre ami et lui faire passer le mur sera un jeu d'enfant. Nous assommerons tout ce qui s'opposera à nous et, croyez-moi, ce sera vite fait. La nuit de Noël, la marée sera haute à minuit. Nous mettrons à la voile avec elle. Le *Saint-Guénolé* sera amarré au bas de Keravel. Et puis, ajouta-t-il avec un bref sourire arraché par la mine effarée des deux autres, la nuit de Noël, les gardiens fêtent eux aussi, à leur manière, la Nativité. Ils seront saouls comme des Polonais et nous en viendrons à bout sans peine ! Pas d'autre objection ?

Marianne prit une profonde respiration comme si, après avoir longtemps nagé sous l'eau, elle reparaissait à l'air libre. Au bout de toutes ces journées de doute et d'inquiétude les certitudes paisibles de Jean Ledru l'abasourdissaient légèrement. Mais Dieu qu'elles étaient réconfortantes !

— Je n'oserais pas, fit-elle avec un sourire. Vous n'en accepteriez aucune, n'est-ce pas ?

— Aucune ! approuva-t-il gravement, mais ses yeux se plissèrent tout à coup tandis qu'il chargeait à nouveau le panier de poissons sur son épaule.

Une lueur de gaieté traversa son regard ce qui était, chez ce Breton taciturne, le signe d'une hilarité extravagante.

— Faites avertir le prisonnier que c'est pour lundi soir. Que sa chaîne soit sciée pour 11 heures. Le reste me regarde. Quant à vous, guettez l'arrivée du bateau et, quand vous le verrez à quai, attendez la nuit et rejoignez-le !

Et, avec un dernier geste d'adieu, le marin sortit de la maison, traversa le jardinet puis, son panier sur l'épaule, dévala à grandes enjambées en direction du port. Un moment, on l'entendit siffler, dans les ruelles en pente, la chanson narquoise des marins de Surcouf qu'un matin d'angoisse Marianne avait entendue s'éloigner sur la mer dans une petite barque à voile, tandis qu'elle demeurait captive de Morvan le naufrageur.

> *Le trente et un du mois d'août*
> *On vit venir sous vent à nous*
> *Une frégate d'Angleterre...*

Demeurés seuls de part et d'autre de la table sur laquelle Jean avait laissé quelques poissons, Marianne et Jolival se regardèrent un moment sans rien trouver à se dire. Finalement, Arcadius haussa les épaules, alla prendre un cigare dans un pot de faïence hollandaise gris et bleu et, après l'avoir un instant promené sous son nez, se pencha vers le feu pour y prendre un tison. Une fumée odorante emplit la pièce, chassant la senteur forte des maquereaux.

— C'est lui qui a raison ! dit-il enfin. Seule l'audace paie dans une entreprise semblable. Et puis nous n'avons pas le choix.

— Vous pensez qu'il réussira ? demanda Marianne anxieusement.

— Mais je l'espère bien ! Sinon, ma chère enfant, rien ne pourra nous sauver : nous serons tous pendus aux vergues d'une frégate, à moins que l'on ne préfère nous passer par les armes. Car, bien entendu, si nous sommes pris, on ne nous fera pas de quartiers ! Cela vous fait-il peur ?

— Peur ? La seule chose que je craigne, Jolival, c'est de vivre sans Jason. Tout le reste m'est parfaitement égal, même la corde ou les balles...

Arcadius tira quelques bouffées voluptueuses de son cigare puis en considéra un instant avec intérêt le bout incandescent.

— J'ai toujours su que vous aviez l'étoffe d'une grande amoureuse, d'une grande héroïne... ou d'une grande folle ! dit-il gentiment. Personnellement, j'aime assez la vie et, puisque nous avons sept saints dans cette maison, je vais leur demander à tous de faire en sorte que cette nuit de Noël mouvementée que nous promet notre bouillant capitaine ne soit pas la dernière.

Et Arcadius s'en alla finir son cigare dans le jardin tandis que Marianne, livrée à elle-même, se mit machinalement à préparer les poissons.

Le 24 décembre commença mal. Le jour tardif, en se levant, révéla un brouillard à couper au couteau, si dense et si jaune que Recouvrance, avec ses arbres rares et ses murets de pierre grise, semblait quelque monde perdu flottant à la dérive dans un infini nuageux. C'était tout juste si l'on pouvait deviner la tour de la Motte-Tanguy. Tout le reste : ville, port, château et rade, avait disparu comme si la colline, larguant ses amarres à la façon d'une énorme montgolfière, avait pris son vol vers le ciel.

Marianne, qui n'avait pas fermé l'œil une seule minute durant cette ultime nuit, considérait la brume avec une rancune haineuse. Le destin semblait prendre un malin plaisir à lui compliquer la tâche. Elle lui en voulait, elle en voulait à la nature, à elle-même d'être si nerveuse, au monde entier de continuer à tourner si paisiblement quand elle endurait l'angoisse. Elle se montra si agitée, répétant sans cesse qu'on ne verrait jamais arriver le *Saint-Guénolé* en admettant qu'il pût approcher, que Jolival finit par ordonner à Gracchus d'aller, vers le milieu du jour, s'installer sur un rocher à la pointe du château pour y surveiller les entrées de navires.

Un peu calmée, Marianne fit alors un effort pour vivre normalement, au moins en apparence, cette journée cruciale qui allait décider de toute sa vie à venir. Néanmoins, elle demanda bien cent fois à un Jolival armé de patience jusqu'aux sourcils s'il était bien certain que Jason avait été averti de se tenir prêt et si, comme il l'avait demandé, François Vidocq avait été prévenu aussi afin qu'il pût aider l'Américain en saisissant pour lui-même une occasion inespérée. Car Marianne se doutait bien que le forçat ne ferait rien pour rien...

Dans la matinée, Mme Le Guilvinec, qui devait passer la veillée sainte chez sa nièce au Portzic, vint s'assurer que sa voisine ne manquerait de rien pendant son absence et lui apporter la bûche traditionnelle que l'on doit brûler lentement dans l'âtre en attendant la messe de minuit. La sienne était joliment ornée de rubans rouges, de laurier doré et de branches de houx et Marianne se montra d'autant plus touchée de cette preuve d'amitié qu'elle avait soigneusement caché son intention de quitter Brest dans la nuit pour n'y plus revenir et qu'elle avait considéré comme un bienfait du ciel l'invitation de la nièce.

La bonne dame était si contrariée d'abandonner ses nouveaux amis pour ce premier Noël qu'elle revint deux ou trois fois leur demander s'ils ne préféraient pas qu'elle restât ou s'ils ne souhaitaient pas l'accompagner dans sa famille. Mais devant leur ferme et souriant refus, elle se décida enfin à se séparer d'eux, non sans avoir poussé de nombreux « hélas ! » et sans avoir accablé Marianne de recommandations touchant les coutumes locales : bien accueillir les jeunes chanteurs de Noël, ne pas oublier de dire une prière pour les trépassés avant de partir pour la messe de minuit, préparer les fouaces et le coq en vue du modeste réveillon qui la suit, etc. Entre autres choses, elle lui recommanda sérieusement de rester à jeun jusqu'au soir.

— Sans rien prendre ? protesta Jolival. Alors que c'est déjà toute une affaire de l'obliger à se nourrir normalement ?

Mme Le Guilvinec leva un doigt sentencieux vers les poutres noircies du plafond :

— Si elle veut voir s'accomplir des prodiges, au cœur de la nuit sacrée, ou tout simplement si elle désire voir se réaliser ses souhaits, elle ne doit rien prendre de tout le jour jusqu'à ce qu'elle ait pu compter, la nuit venue, neuf étoiles dans le ciel. Si elle est encore à jeun quand se lèvera la neuvième étoile, alors elle pourra attendre avec confiance le présent du Ciel !

Arcadius allait peut-être ronchonner, son esprit philosophique se refusant à toute forme de croyance ayant un lien avec la superstition, mais Marianne, séduite par la poésie de la prédiction, regarda avec amitié la veuve de Pont-Croix, semblable dans ses vêtements noirs à quelque Sybille antique :

— La neuvième étoile ! dit-elle gravement. J'attendrai donc qu'elle se lève. Mais avec ce brouillard...

— Le brouillard s'en ira avec la marée. Que Dieu vous garde et vous exauce, demoiselle ! Nicolas Mallerousse a bien fait de vous donner sa maison.

Et elle s'en fut, après une ultime caresse à son chat qu'elle laissait chez ses voisins. Un moment, Marianne, avec un curieux sentiment de regret, regarda sa grande cape noire claquer dans le vent, sur le chemin de l'église. Le brouillard, chassé par de courtes rafales, commençait à s'effilocher et, comme l'avait prédit Mme Le Guilvinec, vers le milieu du jour il disparut complètement, restituant au paysage toute sa beauté rude. Il y avait environ une heure qu'il s'était dissipé quand un chasse-marée aux rouges voiles pointues embouqua la passe du château et entra dans la Penfeld. C'était le *Saint-Guénolé* qui arrivait au rendez-vous. L'aventure était commencée...

Quand la nuit fut bien close et bien noire, Marianne, Jolival et Gracchus quittèrent silencieusement leur maison après en avoir soigneusement fermé la porte mais laissé entrouverts une fenêtre et un volet pour que le chat de Mme Le Guilvinec, au demeurant bien pourvu de lait et de poisson, pût aller et venir à sa guise. D'un bond souple, Gracchus sauta le muret pour aller glisser sous la porte de la voisine la clef de la maison et une lettre expliquant l'obligation où se trouvaient Marianne et « son oncle » de rentrer à Paris au plus vite.

Il y avait longtemps déjà que le canon du château et la grosse cloche du bagne avaient annoncé la fin du travail et que les clochers avaient sonné l'Angélus du soir, mais la ville ne s'endormait pas comme elle avait coutume de le faire quotidiennement. Sur les navires de guerre dont on avait fait la toilette, les fanaux s'allumaient et les châteaux-arrière s'illuminaient, présageant le réveillon des états-majors. Dans les cabarets, de rudes gosiers entamaient pêle-mêle vieux chants de Noël et rengaines de la mer tandis que, dans les rues, des familles entières, avec les coiffes et les chapeaux des jours de fête, les hommes portant d'une main la lanterne, de l'autre le pen-bas de bois noueux, se hâtaient pour passer la veillée chez des amis en attendant l'heure de l'office. Il y avait aussi des bandes de jeunes garçons, armés d'une branche enrubannée, qui frappaient aux portes et, en échange de quelques pièces ou quelques pâtisseries, chantaient des Noëls à pleine gorge. La ville entière sentait le cidre, le rhum et les crêpes.

Personne ne prêta d'attention particulière à ces trois promeneurs, malgré la petite malle contenant quelques vêtements et les bijoux de Marianne que Gracchus portait sous un bras, à l'abri de son grand manteau, et le sac que la jeune femme tenait à la main. Ils n'étaient pas très différents des autres noctambules.

Passé le pont de Recouvrance, car cette fois le chemin était plus court par là, on commença à rencontrer quelques ivrognes. Au bas de la rue de Siam, les lumières des cabarets du port s'allongeaient sur les pavés jusqu'à se refléter parfois dans l'eau noire. Une atmosphère de fête régnait. Seuls quelques bateaux qui partaient avec la marée montraient quelque activité.

Tout au long du chemin, Marianne, qui avait pris le bras d'Arcadius, interrogeait le ciel noir, comptant les rares étoiles qui s'y allumaient. Et, jusque-là, elle n'en avait dénombré que six et sa mine anxieuse fit sourire Jolival :

— Si jamais il y a des nuages, vous risquez de mourir de faim, ma chère enfant.

Mais elle avait secoué la tête sans répondre, désignant tout à coup, par-dessus la haute mâture d'une frégate, la septième étoile qui venait d'apparaître. Quant à la faim, tant qu'elle n'aurait pas retrouvé Jason, elle ne la sentirait pas.

Au même moment, elle aperçut le chasse-marée apponté au bout de Keravel et, sur le pont, la silhouette de Jean Ledru qui faisait des gestes d'appel. Un brick, le *Trident*, et deux frégates, la *Sirène* et l'*Armide*, mouillés non loin de lui, le faisaient paraître tout petit mais sa modestie même était une sauvegarde, ainsi que l'unique et discret fanal accroché au grand mât. Une planche le reliait au quai.

En un instant, les fugitifs furent à bord. A la lumière jaune de la lanterne, Marianne vit soudain se refermer autour d'elle un cercle silencieux de visages qui avaient l'air taillés dans de l'acajou, malgré les cheveux et les barbes souvent claires. Tous vêtus semblablement de gros tricots sombres et de bonnets enfoncés jusqu'aux yeux, les hommes de Jean Ledru ressemblaient beaucoup plus à des forbans qu'à d'honnêtes marins, mais les visages avaient tous la même expression farouchement déterminée et, sous les tricots, on devinait des muscles noueux comme des branches de chêne.

— Vous êtes à l'heure ! grogna Ledru. Descendez dans la cabine, Marianne, et attendez-nous. Monsieur votre... oncle vous tiendra compagnie.

D'un même élan, les deux interpellés ouvrirent la bouche et protestèrent.

— Pas question ! fit Arcadius. Je vais avec vous.

— Moi aussi ! fit Marianne en écho.

L'un des hommes, un grand rouquin qui avait l'air d'un ours un peu roussi, s'opposa aussitôt à cette prétention.

— Déjà bien suffisant d'avoir une femme à bord, cap'tain ! S'il faut encore la traîner avec nous...

— Vous ne me « traînerez pas », s'insurgea Marianne, et en allant avec vous je resterai moins longtemps sur votre bateau. Et puis, l'homme que vous allez chercher, il est à moi. Je veux risquer avec vous...

— Et grimper au mur, avec vos jupes ?

— J'attendrai en bas. Je ferai le guet. Et je sais aussi me servir de ça ! ajouta-t-elle en écartant les pans de son manteau et en montrant, passé dans sa ccinturc, l'un dcs pistolets de Napoléon.

Le rouquin se mit à rire.

— Tonnerre ! Si c'est ça, venez, la belle. Puisque vous n'êtes pas une mauviette, un coup de main n'est jamais de refus.

Jean Ledru qui, durant cet échange de paroles, avait disparu un instant dans la cambuse, réapparut, fermant soigneusement son caban, mais l'œil vif de Marianne avait eu le temps d'apercevoir, autour de son torse, l'enroulement méthodique d'une longue corde. Il parcourut sa troupe d'un coup d'œil rapide.

— Tout le monde est prêt ? Joël, tu as la corde ? Et vous, Thomas et Goulven, les grappins ?

D'un même mouvement, trois hommes, dont le rouquin, écartèrent leurs lourdes vestes. L'un était enroulé de chanvre comme Jean lui-même, les deux autres, dont le rouquin, qui devait s'appeler Thomas, portaient, accrochées à leurs ceintures, de longues griffes de fer destinées à être lancées par-dessus le mur.

— Alors, en avant, décréta le jeune chef. Par petits groupes, s'il vous plaît, et l'air aussi naturel que possible ! Vous trois, ajouta-t-il en s'adressant aux nouveaux venus, vous nous suivrez avec un peu de distance, comme si vous alliez veiller chez des amis. Et tâchez de ne pas vous perdre dans les ruelles de Keravel.

— Pas de danger, grogna Gracchus. Je connais ce quartier du diable comme ma poche. J'irais les yeux fermés !

— Vaut mieux les ouvrir, mon gars ! Ça t'évitera des surprises.

Les uns après les autres, ils quittèrent le bateau. Seuls demeuraient à bord un vieil homme qui répondait au nom de Nolff et Nicolas le mousse. Marianne et son escorte partirent les derniers. Sur le bras de Jolival, les doigts de la jeune femme se crispaient nerveusement. Malgré le froid, elle avait l'impression d'étouffer. Lorsque l'on s'engagea dans les rues malodorantes de Keravel, les maisons informes, avec leurs encorbellements irréguliers, lui parurent vouloir se jeter sur elle. Jamais encore elle n'était venue dans ce quartier abandonné de Dieu mais non des hommes et le décor lugubre de ce boyau tortueux, où s'allumait parfois la lueur rouge d'un cabaret aux rideaux crasseux, avait quelque chose d'effrayant. Loin en avant, comme au fond d'un tunnel, une lanterne grinçait, pendue à une chaîne tendue d'une masure à l'autre, mais, dans les ténèbres des renfoncements, Marianne, révulsée, put voir galoper des rats qui se poursuivaient dans des détritus en poussant de petits cris. Le mince ruban de ciel était si rétréci qu'il n'était pas possible d'apercevoir la moindre étoile.

— Vous auriez dû rester à bord, murmura Jolival en la sentant frissonner.

Mais aussitôt, elle se raidit :

— Non ! A aucun prix !

On dut faire un détour pour éviter de passer devant la haute porte du bagne où veillaient des factionnaires, mais bientôt la petite troupe s'étira à l'abri des grands murs noirs où, sur le chemin de ronde en surplomb, s'entendait le pas régulier des sentinelles. On passa entre le bagne et les corderies désertes à cette heure tardive puis, tourné un angle droit, on aperçut quelques fenêtres grillées derrière un mur nettement moins haut : c'était l'infirmerie. A ces fenêtres-là un peu de lumière apparaissait, faible et rougeâtre, produite sans doute par une veilleuse.

A l'aplomb de la première, Jean Ledru regroupa son monde, ôta son caban et commença à dérouler sa corde, tandis que Joël en faisait autant et que Thomas et Goulven détachaient leurs grappins. D'une main timide, Marianne désigna la fenêtre :

— Il y a des barreaux... Comment ferez-vous ?

— Vous ne pensiez pas que nous allions passer par là ? souffla le Breton goguenard. Il y a une porte de l'autre côté du mur et, en sautant dessus de là-haut, on aplatira la sentinelle tout net !

Vivement, les grappins furent attachés. Les marins s'écartèrent, tirant Marianne et Jolival en arrière. Jean Ledru et Thomas prirent un peu de distance puis, bien plantés sur leurs jambes écartées, commencèrent à balancer les grappins d'un mouvement identique.

Ils allaient les lancer quand, soudain, Jean laissa mollir le sien et fit signe à Thomas d'en faire autant. Il y avait du bruit, là-haut. On entendit un bruit de course, puis des lumières apparurent qui se mirent à voyager d'une fenêtre à l'autre. Et tout à coup, si proche que Marianne eut l'impression que le mur explosait, un coup de canon éclata, suivi d'un second, puis d'un troisième...

Sans plus de souci d'être entendu, Jean Ledru jura superbement et ramassa ses engins.

— Il y a eu une évasion ! Le bagne va être fouillé, puis la ville. Ensuite ce sera la campagne et la côte ! Au bateau, vous autres, et à fond de train...

Le cri de Marianne lui fit écho.

— Mais ce n'est pas possible ! Nous ne pouvons pas partir... abandonner Jason !...

Les hommes, déjà, s'égaillaient et prenaient leur course vers les ruelles sombres du vieux quartier. Vivement, Jean saisit le bras de Marianne et sans rien vouloir écouter l'entraîna d'une poigne irrésistible.

— C'est raté pour le moment. Rien ne servirait d'insister, sinon à nous faire prendre !

Éperdue, elle essayait de résister, se tournant désespérément vers les fenêtres derrière lesquelles on voyait s'agiter des silhouettes. Tout le bagne d'ailleurs s'éveillait. On entendait galoper des pieds chaussés de souliers à clous ou de galoches, claquer les chiens des fusils que l'on armait. Quelqu'un s'était pendu à la cloche et sonnait comme un forcené, déversant, sur le port en fête, le grondement sinistre du tocsin.

Entraînée d'un côté par Ledru, de l'autre par Jolival, Marianne avait bien été obligée de courir elle aussi, mais son cœur cognait, à lui faire mal, dans sa poitrine et ses pieds butaient douloureusement sur les galets glissants. Ses yeux noyés cherchaient le ciel et elle étouffa un gémissement. Le ciel s'était couvert et il n'y avait plus d'étoiles !

— Plus vite ! grognait Ledru, plus vite ! On peut encore nous voir.

Les rues noires de Keravel les engloutirent et, une fois dans leur ombre, Arcadius s'arrêta, retenant Marianne et obligeant le jeune homme à en faire autant.

— Qu'est-ce qui vous prend ? aboya celui-ci. Nous ne sommes pas arrivés !

— Non ! fit calmement le vicomte. Mais voulez-vous me dire ce que nous risquons maintenant ? Il n'est pas écrit sur notre figure que nous avions l'intention de faire évader un forçat. Sommes-nous donc moins semblables qu'à l'aller à de bonnes gens allant en veillée ?

Ledru se calma instantanément. Il ôta son bonnet de laine et passa ses doigts écartés dans ses cheveux humides de sueur :

— Vous avez raison. Ces coups de canon m'ont rendu fou, je crois bien... et il vaut même bien mieux rentrer tranquillement. C'est fichu pour ce soir... Je suis désolé, Marianne ! ajouta-t-il voyant la jeune femme, haletante, se mettre à pleurer sur l'épaule de Jolival. Nous aurons peut-être plus de chance une autre fois...

— Une autre fois ? Il sera mort avant, ils me l'auront tué !...

— Ne pensez pas cela ! Tout ira peut-être mieux que vous ne l'imaginiez. Et ce n'est de la faute à personne si un sailli-chien a eu la même idée que nous et a mis à profit la nuit de Noël pour jouer la fille de l'air.

Il essayait, gauchement, de la consoler, mais Marianne ne voulait pas être consolée. Elle imaginait Jason sur son grabat d'hôpital, avec ses chaînes sciées, attendant un secours qui ne viendrait pas. Qu'arriverait-il demain quand on verrait les entraves coupées ? L'homme nommé Vidocq pourrait-il quelque chose, seulement, pour lui éviter le pire ?

La petite troupe s'était remise en marche. Jean Ledru allait devant maintenant, les mains dans les poches de son caban, le bonnet sur les yeux et le dos rond, pressé de retrouver les planches de son bateau.

Cramponnée à Jolival débordant de pitié, Marianne suivait plus lentement, cherchant fiévreusement un moyen impossible de sauver Jason. Il lui semblait que chaque pas qu'elle faisait, en l'éloignant du bagne, mettait un peu plus d'irréparable entre elle et celui qu'elle aimait... Cachée sous son capuchon, elle pleurait à petits sanglots durs, pénibles comme des boules d'épine.

Parvenu sur le port, Jean courut vers son bateau, non sans jeter un regard inquiet à un gendarme qui, les mains au dos, faisait les cent pas avec l'air de quelqu'un qui attend quelque chose. Doucement Jolival se pencha vers Marianne :

— Il vaut mieux rentrer à Recouvrance, mon petit. Attendez-moi là, je vais chercher les bagages et voir où est passé Gracchus. Il doit avoir suivi les marins.

Elle fit signe qu'elle avait compris et, tandis qu'il se dirigeait vers le bateau, demeura là, les bras pendant le long de son corps, vidée de tout courage comme de toute pensée. Alors, le gendarme qui s'avançait déjà vers Arcadius se précipita vers elle et la saisit par le bras sans paraître se soucier du faible cri de frayeur qu'elle poussa.

— Bon Dieu ! Que faites-vous là à traînasser ? Vous trouvez que nous ne sommes pas suffisamment en danger ? Embarquez, bon sang ! Voilà une demi-heure qu'on vous attend en se rongeant les sangs !

Pour le coup, elle faillit bien s'évanouir de saisissement car, sous le bicorne du gendarme, elle venait de reconnaître Vidocq, Vidocq en personne encore qu'à peu près méconnaissable. Mais une bouffée de colère balaya d'un seul coup son chagrin :

— Vous ? C'est vous l'évadé ? C'est vous que l'on cherche et pendant ce temps-là Jason...

— Mais il est à bord, votre Jason, pauvre idiote ! Allez, ouste, embarquez.

Il la jeta plus qu'il ne la hissa sur le pont où déjà les hommes s'activaient aux manœuvres d'appareillage et tandis qu'elle tombait pratiquement dans les bras de Jolival, il sauta à son tour le plat-bord puis, d'un pas tranquille, alla se poster près du fanal, un pied sur un rouleau de cordages, bien en vue afin que la garde du port pût remarquer son uniforme.

Autour d'eux la ville ne s'agitait pas beaucoup plus à cause de la messe qui venait de sonner. On ne chasserait l'homme qu'après avoir prié Dieu !

Au même instant, une autre silhouette de gendarme se hissa hors de la cambuse, maigre et barbue sous le bicorne, mais dont les yeux riaient dans le visage encore émacié.

— Marianne ! appela-t-il doucement. Viens ! C'est moi...

Elle voulut dire quelque chose, crier sa joie peut-être, mais les alternatives d'espoir, d'angoisse, de terreur, de détresse et de surprise avaient usé sa résistance. Elle trouva tout juste la force de tomber dans les bras du faux gendarme qui, lui, avait peine à se tenir debout mais trouva tout de même assez d'énergie pour la serrer contre lui. Ils demeurèrent une longue minute enlacés sans qu'un seul mot pût franchir leurs gorges serrées, trop émus et trop heureux pour parler. Autour d'eux les voiles claquaient, escaladant les mâts à grande vitesse. Les pieds nus des marins galopaient sans bruit sur le pont. Jean Ledru, à la barre, haussa les épaules et détourna les yeux de ce couple qui semblait oublier la terre.

Mais, de son poste d'observation, Vidocq leur lança :

— Si j'étais vous, j'irais m'asseoir à l'abri du bordage ! Même à des argousins stupides, à des gabelous obtus, ou à des soldats ivres, ça peut paraître drôle, un gendarme qui se lance à la chasse au forçat avec une femme dans les bras !

Silencieusement, ils obéirent, gagnèrent un coin abrité où ils se nichèrent comme deux oiseaux bienheureux. Doucement Marianne ôta l'absurde bicorne pour que le vent de mer jouât librement dans les cheveux de Jason. En même temps, d'un mouvement devenu instinctif, elle leva les yeux vers le ciel : toutes les étoiles étaient visibles et il y en avait beaucoup plus que neuf...

La nuit des prodiges avait tenu ses promesses.

15

POUR QUE JUSTICE SOIT FAITE...

Tandis que le *Saint-Guénolé,* sous la main habile de Jean Ledru, filait grand large en direction du cap Saint-Mathieu et du Conquet, et que la côte bretonne glissait dans la nuit comme un fantôme déchiqueté, François Vidocq s'expliqua.

Vers la fin du jour, un grave accident avait eu lieu sur les chantiers du bagne. Une fausse manœuvre avait abattu, au bassin de radoub, un mât en réparation sur des forçats occupés à empiler des madriers au bord du quai. Il y avait eu un mort et des blessés graves. En un moment, l'infirmerie du bagne, pompeusement décorée du titre d'hôpital, s'était trouvée pleine, tellement même que Jason Beaufort, jugé suffisamment remis désormais, avait été réintégré sur l'heure dans le dortoir commun. Heureusement, à cause de la hâte avec laquelle on l'avait déménagé, on avait remis au lendemain l'accouplement à un autre forçat, se contentant de l'enchaîner simplement au bat-flanc commun.

— Sachant ce que vous aviez préparé, il fallait que je vous gagne de vitesse pour vous avertir que tout était changé... et en même temps que je ne laisse pas échapper cette occasion magnifique offerte par votre bateau. Scier la chaîne de Beaufort ne m'a pas demandé beaucoup de temps... J'ai quelque habitude de cet exercice, ajouta-t-il avec un demi-sourire. Quant à la mienne, c'était fait d'avance. Restait à nous assurer un moyen de sortir du bagne par la porte. Beaufort peut marcher. Il est assez bien remis pour cela, mais pour sauter un mur... J'ai donc pris la seule solution possible : assommer deux gendarmes et endosser leurs uniformes après les avoir mis hors d'état de nuire et les avoir installés dans un endroit tranquille, convenablement ficelés et bâillonnés.

— Pas si tranquille que cela, votre endroit ! grogna Jolival amèrement. On n'a pas mis longtemps à les découvrir puisque l'alerte a été donnée tout de suite !

Le vicomte avait le mal de mer. Couché de tout son long près d'un tas de cordages, autant pour éviter la bôme qui, à chaque changement d'amure, balayait le pont, que pour s'épargner tout mouvement, il regardait obstinément le ciel noir, sachant bien que fixer son attention sur la mer n'aurait fait qu'aggraver les choses.

— Je suis sûr que même à cette heure on ne les a pas encore découverts, affirma Vidocq péremptoire. Ils sont dans l'atelier de cordages où personne ne met les pieds avant le matin. Et, croyez-moi, je sais bâillonner et ficeler les gens !

— Cependant l'alerte a été donnée...

— Oui... mais pas pour nous ! Un autre forçat a dû vouloir profiter de la nuit de Noël pour prendre lui aussi sa chance. Nous n'avions pas pensé à cela, dit-il en haussant les épaules, et, en vérité, nous ne pouvions prétendre avoir le monopole de l'évasion.

— Mais alors, s'écria Marianne, on ne vous cherche peut-être pas, vous ?

— Si, très certainement ! En admettant que l'on

502

n'ait pas trouvé les gendarmes, on a dû s'apercevoir rapidement de notre absence. Quand l'alerte est donnée, les camarades n'ont plus aucune raison de se taire. Notre chance, c'est que l'on nous cherche sans doute sur la côte et à travers la campagne. Il est pratiquement impossible à un forçat de se procurer un bateau, surtout comme celui-là, même avec une aide extérieure. En général, ce ne sont pas des gens riches, vous savez.

Il poursuivit un moment l'exposé de ses idées personnelles sur les techniques de l'évasion et sur les chances diverses qu'elles pouvaient présenter, mais Marianne n'écoutait plus. Assise contre le bordage, décoiffée par le vent, elle caressait doucement les cheveux de Jason dont la tête reposait sur ses genoux. Il était faible encore et cette faiblesse émouvait Marianne tout en la ravissant secrètement car, ainsi, il lui appartenait tout entier, il était à elle, en elle, chair de sa chair comme l'eût été l'enfant qu'elle avait perdu, comme le seraient ceux qu'elle lui donnerait...

Depuis que l'on avait quitté Brest, ils n'avaient presque rien dit, peut-être parce qu'ils avaient trop à dire et aussi parce que, désormais, la vie leur appartenait. Elle s'étendait devant eux, immense comme cet océan qui bondissait autour d'eux avec de grands soupirs humides à la manière d'un animal familier qui retrouve son maître après une longue absence. Un instant, elle avait cru que Jason s'était endormi mais, en se penchant, elle avait vu briller ses yeux grands ouverts et compris qu'il souriait.

— J'avais oublié que la mer sentait si bon! murmura-t-il tout en posant contre sa joue rugueuse la main qu'il n'avait pas lâchée un instant.

Il avait parlé bas, mais Vidocq avait entendu et s'était mis à rire :

— Surtout après les relents de ces dernières semaines ! La crasse des hommes, la misère des hommes, je ne connais pas d'odeur plus effroyable, même celle de la pourriture parce que la pourriture, c'est encore de la vie qui recommence. Mais il n'y faut plus penser : les sentines du bagne, c'est fini pour toi.

— Pour toi aussi, François.

— Qui peut savoir ? Je ne suis pas fait pour le vaste univers mais pour le monde clos où s'agitent les pensées et les instincts des hommes. Les éléments, c'est bon pour toi, moi je préfère mes semblables : c'est moins beau mais plus varié.

— Et plus dangereux ! Ne joue pas l'esprit fort, François. La liberté, tu n'as jamais vécu que pour ça. Tu la trouveras chez nous.

— Reste à définir ce que l'on entend par « la Liberté ».

Puis changeant de ton, il demanda :

— Dans combien de temps serons-nous au Conquet ?

Ce fut Jean Ledru qui répondit :

— Nous avons bon vent. Dans une heure, je pense... Il n'y a guère que six lieues de mer.

On avait, en effet, ajouté une flèche au mât, un clin foc au beaupré et le petit navire, portant maintenant toute sa toile, fendait le vent comme une mouette. Sur la droite, la côte fuyait, montrant parfois le toit étalé et le court clocher d'une chapelle ou l'étrange figure géométrique d'un dolmen. De son doigt pointé, Jean Ledru en montra un à Marianne :

— Une légende dit que, durant la nuit de Noël, les dolmens et les menhirs vont boire à la mer tandis que sonne minuit et qu'alors les trésors qu'ils cachent sont à découvert. Mais quand sonne le dernier coup, ils sont tous revenus à leur place, écrasant le téméraire qui tenterait de les voler.

La jeune femme se mit à rire, reprise par la prédilection qu'elle avait toujours éprouvée pour les histoires et qui faisait partie de son goût ardent de la vie.

— Combien y a-t-il de légendes en Bretagne, Jean Ledru ?

— Une infinité ! Autant que de galets, je pense.

La flamme d'un phare brilla soudain dans la nuit, jaune comme une lune d'octobre, dominant l'énorme entassement rocheux d'un promontoire haut d'une trentaine de mètres. Le jeune capitaine le désigna d'un geste du menton :

— Le phare de Saint-Mathieu... Ce cap est l'une des pointes extrêmes du continent. Quant à l'abbaye, elle était jadis riche et puissante.

En effet, à la lueur diffuse et incertaine d'un rayon de lune filtrant à travers les nuages, le squelette d'une église et de vastes bâtiments apparaissaient maintenant à l'avant du phare, donnant à ce cap dénudé une apparence si désolée et si lugubre que les matelots, instinctivement, se signèrent.

— Le Conquet est à une demi-lieue au nord environ, n'est-ce pas ? demanda Vidocq à Jean Ledru qui ne répondit pas, occupé qu'il était à scruter la mer.

Dans le nid de pie, d'ailleurs, éclata soudain la voix aiguë du mousse tandis que le bateau, le nez vers la haute mer, doublait la pointe.

— Voile par le travers avant !

Chacun se dressa ou tendit le cou. A quelques encablures, en effet, la silhouette élégante d'un brick venait d'apparaître, courant, sous ses voiles gonflées, des bordées dans ces eaux dangereuses aussi aisément qu'une barque de pêche. Aussitôt, Jean Ledru cria dans le vent :

— Le fanal !... Sortez le fanal ! Ce sont eux.

Comme les autres, Marianne regardait évoluer le

beau navire, comprenant que c'était là le sauveur promis par Surcouf. Seul, Jason n'avait pas bougé, regardant toujours le ciel, prisonnier d'un rêve ou de la fatigue. Alors, Ledru dit, avec impatience :

— Regarde donc, Beaufort ! Voilà ton navire.

Le corsaire tressaillit, se releva d'un élan et demeura accroché au bordage, les yeux grands ouverts, dévorant le vaisseau qui approchait.

— La *Sorcière* ! murmura-t-il d'une voix que l'émotion étranglait, « ma » *Sorcière* !...

Machinalement, le voyant bondir, Marianne l'avait suivi et, debout près de lui, regardait elle aussi.

— Tu veux dire que ce navire, c'est le tien ?

— Oui... c'est le mien ! C'est le nôtre, Marianne !... Cette nuit, j'aurai donc retrouvé tout ce que je croyais à jamais perdu pour moi : toi, mon amour... et elle !...

Il y avait tant de tendresse dans ce petit mot de quatre lettres que Marianne, une seconde, jalousa le navire. Jason en parlait comme de son enfant ; comme si, au lieu de bois et de fer, il eût été fait de ses propres fibres humaines et il le contemplait avec la joie, l'orgueil d'un père. Ses doigts se nouèrent autour de ceux du marin comme si elle cherchait instinctivement à reprendre pleine possession de lui, mais Jason, tendu vers son bateau, se laissa faire sans réagir. Il venait de tourner la tête vers Ledru et demandait, anxieux :

— L'homme qui le mène est un maître marin ! Sais-tu qui il est ?

Jean Ledru se mit à rire, d'un rire d'orgueil et de triomphe.

— Un maître marin, tu l'as dit ! C'est Surcouf lui-même ! Nous avons, pour toi, volé ton navire sous le nez des gabelous dans la rivière de Morlaix...

C'est pour ça que je suis arrivé à Brest plus tard qu'on ne pensait.

— Non, rectifia derrière eux une voix tranquille, vous ne l'avez pas volé ! Vous l'avez enlevé... avec l'assentiment de l'Empereur ! Cette nuit-là, n'est-ce pas, les gabelous ont eu le sommeil singulièrement dur ?

Si Vidocq avait cherché un effet de théâtre, il pouvait être satisfait. Oubliant le brick dont on entendait la chaîne d'ancre racler l'écubier et glisser dans les profondeurs, Marianne, Jason, Jean Ledru et même Jolival, subitement ressuscité, se tournèrent vers lui d'un même mouvement. Mais ce fut Jason qui traduisit le sentiment des autres.

— L'assentiment de l'Empereur ? Qu'est-ce que tu veux dire ?

Adossé au grand mât, Vidocq, les bras croisés, regarda l'un après l'autre ces visages tendus vers lui. Puis, avec l'extrême douceur que savait prendre sa voix quand il le fallait, il répondit :

— Que depuis des mois il a bien voulu me donner ma chance, que je suis à son service... et que j'avais ordre de te faire évader, à tout prix ! Cela n'a pas été facile, car, à l'exception de cette jeune femme, choses et gens se sont tournés contre moi. Mais tu n'étais pas encore jugé que j'avais mes ordres !

Sur le coup, personne ne trouva rien à dire. La stupeur retenait les voix au fond des gorges tandis que les regards cherchaient à démêler ce qui, tout à coup, était devenu différent chez cet homme énigmatique. Suspendue au bras de Jason, Marianne essayait vainement de comprendre et ce fut peut-être parce que cette compréhension était au-dessus de ses possibilités qu'elle retrouva la première l'usage de la parole.

— L'Empereur voulait que Jason s'évade? Mais alors pourquoi le jugement, pourquoi la prison, le bagne...

— Cela, madame, il vous le dira lui-même car il ne m'appartient pas de vous révéler ses raisons qui sont de haute politique.

— Me le dire lui-même? Vous savez bien que ce n'est pas possible! Dans un instant, je vais partir, quitter la France pour toujours...

— Non!

Elle crut avoir mal entendu.

— Qu'avez-vous dit?

Il tourna vers elle un regard où elle crut bien lire une profonde pitié. Plus doucement encore, si cela était possible, il répéta:

— Non!... vous ne partez pas, madame! Pas maintenant tout au moins! Je dois, une fois que Jason Beaufort aura repris la mer, vous ramener à Paris.

— Il n'en est pas question! Je la garde! Mais il est temps de s'expliquer. Et, d'abord, qui es-tu au juste?

Saisissant Marianne par le bras, Jason venait de la faire passer derrière lui, comme s'il voulait lui faire, contre un danger menaçant, un rempart de son corps. D'instinct, elle le ceintura de ses deux bras pour mieux le retenir contre elle, tandis qu'avec colère il s'adressait à son compagnon d'évasion. Vidocq haussa les épaules et soupira:

— Tu le sais bien: François Vidocq, et, jusqu'à cette minute, j'ai été un bagnard, un prisonnier, un gibier que l'on traque. Mais cette évasion, c'est ma dernière, la bonne parce qu'au-delà d'elle il y a maintenant une autre vie.

— Un mouchard! Voilà ce que tu es sans doute.

— Merci pour le doute! Non, je ne suis pas un

mouchard. Mais voici un an à peu près que M. Henry, chef de la Sûreté, m'a donné ma chance : travailler, du fond de mes prisons, à traquer le crime, à faire la lumière sur des affaires trop sordides pour n'être pas obscures. On me savait habile : mes évasions le prouvaient. Intelligent : mes intuitions sur telle ou telle culpabilité en faisaient foi. Je travaillais à la Force et, quand tu es arrivé, il m'a suffi d'un coup d'œil pour savoir que tu étais innocent, d'un regard à ton dossier d'accusation pour comprendre que tu étais le jouet d'une machination. L'Empereur devait penser de même car j'ai reçu immédiatement l'ordre de me consacrer uniquement à toi et à ton affaire. D'autres instructions ont suivi que j'ai dû adapter aux circonstances : ainsi, sans ton geste à la Don Quichotte, je t'aurais fait évader pendant le voyage.

— Mais enfin, pourquoi ? Pourquoi tout cela ? Tu as subi, avec moi, la chaîne, le bagne...

Un rapide sourire vint éclairer le visage dur de Vidocq :

— Je savais que c'était la dernière fois car ton évasion était aussi la mienne. Personne ne recherchera François Vidocq... ni d'ailleurs Jason Beaufort. J'ai gagné, avec toi, le droit de n'être plus un agent secret, caché sous les barreaux d'une prison et les loques d'un convict. A partir de cette minute, j'appartiens, et à visage découvert, à la Police Impériale [1]. Et rien de ce qui a été fait pour toi ne l'a été sans mon ordre. Un homme à moi a suivi la fausse Mlle de Jolival chez Surcouf, à Saint-Malo, un

1. A cette époque, en effet, l'ancien forçat François Vidocq, qui travaillait obscurément caché parmi la faune des prisons, eut la permission de s'évader définitivement. Il devait ensuite faire partie de la police d'État et même en devenir le chef.

homme qui, dès son départ, a fait connaître au baron-corsaire l'ordre impérial d'aller prendre, en rade de Morlaix, le brick la *Sorcière de la Mer* pour la conduire là où je l'indiquerais, mais de s'arranger pour que cet enlèvement ait l'air d'en être véritablement un. Comme tu le dis, j'ai tout subi avec toi. Penses-tu que ce soit là du travail de mouchard ?

Jason détourna la tête. Son regard vint se poser sur celle de Marianne qui se collait à son épaule et qu'il sentait frémir et trembler tout le long de son corps.

— Non, dit-il enfin sourdement. Je ne comprendrai sans doute jamais les raisons profondes de Napoléon. Pourtant, je te dois la vie et je t'en remercie du fond du cœur. Mais... elle ? Pourquoi veux-tu la ramener à Paris ? Je l'aime plus que...

— Que ta vie, que ta liberté, que tout au monde ! acheva Vidocq avec lassitude. Je sais tout cela... et l'Empereur le sait aussi, très certainement ! Mais elle n'est pas libre, Jason, elle est la princesse Sant'Anna... Elle a un mari, même si ce mari n'est qu'un fantôme, car c'est un fantôme singulièrement puissant et dont la voix porte loin. Il réclame son épouse et l'Empereur se doit de faire droit à sa demande car la grande-duchesse de Toscane, sa sœur, pourrait voir flamber la révolte dans ses États si l'Empereur faisait tort à un Sant'Anna...

— Je ne veux pas ! cria Marianne en se serrant plus fort contre Jason. Je ne retournerai jamais là-bas !... Garde-moi, Jason !... Emporte-moi avec toi ! J'ai peur de cet homme qui a tous les droits sur moi bien que je ne l'aie jamais approché ! Par pitié, ne les laisse pas m'arracher à toi.

— Marianne !... ma douce ! Je t'en supplie, calme-toi... Non, je ne te laisserai pas ! Je préfère retourner au bagne, reprendre la chaîne, n'importe quoi, mais je refuse de te quitter.

— Il le faudra bien, pourtant ! fit tristement Vidocq. Voilà ton vaisseau que l'Empereur te rend, Jason. Ta vie est sur la mer, non aux pieds d'une femme unie à un autre. Et, dans le port du Conquet, une voiture attend la princesse Sant'Anna.

— Elle fera mieux de repartir car elle attendra en vain ! gronda une voix furieuse. Marianne reste ici !

Et Jean Ledru, un pistolet armé dans chaque main, vint se glisser entre le couple et le policier :

— Ici, c'est mon bord, policier ! Et, même s'il est petit, j'y suis maître après Dieu ! Sous nos pieds, c'est la mer et ces hommes sont les miens ! Nous sommes quatorze et tu es seul ! Si tu veux vivre longtemps, je te conseille de laisser Marianne partir avec l'homme qu'elle aime comme tous deux le désirent. Sinon, crois-moi, les poissons ne feront pas de différence entre la viande d'un agent secret ou celle d'un forçat évadé ! Allons, recule et descends dans la cambuse ! Quand ils seront à bord du brick, je te ramènerai à terre.

Vidocq secoua la tête et désigna le navire qui était tout près maintenant et que l'on allait accoster. Le haut bordage, d'instant en instant, dominait de plus en plus le pont du chasse-marée.

— Tu oublies Surcouf, marin ! Il sait que cette femme est mariée à un autre et que cet autre la réclame. C'est un homme d'honneur qui ne connaît que son devoir et la solidarité des marins.

— Il l'a prouvé en acceptant d'aider Marianne alors qu'il me croyait peut-être coupable, coupa Jason, il nous aidera !

— Non ! Et d'ailleurs, je ne lui demanderais pas, si j'étais toi. Madame, ajouta-t-il en se tournant vers Marianne sans se soucier de la double gueule noire braquée sur son ventre, c'est à vous que je fais appel, à votre sens de l'honneur et à votre loyauté :

avez-vous épousé le prince Sant'Anna sous la contrainte ou bien l'avez-vous fait librement ?

Dans les bras de Jason, le corps de Marianne se raidit tout entier. De toutes ses forces elle essayait de repousser le malheur qui s'abattait sur elle au moment même où elle croyait saisir, et à jamais, le bonheur. Cachant sa tête contre son ami, elle murmura :

— Je l'ai épousé... librement. Mais j'ai peur de lui...

— Et toi, Jason, n'as-tu pas une épouse quelque part ?

— Ce démon qui voulait ma mort et celle de Marianne ? Elle n'est plus rien pour moi.

— Que ta femme, devant Dieu et devant les hommes ! Croyez-moi, acceptez de vous séparer maintenant. Vous vous retrouverez mieux plus tard. Vous, madame, je ne suis pas chargé de vous remettre à votre époux mais de vous conduire chez l'Empereur qui vous réclame.

— Je n'ai rien à lui dire ! lança-t-elle violemment.

— Mais lui, si ! Et je refuse de croire que vous n'ayez rien à lui répondre... alors qu'il peut, peut-être, vous aider à vous libérer l'un et l'autre de vos liens ! Soyez donc raisonnable... et ne m'obligez pas à employer la force ! Jason ne peut partir que seul... et à la condition que vous me suiviez docilement jusqu'à Paris.

Jean Ledru, qui n'avait pas lâché ses pistolets, se mit à rire et jeta un bref regard sur le flanc de la *Sorcière* qui maintenant les dominait de toute sa hauteur.

— La force, c'est nous qui l'avons, policier ! Et je te dis, moi, que Marianne suivra Jason et que Surcouf va m'aider à t'envoyer par le fond si tu t'obstines dans tes idées insensées... Allons, fais ce que je t'ai dit : descends ! La mer devient plus forte ! Nous n'avons plus de temps à perdre. Ici, c'est l'Iroise, un passage où l'on n'a guère le temps de faire la conversation, et l'île basse que tu vois, là-bas, c'est Ouessant dont on dit : « Qui voit Ouessant, voit son sang ! »

— La force n'est pas avec toi, Jean Ledru ! Regarde !...

Marianne, en qui l'espoir était revenu devant l'attitude ferme du Breton, eut un gémissement de douleur. Doublant la pointe Saint-Mathieu, une frégate venait d'apparaître, menaçante. Le clair de lune luisait sur les bouches des canons qui sortaient des sabords ouverts.

— C'est la *Sirène,* expliqua Vidocq. Elle a ordre de veiller à ce que tout se passe ici comme l'Empereur l'a ordonné, sans d'ailleurs savoir en quoi consiste au juste son ordre. Son capitaine sait seulement qu'à un certain signal il doit faire feu sur un brick.

Mes félicitations ! fit Jolival qui, durant le combat de mots, n'avait rien dit. Vous disposez de bien grands moyens pour un ancien forçat !

— L'Empereur est puissant, monsieur ! Moi, je ne suis rien qu'un modeste instrument revêtu pour un instant de son pouvoir ! Vous savez bien qu'il n'admet pas qu'on lui désobéisse... et, apparemment, il a quelques raisons de ne pas croire beaucoup à l'obéissance aveugle de Madame.

Jolival haussa les épaules avec dédain :

— Un navire de guerre ! Des canons ! Tout cela pour arracher une malheureuse femme à l'homme qu'elle aime ! Sans compter qu'en coulant la *Sorcière* vous enverriez par le fond, du même coup, l'illustre Surcouf !

— Dans une minute, le baron Surcouf sera à bord de ce navire. Voyez : le voici qui descend vers nous...

En effet, une échelle de corde venait d'être lancée et la lourde silhouette du corsaire la dégringolait en ombre chinoise avec une rapidité qui faisait honneur à son agilité.

— Quant à Madame, poursuivit Vidocq, elle n'est pas une malheureuse femme, mais une très grande dame dont l'époux a le pouvoir de causer bien des malheurs. Et je n'insiste pas sur ce que représente Beaufort ! L'Empereur n'aurait pas pris tant de peine pour le sauver s'il n'était qu'un homme sans importance. Les bonnes relations avec Washington exigent qu'il regagne son pays intact, et avec son navire... même si, apparemment, il est censé pourrir aux galères. Alors, madame, que décidez-vous ?

Surcouf venait de sauter sur le pont et bondissait vers le groupe massé auprès du grand mât.

— Que faites-vous donc ? s'écria-t-il. Il faut embarquer tout de suite ! Le vent se lève et la mer devient dure. Vos hommes vous attendent, monsieur Beaufort, et vous êtes trop bon marin pour savoir que les parages d'Ouessant sont dangereux, particulièrement sous certain vent...

— Accordez-leur encore un instant ! intervint Vidocq. Au moins le temps de se dire adieu...

Marianne ferma les yeux tandis qu'un sanglot lui déchirait la gorge. De toutes ses forces, elle se cramponnait à Jason comme si elle espérait qu'un miracle du ciel allait leur permettre de se fondre tout à coup en un seul être... Elle sentait ses bras qui la serraient si fort, son souffle dans son cou et, bientôt, une larme qui coulait le long de sa joue.

— Pas adieu ! supplia-t-elle désespérément tandis

qu'il resserrait encore son étreinte, pas adieu ! Je ne pourrai jamais...

— Moi non plus ! Nous nous reverrons, Marianne, je te le jure, chuchota-t-il contre son oreille. Nous ne sommes pas les plus forts et nous devons obéir ! Mais puisqu'il te faudra sans doute partir pour l'Italie, je te donne rendez-vous...

— Rendez-vous ?...

Elle souffrait tant que la signification des mots lui venait mal, même celui-là qui, cependant, était chargé d'espoir.

— Oui, rendez-vous... dans six mois à Venise ! Mon navire attendra en rade le temps qu'il faudra...

Peu à peu, il lui insufflait la force combative qui ne l'avait jamais quitté, il enfonçait les mots dans son oreille avec une énergie qui rendit un peu de vie à la malheureuse. Son intelligence recommença à jouer.

— Pourquoi Venise ? Le port le plus proche de Lucques, c'est Livourne.

— Parce que Venise n'appartient pas à la France mais à l'Autriche. Si tu ne peux obtenir la liberté de ton mari, tu fuiras et tu me rejoindras. A Venise, Napoléon ne pourra te reprendre !... Tu as compris ? Tu viendras ? Dans six mois...

— Je viendrai, mais, Jason...

Il lui ferma la bouche d'un baiser dans lequel il fit passer toute l'ardeur de sa passion. Il y avait, dans cette caresse, non la déchirante douleur de la séparation mais un espoir fou, une volonté capable d'affronter l'univers et Marianne le lui rendit avec toute la chaleur de son amour. Quand il l'écarta enfin de lui, il murmura encore tandis que son regard bleu s'enfonçait dans les yeux pleins de larmes de la jeune femme :

— Devant Dieu qui m'entend, je ne renoncerai

jamais à toi, Marianne! Je te veux et je t'aurai! Même si je dois aller te chercher à l'autre bout de la Terre!... Jolival, vous veillerez sur elle! Vous le promettez?

— Je n'ai jamais rien fait d'autre! grogna le vicomte en attirant doucement contre lui le corps tremblant de celle qu'on lui remettait. Soyez tranquille!

Avec décision, Jason se dirigea vers Surcouf et, gravement, le salua.

— Je ne sais pas bien dire merci, fit-il, mais, où et quand vous le désirerez, vous pourrez disposer de moi comme il vous plaira, monsieur le baron! Je suis à vous!

— Je m'appelle Robert Surcouf! riposta le corsaire. Viens que je t'embrasse, mon gars! Et, ajouta-t-il tout bas, tâche de revenir la chercher! Elle en vaut la peine.

— Il y a longtemps que je le sais, répondit Jason avec un bref sourire en répondant à l'accolade vigoureuse du Malouin. Je reviendrai...

Enfin, il se tourna vers Vidocq et, franchement, lui tendit la main :

— Nous avons trop souffert ensemble pour n'être pas des frères, François, dit-il. Tu n'as fait que ton devoir. Tu n'avais pas le choix...

— Merci! dit simplement le policier. Quant à elle, sois tranquille, il ne lui adviendra rien de mauvais! J'y veillerai aussi. Viens, je vais t'aider à monter là-haut! ajouta-t-il en désignant la muraille de bois au long de laquelle l'échelle de corde claquait dans le vent.

Mais déjà, du navire américain, plusieurs hommes avaient sauté sur le pont et, s'emparant de leur capitaine, le hissaient comme un simple paquet, tandis que les hommes de Jean Ledru, dont Jason avait au passage serré la main à la briser, raidissaient l'échelle pour qu'elle demeurât immobile. Appuyée contre Jolival, Marianne suivait des yeux l'ascension de Jason vers une frise de têtes et de torses qui se penchaient sur le bordage. L'arrivée sur le pont fut saluée d'une ovation, un « Hurrah ! » qui claqua comme un coup de canon et qui résonna lugubrement dans le cœur de Marianne. C'était, pour elle, comme la voix même de ce lointain pays où elle n'avait pas le droit de suivre Jason et qui le lui reprenait.

A l'arrière du *Saint-Guénolé* Vidocq avait, par trois fois, ouvert et refermé le voyant d'un fanal et là-bas, près du promontoire rocheux, la frégate, déjà, virait de bord pour rentrer à Brest. Cependant, vers la côte, le ciel devenait moins sombre. Mais le vent soufflait plus fort gonflant à nouveau les voiles qui remontaient aux vergues, tandis que les hommes du chasse-marée, armés de gaffes, repoussaient leur navire au large du brick. Jean Ledru alla reprendre la barre et, peu à peu, le ruban d'eau s'élargit entre les deux navires. Le chasse-marée glissa vers l'arrière du grand voilier, entra dans la lumière des fanaux. Là-haut, entre les deux lanternes de bronze doré, Marianne, qui ne retenait plus ses larmes, vit se dresser, soutenue par un marin, la haute silhouette de Jason. Il leva un bras dans un geste d'adieu... Il paraissait si loin déjà, si loin que Marianne, éperdue, oublia que, l'instant précédent, elle s'était promis d'être courageuse, que cet adieu n'en était pas un mais rien d'autre qu'un au revoir... En une seconde elle ne fut plus qu'une femme déchirée, écartelée, dont le vent emportait la meilleure part. S'arrachant d'un élan désespéré aux mains d'Arcadius, elle s'élança vers le bordage du bateau.

— Jason ! cria-t-elle sans souci de l'étrave qui

plongeait dans la lame et du paquet de mer qui l'inondait. Jason!... Reviens!... Reviens!... Je t'aime!...

Ses doigts mouillés s'agrippaient au bois lisse tandis que, d'un geste machinal, elle rejetait dans son dos la masse trempée de ses cheveux. La mer, sous le navire, se creusait et elle faillit rouler sur le pont mais toute sa force était réfugiée dans ses mains crispées, toute sa vie dans ses yeux qui regardaient, là-bas, s'éloigner le navire de Jason... Deux bras vigoureux la ceinturèrent et l'arrachèrent à sa contemplation en même temps qu'au danger.

— Vous êtes folle! gronda Vidocq. Vous voulez être précipitée à la mer...

— Je veux le revoir... Je veux le retrouver!

— Lui aussi! Mais ce n'est pas un cadavre qu'il veut revoir, c'est vous, vivante! Bon Dieu! Voulez-vous donc mourir sous ses yeux pour lui prouver votre amour? Vivez, sacrebleu!... au moins jusqu'au rendez-vous qu'il vous a donné.

Elle le regarda avec étonnement, déjà reprise par le besoin de vivre, de lutter encore pour atteindre le but qui à cette minute lui échappait.

— Comment le savez-vous?

— Il vous aime trop! Sans cela, il n'aurait jamais accepté de se séparer de vous! Allons, venez vous mettre à l'abri! Le brouillard de l'aube va se lever et la mer vous a trempée. On meurt aussi bien d'une fluxion de poitrine que d'une noyade.

Docilement, elle se laissa conduire vers un endroit mieux protégé et envelopper d'une forte toile à voile, mais elle refusa de descendre dans la cambuse. Jusqu'au bout, elle voulait voir s'éloigner le navire de Jason.

Là-bas, du côté des îles qui précédaient une foule d'îlots et de récifs, la *Sorcière de la Mer* se dirigeait lentement vers la haute mer, se penchant avec grâce sous l'immense et frêle échafaudage de ses voiles blanches. Elle semblait, dans la grisaille du petit matin, quelque mouette glissant entre les écueils noirs. Un instant, Marianne aperçut le navire par le travers tandis qu'il évoluait entre deux îlots. Elle vit qu'à la proue se découpait une silhouette de femme et se souvint de ce que Talleyrand, un jour, lui avait dit : c'était son image, à elle, que Jason avait fait sculpter à l'avant du vaisseau et elle souhaita, avec passion, être cette femme de bois que son amour avait voulue et que son regard caressait sans doute si souvent...

Puis, le brick américain changea d'amure et Marianne ne vit plus que l'arrière et ses fanaux qui se fondaient dans la brume. Le *Saint-Guénolé* lui aussi vira pour se diriger vers le petit port du Conquet... Avec un soupir, Marianne alla rejoindre Surcouf et Jolival qui causaient, assis sur des cordages, tandis qu'autour d'eux claquaient les pieds nus des marins occupés aux manœuvres. Tout à l'heure, une voiture allait l'emporter vers Paris, comme l'avait dit Vidocq, vers Paris où l'attendait l'Empereur. Mais pour lui dire quoi ?... Ne se souvenant qu'à peine qu'elle l'avait aimé, Marianne pensait seulement qu'elle n'avait pas envie de revoir Napoléon...

Lorsque trois semaines plus tard, sa voiture s'engagea sous la voûte du château de Vincennes, Marianne jeta à Vidocq un regard chargé d'inquiétude.

— Êtes-vous donc chargé de m'incarcérer ? demanda-t-elle.

— Mon Dieu non ! Simplement, c'est là que l'Empereur a décidé de vous donner audience ! Je n'ai pas à connaître ses raisons. Tout ce que je peux vous dire, c'est que ma mission s'arrête ici.

Ils étaient arrivés de Bretagne la veille au soir et Vidocq, en déposant Marianne dans la cour de sa maison, l'avait informée qu'il reviendrait la chercher le soir suivant afin qu'elle pût rencontrer l'Empereur, mais il avait ajouté qu'elle n'aurait pas à revêtir de robe de cour et qu'il lui fallait surtout s'habiller chaudement.

Elle n'avait pas bien compris la raison de cette recommandation, mais elle était si fatiguée qu'elle n'avait même pas cherché d'explication, pas plus qu'elle n'avait songé à demander son avis à Jolival. Elle avait gagné son lit comme le naufragé s'accroche à une épave : pour reprendre des forces avant ce qui allait venir et qui l'intéressait si peu. Une seule chose comptait : trois semaines s'étaient écoulées, trois semaines pénibles, cahotantes au long de routes interminables que le mauvais temps rendait exténuantes et qu'avaient jalonnées tous les incidents désagréables possibles : roues rompues, ressorts brisés, chevaux qui glissent et s'abattent, sans compter les arbres écroulés sous les coups de l'ouragan. Mais c'étaient tout de même trois semaines écoulées sur ces six mois au bout desquels Jason l'attendrait...

Quand elle songeait à lui, ce qui était à chaque heure, à chaque seconde du temps qu'elle ne donnait pas au sommeil, c'était avec une curieuse impression de vide intérieur, une sorte de faim inapaisable et douloureuse qu'elle trompait en cherchant à recréer constamment en esprit les instants si courts où il était demeuré près d'elle, où elle avait pu le toucher, tenir sa main, caresser ses cheveux, sentir l'odeur de sa peau, sa chaleur rassurante, la force avec laquelle, si faible encore, il l'avait serrée contre sa poitrine avant de lui donner ce dernier baiser dont le souvenir la brûlait encore et la faisait trembler.

Elle avait trouvé Paris sous la neige. Un froid noir gelait l'eau dans les gouttières et dans les ruisseaux, coupant les oreilles et rougissant les nez. La Seine, grise, charriait des glaçons et l'on disait que, dans les maisons pauvres, des gens mouraient de froid chaque nuit. Une épaisse couche blanche qui se maculait sans fondre recouvrait toutes choses, habillant les jardins d'une froide et éclatante fourrure, mais transformant les rues en dangereux cloaques glacés où c'était la plus simple chose du monde de se casser une jambe. Mais les chevaux de Marianne, ferrés à glace, avaient parcouru sans encombre la longue route qui menait de la rue de Lille à Vincennes.

L'ancienne forteresse des rois de France avait soudain surgi de la nuit, sinistre et délabrée, avec ses tours rasées à hauteur des chemins de ronde. Seuls demeuraient intacts la tour du Village qui enjambait l'antique pont-levis et l'énorme donjon qui dressait, haut par-dessus les arbres dépouillés, sa masse noire et carrée flanquée de quatre tourelles d'angle. Dépôt de poudre, arsenal et réserve de l'armée gardé par des invalides et quelques soldats, Vincennes, c'était aussi une prison d'État et le donjon, lui, était solidement défendu.

Mais il s'érigeait, muet, enveloppé de sa « chemise » de murailles et de sa barbacane qui l'isolaient, à droite, de l'immense cour blanche où les tas de boulets couverts de neige évoquaient d'étranges gâteaux crémeux, et, en face, d'une chapelle délabrée, ravissante et dérisoire dentelle de pierre qui s'effritait lentement sans que personne songeât à porter remède à sa misère, joyau voulu par Saint Louis mais ignoré de ce temps de foi si tiède. Et Marianne cherchait en vain la raison de cette audience discrète au fond d'une forteresse délabrée à la sinistre réputation. Pourquoi Vincennes ? Pourquoi la nuit ?

Un peu plus loin, deux nobles pavillons jumeaux se faisaient face. Ceux-là évoquaient le Grand Siècle mais n'étaient pas mieux traités. Les fenêtres manquaient de carreaux, les mansardes élégantes croulaient et des lézardes zébraient les murailles. Pourtant, ce fut vers l'un de ces bâtiments, celui de gauche qui s'étendait au-delà de la chapelle, que Gracchus, sur les indications de Vidocq, dirigea ses chevaux.

Un peu de lumière se montrait au rez-de-chaussée, derrière des vitres sales. La voiture s'arrêta :

— Venez, dit Vidocq en sautant à terre. Vous êtes attendue.

Levant les yeux, Marianne enveloppa d'un regard surpris ce décor, misérable et rude tout à la fois, et serra plus étroitement contre elle son manteau de drap noir doublé de martre en rabattant le capuchon fourré sur ses yeux. Une bise coupante balayait l'immense cour, faisant voleter la neige et pleurer les yeux. Lentement, la jeune femme pénétra dans un vestibule dallé qui gardait des traces de splendeur et, tout de suite, elle vit Roustan. Enveloppé d'une vaste houppelande rouge vif, dont le col relevé ne laissait passer que son turban blanc, le mameluk arpentait le dallage inégal en se battant les flancs sans préjugés. Mais, apercevant Marianne, il se hâta d'ouvrir devant elle la porte où il montait cette garde agitée. Et, cette fois, Marianne se trouva en face de Napoléon...

Sous le manteau d'une grande cheminée où flambait un tronc d'arbre, il se tenait debout, l'un de ses pieds bottés posé sur la pierre de l'âtre, une main au dos, l'autre glissée dans l'ouverture de sa longue redingote grise, et il regardait les flammes. Son ombre, coiffée du grand bicorne noir sans le moindre ornement, s'étendait, fantastique, jusqu'aux caissons sculptés du plafond où demeuraient des traces de dorure et, à elle seule, suffisait à meubler cette salle immense et vide où ne demeuraient plus, aux murs, que les traces des anciennes tapisseries, sur le sol que quelques tas de gravats.

Impassible et songeur, il regarda Marianne plonger dans sa révérence puis lui désigna le feu :

— Viens te chauffer ! dit-il. Il fait, cette nuit, un froid horrible.

Silencieusement, la jeune femme s'approcha et tendit ses mains dégantées à la flamme après avoir, d'un mouvement de tête, rejeté en arrière son capuchon. Et, un moment, tous deux demeurèrent là, sans rien dire, à regarder les flammes bondissantes et à se laisser pénétrer par elles. Finalement, Napoléon jeta un bref regard sur sa compagne.

— Tu m'en veux ? demanda-t-il en considérant avec un peu d'inquiétude le fin profil immobile, les paupières baissées, la bouche serrée.

Sans le regarder, Marianne répondit :

— Je ne me le permettrais pas, Sire ! On n'en veut pas au maître de l'Europe !

— C'est pourtant ce que tu fais ! Et, après tout, je ne peux guère te donner tort ! Tu espérais partir, n'est-ce pas ? Trancher les liens qui te retiennent encore à une vie dont tu ne veux plus, rayer le passé, balayer tout ce qui a été...

Elle braqua soudain sur lui ses prunelles vertes où se mit à danser une petite lueur d'amusement. Il était un extraordinaire comédien, vraiment ! C'était bien de lui cette manière de chercher des excuses pour se mettre en colère quand il se savait fautif.

— N'essayez pas de chauffer une colère que vous n'éprouvez pas, Sire ! Je connais trop bien... Votre

Majesté! Et, puisque me voici revenue, que l'Empereur veuille bien oublier ce que je souhaitais faire et m'expliquer toutes ces choses étranges qui se sont déroulées durant les mois derniers. Oserais-je avouer que je n'ai rien compris et ne comprends toujours rien?

— Tu es pourtant intelligente, il me semble?

— J'espérais l'être, Sire, mais il apparaît que les méandres de la politique de Votre Majesté sont trop compliqués pour une cervelle de femme. Et j'admets, sans la moindre honte, n'avoir pas pu démêler la vérité de ce que vos juges et vos journaux ont appelé « l'affaire Beaufort »... sinon qu'un homme innocent a souffert injustement, failli mourir dix fois pour donner à l'un de vos agents secrets le plaisir et la gloire de le faire évader avec votre bénédiction et sous la surveillance de votre impériale marine, sinon... que j'ai failli, moi, en mourir de désespoir! Qu'enfin, pour couronner le tout, vous m'avez fait ramener ici de force...

— Oh! de force!...

— Contre mon gré, si vous préférez! Pourquoi tout cela?

Cette fois, Napoléon quitta sa pose méditative, se tourna vers Marianne et, gravement:

— Pour que justice soit faite, Marianne, et pour que tu en sois le témoin.

— Justice?

— Oui, justice! J'ai toujours su que Jason Beaufort n'était coupable en rien, ni du meurtre de Nicolas Mallerousse ni du reste. Tout juste de sortir du champagne et du bourgogne hors de France pour le plaisir de gens que je n'ai aucun goût à réjouir! Mais il me fallait les coupables... les vrais coupables sans détruire le jeu délicat de ma politique internationale. Et, pour cela, je devais jouer le jeu jusqu'au bout...

— Et risquer, jusqu'au bout, de voir Jason Beaufort mourir de misère ou sous les coups de vos gardes-chiourme ?

— Je lui avais donné un ange gardien qui, mon Dieu, n'a pas si mal fait son travail ! Je te le répète, il me fallait les coupables... et puis, il y avait cette affaire de fausses livres anglaises qui m'obligeait à frapper, simplement pour ne pas être ridicule et pour ne pas dévoiler mes batteries secrètes.

La curiosité maintenant rongeait lentement la rancune de Marianne.

— Votre Majesté a dit qu'elle voulait les coupables ? Puis-je lui demander si elle les tient ?

Napoléon se contenta de hocher la tête affirmativement. Marianne insista.

— Votre Majesté sait qui a tué Nicolas, qui est le faux-monnayeur ?

— Je sais qui a tué Nicolas Mallcrousse et je le tiens, quant au faux-monnayeur...

Il hésita un instant, jetant sur la jeune femme anxieuse un regard incertain. Elle crut bon de l'encourager :

— Eh bien ? N'était ce donc pas le même ?

— Non. Le faux-monnayeur... c'est moi !

Le vieux plafond s'effondrant sur sa tête n'eût pas sidéré Marianne plus totalement. Elle regarda l'Empereur comme si tout à coup elle doutait qu'il fût sain d'esprit.

— Vous, Sire ?

— Moi-même ! Pour détruire le commerce anglais j'avais imaginé de faire frapper une quantité de fausses livres anglaises dans un atelier discret, par des hommes sûrs, et d'en inonder le marché. J'ignore comment les misérables qui en ont déposé sur le bateau de Jason Beaufort se les sont procurées, mais une chose était certaine : c'étaient les miennes... et il m'était impossible de le proclamer. Voilà pourquoi, tandis que, dans les prisons et un peu partout en France, mes agents travaillaient obscurément à démêler la vérité, j'ai laissé reposer l'accusation sur ton ami. Voilà aussi pourquoi j'avais signé sa grâce à l'avance et préparé, aussi minutieusement que possible, son évasion. Elle ne pouvait manquer : Vidocq est un habile homme... et j'étais bien certain que tu lui donnerais un coup de main !

— En vérité, Sire, nous sommes bien peu de chose entre vos doigts et j'en arrive à me demander si un homme de génie est un bienfait des dieux... ou une calamité ! Mais, Sire, ce coupable... ajouta-t-elle avec anxiété, ou... ces coupables ?

— Tu as raison de dire « ces » car il y en a eu plusieurs mais ils avaient un chef, et ce chef... mais viens plutôt avec moi.

— Où donc ?

— Jusqu'au donjon, j'ai quelque chose à te montrer... Mais couvre-toi bien.

Retrouvant d'instinct les gestes caressants qu'il avait naguère pour l'aider à mettre un manteau ou à enrouler une écharpe autour de sa tête, durant les jours si doux de Trianon, il disposa lui-même le capuchon sur les cheveux de Marianne et lui tendit ses gants qu'elle avait jetés sur la pierre de l'âtre. Puis, toujours comme autrefois, il prit son bras pour sortir et fit, au passage, à Roustan, signe de les suivre.

Au-dehors, le vent glacial les saisit dans son tourbillon mais, appuyés l'un à l'autre, ils se lancèrent à travers la vaste cour, s'enfonçant jusqu'à la cheville dans la neige qui crissait sous leurs pas. Arrivés à la barbacane du donjon, Napoléon fit passer sa compagne devant lui sous la voûte basse gardée par des factionnaires qui avaient l'air figés par le froid. Il y avait de petits glaçons jusque dans leurs moustaches. L'Empereur retint Marianne. Une lanterne, accrochée au mur par un anneau de fer, éclaira son regard gris-bleu qui était devenu très grave, sévère même mais sans dureté :

— Ce que tu vas voir est horrible, Marianne... et tout à fait exceptionnel. Mais, je te le répète, il faut que justice soit faite ! Es-tu prête à regarder ce que je veux te montrer ?

Elle soutint son regard sans broncher :

— Je suis prête !

Il saisit alors sa main et l'entraîna. On franchit une autre porte basse et l'on se trouva au pied du donjon sur un pont-dormant qui enjambait le profond et large fossé. Un escalier de bois descendait dans ce fossé et Marianne, machinalement, regarda au fond où brillaient des lanternes. Mais, aussitôt, elle eut un mouvement de recul et un gémissement d'horreur : dans la neige boueuse du fond, gardée par deux factionnaires, une horrible construction se dressait, sinistre, une hideuse fenêtre de bois peint en rouge retenant tout en haut un couteau triangulaire : la guillotine !

Les yeux dilatés d'horreur, Marianne regardait l'affreuse machine. Elle tremblait si fort que Napoléon, doucement, passa un bras autour d'elle et la retint contre lui.

— C'est affreux, n'est-ce pas ? Je le sais, va ! Et nul plus que moi ne hait cet atroce instrument.

— Pourquoi, alors...

— Pour punir comme il se doit ! Tout à l'heure, un homme va mourir ! Il attend dans un cachot du donjon et nul, hormis les quelques hommes triés sur le volet qui assisteront à son exécution, ne saura que l'échafaud a été dressé ici cette nuit, comme nul n'aura connaissance du jugement qui l'a ordonné! Mais c'est qu'aussi cet homme est un criminel exceptionnel, un misérable comme on en voit peu. Il a, l'été passé, égorgé froidement Nicolas Malle-rousse après l'avoir attiré dans un piège et l'avoir transporté ligoté et bâillonné avec l'aide de ses complices dans la maison de Passy où habitait Jason Beaufort. Là, il l'a tué mais ce n'était qu'un parmi ses nombreux crimes. Quelques dizaines d'hommes, mes soldats, retenus prisonniers sur les pontons anglais, sont morts, déchirés par les chiens que ce misérable avait dressés à les traquer...

Depuis que, tout à l'heure, Napoléon avait annoncé qu'il tenait les coupables, Marianne avait pressenti qu'elle allait entendre cela. Elle savait depuis si longtemps, elle, qui avait assassiné Nicolas! Mais elle ne parvenait pas à croire qu'un aussi diabolique personnage eût pu se laisser prendre. Pourtant, les dernières paroles prononcées par Napoléon jetaient dessus une lumière aveuglante.

Un doute, plus fort que la raison, demeurait encore en Marianne. Elle l'exprima :

— Sire! Êtes-vous bien sûr cette fois de ne point vous tromper?

Il tressaillit, braquant sur elle un regard soudain glacé.

— Tu ne vas pas, aussi, me demander la grâce de celui-là?

— A Dieu ne plaise, Sire!... si c'est bien lui!

— Viens! Je vais te le montrer.

Ils pénétrèrent dans le donjon, franchirent le corps de garde dont, pour une fois, la porte était fermée, gravirent le bel escalier à vis jusqu'au premier étage où ils débouchèrent dans une salle gothique dont la voûte à quatre travées était supportée par un énorme pilier central. Là veillaient un geôlier... et Vidocq dont la haute taille se cassa en deux à la vue de l'Empereur. Aux angles de la pièce, des portes fortement armées donnaient sur les cellules prises chacune dans une tourelle. Un geste de Napoléon appela le geôlier.

— Ouvre sans bruit le guichet. Madame veut voir le prisonnier.

L'homme se dirigea vers l'un des angles, ouvrit un guichet grillagé et s'inclina.

— Approche! dit Napoléon à Marianne. Regarde!...

Avec répugnance, elle vint jusqu'à la porte, craignant et souhaitant à la fois ce qu'elle allait voir, mais surtout redoutant de trouver là un visage inconnu, celui de quelque malheureux que l'on aurait réussi, par l'un de ces tours de passe-passe où l'on était si habile, à faire passer pour le vrai coupable.

Une lanterne, posée sur un escabeau, éclairait l'intérieur de la cellule ronde. Un feu brûlait dans la haute cheminée conique avec des éclatements joyeux mais, sur la couchette, un homme était étendu, des chaînes aux poignets et aux pieds et, cet homme, Marianne n'eut besoin que d'un regard pour constater qu'il était bien celui qu'elle espérait et redoutait à la fois de voir. C'était Francis Cranmere, c'était l'homme dont, un instant, elle avait porté le nom.

Il dormait. Mais d'un sommeil fiévreux et agité qui lui rappela celui du petit abbé espagnol, dans la prison de la Force, le sommeil d'un homme qui a peur et que cette peur taraude jusque dans ses rêves... Devant les yeux agrandis de Marianne, une main fine et blanche referma doucement le guichet.

— Alors? demanda Napoléon. C'est bien lui, cette fois?

Incapable de parler, elle fit signe que oui mais il lui fallut s'appuyer un instant à la muraille tant son émotion était forte, faite à la fois d'une joie sombre et d'une sorte d'horreur, de surprise aussi de voir enfin pris au piège le démon qui avait failli détruire à jamais sa vie. Quand elle l'eut un peu maîtrisée, elle releva les yeux, vit l'Empereur en face d'elle qui la regardait avec inquiétude et, plus loin, Vidocq, immobile contre le pilier central.

— Ainsi, dit-elle enfin, c'est pour lui... ce que j'ai vu en bas ?

— Oui. Je te le répète, je hais cet instrument que j'ai vu massacrer tant d'innocents et il me fait horreur, mais cet homme ne mérite pas de tomber, comme un soldat, sous les balles d'un peloton. Ce n'est pas à toi, ni même à Nicolas Mallerousse que j'offre cette tête, c'est aux ombres de mes hommes déchiquetés par ce boucher.

— Et c'est... pour quand ?

— C'est pour maintenant ! Voici le prêtre, d'ailleurs...

Un homme âgé, en soutane noire, émergeait, en effet, des ombres de l'escalier, un bréviaire à la main. Marianne secoua la tête :

— Il n'en voudra pas. Il n'est pas catholique.

— Je le sais, mais il n'était pas possible d'amener ici un pasteur. Qu'importe, d'ailleurs, à la minute où l'on meurt, la bouche qui parle de Dieu et prononce les paroles d'espoir en sa miséricorde, pourvu qu'elles soient prononcées...

Avec une légère inclination du buste, le prêtre se dirigea vers la porte close, précédé du geôlier qui s'empressait. Marianne saisit nerveusement le bras de Napoléon.

— Sire !... Ne restons pas ici ! Je...

— Tu ne veux pas voir cela ? Je n'en suis pas

étonné. Au surplus, il n'entrait pas dans mes intentions de te faire assister à un tel spectacle. Je voulais seulement que tu sois certaine que, cette fois, ma justice ne se trompe pas et que rien ne pourra l'arrêter. Redescendons!... à moins que tu ne désires lui dire adieu...

Elle fit signe que non, courut presque vers l'escalier. Non, elle ne voulait pas revoir Francis, elle ne voulait pas triompher de lui à l'instant où il allait mourir pour qu'au moins la dernière pensée de cet homme, qu'elle avait aimé et dont un instant elle avait porté le nom, ne fût pas, à sa vue, tournée vers la haine. Si le repentir était possible pour un homme tel que Francis Cranmere, il ne fallait pas qu'elle vînt en détourner le cours bienfaisant...

L'Empereur à sa suite, elle redescendit l'escalier, traversa le pont-dormant sans un regard à l'affreuse machine et se retrouva bientôt dans le désert blanc de la grande cour. La bourrasque qui la frappa en plein corps lui fit du bien. Elle lui offrit son visage brûlant. La neige recommençait à tomber. Quelques flocons se posèrent sur ses lèvres. Elle les aspira avec délices puis, se retournant, attendit que Napoléon, moins agile qu'elle, l'eût rejointe. Il reprit son bras et comme à l'aller, mais plus lentement, ils suivirent le chemin du pavillon de la Reine.

— Et les autres? demanda soudain Marianne. Les tenez-vous aussi?

— La vieille Fanchon et ses hommes? Sois sans crainte : ils sont sous clef et il y a contre eux suffisamment de charges pour les exécuter cent fois ou leur faire passer une éternité de galères sans évoquer cette affaire. Ils seront jugés régulièrement et punis. Pour celui-là, c'était impossible... Il en savait trop et l'Angleterre eût peut-être réussi à le faire encore évader. Le secret s'imposait.

Ils étaient revenus dans la salle déserte où Roustan tisonnait le feu. Napoléon poussa un soupir et ôta son chapeau où la neige fondait en gouttelettes.

— Parlons de toi, maintenant. Quand les routes seront devenues un peu meilleures, tu retourneras en Italie. Je dois faire droit aux réclamations de ton époux parce qu'elles sont justifiées. L'Empereur n'a pas le droit de refuser au prince Sant'Anna de retrouver son épouse...

— Je ne suis pas son épouse ! protesta Marianne avec fureur. Et vous le savez parfaitement, Sire ! Vous savez pourquoi je l'ai épousé ! L'enfant n'est plus... il n'y a donc plus de lien entre moi et... cette ombre !

— Tu es sa femme, même si ce n'est que de nom. Et je ne comprends pas, Marianne, que tu fuies ainsi devant ton devoir ! Toi que je croyais si vaillante ! Tu as accepté l'aide de ce malheureux... car il ne peut pas ne pas l'être dans les conditions de vie qu'il s'est faites... et maintenant que tu ne peux plus remplir ta part du contrat tu n'as même pas le courage de chercher avec lui une franche explication ? Tu me surprends...

— Dites que je vous déçois ! Mais je n'y peux rien, Sire, j'ai peur ! Oui, j'ai peur de cette maison, de ce qu'elle contient, de cet homme invisible et des maléfices qui rôdent autour de lui. Toutes les femmes de cette famille sont mortes de mort violente ! Moi, je veux vivre pour retrouver Jason !

— Il fut un temps où tu voulais vivre pour moi ! constata Napoléon avec un peu de mélancolie. Comme les choses changent ! Comme les femmes changent... Au fond, je crois que je t'aimais mieux car, en moi, tout n'est pas mort pour toi et si tu voulais...

Elle eut un geste de protestation :

— Non, Sire ! Pas cela ! Dans une seconde vous allez me proposer... la solution commode que m'a suggérée un jour Fortunée Hamelin. Elle satisferait sans doute le prince Sant'Anna, mais, moi, j'entends me conserver à celui que j'aime... quels qu'en puissent être les risques !

— Eh bien, n'en parlons plus ! soupira Napoléon d'un ton si sec que Marianne comprit qu'elle l'avait vexé.

Dans son orgueil masculin, il pensait peut-être qu'une heure d'amour avec lui suffirait à rendre moins cuisant le regret de Jason et la ramènerait, soumise désormais, dans le plan de vie qu'il avait dû tracer pour elle.

— Il faut que tu ailles là-bas, Marianne, ajouta-t-il au bout d'un court silence, l'honneur et la politique l'exigent. Tu dois rejoindre ton époux. Mais sois sans crainte, il ne t'arrivera rien.

— Qu'en savez-vous ? fit Marianne avec plus d'amertume que de politesse.

— J'y veillerai. Tu ne partiras pas seule ! Outre cet étrange bonhomme qui t'a pratiquement adoptée, tu auras une escorte... une escorte armée qui ne te quittera pas et devra rester à ta disposition.

Marianne ouvrit de grands yeux.

— Une escorte ? A moi ? Mais à quel titre ?

— Disons... à titre d'ambassadrice extraordinaire ! En fait, c'est à ma sœur Élisa que je t'envoie et non pas à Lucques mais à Florence. Il te sera facile d'y régler tes comptes avec ton mari sans courir le moindre danger car je te chargerai de messages pour la grande-duchesse de Toscane. J'entends que, même là-bas, ma protection s'étende sur toi et qu'on le sache.

— Ambassadrice ? Moi ? Mais je ne suis qu'une femme.

— J'ai souvent employé les femmes. Ma sœur Pauline en sait quelque chose ! Et je ne veux pas te livrer pieds et poings liés à celui que tu as... toi-même... choisi d'épouser !

L'allusion était claire. Elle sous-entendait que si Marianne avait eu plus de sagesse elle eût fait confiance à son amant d'alors pour assurer son existence sans aller se fourrer dans une aventure impossible... Jugeant qu'il valait mieux ne pas répondre, elle choisit de s'incliner et lui offrit une révérence protocolaire.

— J'obéirai, Sire ! Et je remercie Votre Majesté de prendre soin de moi.

Mentalement, elle calculait déjà qu'une fois à Florence il lui serait bien plus aisé qu'elle ne l'avait craint de gagner Venise. Elle ne savait pas bien encore comment elle réglerait son différend avec le prince Corrado, ni quelle forme d'arrangement il désirait lui offrir, mais une chose était certaine : elle ne vivrait plus jamais dans la grande *villa* blanche, belle et vénéneuse comme l'une de ces fleurs exotiques dont le parfum enchante mais dont le suc peut tuer...

Bien sûr, il y aurait l'escorte dont il faudrait se débarrasser...

La porte s'ouvrit soudain. Vidocq apparut. Il se contenta de s'incliner gravement sans un mot... L'Empereur tressaillit. Son regard tourna, accrocha celui de Marianne qui le soutint sans faiblir, bien qu'elle se sentît pâlir malgré elle.

— Justice est faite ! dit-il seulement.

Mais Marianne avait déjà compris que la tête de Francis Cranmere venait de tomber. Lentement, elle se laissa glisser à genoux sur les dalles que le feu réchauffait et, la tête baissée, les mains jointes, se mit à prier pour celui qui, désormais, n'aurait plus jamais le pouvoir de lui faire du mal... Afin de ne pas troubler sa prière, Napoléon s'éloigna et se perdit dans les ombres de la salle...

Le canon tonnait sur Paris. Debout derrière les fenêtres de sa chambre, en compagnie de Jolival et d'Adélaïde, Marianne l'écoutait, comptant les salves.

— Deux... trois... quatre...

Elle savait ce que cela signifiait : l'enfant impérial venait de naître ! Déjà, dans le milieu de la nuit, le bourdon de Notre-Dame et les cloches de toutes les églises de Paris avaient appelé les Français à la prière pour obtenir du ciel une heureuse délivrance et, dans la capitale, plus personne n'avait dormi. Marianne moins que toute autre encore, car cette nuit était la dernière qu'elle passait dans sa demeure.

Ses malles étaient prêtes, déjà chargées sur la grande berline de voyage et, tout à l'heure, quand arriverait l'escorte armée promise, elle prendrait la route d'Italie. Sur sa commode, les lettres impériales qu'elle devait remettre à la grande-duchesse de Toscane étalaient leurs rubans et leurs cachets rouges. Les meubles de sa chambre portaient déjà les housses de l'absence. Il n'y avait pas de fleurs dans les vases. Mais il y avait longtemps déjà que l'âme de Marianne avait déserté cette maison.

Aussi nerveux qu'elle, Jolival comptait à haute voix :

— Dix-sept, dix-huit, dix-neuf... Si c'est une fille, on dit qu'elle portera le titre de princesse de Venise.

Venise ! Il n'y avait plus que trois mois avant que le navire de Jason vînt jeter l'ancre dans sa lagune ! Et ce nom, fragile et diapré comme les verreries scintillantes de ses artisans, se parait de toutes les couleurs de l'espoir et de l'amour.

— Vingt... compta Jolival... vingt et un !...

Il y eut un silence, très court mais si intense qu'on eût dit que l'Empire tout entier retenait son souffle. Puis, les voix de bronze reprirent leur clameur triomphante :

— Vingt-deux ! vingt-trois... rugit Jolival ! Il va y en avoir cent un ! C'est un garçon !... Vive l'Empereur ! Vive le Roi de Rome !...

Comme par magie, son cri eut un écho immense. On entendit s'ouvrir les fenêtres, claquer les portes, hurler les gorges de tous les Parisiens qui se précipitaient dans les rues. Marianne, seule, n'avait pas bougé et fermait les yeux. Ainsi Napoléon avait enfin le fils qu'il désirait tellement ! La rose génisse autrichienne avait accompli son travail de génitrice ! Comme il devait être heureux ! Et fier !... Elle l'imaginait, éveillant les échos du palais sous les éclats métalliques de sa voix, sous le claquement nerveux de ses talons... L'enfant était né et c'était un garçon !... Le Roi de Rome !... un bien beau nom qui résumait l'empire du monde ! Un nom bien lourd aussi pour de si fragiles épaules.

— Allons, Marianne ! Il faut boire à cette heureuse naissance !

Arcadius avait fait sauter le bouchon d'une bouteille de champagne, emplissait les verres, en offrait un à chacune des deux femmes ! Son regard joyeux alla de l'une à l'autre tandis qu'il levait la flûte de cristal translucide où pétillait le vin d'or pâle.

— Au Roi de Rome !... Et à vous, Marianne ! Au jour où nous boirons à votre fils ! Il ne sera pas roi, celui-là, mais il sera beau... fort et brave comme son père !

— Vous le croyez vraiment ? demanda Marianne dont les yeux se mouillaient à la seule évocation d'un si grand bonheur.

— Je fais mieux que le croire, dit Arcadius gravement : j'en suis sûr !

Et, vidant son verre, il l'envoya, à la manière russe, se briser contre le marbre de la cheminée en concluant :

— ... aussi sûr que d'avoir à jamais détruit ce verre.

L'une après l'autre, les deux femmes l'imitèrent, amusées par cette coutume bizarre, puis Marianne ordonna :

— Réunissez les domestiques, Arcadius, et faites-leur, à eux aussi, servir du champagne ! C'est dans la joie que je veux leur dire adieu parce que je ne les reverrai qu'heureuse ou pas du tout... Je vais m'habiller !

Et elle alla se préparer pour le long voyage qui allait commencer. Au-dehors, par-dessus les cris de joie et les vivats des Parisiens, le canon tonnait toujours... On était le 20 mars 1811.

TABLE DES MATIÈRES

LE COURRIER DU TZAR

LE PIÈGE D'UNE NUIT D'ÉTÉ

LES FORÇATS

DU MÊME AUTEUR
CHEZ POCKET

La Florentine

1. FIORA ET LE MAGNIFIQUE
2. FIORA ET LE TÉMÉRAIRE
3. FIORA ET LE PAPE
4. FIORA ET LE ROI DE FRANCE

Les dames du Méditerannée-Express

1. LA JEUNE MARIÉE
2. LA FIÈRE AMÉRICAINE
3. LA PRINCESSE MANDCHOUE

DANS LE LIT DES ROIS
DANS LE LIT DES REINES

LE ROMAN DES CHÂTEAUX DE FRANCE (t. 1 et t. 2)

UN AUSSI LONG CHEMIN

DE DEUX ROSES L'UNE

Dans les confidences de l'Histoire

Secret d'État

Sylvie de Valaines, fille d'honneur d'Anne d'Autriche, est au cœur des intrigues politiques qui agitent le siècle. Dépositaire du secret qui entoure la naissance de Louis XIV, ennemie de Richelieu qui la poursuit sans relâche, elle trouvera, de la cour à l'exil, de trahisons en complots, un fidèle protecteur. C'est François de Vendôme, chef de file de la Fronde, croisé au cœur vaillant, et père naturel d'un futur grand roi....

1. La chambre de la reine
2. Le roi des Halles
3. Le prisonnier masqué

Il y a toujours un Pocket à découvrir

Dans les confidences de l'Histoire

Les loups de Lauzargues

En 1827, Hortense Granier de Berny, jeune et riche héritière, quitte Paris pour l'Auvergne, où vit son oncle, le sévère marquis de Lauzargues. Au cœur de cette contrée sauvage et inhospitalière, Jean, le meneur de loups, fait irruption sur son chemin et dans son cœur. Farouche comme lui, Hortense sait que ni sa condition, ni son rang, ni aucune adversité ne l'empêcheront de conquérir sa liberté et son bonheur.

1. Jean de la nuit
2. Hortense au point du jour
3. Félicia au soleil couchant

Il y a toujours un Pocket à découvrir

Cet ouvrage a été composé par EURONUMÉRIQUE

Imprimé en France sur Presse Offset par

BRODARD & TAUPIN

GROUPE CPI

8157 – La Flèche (Sarthe), le 21-06-2001
Dépôt légal : avril 2001

POCKET – 12, avenue d'Italie - 75627 Paris cedex 13
Tél. : 01.44.16.05.00